CI　　　CIRCLE

戦後文化史

# 「宮崎映画サークル」の全貌

## 一九五〇年代のドキュメント

矢野勝敏 編著

MIYAZAKI

鉱脈社

# 貴重な〈戦後文化史〉
## ―『「宮崎映画サークル」の全貌』発刊に寄せて―

南　邦和

矢野勝敏さんのことを、私はいまでも「矢野団長」と呼ぶことがある。もう十年以前になるが、矢野さんの呼びかけで始まった〈南邦和さんと行く韓国紀行〉という、いわばカンムリ付きの〝韓国ツアー〟を計画したことがある。毎回三十名ほどの旅行団の引率者が矢野団長であった。

「百済の旅」「新羅の旅」「韓国近現代史の旅」と、韓国の古代から近現代への歴史を尋ねての充実した企画で、地元の有識者（学者、文学者、ジャーナリストなど）を加えての〈現地講座〉を折り込んでの〝学習行〟は、矢野さんの包容力のあるお人柄とそのリーダーシップで五年間継続し、毎回参加者による詩文集としてまとめられている。以来、矢野勝敏さんとは、人生の身近な先輩として、あるいは、気のおけない〝酒友〟仲間としての親しい間柄であり、そういったご縁から本書の解題をお引き受けしたことを、まず記しておく。

そのプロフィールでも知られるように、矢野勝敏さんご自身を含めてこの世代の方々は、昭和―平成―令和の時代を生きてきた文字どおりの「語り部」の世代と言ってもいい。特に「激動の昭和」と呼ばれる〈戦前〉〈戦中〉〈戦後〉のまさしく〝動乱の時代〟に、幼少年期から思春期、そして青年期の起伏のある歳月をくぐり抜けてきた〈戦中派〉世代の精神史は単純なものではない。

矢野勝敏さんの場合――生年（昭5）の翌年に勃発した満州事変（昭和6）から五・一五事件（昭7）、二・二六事件（昭和11）、支那事変（昭12）、日独伊三国同盟（昭和15）、そして大東亜戦争（昭16）と続く「十五年戦争」のその時代が、揺籃期から少年期への、まさに〝純粋培養〟そのものの軍国主義教育に晒されたど真ん中の世代であった。必然的に矢野少年は、エリート軍人の登龍門であった陸軍幼年学校への道を進んでゆく（数年遅れの〝軍国少年〟の私にも軍人志望の明確な自覚があった）。

しかし、一九四五年（昭和20）の日本敗戦によって、矢野少年の将校への夢は敗れる。軍人への道は閉ざされ、同時に、忠誠を尽くすべき「大日本帝国」という国家への幻想も砕け散る。幼年学校から旧制中学への復学、物資欠乏、食料不足の〈戦後〉の混沌とした時代相の中での旧制五高（第五高等学校＝現熊本大学）への進学と退学、そして上京しての東京大学受験と、「学制改革」の波にのみ込まれながらの矢野さんの変転の境遇は、日本の戦後社会がかかえていた軍国主義から民主主義への手さぐりの試行錯誤と模索そのものにも重なっている。

やがて帰郷して、宮崎県立図書館職員となった矢野青年（21歳）をとらえたのが〈映画サークル〉という地域でのサークル活動であった。本書は、戦後日本の映画事情とともに、一地方都市（当時、人口十二、三万の県庁所在地）の都市像、市民生活、文化事情をないまぜにした、矢野勝敏の「青春物語」として読むことができる。私が注目したのは、一九五二年（昭27）発足の〈宮崎芸術協会〉の存在である。その十年後に発足している〈宮崎芸術創作家協会〉の先駆けとしての文化団体の誕生が、〈宮崎映画サークル〉と並列に語られている時代背景は興味深いものがある。

この時代、「映画」は単なる娯楽の対象である以上に、窮乏生活の中での〝癒し〟であり、また明日への〝希望〟でもあった。極論すれば、日常の〝糧〟としての役割を果たしているのが「映画」であった。一方で「スリーS」（スクリーン、スポーツ、セックス）と名指しされ、享楽のマイナスイメージでもとらえられている。私自身、この時代の映画は映画館に足を運んでほとんど観ている（封切りではなく〈名画座〉や場末の三流館での三本立、オールナイトなどで）いっぱしの〝映画青年〟でもあった。

すでに半世紀を越える歳月を経て〝回顧録〟として執筆されている矢野レポートでは、一九五一年（昭26）八月一日発行の映画サークル機関紙「宮崎映画サークル」（のちに「シネ・フレンド」と改題）創刊号から五〇号までのバックナンバーを辿りながら、映画サークル誕生の時代背景や社会情勢、会員動向、映画興行の実態、さらに

「映画政策」をめぐっての地元政治家（国政、市政）たちへのアンケートなど、多角的視野からの紙面づくりと尽きせぬ映画談義が、掘り起こされた「タイムカプセル」のように充填されており、歴史的な証拠価値さえ感じさせてくれる。

私にとって、個人的に興味をひく事例や登場人物も多い。このガリ版刷りB5版4ページのサークル機関紙に、当時すでに映画評論の分野で知名度のあった詩人山中卓郎（一九一三－五六）の寄稿があり、編集委員にのちに知己を得る本條敦巳の名がある。また親しく交友のあった東和哉（日向日日新聞文化部記者）の活躍も知ることができた。〈宮崎映画サークル〉が千五百人近くの会員を擁していたことも驚きだが、市民運動としてのサークルがサークルの歌（上野祐久作詞）を持っていたことにも注目させられた。

矢野勝敏さんは、一九五三年（昭28）四月、大学進学で上京する。矢野さんの〈宮崎映画サークル〉会員としての活動は、わずか三年に過ぎない。だが、いかにも濃密な活動の実績であり、「映画」そのものへの滾るようなその情熱である。本書は、宮崎の風俗、民度にも目を注いだ〈戦後文化史〉としての価値を持つ貴重な仕事と言えるだろう。

最後に、〈宮崎映画サークル〉と〈前進座〉の関わりについての一項があるが、昭和二十五年十月公演の「ロミオとジュリエット」の舞台を私はこの眼で観ている。矢野勝敏さんと同時代を生きてきた、一つの証左となるだろう。

南　邦和（みなみ・くにかず）

一九三三年、朝鮮半島江原道生まれ。詩人。日本現代詩人会会員、日本ペンクラブ名誉会員。詩集に『原郷』（詩画工房）、『ゲルニカ』（詩画工房）、『神話』（土曜美術出版販売）、ルポ・エッセイに『百済王はどこから来たか』（鉱脈社）、『《新しき村》１００年　実篤の見果てぬ夢　その軌跡と行方』（鉱脈社）、『故郷と原郷』（本多企画）など著書多数。宮崎県文化賞受賞。

【矢野追記】

# 図書館員の魂

飯澤　文夫

矢野勝敏さんに初めてお目にかかったのは、今から半世紀余も前、一九六九年四月のことです。この年、故郷信州を出て中央大学に入学し、同時に縁あって、目と鼻の先にある明治大学図書館でアルバイトを始めました。図書館は夜九時まで開館していましたので勤務は二部体制を敷いており、私の勤務時間は午後三時半からでした。この時矢野さんは四十歳目前、バリバリの図書館員でした。管理職の補佐的立場でアルバイトの労務管理もされていました。しかし、身分や勤務時間帯が異なることもあり、親しく言葉を交わすことはありませんでした。

一九七二年春、四年生になった私は幸運にも明治大学の事務職員に採用され、そのまま図書館に配属されました。矢野さんは一九九一年の退職ですから、二十年間同じ釜の飯を食ったことになります。学生時代に図書館でアルバイトをし、学生と正規職員の二足の草鞋を履き、図書館一筋で過ごし（私は最後の数年だけ学内他部署に異動しました）、六十歳で早期退職する。そこだけをみれば全く同じ道を歩んだことになります。

私が正規職員になった頃、矢野さんは労働組合の執行委員として、また、事務職員を代表して大学の経営改革委員会に参加、さらに、図書館改革のための勉強会を立ち上げるなど、明治大学全体のことに目を向けて熱心に取り組んでいました。時はまさに七〇年安保の余波と大学紛争による激動期で、世の中も大学も騒然としており、互いに好きな酒を酌み交わしながらよく議論を戦わせました。先輩たちの行動は生ぬるいと、ノンセクトラジカルを標榜していた私が批判しますと、危なっかしく思われたのでしょう、組織論、方法論を持ち、敵を明確に見極めて行動すべきだと、釘を刺すように厳しく指摘されたことを、今も印象深く覚えています。

組織論、方法論をしっかりもって行動するという考え方は、一九五〇年代のサークル活動で培われたものではないでしょうか。戦後、折角獲得した民主主義が、朝鮮戦争を契機に逆コースに流されていく切迫した危機感から、社会・文化運動の一つとしてサークル活動が生まれ、その核にあったのが、綴り方、ルポルタージュ、ドキュメンタリー、リアリズム写真、そしてサークル誌などに記録するという行為でした。

在職中、矢野さんから「宮崎映画サークル」はもとより、映画についてすらも聞いた記憶がありません。故郷に帰られてから、当時のサークル誌のことを今発表することは意味があるか問われ、その一端を読ませていただいて胸を衝かれました。私にはサークル活動のことも、映画についても分かりませんが、社会を逆戻りさせないという青年たちの意気が沸き上がっていると感じたからです。

兼ねがね私は、図書館は人類の記憶装置であり、図書館員はその語り部であらねばならないと考えています。昨年、矢野さんから依頼されて、一九五〇年代に全国津々浦々にあったはずの映画サークルの記録を調べましたが、殆ど見つけ出すことができませんでした。そのことが、自分が経験してきたこと、知り得たことを記録に残し、次世代に語り継がねばと、矢野さんの図書館員としての魂を燃え上がらせたのではないでしょうか。それは単なるノスタルジアではなく、強い意志であると受け止めなければなりません。

近年の政治・社会情勢は逆コースの時代よりもさらに危険な水域に達しているといっても過言ではないでしょう。それに加えて、新型コロナウイルス問題が思考放棄状況まで生み出してしまっています。このような時代であればこそ、この記録には大きな意義があります。それと共に、青春時代に映画にのめり込み、今もそれを大切にする矢野さんのロマンチシズムを微笑ましくも感じています。

飯澤　文夫（いいざわ・ふみお）

一九四九年、長野県辰野町生まれ。元明治大学図書館員、明治大学史資料センター研究調査員、帝京大学非常勤講師（図書館課程）。『地方史情報』『地方史文献年鑑』（岩田書院）、『飯澤文夫書誌選集』（金沢文圃閣）、『郷土ゆかりの人々 ― 地方史誌にとりあげられた人物文献目録』（日外アソシエーツ）など編著書・監修書多数。図書館サポートフォーラム賞受賞。

【矢野追記】

## [目次]

# 第三部 「宮崎映画サークル」「シネ・フレンド」
## ——「宮崎映画サークル」の機関紙

### 映画サークル

## シネ・フレンド

# 第一部　「宮崎映画サークル」について

この第一部は、宮崎市革新懇機関紙「ハイマート」に、二〇一五年八月号から一八年七月号まで、三年三十六回にわたり連載したものである。今回、単行本の一部として上梓するにあたり、若干の加除考定を行った。なお、「ハイマート」に掲載された、日高脩さんの「愛読者であった者からの想い」、私の「連載を終えて」を添付した。

## ⑴ はじめに

かつて文化果てる地と言われた宮崎市（当時人口一二、三万）に、戦後五、六年経った一九五〇年代に、最大一五〇〇名以上の会員を組織して、約三年間にわたりサークル活動をした「宮崎映画サークル」という民主的文化団体が存在していたことをご存知だろうか。

当時は、いわゆる大衆文化と名のつくようなものは映画しかなく、一般商業映画から独立プロの革新的映画まで幅広く市民の文化的欲求を満たしていた。

また当時は、現今のような革新懇、平和委員会、九条の会、原水協、新婦人、生協組合など、多方面、多様な革新的民主団体は殆どなく、従って、意欲的な活動家は必然的に映画サークルに集中していった。

私は当時二一歳、宮崎県立図書館に勤務していて、映画サークル創設からの会員で、サークルの運営にも携わっていた。

映画サークルには、運営委員会、機関紙編集委員会があり、随時集まって内外の映画の話に夢中になっていた。特に、編集委員会での相互の映画評論は今まで経験したことの無いいい勉強になった。

それより五、六年前の敗戦直後、旧制中学三年生の時、まだ軍国少年を脱しきれていなかった私の一九四六年一月二二日の日記との落差は我ながら驚く。

「進駐軍来校し、映画観覧自由、女子との交際自由等に関する指示あり、学校当局の説明では、要は映画観覧は悪きに非ず、女子交際も同様、学生の本分たる学習努力を忘れるなと。映画は娯楽の一つなり、熱中すること勿れ、女子との交際は未だ適せず。世局の変遷に惑わされること勿れ。」

これは3S政策に反発していた為である。3S政策とは、スクリーン（映画）、スポーツ、セックスを利用した、政治的関心を持たせないようにする、いわゆる愚民政策で、今から考えると全くナンセンスである。

〈映画は娯楽、熱中するな〉が、〈映画は文化、夢中の対象〉、この変遷、ああ、うべなるかな。

私が保管しているサークルの機関紙「宮崎映画サークル」（二九号から「シネ・フレンド」に紙名変更）の創刊号（一九五一・八・一）から五〇号（五四・六・一二）までを参照しながら、また私との関わりを含めて、約三年間の活動の概要を紹介したい。

今まで埋もれていた、この貴重な活動の概要を抜かりなく紹介するのは、私には困難な仕事に思われるが、伝えねばならないという使命感を帯して努力して書いていきたい。

（二〇一五・七・二九　記）

## ⑵ 映画サークルの創設

一九五一年八月一日発行の機関紙「宮崎映画サークル」創刊号（ガリ版刷りB５版４ページ）が手元にある。

一面トップに「これまでの経過」として、「昨年映画サークル協議会が一部映画愛好者によって作られたが幅広い人達を結集することができず組織もサークル活動も不活発のまま自然消滅となっていました。今回は鹿児島市等の例にならい新しい組織として広く各職場・学生・個人を結集して健康で明るく本当に私達の観たり話したり進んでは制作に協力したりするために動いています。」と書かれており、発足二〇日間で会員三〇〇名を突破したと補記されている。また、お隣の鹿児島では一年で二七〇〇名を突破したとの記事も見られる。

会長・武井正嗣氏の「新たな出発に際して」と題した論考は、宮崎の映画界をより良くしていくために輿論を喚起していきたい、と抱負を述べられている。

サークルの実際の生みの親は、事務局長・安達清則氏であるが、創刊号の紙面には名前が顕れていない。

毎号「市内各館スケジュール」として当月の上映作品が各館毎に記載されていて観覧の便を図っている。それで見るとサークル創設時の市内映画館は、帝国劇場、大成座、宮崎劇場、若草劇場、映画センター、江平劇場、日劇の７館を数える。

また、毎号原則として、先月上映された主な作品の映画批評と今月上映される主要な映画の推薦・案内が記載されている。

創刊号で特筆すべきは、今井監督の「どっこい生きている」の紹介記事である。制作の苦心談を詳細に紹介し、劇団前進座と独立プロ新星映画社の共同作品で新星映画の第１回作品、従来の商業映画との違いを力説して最高の評価を与えている。主役の一人、秋山婆さんに扮する飯田蝶子の言葉が面白い。「芸術にイデオロギーの違いなんてありません。あたしは前進座が好き、今井さんが好き、それにこの役はあたし以外の人はやれません。」

この小文を書いている頃、八月一四日の日刊赤旗「文化の話題」欄に、「映画『薩チャン正ちゃん〜戦後民主的独立プロ奮闘記』」の紹介記事が掲載された。戦後の日本映画界に、反戦平和、ヒューマニズムの精神あふれる名作を送り出した巨匠たち、山本薩夫、今井正両監督ほか、一九五〇年代のレッドパージに抗して、〝どっこい生きている〟と作品を生み出した映画人の活躍を伝えている。

（二〇一五・八・一六　記）

## ⑶　独立プロと宮崎映画サークル

前号⑵文末で触れた一九五〇年代の独立プロの活躍と、それに呼応した宮崎映画サークルの取り組みについて書いてみたい。

実は、この連載を始めた頃、ジャストタイミングで、日刊赤旗紙上に五〇年代の独立プロの活躍に関する記事が幾つか断続して掲載された。余りの偶然さに我ながら驚いた。

その記事を順次紹介すると、

＊七月二四日　金曜名作館　大林宣彦「山本薩夫監督映画『戦争と人間』明日を示しながら問うこの国の過去」（「文化の話題」欄）

＊八月一四日　映画「薩チャン正ちゃん～戦後民主的プロ奮闘記」　監督たちのものの見方が私に貫かれた生き方素晴らしい　俳優江原真二郎、中原ひとみ夫妻に聞く（「文化の話題」欄）＝前号で既報

＊八月二五日『潮流』　山本・今井監督の奮闘、「ひめゆりの塔」、「どっこい生きている」の解説。「先人たちの努力に学びたい」と。

＊八月二八日　高畑勲「『薩チャン正ちゃんー戦後民主的独立プロ奮闘記』の公開によせて　考えさせられ学んだいまも必見の名作たち」（「文化の話題」欄）

＊九月一日『朝の風』〝薩チャン正ちゃん〟の志（響）

既にお読みになった方もおられると思うが、赤旗読者の皆さんに是非これらを読んでもらいたい。読まれると、一九五〇年代から六〇年代にかけて日本映画の最盛期を築いた独立プロの活躍を認識されるであろう。

映画「薩チャン正ちゃん」が宮崎で上映されたらぜひ観たいものである。

映画サークルでは五一年九月二五日の機関紙4号に「どっこい本決まり」として、上映決定を報じ、今井正・五所平之助両監督の対談「映画への愛情」の抄録を掲載している。

会員の間で「自転車泥棒」と共に上映希望の高かった待望の映画が一〇月二〇日から二四日まで映画センターで上映される。興業者の湯浅支配人は、多くの人に観てもらうために料金を安くするので会員の動員をお願いすると要請。因みに料金は、当日五〇円、一般前売四〇円、サークル会員三〇円である。このことは、サークルと映画館との協力を示すものとして興味深い。なお、八月二八日現在、会員数五八七名と報じている。

コラム欄「メガホン」が第2号から出現、毎日新聞宮崎版に「宮崎文化サークル発足」という記事が出たが、私達の映画サークルの誤りと正し、存在が認知されたことを報じている。

また、サークルの事務所が安達事務局長のカメラ店に移転したことも報じている。

（二〇一五・九・二〇　記）

## (4) 最初のサークル活動・論説など

サークル活動の紹介として最初に紙面に顕れるのは、私が所属していた図書館サークルで、安達事務局長（戦中〝満映〟の助監督）を講師として講座を開いたことをサークル責任者・東和哉さんが報告している。

講座は、特にカメラワークを中心とした映画の作られる過程、カットとカットのつなぎ方、カメラアングル、効果的なクローズアップなど技術的なことを含め、総合芸術としての映画全般についても話し合われた。私は今まであまり知らなかった技術的なことを教わり、シナリオを読む時に大いに参考になったのを思い出す。

最初に掲載された論説は、山中卓郎氏（日向日日報道部長・映画評論家）の「映画興行の盲点」と題したもので、時代劇や西部劇の愚作映画の優先上映で優れた芸術作品が犠牲にされていること、興行者が戦後映画ファンの質が向上し、ファンの組織が拡大していることを見逃していると論評している。

当時宮崎では山中卓郎氏は有名人で、誕生まもない映画サークル機関紙に、本格的な長文の論説を寄稿されているのは特筆ものである。山中氏の視野に「宮崎映画サークル」の存在があったことが文中から伺える。

会長の武井正嗣氏も「日本映画について――所謂、素人・玄人という事――」と題する論説を寄稿している。要点は、旧態依然の所謂玄人が、斬新な開明的な映画人を素人として貶しているのが日本映画の進歩を妨げていると論評している。

宮崎映画サークル創設時、一九五一年夏季に宮崎市で上映された中で、推薦・批評対象の主なものは、「どっこい生きている」「栄光えの序曲」「呪われた抱擁」「憂愁夫人」「カルメン故郷に帰る」「袴だれ保輔」「オルフェ」「白い国境線」「山びこ学校」「少年期」「先駆者の道」「青い真珠」「わが一高時代の犯罪」「パルムの僧院」「ママは大学一年生」「隊長ブーリバ」「わが父わが子」「日本海軍の終末」「奴隷の街」「愛妻物語」などなど。

丁度この頃、一九五一年九月四―八日に対日講和会議がサンフランシスコで開催され、平和条約、日米安全保障条約が調印され、日米行政協定（講和発効まで未発表）が締結された。今から考えると、日本の将来を左右する超重要な外交政策決定であったのだが、映画サークル機関紙には片鱗も顕れていない。今日、日米安保条約破棄を目指している私であるが、残念ながら、この頃はことの重要性を何ら考慮していなかったようである。

あれから六〇余年、「国民連合政府」が叫ばれている時代、まさに感無量。

（二〇一五・一〇・三〇　記）

## (5) 〃どっこい〃の動き

映画サークルが「どっこい生きている」上映に力を入れてきたことは前に書いたが、上映後の観客の反応も「どっこいの動き」と題して一面で特集している。

この映画を一番真剣に観たのは、失業対策で働いている人たちで、職業安定所に交渉して日曜の朝八時から団体観賞を勝ち取った。

或る先生は、是非生徒に観せたくて、雨の降る電休日に二里も離れた中学校から二〇〇人の生徒をつれて団体観賞に来られた。しかし、五時までは停電で映写できないとのこと、何としても観せたいと館と九電に交渉して上映にこぎつけた。先生は「最初私が観て、こんな映画はめったに観れないし、このような社会の面も生徒に是非みせておきたいと思って連れてきた」と言っている。

また、建設省の本庄出張所では、「俺達働く仲間の出てくる映画を是非観よう」との声が強く、遂に建設省のトラックで四〇名が団体観賞、「本庄からどっこいトラックを走らせた」と話題になった。

宮大映研のきすみ・よこやま氏の『どっこい生きている』を観て」の投稿文もある。その要約。この映画を観て率直な感想は、創られた事情、条件を考える時、所謂批評家の映画のできふできの批評は馬鹿げている、先ずは全ての日本人が観るべきであろう、ということ。職にあぶれて真昼の街並みをさまよう人々、不合理にもニコヨンの生活に追いやられて世の悪意ある蔑視に堪えながら生き抜く人々、生きる為にぎりぎりの所まで追いつめられた人々、これらの群像の底抜けの明るさは、素晴らしいリアリズムに裏打ちされて希望をもたらす。また、その闘う姿は美しく、ある詩情さへ感じられる。

ここに出てくる〈ニコヨン〉とは、東京都が一九四九年に定めた日雇労働者の定額日給で二四〇円（時給ではない）。日雇労務者のことをニコヨンと別称、あるいは蔑称するむきもあった。私たち世代には懐かしい言葉だが、今は死語とか。話は少しずれたが、とにかく、「どっこい」上映後の観客の動きを詳細に報じている。

前にも触れたように、この映画は独立プロ作品の第1作、レッドパージでフリーになった今井監督が、失業者が一家離散を乗り越え、歩みだす姿に自分たちの志を重ねて、俺達は〈どっこい生きている〉ぞ、と雄叫びを上げた、映画史上画期的な作品である。

創設後日も浅い宮崎映画サークルが全力で取り組むに格好の映画で、観客動員にも成功し、サークルの基盤も確立して、一カ月後には「会員一五〇〇名突破記念集会」を開催するまでに発展した。

（二〇一五・一一・二三　記）

## (6) サークル・会員・組織の問題

前号で、「サークルは一カ月後には『会員一五〇〇名突破記念集会』を開催するまでに発展した。」と書いたが、記念集会の予告は、〝囲み〟で掲載されているものの、開催された「集会」の模様は採録されていない。予告は、「映画サークルのつどい　一一月二五日　午後六－九時　図書館ホール合唱（トロイカ他）バレエ（増田純）なんでしょう（題名当てMGと合同出演）」となっている。私の職場の図書館ホールで行われたのだから私も参加したはずだが六十数年前の記憶はさすがに定かではない。

武井正嗣会長の論考「サークルを大きく強く」の文頭で、『サークルの集い』の楽しい一夜を忘れることが出来ません。」と述べられているので盛会だったのだろう。続けて、一九五一年はサークルの成長の年でもあり、宮崎の映画興行界にとっても進歩と発展の年であったと回顧されている。

また、田中宏智副会長は、「映画とサークルについて」の標題で、この夏宮崎に生まれた映画サークルも会員一六〇〇名を擁するに至ったが、一部趣味者の単なる映画研究会といったものにするのではなく、現実的な問題である〈良い映画を安く楽しく観る〉ことのできる職場組織から活動を始めよう、と述べられている。

「職場から　作報・ワタナベ」の報告もある。映画サークルの誕生を喜びながら、一〇円二〇円割引ということだけで入会した人が大部分であっただろうが、毎月二回のサークルニュース、上映映画の推薦・評論などを見て、映画に対する知識も増え楽しく鑑賞できるようになった人もいるのではないだろうか。当職場では、三、四人の映画通を中心に、会員に積極的に働きかけようと考えている。

映画サークル活動で重要なのは、映画合評会である。同じ作品を観て、各々意見を出し合い討論して、課題を共有し認識を深めていく。そうすることで仲間意識も芽生え、サークルの輪（和）が広がっていく。その点で、電話局サークル（高井肇）の「第1回映画評論会を開いて」は貴重な記録である。発足当時三二名の会員が五六名になったのは、高井さんの地道な努力の結果だと評価したい。

「どっこい」上映による組織拡大やサークル・会員・組織の問題に触れてきたが、この間の宮崎市で上映された主な作品を列挙すると、「麦秋」「自転車泥棒」「鉄格子の彼方」

「シンデレラ姫」「ダースなら安くなる」「母なれば女なれば」「源氏物語」「ヨーロッパの何処かで」「レベッカ」「黒水仙」「舞踏会の手帳」「風雪二十年」「折れた矢」「黄色いリボン」「箱根風雲録」「わかれ雲」などなど。

（二〇一五・一二・二二　記）

## (7) 一九五二年、新年を迎えて

サークル発足二年目を迎えて、活動が活発化している。例えば、サークル会員への観覧料の割引拡大、各サークルの合評会の開催、中でも地方サークルの誕生への援助は特筆ものである。「ぞくぞく生まれる地方サークル」と一面トップで報じ、高岡、高鍋、清武、紙屋、各サークルの誕生を紹介している。

キネマ旬報の一九五一年ベストテンに倣って宮崎映画サークルもベストテンを発表している。その詳細を転記する。

キネマ旬報のベストテン

日本映画　①麦秋　②めし　③偽れる盛装　④カルメン故郷に帰る　⑤どっこい生きている　⑥風雪二十年　⑦源氏物語　⑧あゝ青春⑨命美わし⑩愛妻物語

外国映画　①イブの総て　②サンセット大通り　③わが谷は緑なりき　④オルフェ　⑤邪魔者は殺せ　⑥悪魔の美しさ　⑦バンビ　⑧雲の中の散歩　⑨チャンピオン　⑩黒水仙

次点白昼の決闘、港のマリー

宮崎映画サークルのベストテン

編集委員八名が一位に10点、以下減点して一〇位に1点を投票し、80点満点の選考をした。（私も編集委員として参加し、喧々諤々の論争をしたかすかな思い出がある）

日本映画　①麦秋71　②どっこい生きている61　③愛妻物語58　④善魔28　⑤カルメン故郷に帰る22　⑥命美わし19　⑦偽れる盛装18　⑧わが一高時代の犯罪17　⑨あゝ青春10　⑩青い真珠9　次点少年期8

外国映画　①自転車泥棒80　②イブの総て49　③無防備都市38　④鉄格子の彼方30　⑤わが父わが子26　⑥オルフェ23　⑥駅馬車23　⑦レベッカ　⑧罠　⑨先駆者の道　⑩密告10（七位から九位まで票数記載なし）

以上は対比の形ではなく別々に記録されていて、キネ旬と宮映サの評価対象映画が上映期日の違いもあって必ずしも一致していない。特に外国映画の場合は違いが大きく、宮映サで満点を得ている「自転車泥棒」はキネ旬では見あたらない。「イブの総て」は共に評価が高い。日本映画では、「麦秋」が共に一位を得て評価が一致しているが「どっこい生きている」は評価が分かれている。

六十数年前の映画の題名を長々と並べたのは、当時の宮崎映画サークル会員の嗜好を幾分でも知ってもらうためである。

また、当時の宮崎の文化エリートを知る上で得難い情報が記録されているので転記する。これは五二年一月二一日に発足し、集会で決定された宮崎芸術協会の役員の名前である。

会長：高橋学長　副会長：黒木芳郎　常任理事　演劇：武井正嗣　文学：神戸雄一　舞踏：沖村貞誠　音楽：園山民平　美術：川越篤。思い出される方もおられるであろう。

常任理事で演劇の武井正嗣氏は当宮崎映画サークルの会長である。

（二〇一六・一・二四　記）

## ⑻ サークル活動視点を広域に

前号で地方サークルの誕生について触れたが、地方の声として、「芽ばえ―本城村からの便り」が紹介されている。南那珂郡本城村崎田の末秀哉さんからで、その概略を記す。

宮崎映画サークルのニュースを楽しく読んでおり羨ましく思う。当村には常設館がなく、三、四日に一回移動映画が公民館で上映されているが、映写技術が悪くトーキーも聴きずらい。隣の福島町には映画館があるが、時間的、経済的に厳しいので、宮崎映画サークルの映画解説や評論などを読んで厳選して時たま観に行く。十カ月振りに公務で宮崎に行き、二晩続けて映画を観た。「わかれ雲」に感動し、もう一度観たいと思った。昨年の暮れに村の公民館で「どっこい生きている」、「レミゼラブル」を観て、みんなで批評するために映画サークルを作ろうという声があちこちで起こっている。

県内の身近な映画ファンやサークルの動きと共に、県外の広域の映画サークルの動きも記録されている。

「全九州映さ協準（ママ）会開かる」として、「今迄九州各地に散在していた映画サークル・同好会の経験、資料、スチール、内外ニュース等を交換したり、民主映画の上映促進を効果的に進めるため、去る八日（一九五二年三月：筆者註）、福岡に於て全九州映画サークル連絡協議会が開かれ、当サークルから安達常任が出席した。くわしくは次号で。尚、この会への正式加入は近く開かれる委員会で決定される。」

「くわしくは次号で。」と記載されているが関連記事は見当たらない。しかし、4号後に「大分にも映画サークル生る」として、全九州映さ協議会との関連が記載されている。

「（前略）福岡で開かれた全九州映画サークル連絡協議会に出席して、各地の活発なサークル活動に接し、本格的に大衆的な映画サークル結成に乗り出し、宮崎と同様、主な職場に殆どサークルを作り、一カ月にして大量一五〇〇の会員を結集するに至った。（中略）これで鹿児島（会員三二〇〇）宮崎（一七〇〇）大分（一五〇〇）と九州でも千名を突破する映画サークルが南九州に確立され、今後相互の協力と三者合同の種々な企画が期待され、当サークルでも具体案を検討中である。」

以上のように、宮崎映画サークルも外部広域にも視野を広げていった。

五二年当初の宮崎市で上映された主な作品を列挙すると、「サンセット大通り」「アニーよ銃をとれ」「シーラ山の狼」「河内山宗俊」「バグダットの盗賊」「赤い河」「嵐の中の母」「本日休診」「風ふたたび」「ポー河の水車小屋」「ジープの四人」「雪崩」「霧笛」「波」「悪魔の美しさ」「ピカソ訪問記」などなど。

（二〇一六・二・二七　記）

## (9) 三本の自主映画

一九五二年頃に話題になった自主映画として、「箱根風雲録」（演出・山本薩夫）、「母なれば女なれば」（演出・亀井文雄）、「山びこ学校」（演出・今井正）がある。多くの紙面を使って、制作過程の紹介、映画紹介、映画評論、寄稿・投稿などが記録されている。

例えば、風雲録の製作途上では宿賃を払えず、飯田さんが彼女らしい踊りを披露して皆からカンパを貰い宿賃に充てたとか、ロケで山本監督が映画のスピード感を出すために、仙石原の合戦場面で馬上指揮をしたとか、面白いエピソードが書かれている。母なればでは、主演・山田五十鈴さんが商業映画では体験できない演技指導を亀井監督から受けて、自分の満足のいく演技ができる嬉しさを感じたとか。また、山びこ学校では、日教組が推薦を決めて六〇〇万円を製作資金として援助したとか書かれている。

寄稿・投稿の映画批評も多く採録されているが、当時知己を得ていた宮崎大学助教授の上野祐久氏の「箱根風雲録を観て」だけを紹介する。ストーリーを学者らしい社会科学で分析し、単に映画の芸術性だけを論じて、描かれているアクチャルな問題を見失ってはならないと論じられ、〈原子力の平和的利用〉〈破壊活動防止法案〉に言及されているのは瞠目に値すると思った。

これら自主映画の関係者が来宮し、サークル主催で懇談会を開いている。

「母なれば女なれば」の神田隆氏、五二年一月二七日、図書館会議室。

「箱根風雲録」の山本薩夫監督、岸旗江さん、三月二一日、商工会議所。

懇談会の記録は貴重な内容が多いが、その中で山本監督の談話の一部を抜粋する。

粗製乱造の日本映画が氾濫する中で、どっこい、母なれば、山びこ学校などの作品が、日本映画を愛する皆さん方の支援によって出来たということは意義あることと思う。でこちゃん（高峰秀子）がフランスのルネ・クレールなどの国民映画運動を見て帰国し、今年は今井正先生と一緒に仕事がしたいと新聞記者に言ったら陰に呼ばれて、「今井はコミュニストではないか」と言われたのに対し、「コミュニストがなぜ悪い、あの人たちは立派な映画を作っているではないか」と反論した。

母なればの上映に際し、号外を発行し、解説・推奨している。号外チラシの下部が割引引換券になっていて、観覧料当日男七〇円・女六〇円、サークル会員男五〇円・女四〇円となっている。（男女の区分があるのは、特に女性に観覧を薦めるためか?）。裏面に「良い映画を安く観るためにサークルに入りましょう」として、会費一五円、入会費一五円、ニュース月二回、割引・前売券発行と書かれている。このデーターはサークル本紙には記録がない。

（二〇一六・三・二六　記）

## ⑽ 昔も今も肝要な問題

映画サークルニュースを読むと、昔も今も変わらぬ肝要な問題があるのに気が付く。

その一つは会費未納の問題。一九五二年の会計決算について、監査委員から強い要請がなされている。「会費未納は会員数の多い単位サークルが多いが、この問題は何時までも残る問題であるから、その様なサークルは監査の方から督促状を発して早急に片付けるようにする。その後は確実に実行してもらいたい。」と書かれているが果たして解決できたのだろうか。私たちの市革新懇の場合は、会費はサークルと違って個人納入なので、余計厄介で今でも悩みの種のようである。

いま一つは、投稿要請の問題。主張欄で「サークルに〝声を〟」、「再び〝サークルに声を〟」と二度にわたり呼びかけている。この問題は、市革新懇機関紙「ハイマート」の編集にも通ずるものがあるように思うので、長文を厭わず紹介する。

「私達の映画サークルには一八〇〇名の会員が居るのですが皆が一堂に会し顔を見合わせる機会は年に一、二回というところでしょう。だが私たちが顔をつき合わせなくとも、ランデブーできる場所があることにお気付きになるでしょう。その場所がこの『サークルニュース』なのです。（中略）批評家の批評でなく、映画を愛する大衆の一人である私達の『生の批評』、これほど素晴らしいものは無い筈です。（中略）自分で納得いかない点は皆で合評会を開いてその記事を送りましょう。編集委員や事務局の人達を『てんてこ舞い』をさせ、

『助けてくれ』と言わせましょう。その時こそサークルは一つの大きな力を持った立派なものになるのです。編集委員はそれを切に望んでいるのです。」

続く「再びサークルに声を」も紹介する。

「（前略）その後二、三のサークルから健康で明るい声が投稿されたものの、その大勢は相も変らぬ沈黙の固守で、昔日某々の某曰く、『沈黙は金』式の微笑ましい意気込み？が感ぜられなくはないものの、その実は閑古鳥に白髪富に増したようなもの、若々しさ力強さの無いも甚だしい。（中略）サークルが単なる割引券発行所に終わることは、其処に何一つとして前進することの方向が無いことに一致する。（中略）私達の生活に結び付いた映画、私達を本当に励まし、楽しませてくれる映画、私達に明日の世界への喜びに充ちた明るい希望を抱かせる映画、それを観ること、作ること、育てること、私達のサークルはその為にのみ生まれて来た！と叫ぶだろう。」

かなり高いトーンの文章だが、当時の我々の意気軒高振りを思い出して懐かしい。「ランデブウ」、この言葉もまた懐かしい。

何時の時代でも、集団を纏め発展させていくには〈個々の自覚〉が必須ということか。

（二〇一六・四・二八　記）

## ⑾ 宮崎市映画興行界の問題（その1）

映画サークル活動は、その地方の映画興行界の動静に左右されざるを得ない。当時の宮崎市映画興行界の問題について触れておく。

五二年七月一五日発行のサークルニュース号外「高すぎる最低料金七十円について」によると、県映画協同組合宮崎支部の決議事項として、次のことが決められている。

1．七月から一本立とする。

2．最低料金を七〇円とし割引の場合も七〇円を割らない。

3．再映は封切より二ヶ月とする。

4．再映の場合は二本立も可。

5．一映画の最低上映日数は三日以上とする。

右の各項に違反した館は他の全部の館に一館当たり五万円宛の違約金を支払うこと。

この問題は、市内に映画館が乱立（連載2で紹介）していること、フィルム代が高いことが主な原因だと分析しているが、座館の中には「自縄自縛」になるのではないかとの声もあり、サークルとしても「良い映画を安く観、上映する」主旨から値下げ運動を進める対策をとるとコメントしている。

対策として、4項目のアンケートを五名の知名人に依頼し、その回答を発表している。アンケートは、1一本立と二本立のどちらがよいか。2料金七〇円について。3上映館への要望。4サークルへの希望・感想。回答者は、伊福部教子（県婦人児童課長）、山中卓郎（映画評論家）、黒木清次（作家）、富永太（県職組文化部長）、上野祐久（宮大助教授）。

1については、伊福部さん以外は一本立を推し、2については全員七〇円では高すぎる、五〇円が適当と答えている。3、4については様々で、サークルの自主上映、館内の冷暖房設備、館内のトイレの臭気と換気、割引の確保、などなど。

観覧料七〇円が高いかどうか、現在の状況と比較してみるとどうなるか。因みに五二年当時の私の高校卒初任給（県立図書館、地方公務員）は約三八〇〇円、現在の高卒初任給を一六万円と仮定し、観覧料七〇円と現行一八〇〇円をそれぞれの俸給と対比すると、前者は約1・8％、後者は約1・1％で、七〇円の観覧料は割高なことが分かる。五〇円にしても約1・3％で安くはない。正確とは言えないが一応の目安にはなるだろう。

号外を引き継ぐニュース本紙は、一面見出しを「注目を浴びる／一本立最低七〇円／その後の動き」と題してフォローしている。

この決議はその後、配給会社、宮崎市民にもいろいろな反響を巻き起こしたとして、サークルでは座館支配人会議、若草映劇を訪問して意見交換している。その内容は割愛するに忍びないので次号で紹介する。

それと問題にすべき入場税に関しても併せて報告する。

（二〇一六・五・二七　記）

## (12) 宮崎市映画興行界の問題（その2）

前号で予告した座館訪問記を紹介する。

訪問の目的は、サークルと座館が共存共栄するために、意見交換して理解と協力の上に立って前進するためである。

若草映劇の支配人曰く（要約）。最低料金七〇円に関して、「時事通信」の記事を示し、福岡、長崎等一〇〇円、最低地六〇円になっていて、宮崎の七〇円は高くない。また、サークルの良い映画を安く観るという、良い映画とは何か。こちらの統計では、サークルが良い映画と指定されたものが必ずしもより多く動員されていない。むしろ低級と思われる映画の方が多い。ある飲み屋で女給さんからサークルの割引券を貰って心外であった。また、一本立になってからの興収はがた落ち、一本立四日間で一〇万円上がったとすると、二本立ち一日だけで七万円上がるといった具合。人口の割に座館が多いのも堪える。パチンコ屋に一カ月落ちる金額より映画館に落ちる金額が一〇〇万円も少ない。市内の座館で黒字のところは無い筈。まあ入場税でも下がれば何とか考えられますがね。今のところ七〇円を割るわけにはいかない。

最後に入場税のことが話されている。当時入場税がいかほどのものであったか判然としないが、かなりの負担であったことは間違いない。

この問題に対するサークルの主張は、「映画はあくまで大衆のもの」と題して書かれている。(要旨) 一本立についてては異論はない。

これは座館と配給会社間のフイルム料金問題、また座館の営業方針の問題である。座館の商業主義とサークルの観客動員という座館にとって一番大事な点で矛盾はない。座館の経営不振を打開するには、不当な税金とフイルム料金を引き下げることに重点を置くべきで、観覧料を値上げするのは避けるべきである。

フイルム料金値下げ運動は全国的に起こっており、制作・配給会社が五割、六割といった株主配当をしているのは判然としている。サークルもフイルム料金値下げ運動には出来るだけ力を発揮し、座館と協力していきたい。

入場税については、県税事務所を訪ねた結果を「館は県が経営している/県税課長の暴言」と題して一面全紙を使って報じている。要するに税務署が言うのは、税金は法律ですよ、法に基づいて座館の経営を指導している訳で、県が実質的に経営し座館に委任しているようなもの、高いフイルムは買うな、経営できるだけの料金に上げよ、割引はするな、入場税を納めなければ徹底的に徴税をするのでその覚悟で経営せよ、と一方的、高圧的な発言に終始している。

それに対しサークルは、映画文化に対する無理解、大衆に対する暴言だ、飽くまで不当入場税に反対する、と反論している。

(二〇一六・五・二七　記)

## ⒀ 映画政策についてのアンケート (その1)

一九五二年九月発行の二三号に、県内の衆議院候補者に対し映画政策についてアンケート調査した結果が報じられている。

アンケートは以下の通り。

一、日本映画に対する基本政策

二、(イ)外国映画の割当について―(二七年度下半期、米七四本、英七本、仏四本、伊二本)

(ロ)入場料が高いという声が市民各層にあるが、これについて

三、良心的作品、良心的独立プロに対する貴方の見解(天然色映画　原爆の子)

四、私達のサークルは「良い映画を安く観る」という主旨で集まっていますが、これについてどう思われますか?

各候補者の回答は、映画に対する関心が強く感じられるとともに、表現が敗戦直後の時代風潮を表しており、報告するに値すると思われるので、労を厭わず全文を転写する。

左派社会党　片島　港

一、営利本位のために必然的に退廃的或は逆コースの傾向にあるのは遺憾である。映画による影響は極めて大きいので宜しく文化に寄与するような良心的な作品をなすべきである。

二、（イ）外国映画の輸入には必ずしも反対はしないが、日本映画を圧迫せぬよう配慮すべきである。割当の割合中米国物が多すぎる。

（ロ）大衆課税である入場税は撤廃すべきであり、入場料は当然この分だけ引き下げるべきである。

三、営利企業に対抗しての良心的独立プロは賛成。原爆の子の如き作品の製作には協力すべきと思う。

四、質問の要旨が余り単的過ぎるが、単に主旨が良い映画を安くと云う意見を率直に受け入れればイエスと答える外はない。

改進党　有馬　美利

一、1、現在の娯楽的取扱を捨て、文化的取扱に変更すること。2、優秀作品制作方針を確立すること。3、僻村迄本文化施設の浸透を確立すること。

二、（イ）外国映画中優秀なものは努めて輸入する如く努むること。

（ロ）入場料の高いのは娯楽施設と考ゆるからであって、是を文化施設と考ゆるようになれば自ら解決する問題であります。

三、良心的作品、良心的独立プロに対しては、経営の合理化を図ると共に、補助政策を確立すべきである。

四、同感です。安く見る以外に、気持ちよく見終つた時には、人間が一段上のクラスの人となった様な気持ちの域迄達せしめらるる様努力願います。

続いて、自由党川野芳満、共産党沢重徳の回答も記録されているのだが、紙面の都合で次号で続報する。

（二〇一六・七・二八　記）

## (14) 映画政策についてのアンケート（その2）

承前のこの報告ではアンケートの項目説明を省略しているので前号を参照して頂きたい。

自由党　川野　芳満

一、文化政策の一環として映画政策は興行価値より文化価値を重視すべきである。

二、（イ）現在割当は米に偏重する感あり、仏・英・伊のものを増加したい。

（ロ）入場料は確かに高い。入場税撤廃若しくは減額を考えるべきである。

三、良心的独立プロは大いに助成、発展さすべきである。

四、大いに賛成です。貴方方の様なサークルが一般大衆の中に広く盛り上がることを望みます。

日本共産党　沢　重徳

一、吾が党は、戦争に反対し、平和を守り、アメリカの日本植民地従属化に反対して民族の完全独立を闘い取るために、日本国民の自由と繁栄のために、アメリカと吉田反動政府の戦争宣伝映画、ファシズム映画、反民族的映画の上映と輸入を禁止し、日本国民の映画産業、民族映画の擁護と育成発展のために努力し、平和と独立を促進する。国際映画交流自由の運動を強化するために闘うものである。

二、（イ）アメリカ映画の独占支配を文化の面で一番ロコツにあらわしたものがこの輸入割当である。これを打破するためには、労働者農民を中心としたソビエト映画上映の闘いが必要である。

（ロ）アメリカと日本の反動勢力は映画を通じて国民を収奪している。そして戦争と再軍備に使われている。外国映画の支払いは、一九五一年度は総配給収入の三七・八%、約百億円であり、アメリカから不利な条件でフイルムを買わされている。これらの中に入場料金の高い原因がある。

三、「箱根」「山びこ」「母なれば」等の自主映画が製作されたことは、民族文化擁護と発展を示すものである。全映画関係勤労者と国民の団結、協力によってのみ、独立プロを維持発展することが出来る。

四、非常に結構です。ただ「良い映画を安く観る」活動は割引運動のみでは発展しません。割引活動はそれぞれの映画と個々の映画館に対する活動であるが、入場税を含む入場料金引き下げ運動は、米日支配に対する攻撃であり、平和と自由と独立を勝ち取る闘いの一環である。この運動は、当然、「よい映画を作らせる、また、良い映画を輸入させる」活動に、更に「良い映画を選ぶ権利」に発展させられることが重要である。（註として、沢氏の回答は非常に長文だったので、紙面の都合で要約したと断っている。）

筆者も沢氏の回答文を紙面に収まるように若干割愛した。ご存知の方もおられると思うが、沢重徳氏は自己のスパイ事件が露見し、党を除名されたのはずっと後のことである。

（二〇一六・七・二八　記）

## ⒂ 映画サークル班の人員表

この連載を始めるにあたって、人口一二、三万の宮崎市で、一九五〇年代に、最大一五〇〇名以上の会員を組織した民主的文化団体が存在したと書いたが、何処にそんな人たちがいたのか、左側に転載した映画サークル班の人員表をご覧にな

No. 24　1952・10・15

# 映画サークル

宮崎市高松通一丁目　宮崎映画サークル　発行

| 中部A | |
|---|---|
| 農林中金 | 22名 |
| トヨタ | 28 |
| 電報局 | 71 |
| 保健所 | 7 |
| 日通 | 79 |
| 印刷局 | 4 |
| 第一生命 | 5 |
| 朝日生命 | 5 |
| 日産自動車 | 16 |
| 東郷堂 | 8 |
| 郵便局 | 32 |
| 穀類KK | 14 |
| 口鉄 | 13 |
| 電気管理所 | 31 |
| 安田火災 | 10 |
| 大正火災 | 7 |
| 県パン組合 | 8 |
| 鉄道構内 | 3 |
| 米商連 | 14 |
| 口鉄通信区 | 10 |
| 電気通信部 | 8 |
| 建設省 | 17 |
| | 412 |
| **中部B** | |
| 図書館 | 23名 |
| 鹿興銀 | 17 |
| 九電工 | 5 |
| 県庁 | 140 |
| 勧銀 | 31 |
| 米商連 | 10 |
| 宮崎無尽 | 26 |
| 教育会館 | 23 |
| 日向興銀 | 18 |
| 食糧事務所 | 65 |
| 日本生命 | 13 |
| 裁判所 | 34 |
| 教育委員会 | 14 |
| 安進堂 | 6 |
| 山形屋 | 20 |
| 信用農協 | 40 |
| 森林組合 | 10名 |
| 松田石炭 | 13 |
| 旭通局 | 7 |
| 社会保険 | 9 |
| 町村印刷 | 3 |
| 町村会館 | 10 |
| 日赤 | 7 |
| 電話中継所 | 5 |
| 市庁 | 12 |
| 宮崎ホテル | 3 |
| 県電気部 | 6 |
| 販売農協 | 19 |
| 同和火災 | 5 |
| 福倉事務所 | 2 |
| 市土木課 | 13 |
| 商工中金 | 14 |
| 県社会課 | 11 |
| 市税務課 | 5 |
| 県授産場 | 6 |
| 九配 | 22 |
| | 665 |
| **北部** | |
| 宮大工学部 | 29 |
| 大宮中学校 | 17 |
| 農学部 | 17 |
| 工業試験場 | 20 |
| 檍小学校 | 12 |
| 蚕糸試験場 | 10 |
| 宮大学芸学部 | 40 |
| | 145 |
| **南部** | |
| 作報 | 54 |
| 南宮崎駅 | 5 |
| 赤江中学校 | 14 |
| 東京火災 | 5 |
| 蚕業試験場 | 8 |
| 大淀小学校 | 15 |
| 農業試験場 | 28 |
| 宮交 | 29 |
| | 158 |
| 合計 | 1380 |

ると納得していただけるのではないかと思う。

サークル活動をより活発にするために、市内を4地域に分け、地域ごとに班会議をもって活動するように班の区分を常任委員会で決定したのである。

総数は一三八〇名となっているが流動的なので確定数ではない。公称一五〇〇名と言っていたように思う。班単位の組織の名称は、六〇数年経った今も継続しているもの、変更されたもの、消滅したもの、いろいろあるが懐かしく思い出される組織名もある。

私のかすかな記憶では、中部A地区で中心的な役割を果たしていた班は、農林中金（石川）、電報局（高井）、中部B地区では私の所属していた図書館（東）、県庁、食糧事務所（本條）、裁判所、北部地区では宮大工学部、宮大学芸学部（上野）、南部地区では作報である。

括弧内の名字は記憶にある活動家の方々である。

（二〇一六・九・二八　記）

## (16) 落穂ひろい

一年三カ月前にこの連載を始めて、手持ちの資料を基に報告してきたが、ほぼ半ばに到達した。その間、紹介したい記事も紙数・紙面の都合で割愛せざるを得なかったが、今回はそれらの中から幾つか採録してみる。所謂、落穂ひろいである。

＊箱根風雲録完成記念公演　前進座来る。一九五二年六月八日㈰サークル後援。サークル会員は後援団体の一つとして一般前売一五〇円を一〇〇円に割引。一面トップに記載されているが、次号以下、関連記事が見当たらない。観客動員が思わしくなかったような記憶がある。

＊第九交響曲公演。東京日比谷公会堂で一九五二年六月四日、七月三日。専門家と六一〇名の職場コーラス出演。私の大好きな第九公演を記録していたとは、拍手である。

＊第一回職場演劇コンクールを開催。一九五二年九月六、七日に図書館ホール。図書館演劇部も出演し、私も端役で出たような記憶がある。矢野一誠氏演出、演目は「二十日鼠と人間たち」ではなかったか。

＊カンヌ映画国際コンクールでの世紀の映画ベストテン
1.戦艦ポチョムキン　2.黄金狂時代　3.町の灯　4.自転車泥棒　5.大いなる幻影　6.ル・ミリオン　7.サムソンとデリラ　8.十誡　9.キングオブキングズ　10.十字架の印

＊社共統一について岡田英二語る。「フランスのレジスタンスで共産主義者と社会主義者が手をにぎりあったように、日本でも戦争反対と再軍備反対の大目的のためにはたとえ主義・主張がくいちがっていても、お互いにぎりあうべきだ。主義・主張の相違はその目的が実現されたのち正しく解決すればよいとおもう。こんどの選挙は非常に重大だし、共産党は何べんことわられても、再軍備、戦争反対のための国民の団結をつくりあげるためねばりずよく努力すべきだ。それでも拒否するような社左（社会党左派—筆者註）幹部は反国民的といわれても仕方あるまい。」

原文のまま長々と転写したが、一九五二年代にこんな発言が記録されているのはすごいことだと思う。六十数年後の現今の「野党は共闘」の叫びと共鳴するものがあり、革新懇の「統一戦線論」とも同根のイデオロギーである。ずっしり重い実のある落穂であった。

＊都城で映画サークル結成—会長に都城図書館長・宮里氏。会員二〇〇名、主な職場は市役所、国鉄、図書館、郵便局など。

五二年五月以降、宮崎市で上映された主な作品を列挙すると、「黎明八月十五日」「明日では遅すぎる」「夜明け」「女相続人」「お国と五平」「西陣の姉妹」「西鶴一代女」「虎の尾をふむ男達」「戦国無頼」「にがい米」「天井桟敷の人々」「おかあさん」「いとし子と耐えてゆかん」「キング・ソロモン」「旅愁」「娼婦マヤ」「トムソーヤの冒険」「若い人」「ホフマン物語」「原爆の子」「暴力」「現代人」「続三等重役」「お茶ずけの味」「虹を掴む男」「殺人狂時代」「サムソンとデリラ」「慟哭」などなど。

（二〇一六・一〇・二九　記）

## ⒄ 座館協定変更、二本立て復活

先に本連載⑾で、宮崎市の映画興行界で大問題になった座館協定を報告した。協定の要旨は、基本的に一本立て最低料金七〇円、再映は封切より二カ月後で二本立ても可、この取り決めに違反した場合は、違約金を他の全部の館に一館当たり五万円を支払う、という可成り無理した協定内容で、座館の中には自縄自縛になるのではという声もあった。

危惧されたようにわずか五カ月足らずで、従来の「座館独自の二本立て料金自由」に復活せざるを得なくなった。その理由が種々述べられている。

座館A支配人談　高税率と高額フイルム料金に悩まされ、現在座館として運営できないところまで追いつめられている。経営財政を誰も保証してくれないので、独自の自己責任でやるより仕方がない。

座館B支配人談　今度孔雀座が二番館として出発し、料金の点で先の協定ではやっていけないという意見から協定が変更になった。その為、フイルム配給会社に対する市内各館の団結が乱れたのは残念であった。

サークル会員談　一本立て最低七〇円も取られるのでは安サラリーマンには堪える。同じ料金なら二本立ての方が客が入ると思うが、自分は見たくない併映ものを見せられるのは嫌で、出来れば見たい映画の一本立てで料金を安くしてもらいたい。

サークル紙の解説　今度の協定変更の直接の原因は、孔雀座という今までの料金ケースに合わない二番館の出現にあるようだが、その底には宮崎市内観客層の経済的な問題が深く影響している。サークル会員に例をとってみても昨年は月四回位観ていた人が今年は財布が軽いためせいぜい二回位しか行けないと言っている。

新聞社主催の一〇円―二〇円の映画や江平映劇の二〇円ナイトショウが土曜など行列をつくる程多いことなどから察しても、映画を観たい欲望が強いこと、高額料金が観客層の動員を狭めていることがはっきりしている。

座館協定が出来たことは、配給会社や税金に対する座館の結束を強めた点でサークルとしても大いに賛成である。しかし、入場料金を引き上げることで不当課税・高額フイルム料の負担を観客に振り向けるやり方には大きな欠陥がある。

以上、出来るだけ原文に即して書いてきたが、一九五二年当時の宮崎市の映画興行界の実情、それに対応した映画サークルの活動をいささか理解していただけたと思う。

今では考えられないと思うが、当時は同じ料金で二本立て、時には三本立てで集客していたのである。

サークル創設時の市内の映画館は7館（本連載2参照）であ

ったが、ロマン劇場、孔雀座を加えて9館になり、ますます競合が激しくなって座館の経営が逼迫してきたのではないかと思われる。

（二〇一六・一一・二八　記）

## (18) サークル創立一周年記念行事

サークル発足は一九五一年七月頃、機関紙「宮崎映画サークル」創刊は八月一日となっているので、五二年一二月に創立一周年記念行事を実施するのはいささか時期遅れのきらいがあるが、会員の要望が強く一一月中旬に拡大委員会を開いて行事明細を以下のように決定している。

＊名画鑑賞会　一二月六日－一〇日、映画センターで「カサブランカ」（米）「王様」（仏）を上映。

＊「白毛女」（中国）鑑賞会　一〇日、中日友好協会主催（鑑賞者を制限）。

＊前進座「美女カンテメ」公演　一六日、映画センターで宮崎映画サークル主催。

名画鑑賞会の上映作品の選定では、座館側との交渉過程で「良い映画を安く観る」というサークルのモットーを座館側が改めて認識し、サークルの最初の希望だった「自由を吾等に」のフィルム取得に努力してくれた。結果は駄目だったが、来年から自発的に「巴里祭」や「自由を吾等に」などの名作を上映すべくフィルム取得の予約をした。今度の経験を活かし、サークルとしてもよい映画を推薦し、観客動員に積極的に努力しなければならない、と改めて確認している。

「白毛女」鑑賞会では、初の中国映画であるために観たい人は多数いたが、いろいろの条件のため鑑賞者が制限され残念であった。観た人の中からイデオロギーの如何を問わず、すべての国の映画を平等に観るべきだとの声が上がり、文化の国際的交流運動の芽が宮崎でも出たことは成果であった、と評価している。

前進座「美女カンテメ」公演については、サークル紙一面で「サークルの運命をかけて『単独主催』遂に決定、全会員に訴える」として並々ならぬ決意を述べている。県労協、大学などの支持を集め実行委員会を結成して真剣に取り組んでいる。芸術的良心の先頭に立つ前進座を宮崎で成功させることは、サークルにとっても民族文化を守るため大きな意義がある。会員の方も一人一枚以上消化の覚悟で努力して欲しい、と檄を飛ばしている。

結果は、各職場の多忙や年末の悪条件を乗り越え、宮崎市最良の劇場で公演し、何とか成功までこぎ着けたことは特筆されるべきである。ただ、最初の一〇〇〇名の動員目標が四六〇名までしか出来なかったところに日常のサークル活動の弱さが露呈され、職場でこのことが討議され得なかったことが反省される。単位サークルで積極的にニュースを出したり、組合費で一部を負担したり、多忙中数回班会議を開いたりした活動がサークルを正しく発展させる力強い基礎になり、来年への発展への明るい希望を与える、と総括している。

記念行事掲載の紙面は、「カサブランカ」「王様」「白毛女」「美女カンテメ」の紹介、批評記事で埋め尽くされている。その中で、私の書いたと思われる「カサブランカと王様」と題した批評記事は、（Y）のイニシャルが署名されていて懐かしい。

（二〇一六・一二・三〇　記）

## ⒆「シネ・フレンド」に機関紙名変更

一九五三年一月一五日発行の第二九号から紙名「宮崎映画サークル」が「シネ・フレンド」に変更になった。同時に、コラム欄「カチンコ」、会員の声欄「メガホン」が新設され、印刷もガリ版から活版になった。（印刷所・日向日日新聞社（現・宮崎日日新聞社）出版局）。現今のようなパソコンで活字が自由に打ち出せる時代と違って、当時は自分の書いた文章が活字になって発表されるのは、わくわくするような嬉しいことであった。

事務局　宮崎市高松通り１の45　ＴＥＬ3659
印刷所　日向日日新聞社出版局

新装なった紙面の一面トップの見出しは、「希望の一九五三年」、⑴良い映画を安く観たい、⑵良心的作品を作らせる運動、⑶良心的外映の輸入運動を挙げ、団結して闘えば希望の年になるだろうと訴えている。巻頭言は上野祐久氏（宮大助教授）の「あけましておめでとう」、平和を愛して、スクラムを組んで元気に進もう、と挨拶。映画評論家の山中卓郎氏も『『千羽鶴』について』を寄稿している。三面全枠には六名の編集委員による「新春座談会」の記事（後述）が掲載され、新年再出発に相応しい紙面構成になっている。

『『シネ・フレンド』と決まるまで』の解説には、編集委員の一員として思い当たることがある。最初は会員全員から紙名を募っては、ということであったが、時間的余裕がなく編集委員会で決めることになった。最初は「エクラン」（筆者註　仏語で映画の映写幕、転じて映画。＝広辞苑）が有力であったが、やや平凡、「みるなかま」も出たが、どうも変、喧々諤々の末、Tさん（筆者註　高井肇氏・宮崎電報局サークル）提案の「シネ・フレンド」に落ち着いた。新設の「カチンコ」、「メガホン」の命名も喧々諤々の所産である。俺ならもっといい名前を付けるなどと言わずに、今年も愛読していただきたい、とコメントしている。

「新春座談会」は、東（司会）、安達、本條、高井、佐々木、矢野の六名の編集委員で、昨五二年邦画界の特徴を話し合い、終了後、宮崎市で上映された邦画のベスト・テンを以下の通り選んでいる。

1稲妻（成瀬己喜雄）2山びこ学校（今井正）3生きる（黒沢明）4わかれ雲（五所平之助）5箱根風雲録（山本薩夫）6現代人（渋谷実）7西陣の姉妹（吉村公三郎）8本日休診（渋谷実）9おかあさん（成瀬己喜雄）10.原爆の子（新藤兼人）次・母なれば女なれば（亀井文雄）。

参考に、「シネ・フレンド」「カチンコ」「メガホン」の標題イラストを添付しておく。

旧紙名「宮崎映画サークル」の標題イラストは、連載15で掲載済み。

（二〇一七・一・二九　記）

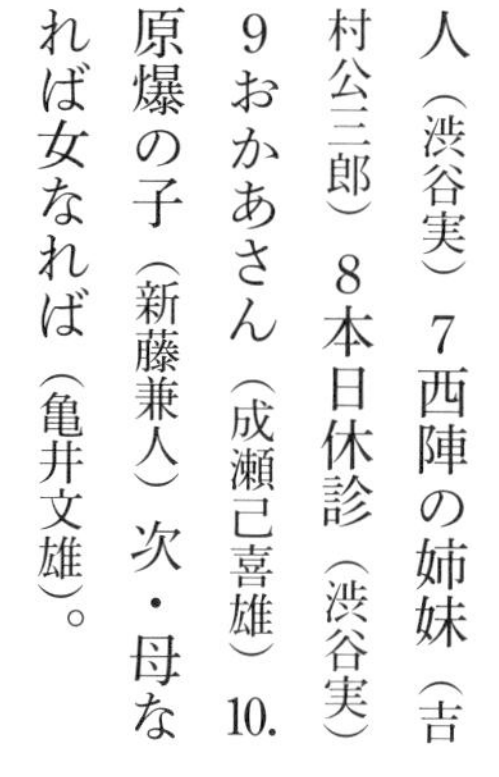


メガホン

会員聲の欄です
投稿歓迎

## ⒇ 新体制で新企画いろいろ

前号で機関紙名が「シネ・フレンド」と変わり、ガリ版から活版になったことなどを報告したが、それと同時に、役員も決まり、新企画もいろいろ出現している。

**役員**　前会長武井正嗣氏が辞任されて空席になっていた会長に宮崎兄一氏（宮大工学部長）が選任された。「会長就任に当たって」の挨拶が掲載されているが、九歳の時亡くなられた映画好きの母を偲んで、映画への愛情を披瀝され、映画サークルへの期待を述べられている。また、副会長は河野氏（宮崎県庁職員労働組合副委員長）が留任、今後の映画サークルの発展に力を加えたと述べている。

1953年上半期（1月～6月）豫算

| 収入 | | 支出 | |
|---|---|---|---|
| 会費 | 156,000.00 | 事務用品 | 12,000.00 |
| 入会費 | 2,000.00 | 人件費 | 60,000.00 |
| 未納費 | 990.00 | 印刷費 | 36,000.00 |
| 前期繰越 | 1,423.50 | 行動費 | 18,000.00 |
| | | 借料 | 4,800.00 |
| | | 通信費 | 7,200.00 |
| | | 資料費 | 6,000.00 |
| | | 会議費 | 3,000.00 |
| | | 光熱費 | 1,200.00 |
| | | 旅費 | 6,000.00 |
| | | 雑費 | 2,000.00 |
| | | 予備費 | 4,213.50 |
| 計 | 160,413.50 | 計 | 160,413.50 |

**予算**　本年から初めて予算を組み、活動を明らかにし、運営の円滑化を図っている。予算をみるとその団体の活動状況が

推測されるとよく言われるが、別表の五三年上半期（一月―六月）の予算をみると、例えば、会費収入一五万六〇〇〇円、会員数は一三〇〇名ということが分かる。総じて、五三年当六で割ると一カ月二万六〇〇〇円、会費月二〇〇円として、時、総額一六万円ほどのお金を動かしていた宮崎映画サークルの活動は、特筆すべきものだと言えるだろう。

**映画会**　昨年から懸案になっていた「巴里祭」「自由を吾等に」を二月二四日・五日に映画センターで開催している。

**感想文募集**　上映中の「ひめゆりの塔」の感想文を以下の要領で募集している。

原稿　四〇〇字詰二枚以内
締切　二月一〇日
送り先　宮崎映画サークル事務局
審査　シネ　フレンド編集委員会
賞　一等一名　映画招待券五枚
　二等一名　映画招待券三枚
　三等二名　映画招待券一枚

なお、応募資格は会員に限らず、広く市民に呼び掛けている。（入選者・入選感想文などの結果は次号で報告する。）

前号の編集委員による邦画ベストテンの選定に続き、五二年に宮崎市で上映された洋画のベストテンを投票により次のように選定している。

1雲の中の散歩（伊）2第三の男（英）3邪魔者は殺せ（英）4ヨーロッパの何処かで（ハンガリー）5殺人狂時代（米）6肉体の悪魔（仏）7夜明け（ソ）8サンセット大通（米）9ドイツ零年（伊）10.姿なき軍隊（スエーデン）次点吾が谷は緑なりき（米）。

（二〇一七・二・二八　記）

## (21)「ひめゆりの塔」感想文入選作

前号で予告した「ひめゆりの塔」感想文応募作品の審査結果は左記の通り。

一等　竹村小枝（農林中金）「ひめゆりの悲劇を繰り返してはならない」
二等　清水正路（高岡町仲町）「絶対に戦争は嫌」
三等　濱島健郎（市内城ケ崎町）「美しい思想の流れ」
三等　日高篤盛（宮大学芸学部）「抵抗の欠如」
選外佳作七編　真鍋岩次郎（県蚕試）　苫久嗣（溝口林業）石永正保（図書館）　西村重義（橘通二）　佐藤・永山（農試）赤坂久昭（市内南町）　鬼塚和彦（電報局）

以上全部が平和を願い反戦の意志のあふれる文で、審査に当たった者も苦心したが、要点をついて好感のもてる竹村さんの感想文に皆の意見が一致した、とコメントしている。

私も審査員の一員として応募作品をすべて読んだようなか

すかな記憶があるが、なん篇応募があったかは記録にない。入選作四篇は、すべて全文掲載されていて、今読んでも非常な感銘を受ける。ここでは紙面の都合で一等・竹村さんの感想文だけを転載する。

『ひめゆりの悲劇を繰り返してはならない』

　この映画が実際にあった事の再現であると言う眞實感と共に心の底まで揺り動かされる様な気がして涙なしには見られませんでした。

　戦争が一切の人間性に背いた破壊と滅亡をのみもたらすものである事を、身をえぐる様に見せつけられます。国を挙げて無謀な戦争へと駆り立てられた当時にあって眞實の、必死の誠意を抱いて、精一杯の苦痛の道を辿って空しく死んで行った女学生達の悲壮な純情さは、一切の批判を越えて観る者を感動させずにはおかないでしょう。再び相見る事も期せられない父母の許を、家を後に黙々と修羅の戦場に出掛けた彼女達。次々と発表される戦果とは反対に、日毎に烈しさを増す空襲を、避難民の壕まで奪う軍の目に余る振舞いを目のあたりに見た彼女達は、恐らく信ずべきものを失い彼女達の使命について迷ったのではなかったでしょうか。戦うべからざる身を以て命ぜられる儘に爆弾と、銃声と、泥雨と、飢餓のあらゆる生命の危機の真只中に身を挺しながら尚、友の担架を運ぶ乙女らしい純情さと、人間的な温かさと誠意を失うことを知らなかった少女たちの悲しい運命を、私達はそのまま見逃して良いものでしょうか。太陽の光を喜び、空襲の合間には水と戯れ、一株のキャベツに小躍りし、思いがけないお汁粉の甘さに歓喜する彼女達の美しさは、汚い大人達の生き方のさ中に最後迄悲しい抵抗を続ける外なかったのでしょう。生きる事の否定さえはっきり掴む事もないままに死んで行く外なかったひめゆり隊の悲劇を、私達は再び繰返してはならないと固く心に誓わないではいられません。（すべて原文のまま）

注記　以前二〇一五年八月二二日（「戦争はいやだ、戦争法案反対」の宮崎大集会の日）に、大淀九条の会主催で「ひめゆりの塔」上映会が開催され、参考資料として竹村さんの感想文をプリントして参加者に配布した。

（二〇一七・三・二四　記）

## (22) 名画祭・「自由を吾等に」「巴里祭」

先号(20)で紹介した新企画の内の一つ、名画祭についても触れておく。

紙面トップに「なつかしの名画祭―春にさきがけサークルで主催」と題し、ルネ・クレール監督の「自由を吾等に」、「巴里祭」の上映会を初めてサークル主催で実施したことを新企画と謳っている。当時、宮崎で古いフランス名画を同時に二本観覧でき、しかも二本とも新しくプリントした新版で、更に料金も座館との協議で安く観覧出来たのは、やはり画期的と言うべきであろう。

映画好きの方がフランス映画を語る時、この二作は必ず話題に上る作品なので、掲載されている「ルネ・クレールの舊作について―『自由を吾等に』『巴里祭』を中心に」と題した解説記事（無署名、出典、参考文献の注記無し）を見てみよう。

有名な「巴里の屋根の下」以下いずれも無声映画からトーキー映画になった当時の画期的な傑作であった。この時期の彼の作品を並べてみると、「巴里の屋根の下」（１９３０）、「ル・ミリオン」（１９３１）、「自由を吾等に」（１９３１）＝昭和7年キネマ旬報ベスト１＝、「巴里祭」（１９３３）＝昭和8年同ベスト２＝、「最後の億万長者」（１９３４）の五作である。クレールの映画の一つの特徴は何よりも庶民的。登場人物も「巴里祭」では巴里の裏町に住んでいるタクシーの運転手と花売娘であり、「自由を吾等に」では刑務所から逃げ出したルンペン、行先の無い労働者であったりする。

高い石の階段が続いているその上にまた街の屋根が見える、そのような場所を舞台としてアルベール・プレジャンの青年やアンナベラの扮する娘に託してーシャンペンの泡のようなーパリ情緒をクレールは歌ったのである。その一つが「巴里祭」である。

「巴里祭」や「巴里の屋根の下」をホロ苦いパリ情緒の世界とすると、「自由を吾等に」、「ル・ミリオン」、「最後の億万長者」の系列は、鋭い風刺と冷笑を内包した喜劇である。そしてめちゃくちゃに愉快な映画である。クレールの映画作家としての天分は、研ぎ澄まされた理知と豊かな詩情にあって、それがこの二作にそれぞれ異なった傾向の作品として表れていると言える。

解説記事を長めに引用したのは、クレールの作品に懐かしい思い出をお持ちの方もおられるのではないかと思ったからである。

五二年一一月以降、宮崎市で上映された主な作品を列挙すると、「ドイツ零年」「稲妻」「生きる」「巴里の下セーヌは流れる」「人生劇場」「令嬢ジュリー」「大仏開眼」「青いベール」「カルメン純情す」「丘は花ざかり」「アパッチ砦」「アフリカの女王」「誰が為に鐘は鳴る」「河」「ひめゆりの塔」「吹けよ春風」「夏子の冒険」「二百万人還る」「地獄の英雄」「劇王カルーソ」「禿鷹は飛ばず」「自由を吾等に」「巴里祭」「夫婦」「まごころ」「激戦地」などなど。

（二〇一七・四・三〇　記）

## (23) 映画用語解説

前号で一九五三年に行った名画祭・「自由を吾等に」、「巴里祭」について、ルネ・クレール映画ファン向けに解説を紹介したが、今回は紙面に掲載されている映画用語解説を紹介する。私も一員であった編集委員会では、こうした映画用語を使って、ややペダンチックに映画作品の技術的側面について、喧々諤々の論争をしたものである。

映画評論家・今村太平氏の著書は、書名は忘れたが必読書で、キネマ旬報を読み、キネ旬ベストテンの採点方式に倣って、「宮映サ」ベストテンを選んでは悦に入っていたのが、微笑ましく懐かしく思い出される。また、有名になられた映画評論家の佐藤忠男氏は、当時駆け出しだったが、私と同年の一九三〇年生ということもあって、彼の映画評論はよく読んだものである。

映画用語解説（出典の記載なし）に移ろう。

ショット　Shot　日本ではカットと呼ばれ、中絶しないで撮影された一連のフイルムを言う。映画構成の最小単位で現実の時間と一致する時間を持つ。

シーン　Scene　場面　ショットをつないだものでシークェンスの単位でもある。初期の映画は一シーンから成っていた。

シークェンス　Sequence　シーンをつないだもので映画全体のストーリーの最大の単位でもある。それ自身の物語を持っていて、それは別に挿話　Episode　ともよばれる。

ストーリー　Story　物語　シークェンスをつないだもので、所謂映画の筋である。

カット・バック　Cut・Back　「切りかえし」と呼ばれ、映画表現技術上、最初の革命的発明である。或る一シーンの中で空間的に異なった場面での事件や動作を対照的に接合して効果を上げる表現技術である。例・「美女と野獣」の巻末で野獣が王子に変身する時、これが巧く使われている。グリフィス（米）のこの発明で映画は次第に複雑になり、大写（クローズ・アップ）の発明も導き出された。

フラッシュ・バック　Flash・Back　カット・バックが瞬間的に連続して行われる手法。

パノラミック　Panoramic　（パンPan）　撮影機の台を固定させてカメラを水平に動かして撮影する手法。

パン・アップ　Pan・Up　上向けてパンする手法。

パン・ダウン　Pan・Daun　下向けてパンする手法。

フェイド・イン　Fade・In　溶明　暗い画面を次第に明るくしていく撮影法。

フェイド・アウト　Fade・Out　溶暗　溶明の反対で明るい画面を次第に暗くしていく撮影法。

オーバー・ラップ　Over・lap　デイゾルブ　Dissolve　またはダブル　Dauble　とも言う。一つの画面に他の一つの画面が重なって、前の画面が消えるに従って後の画面が現れて来る手法。柔らかな画面転換に屡々用いられる。

（二〇一七・五・二九　記）

## (24) 入場料の割引問題

宮崎映画サークルは、「いい映画を安く観る」という単純明解な目的で、一九五一年八月に創立された、ということは前に触れた。

「いい映画を観る」というのは、要するに文化的・健康的・進歩的で生きて往く喜びを与えてくれるような映画を、機関紙で推薦し鑑賞を勧めること。「安く観る」というのは、座館に入場料を割引かせ安くさせること。

今回は「カチンコ」、「メガホン」欄などで入場料の割引について意見が出されているので幾つか紹介し、併せて本條編集委員によるサークルの見解も紹介する。

＊「割引券はまだか」とか「たった拾円しかひかねェのか」などと言っているうちに二度目の正月を迎えた。文化組織としての映画サークルの本来の活動はこれからである。単なる入場料ねぎり機関に終始してはなるまい。だからと言って、よい映画を安く観るという趣旨を忘れるわけではない。

＊宮崎唯一の文化団体・映画サークルがともすれば割引券交付所としての役目しか果たさず、映画文化を守り育てるという運動がないと駄目である。

＊映画文化を守り育てるという意見には同感であるが、割引無くして入会する者はいないと思う。この頃新聞には割引券が付いているが、映サの割引額と同じでは会費を払って入会する意味がない。検討していただきたい。

＊無形の割引―割引論によせて―（本條編集委員）

なんでもいいから映画を安く観たいという人は、わざわざ会費まで納めてサークルに入らなくても、近頃は新聞やチラシの割引券で事欠かない位である。そこで割引券について言うならば、「良い映画を安く観る」という映画サークルの趣旨を、よく味わってみることが必要である。なるほど新聞の刷り込みとサークルの割引額が同じのこともままある。この点ではサークルとしても一考を要すると思うが、だからと言って、そろばんをはじいて、会費の恩典がないと言うのは早計だと思う。なけなしの財布をはたいて観た映画がつまらなかった時は、腹立たしくて損をした気分になり、反対に良い映画を観た後で、金に代えられないほどの感激を覚えた経験は誰だってあるに違いない。紙面掲載の映画評を参考に、各館のスケジュール表の中から良い映画を選び、その映画を観た後で批評しあい、お互い気付かなかったことを知り、より多く自分の心の糧として受け取るならば、八〇円の映画は、一〇〇円、一〇〇〇円はおろか、金で勘定できない恩恵を我々に与えてくれると思う。我等の機関紙『シネ・フレンド』はそのためにこそあると思う。割引は、なにも割引券に書かれた一〇円引きとか二〇円引きのことのみではなく、入場料が如何なる映画に支払われるかということによって、大きく動くことを忘れてはならない。

注記　続報として、「新聞割引より、さらに一〇円引き」の見出しで左記の記事を掲載。
「（前略）会員から『新聞と同じ割引しか出来ないのか』という声がありましたが、今後このような割引券が出た時はさらにサークルは一〇円割引することになりました。」

（二〇一七・六・二七　記）

## (25) 二年間を振り返って

この連載を二〇一五年七月に書き始めて二四回、丁度まる二年になる。私の愛蔵している宮崎映画サークルの機関紙に基づいて、一九五一年八月一日の創刊号から五三年三月八日の32号まで、約一年半の活動経過を記述してきたことになる。

私がこの連載を書こうと思った動機は、初回の「**はじめに**」で書いたように、「かって文化果てる地と言われた宮崎市（当時人口一二、三万）に、戦後五、六年経った一九五〇年代に、最大一五〇〇名以上の会員を組織して、約三年間にわたりサークル活動をした「宮崎映画サークル」という民主的文化団体が存在していた」ことを知っていただきたいと思ったからである。

今まで埋もれていたこの貴重な活動を抜かりなく紹介出来たか、甚だ心もとないが、果たして「ハイマート」の読者の方達に読んでいただいているのだろうか？　貴重な一ページのスペースを使わせてもらっているが、不安は尽きない。

二年間を振り返って、筆者として最も嬉しかったのは、連載(3)「**独立プロと宮崎映画サークル**」で書いたように、「実は、この連載を始めた頃ジャストタイミングで、日刊赤旗紙上に五〇年代の独立プロの活動に関する記事が幾つか断続して掲載された。」ことである。「余りの偶然さに我ながら驚いた。」と書いているが、驚きと共に天の配剤と思えて非常に嬉しかった。特に、連載(2)「**映画サークルの創設**」で書いている「映画『薩チャン正ちゃん〜戦後民主的独立プロ奮闘記』」の紹介記事は、我が意を得たりと思われた。

というのは、連載(5)「**〝どっこい〟の動き**」で書いているように、「創設後日も浅い宮崎映画サークルが全力で取り組むに格好の映画で、観客動員にも成功し、サークルの基盤も確立して、一カ月後には『会員一五〇〇名突破記念集会』を開催するまでに発展した。」からである。

独り善がりかも知れないが、始めた以上は完結せねばならないので、いま暫らくお付き合いをお願いしたい。

ところで、突然の話であるが、この時点（一九五三年三月）で筆者は県立図書館を辞めて上京することになった。「シネ・フレンド」編集委員を辞し、今でいう機関紙購読者の立場になったわけである。

私事にわたるが、上京の理由は、同期生から四年遅れの大学入学のためである。県立図書館勤務も悪くないと思っていたが、当時の若者の気風で、どうしても東京に出たくなって、明治大学図書館にアルバイトの口をみつけ、昼夜一、二部区別なしに受講出来る東京都立大学人文学部に入学し、クラブ活動は映画研究部に所属した。

上京後も「シネ・フレンド」を郵送してもらい大事にストックして、サークルに投稿などして関係を続けてきた。

宮崎映画サークルとは離れたが、この連載は、そうした条件で書き続けて行こうと思う。

聊か視点が変わるかも知れないが、ご了承願いたい。

（二〇一七・七・二九　記）

## (26)「宮映サ」周辺の情況

前号でお知らせしたように、今回からは宮崎を離れ東京で購読した機関紙シネ・フレンドを参照しながら書いていくことになる。

私の離宮当時（一九五三年四月）の宮崎映画サークル周辺の情況を、シネ・フレンドの標題を採録しながら見てみよう。

＊九州映画サークル連絡会議開かる

二月二八日、大分市町村会館で第三回九映サ連絡会議が開かれた。宮崎・鹿児島・福岡の代表、地元の常任委員・編集委員など多数参加し、各地サークルの活動について討論が交わされた。福岡からは県労評が中心になり労農記録映画の自主製作が決定されたことが報告され、九州各県でこの運動を、労組を中心に推進することが決められた。

＊興連が入場税撤廃運動を決定

日本興業組合連合会（興連）では、三月一六日の常任委員会で入場税撤廃運動展開を決定し、基本綱領（主体・組織・運動目標・運動要領・運動経費）を採択した。

（註）興連とは、東京に事務所を置き、全国興行者間の連絡、興行の刷新と国民文化の向上、業者の福祉を図る組織。宮崎市内の常設館も県興行組合を通じて加盟している。

＊サークルでも積極的協力

宮映サでも世界にその類をみない悪税である入場税に対して、最早値下げ等では生ぬるい事で、興連の決定した撤廃こそが一番すっきりした基本的な態度であるとし、早速東京の興連本部に連絡を取り、職場の映画・演劇愛好者を中心にこの運動に取り組むことを決定した。

＊入場税を撤廃せよ＝メーデー大会で決議

宮崎市における第24回（53年）メーデーは三〇日の県公会堂における前夜祭の後を受けて五月一日、今までにない幅と広さで県庁前広場の大会場に続々と赤旗を押し立てて結集。定刻午前九時には三三団体、二一〇〇名（主催者側発表）が勢ぞろいした。今年初めて参加した全銀連のハチマキ姿や日向日日労組の「中小企業を守れ」のスローガン、鐘紡労組の女工さんのお揃いのユニホームが目立っていた。大会は地協副議長水谷氏の司会で開会。社・共両党のメッセージ、中国帰国者加藤重子さんの日中友好協会を代表しての挨拶、民戦等の祝辞の後で議事に入った。

議事『入場税の撤廃』では、サークル事務局加藤氏より「今日私達は憲法に言われているような文化的生活を行っているでしょうか、最も大衆的な映画でさえ料金が高くてなかなか観ることが出来ない。入場料が高いのは、その大部分を占める入場税のためで、その悪税を撤廃しない限り映画も楽しめない。しかも政府はその金を再軍備のために使っているのである。」と主旨説明。満場の拍手を浴びて入場税撤廃が決議された。

大会後デモの波は橘通りから市役所の前を通り、宮崎駅前の蛇行デモを最後に、十二時、盛会裏に散会した。

なお、サークルの安達常任は、メーデー実行委員会の依頼で、アイモを駆使して大会の模様やデモ行進などを十六ミリに収めた。このフィルムは労農記録映画の第一回目の試みとして、試写が期待される。

（二〇一七・八・二九　記）

## (27) 各党に映画政策をきく

一九五三年四月一五日発行の機関紙シネ・フレンドに、標題の回答が掲載されている。質問項目は、

①日本映画の発展を阻害しているものは何ですか？

②どんな映画が作られることを望まれますか？

（各党の回答は、機関紙掲載順、筆者が要約）

共産党　立候補者・澤重徳　回答者・県委員河野通孝

主張　戦争宣伝文化の禁止。外国映画から民族映画を守れ。

①日本の経済、政治、文化がアメリカの支配下にあり、映画資本も支配されているので、正しい健康な民族映画は作れない。

②平和を愛し戦争に反対し、労働者の生活、意識を高める映画。かっての「傾向映画」のようなものでなく芸術的に優れた映画。

社会党左派　立候補者・片島港　回答者・県支部連合会副会長疋田茂

主張　戦争宣伝の排除。平和思想の普及。俗悪廃頽文化の

一掃、健康な文化。公民館の普及による農村の文化向上。国産映画奨励。植民地的向米一辺倒映画政策反対。平和な生活と明るい文化。

①資本主義社会における営利主義が発展を阻害している。

②テーマーはなんでもよいが、勤労大衆の生活を取り扱った映画。

**社会党右派**　立候補者・甲斐政治　回答者・県執行委員松本常男

主張　記載なし

①映画企業の資本家が独善的、儲けることしか考えていない。シナリオにも金をかけていない。これでは良い映画は出来ない。

②映画は娯楽性を無くしてはいけないが、エロ・グロは駄目。例を挙げれば、「本日休診」、「稲妻」、「源氏物語」。「ひめゆり」「生きる」の様な社会性のあるものは、年に一、二本あってもいい。

**改進党**　立候補者・黒木勇吉　回答者・県連支部事務局長水野藤吉

主張　映画に関することでなく、教育一般についてのみ記載されているので省略。

①自由党のように、大資本と結びつき、戦争をしてでも儲けるというやり方では映画の発展は望めない。我が党を保守的と言われるのは心外。ゆきずまった資本主義を修正しようとする進歩的政党である。

②コクのある映画を作ってもらいたい。古典ものでは、「滝口入道」「源氏物語」。現代ものでは、国民の生活にプラスになるもの。

**自由党**　立候補者・川野芳満　相川勝六

催促するも回答無し。

こうした政党への映画に関するアンケートは、前に連載(13・14)でも取り上げているが、戦後間もなく七〇年前の宮崎の政党事情（第1選挙区候補者名など）や映画に対する考え方が反映されていて興味深い。

共産党は、現在と比べて非常にラジカルであり、社会党は、左派・右派に分かれながらも存在感を示しており、改進党は自由党との違いを強調し、自由党はサークル運動を無視するような、現自民党と変わらぬ様相を示している。筆者にはそのように思われる。

（二〇一七・九・三〇　記）

## (28) 前進座「屈原物語」公演とサークルの動向

前回の「美女カンテメ」公演では、今一息の動員不足で赤字を出したこともあり、今回は県労評の後援を得て慎重に検討した。その結果、夜一回にして出演料を下げ、予算を具体的に組み、最低動員目標を一二〇〇名に置いて拡大委員会にかけ主催を決定した。

前進座としても昨年度文部省芸術祭に参加して以来、座員全体の批判もあり、芸術家として如何に国民に奉仕すべきかが明らかにされ、すでに各職場に回したアンケートにもある様に、幕間のカンパやアカハタ売りなど一切やめ、ひたすら国民演劇の発展に国民と共に生きる方針が出された。

公演を成功させるために職場での活動は、

**統計労組**　組合執行委で正式に後援を決定し、県労組を通じて他の単産にも後援を呼びかけることが決定された。

**図書館**　ある映サ員は、「これぞ前進座の進むべき途だ」と共感して一般券二〇枚を申し込んだ。

**農林中金**　サークル券一八〇円の内八〇円を事務所で出すことになり、会員は一〇〇円で観劇できるようになった。

**川上工業所**　朝の集まりで、専務さんが会員に諮り、希望者で現金の無い人には会社で一時立替えをやることになった。

**商工中金**　職場の互助会で、全員観劇の希望があり、援助を近く決定する見込み。

以上、サークル職場での活発な動きを伝えているが、六四年前、一九五三年の宮崎の情況が垣間見えて甚だ興味深い。

安達事務局長が「全サークルの皆さんへ」と題して観劇を薦める檄を書いている。

県教育長の野村さんは、前進座の方針に賛意を示され必ず観に行くと約束された。市教育長の後藤さんは、学校長がよく来ますから「屈原」を観るように薦めると言われた。

私はサークル職場での活発な活動、知名士などの反応を考えて、今回の公演は必ず成功すると信じています。困難の中を生き抜いて二十数年、日本の民族文化を守り続けてきた前進座の公演を、演劇と観客とがしっかりと結びついた型で成功に導くことが出来ると確信しています。サークル員一人一人が主催する心算で一人一枚必ず売るように、協力されんことを訴えます。

**（前進座収支明細）**

| 収入 | | 支出 | |
|---|---|---|---|
| 会員券 | 65,240.00（377枚） | 税金 | 20,000.00 |
| 一般券 | 81,640.00（459枚） | 会場費 | 25,000.00 |
| 指定券 | 17,000.00（61枚） | ギヤランテイ | 60,500.00 |
| 広告料 | 3,500.00 | 宿泊食費 | 25,500.00 |
| 雑収 | 220.00 | 宣伝費 | 28,415.00 |
| | | 雑費 | 8,355.00 |
| 合計 | 176,600.00 | 合計 | 167,770.00 |

差引残高　¥8,830.00（残高はギヤラ91,000の未払を含む）

並々ならぬ準備と決意で開催された結果が「前進座収支明細」で示されている。

一二〇〇名の動員目標が約九〇〇名に留まっている。収支は黒字のようであるが、総括コメントは紙面に見当たらない。

（二〇一七・一〇・二九　記）

## ㉙ 安達清則常任辞任――「北星映画」へ

宮映サ生みの親として今日まで献身的に活動してこられた安達氏は、五三年五月、北星映画九州支社からの強いての招きにより会員から惜しまれながら宮映サを辞任された。

同氏は「民主的な配給会社としての北星を通じて、今後共一層日本映画と進歩的な映画のために尽くしていく心算です。今日まで二年にわたり、いろいろの指導やご協力を賜り心からお礼申します。割引券の問題や最低料金、前進座公演とサークルも苦難の道を歩いてきましたが、今後益々発展することを確信して心から声援を送ります。」と語った。

尚、同氏の後任として、拡大常任委員会で元県労書記局の田原稔氏を決定した。

私は東京でこのニュースを読んで、安達さんにご厚誼のお礼の手紙を送った記憶がある。十数年後、安達さんが上京された際、所沢の拙宅にお誘いして一献傾け、宮崎映画サークル時代の懐かしい忘れ難い想い出を語り合ったのを記憶している。

彼はいつも奥さん同伴で活動されていた。奥さんの名前は失念したが、宮崎中央合唱団のソプラノで、チャーミングな標準語が魅力的だった。彼のサークル活動に伴う内助の功は大きかったに違いない。

「サークルの皆様へ　北星映画　安達清則」という囲み記事があるので採録する。

今度のシネ・フレンド特集号に「二年の足跡をふりかえって」という題で原稿依頼がありましたが、なかなか纏まらないので、最近感じたことを書きます。

今北星映画では「雲流るる果てに」の配給で大童です。今井正の「どっこい」以来日本映画の良心をつらぬき、全国の労組やサークルの協力の下、地道な活動を続けて来た一つの成果が、今迄「戦争物」は作らない方針だった松竹と共同配給するところまで発展し、各地で「ひめゆり」をしのぐ大動員を示しているのです。また、山村聰初演出の「蟹工船」も着々進行し、ラッシュ（撮影されたネガの各断片）を見た人の話によれば物凄い迫力の写真だそうです。

宮崎のメーデーも現像が揚がるまで不安でしたが試写を観て安心しました。参加した人は是非「撮影・構成・宮映サ」の「宮崎メーデー」に絶大なる期待を持ち「記念集会」に参加してください。福岡でも撮影されましたが地元の人達も「宮崎のメーデーの方が良い」と言っています。

最後に「記念集会」が盛大に持たれることを心から期待し皆様への第一信を終ります。

ここで言われている「宮崎メーデー」の写真については、連載(26)末尾で、安達常任撮影のいきさつを報告している。

五三年三月以降、宮崎市で上映された主な作品を列挙すると、「花嫁の父」「加賀騒動」「罪ある女」「女狐」「真昼の決闘」「五本の指」「女一人大地を行く」「人生劇場（第二部）」「村八分」「煙突の見える場所」「母のない子と子のない母」「情火」「静かなる決闘」「運命児サバタ」「逢いびき」「ダニー・ケイの牛乳屋」「愛人ジュリエット」「陽のあたる場所」「超音ジェット機」「雨月物語」「ミラノの奇蹟」「静かなる男」「文化果つるところ」「混血児」「縮図」「妻」などなど。

（二〇一七・一一・二九　記）

## (30) 創設二周年記念行事

「盛会だった記念行事」の見出しで、五三年六月に行われた映画祭・スチール展・サークルの夕、それに「シネ・フレンド」特集号発行などを報じている。

**映画祭**　「街は自衛する」（一九五一年ヴェニス国際映画祭・最優秀伊映画賞受賞作品）のナイトショウを土・日の二日間映画センターで上映。会員に限り一〇円、良い映画の一本立てと低料金で好評であった。

**スチール展**　優秀映画のスチール展を各映画館とのタイアップで、橘百貨店で三日間開催。延一〇〇〇〇名の会員・非会員を動員し、サークル会員が増加した。

**サークルの夕**　記念集会として、図書館ホールで土曜日に開催。木曜合唱団、日向興銀バンド、図書館演劇部出演。今年の東京、宮崎メーデーを上映。二階ギャラリーまで超満員の盛況であった。

**「シネ・フレンド」特集号発行**

特集号として八頁立てで発行。内容を見ると前号で紹介した安達清則さんの「サークルの皆様へ」の挨拶文の他、「今年度上半期の映画を顧みて」と題する座談会記事を見開き全面で特集している。

司会は高井肇（電報局）、出席者は上野祐久（宮大学芸学部）、渡辺勝（県庁）、古川加代子（県庁）、石永正保（図書館）、田原稔（事務局）、河野（事務局）、紙上参加として本條敦己（食糧事務所）、柴岡昇（統計調査事務所）、竹村小枝（農林中金）。五三年六月六日、県庁職員寮で開催。

記事を通読して感じるのは、個々の作品評は多岐にわたって、それぞれ感銘を披露されている。その中で、Ｉさんの「……独立プロ作品の進出が大きな足跡を残したと思う。数々の優れた作品が立証しているように、日本映画の水準を上げようとする努力、それに応える観客の鑑賞水準の向上に、日本映画前進の足取りを見たいと思う。」という発言に私も同感する。

座談会終了後に出席者の投票により、今年上半期宮崎で上映された邦画を対象にベスト5を選出した。

①真空地帯　山本薩夫
②ひめゆりの塔　今井正
③煙突の見える場所　五所平之助
④女ひとり大地を行く　亀井文夫
⑤雨月物語　溝口健二
次点　情火　大場秀雄
次点　縮図　新藤兼人

私が宮映サを離れて数カ月しか経っていないのに、紙面に見るメンバーは知らない人が多い。宮映サ生みの親で事務局長だった安達さんは北星映画に転出し、知己を得ていた人は、編集委員でご一緒した高井さん、本條さん、柴岡さん、活動家の宮大助教授上野さん、図書館の後輩石永さんぐらいになっている。

付記　特集号一面に「宮崎県映サ協結成」の記事がスナップ写真付きで報じられている。五三年六月一四日、宮崎を初め延岡・田野・都城・小林の各映画サークル、宮大農学部・工学部映画研究部、八代青年団代表が一堂に会して宮崎県映画サークル協議会を結成した。会長は宮崎兄一氏（宮映サの会長）、事務局は宮映サに決まった。

（二〇一七・一二・二六　記）

## (31)「シネ・フレンド」に掲示された氏名など

前号で「シネ・フレンド」特集号の「今年度（一九五三）上半期の映画に関する座談会」などを報告したが、その他に宮崎の知名人に対し、「今迄ご覧になって良かったと思う映画を三つ」、「サークルへの要望」の二項についてのアンケート結果を掲載している。紙面の都合でベスト3だけを転載するが、当時の知名人がどんな映画を好んでいたか伺えて興味深い。

＊音楽協会理事長　園山民平（67）街の灯・ライムライト
＊宮大農学部教授　寺尾新（65）ライムライト・ホフマン物語・風と共に去りぬ
＊MGアナウンサー　神谷種徳（26）ライムライト・肉体の悪魔・自転車泥棒
＊衆議院議員社左派　片島港　土・ひめゆりの塔・風と共に去りぬ
＊全電通宮崎電報局支部長　律江昌武（32）路傍の石・情婦マノン・邪魔者は殺せ
＊朝日新聞記者　上田朝一（27）望郷・大いなる幻影・天井桟敷の人々
＊宮崎市長　荒川岩吉（78）妻・村八分・混血児

＊日本共産党　澤重徳（32）女ひとり大地を行く・シベリヤ物語・自転車泥棒

＊県労評書記長　田中茂（32）パリの屋根の下セーヌは流れる・商船テナツシチー・風と共に去りぬ

＊ロマン座日劇経営者　吉田智彦（41）にがい米・戦火のかなた・巴里のアメリカ人

＊新聞社　岡田悼一郎（48）村八分・風と共に去りぬ・箱根風雲録

＊画家　外山弥（48）救いを求むる人々・三文オペラ・自由を我等に

＊宮崎市議会議員　仲矢重寛（32）望郷・ライムライト・生きる

＊田野映サ会長　野崎徳福（28）自転車泥棒・村八分・ミラノの奇蹟

＊平和を守る会　日高魁（41）ベルリン陥落・賭はなされた・殺人狂時代

＊第三次帰国者　渡邊義孝（35）花街一筋路（ポーランド）・忘離一九一九年（ソ連）・白毛女（中国）　註：満州吉林で観たもので題名は全部中国語。

日高魁さんの肩書を見て、昭和二八（一九五三）年頃に宮崎に「平和を守る会」があったことを初めて知った。どんな活動をされていたのだろうか。

前号、今号に宮映サに関わる人名を文中に多数掲示したが、宮映サの役員名も掲示されているので併せて転記する。因みに、私のいた初期の頃の名簿は残念ながら見当たらない。

会長：宮崎兄一（大学）

常任委員：上野祐久（大学）渡辺久夫（統計事務所）長友正巳（農業試験場）古川加代子（県庁）生駒利秀（勧銀）吉田次男（郵便局）佐々木美枝（山形屋）中島一男（図書館）

編集委員：高井肇（電報局）本條克己（食糧事務所）柴岡昇（統計事務所）渡辺勝（県庁）竹村小枝（農林中金）平林しづえ（高校教祖）石永正保（図書館）山下光生（日向日日）

事務局：田原稔　河野

六五年前の人名を殊更に掲示したのは、懐かしく思い当たる方もおられるのではないかとの想いからである。

（二〇一八・一・二九　記）

## (32) 県内外の映画サークルの主な動向

前前号(30)で、付記として「宮崎県映画サークル協議会」結成のことを書いたので、この時期・昭和二八（一九五三）年頃の県内外の映画サークルの主な動向を、シネ・フレンドの関連記事を拾いながら書いてみる。

九州映画サークル連絡会議

七月一八日、宮崎県庁職員寮で福岡、鹿児島、大分、宮崎

の各サークルが出席して第四回の会合を開き、貴重なサークル活動の経験を交流した。福岡映画サークルが五月三一日、福岡映画友好協議会の発足により各単位サークルに還元して発展的に解消したので、今までの九州映画サークル連絡会議の事務局を大分に移し、ニュースを継続して出すこと、機関紙の交流を強めることを確認した。現在参加のサークルは、鹿児島、宮崎、大分の外、大牟田、久留米、八幡、再春荘（熊本）であるが、福岡も次回には加盟する予定である。

## 宮崎県映画サークル協議会

＊綾では「女一人大地を行く」の巡回映画会を機に、今後共よい映画を観るための組織を作ろうと話し合い「良い映画を観る会」を作った。第一回として「真空地帯」上映を予定し、広く映画好きの人たちに働きかけている。

＊都城では高校演劇コンクールを通じて、文化団体の横の連絡が図られ、秋には映サや高校演劇連盟、葡萄座が発起人となって文化協議会が発足する見通しがつき、映サが実質的な文化センターとしての活動を行っている。

＊「真空地帯」の巡回映画会を行っている県映サは、初めて米良入りを実施し、「原爆の子」と共に多くの感銘を与えた。

＊宮崎映サ、田野映サ、土曜合唱団では、八月二九日田野で会員約五〇名が参加してキャンプファイヤーを囲み、和やかな交歓会の一夜を過ごした。

## 宮崎映画サークル

＊鹿児島映サを訪問した宮映サ代表は、来る九、一〇月頃、両映サ共催で交歓会を催すことを約して帰宮したが、細目については考慮中である。

＊常任委員会で今迄の活動の欠陥を検討し、責任体制を確立するため、渉外（宮崎会長、上野祐久、県庁から一名）、編集（高井肇）、調査（本條克己）の責任者を決めた。

＊サークル主催行事に必要なサークル旗、及び会員バッジを製作中である。

＊八月九日長崎で催された原爆記念全九州平和大会に宮映サ代表として常任・田原稔氏が参加した。

＊サークル活動を強力に円満に行うため、映画館主との座談会を八月六日、宮劇で約二時間行った。サークルからの要望、館側からの希望意見が出され、和やかな中にお互いの理解を深め合い有意義であった。

五三年六月以降、宮崎市で上映された主な作品を列挙すると、「ライムライト」「探偵物語」「街は自衛する」「愛情について」「真空地帯」「苦い米」「井戸」「雲流るる果てに」「もぐら横丁」「可愛い配当」「犯罪国境線」「七つの大罪」「日本の悲劇」「越境者」「見知らぬ乗客」「シンデレラ」「雨に唄えば」「バラダイン夫人の恋」などなど。

（二〇一八・三・一　記）

## (33) 前進座と宮映サ、そして私

宮崎映画サークルにとって、前進座との関わりは非常に深い。連載(5)でも触れているように、独立プロ第1作、前進座の「どっこい生きている」は、「創設後日も浅い宮崎映画サークルが全力で取り組むに格好の映画で、観客動員にも成功し、サークルの基盤を確立」させた作品だと書いている。

映画と同様に前進座演劇との関係も浅からぬものがある。シネ・フレンド44号（この号からB4判に拡大）に、宮崎における昭和二四年から二八年まで四年間の前進座公演記録が記載されている。

二四年　二月　ヴェニスの商人
　一〇月　真夏の夜の夢
二五年　二月　佐倉宗五郎
　一〇月　ロミオとジュリエット
二六年　五月　魚屋宗五郎
二七年　六月　幡随院長兵衛
　一二月　美女カンテメ
二八年　四月　屈原物語
　一一月　神霊矢口の渡

以上の公演の中で、宮映サが特に力を入れた公演として、「前進座『屈原物語』公演とサークルの動向」と題して、連載(28)で報告している。

宮崎での「屈原」公演時は、私は東京在住だが、宮崎での前進座との関わりには想い出がある。七〇年ほど前のことなので、思い違いがあるかも知れないが、記憶をたどりながら書いてみる。

宮崎映画サークルが創立される前に公演された「真夏の夜の夢」に関わることである。当時の前進座地方公演では、宿賃を節約して、役者・裏方の大部分の人達が後援者の家に分宿していた。私も興行に関係していた安達さん（後の宮映サ事務局長）に頼まれて、裏方の一人を請合った。残念ながら名前は失念したが、後刻、俳優も兼ねた相当な演劇人になられたと記憶している。家がタバコ屋をしていたので、別れ際にピースの箱詰めをプレゼントしようとしたら、断乎固辞されて、丁重なお礼の言葉をいただいた。さすが前進座だと感激したのを覚えている。男の裏方さんの名前は忘れたが、女優の「いまむらいづみ」さんのことはよく覚えている。彼女は、知り合いの崎間とよさん（故人）の下宿先に分宿していた。若い奇麗な人だと聞いて、仲間と押しかけてお会いした。何を話したかは覚えていないが、素敵な女優さんだという印象は忘れられない。今回ネットで調べてみると、一九三三年一月二二日生まれとあるから私より三歳若く、一九四九年五月入座とあるから、ピカピカの新人女優だったということになる。

今回ネットで「前進座の歩み」をキーワードに、座の歴史を調べてみた。

前進座は、一九三一（昭和六）年に創立され、戦前戦中戦後の幾多の苦難、変遷を経て今日に及んでいる。私が調べたのは、残念ながら一九九〇（平成二）年で中断した六〇年間のものである。一〇年毎に区分してその期間の特徴を解説している。印字するとA4判18ページに及ぶ詳細なものである。

前進座は、良心を貫いてきた、今も貫いている日本の誇るべき演劇集団である。

（二〇一八・三・三〇　記）

## (34) 一九五三年末から五四年半ばまで

三年近く標記の報告を書き続けてきたが、手持ちの資料「シネ・フレンド」も残り少なくなった。手持ち最後の50号（一九五四年六月一二日発行）以降、どんな活動を何時まで続けていたのか、機関紙は何号まで発行されたのか、資料を持ち合わせていないので残念ながら私には分からない。誰かその後の経過についてご存知の方がいれば、是非繋いで後世に残していただきたいと念願する。この頃私は東京在住で、「シネ・フレンド」を郵送してもらっていたのだが、私の住所移転など連絡不十分で途切れたのだろうと思われる。

今回は見出しの期間、即ち、報告できる最後の期間の二つの記事を採録する。

「五三年のサークル推薦映画」として、和37、洋42、計79本の作品がリストアップされている。

日本映画（制作会社名は省略）ひめゆりの塔　夏子の冒険　夫婦　まごころ　稲妻　わかれ雲　女一人大地をゆく　人生劇場　やっさもっさ　煙突の見える場所　雨月物語　村八分　縮図　妻　混血児　愛情について　雲流るゝ果てにも　ぐら横丁　日本の悲劇　白魚　あにいもうと　祇園囃子　明日はどっちだ　旅路　広場の孤独　花の中の娘たち　雁　ひろしま　地の果てまで　東京物語　蟹工船　夜明け前　赤線基地　早稲田大学　魅せられた魂　赤い自転車　思春の泉。

外国映画（制作国名は省略）河　二百万人還る　激戦地　花嫁の父　罪ある女　女狐　真昼の決闘　五本の指　ベルリン陥落　セールスマンの死　陽の当る場所　風と共に去りぬ　花咲ける騎士道　革命児サバタ　ピノキオ　あいびき　超音ジェット機　愛人ジュリエット　静かなる男　文化果つるところ　ミラノの奇蹟　探偵物語　ライムライト　可愛いゝ配当　街は自衛する　井戸　七つの大罪　双頭の鷲　越境者　シンデレラ姫　雨に唄えば　パラダイン夫人の恋　パリーのアメリカ人　噴火山の女　G・Iジョー　ガラスの城　突然の恐怖　落ちた偶像　赤い風車　大音楽会　三人の名付親　禁じられた遊び。

なお、79本の上映館は、センター19、ロマン座18、宮劇11、大成座10、江平9、若草9、日劇3、帝劇3本。当時の宮崎市の八つの映画館の事情を、ある意味で顕していると思われ興味深い。これらの題名を見て、懐かしく思い出される方もおられるのではないかと思って、労を惜しまず転記した。

「五四年映画サークル発展のために」と題して、宮崎映画サークル常任委員会事務局長・田原稔氏が起草されている。B4判紙面全面に項目ごとに解説文が付けられているが、紙幅の都合で項目だけを記述する。

1安く観るための運動
2よい映画、見たい映画を自由にみるための運動
3機関紙を月二回定期的に発行
4非劇場地帯、とくに農村の移動映画
5文化団体、労組との提携
6批評、創作活動を通じてよい映画をつくりだす
7よい日本映画を守り育てること

この草案が「宮崎映画サークル」の活動方針として承認され、その後も革新的、民主的文化活動が続けられたことだろうと推測する。

（二〇一八・四・二六　記）

## (35) 落穂ひろい（続）

連載(16)で最初の「落穂ひろい」を記述しているが、それ以降、紹介したい記事が紙幅・紙面の都合で割愛せざるを得なかったものを幾つか採録してみる。

**＊本年度（一九五二年）県文化賞受賞に塩月（芸術）瀬ノ口（学術）氏を推す。**

一昨年より始まった「宮崎県文化賞」受賞候補者の推薦を、宮崎映画サークルにも県教育委員会から依頼があった。推薦理由は、

**瀬ノ口伝九郎氏**　県の史跡、名勝、天然記念物、国宝、重要美術品の調査係として数十年にわたり研究・調査を続け、その学術上の成果は貴重なものである。官庁機構の中で目立たぬ活動を続け、恵まれずにいる人物こそ推薦に値する。

**塩月桃甫氏**　かって台湾美術界で啓蒙と育成に長年貢献してこられた。昭和二一年宮崎への引き揚げ後、二六、二七の二年間、宮崎県美術展の審査員として美術界の向上に貢献されてきた。特に、本年度出品作『猫』と『静物』は、本県美術界の偉大な収穫であり、本年中の制作点数は三〇点を数える。老齢に関わらず、若々しい制作意欲は新人にとって励ましであり、その功績は表彰に値する。

なお、私の勤めていた県立図書館には、塩月桃甫さんの絵画が数点飾られていた。
＊東海地方映画サークル協議会が「日本映画を守る夕べ」を催し、映画鑑賞団体として初めて功労賞贈呈式を行った。
作品賞　新星映画社
脚本賞　水木洋子氏
監督賞　山本薩夫氏
男優演技賞　木村功氏
女優演技賞　山田五十鈴氏
＊宮崎映画サークルの歌　作詞・上野祐久氏
一、大淀の岸に草萌え　若者の歌響くこの街に
よい映画安く見ようと　ささやかなわれらの願いが
国民の自由を守る　ああわれらスクラム組もう
宮崎みやざき映画サークル
二、びろう樹の葉陰は青く　男子らのたくましいこの街に
よい映画安く見ようと　ささやかなわれらの願いが
日本の文化を守る　ああわれらスクラム組もう
宮崎みやざき映画サークル
三、フェニックスの葉が風に揺れ　乙女らの美しいこの街に
よい映画安く見ようと　ささやかなわれらの願いが
世界の平和を守る　ああわれらスクラム組もう
宮崎みやざき映画サークル
五三年八月以降、五四年六月（最終）まで宮崎市で上映された主な作品を列挙すると、「G・Iジョー」「白魚」「令嬢ジュリー」「罪ある女」「巴里のアメリカ人」「あにいもうと」「祇園囃子」「旅路」「青春銭形平次」「落ちた偶像」「大音楽会」「広場の孤独」「沖縄健児隊」「三人の名付親」「真夜中の愛情」「クオヴァデイス」「綱渡りの男」「三文オペラ」「日輪」「叛乱」「もぐら横丁」「唐人お吉」「ヨーロッパ一九五一年」「黄昏」「シェーン」「山の音」「饗宴」「山椒大夫」「虹の世界のサトコ」「女の園」「真実一路」「二つの世界の男」「三つの恋の物語」「七人の侍」「君の名は」「美しい人」「放浪記」「足摺岬」「陽は沈まず」「大阪の宿」などなど。

（二〇一八・五・二八　記）

## (36) おわりに

戦後五、六年経った一九五〇年代に、宮崎で活動していた「宮崎映画サークル」という市民文化団体について、三年間、三六回にわたり書き続けてきた。今まで埋もれていた貴重な活動記録を紹介し、伝承しなければならないという使命感に支えられて、何とか続けてこられた。
「宮崎映画サークル」の機関紙五〇号分の膨大な資料内容を、初号から連載一回分の分量に逐次切り取り、それの見出し語を考え、原稿用紙三枚半程度の字数に収まるように編集

記述する。かなり厄介な作業であるが、機関紙に記載されている主な活動・出来事・事案などの記事は、「主要記事項目一覧」にまとめ、それを参照しながら記述した。大雑把な切り取りなので、なかには見出しとマッチしていない内容が含まれているのもある。

切り取りに漏れたもので是非収録したいと考えたものを「落穂ひろい」として纏め、二回補記している。その中で、岡田英二氏の一九五一年に表明された「社共統一について」の声明は瞠目に値する。「六〇数年後の現今の『野党は共闘』の叫びと共鳴するものがあり、革新懇の『統一戦線論』と同根のイデオロギーである」と評価している。また、上野祐久氏の「宮崎映画サークルの歌」の歌詞もいい。「あゝわれらスクラム組もう」とリフレインし、現今の革新運動の〈協同・団結〉を先取りしている。

採録できずに残念に思っていることとして、論説や映画評論などを原文のまま転記出来なかったこと、映画評論家の山中卓郎氏、サークルのリーダーだった東和哉氏、高井肇氏、本條敦巳氏、上野祐久氏などの論考は貴重だと考えたが、紙幅の都合で割愛せざるを得なかった。全文転記は、竹村小枝さんの入選作「ひめゆりの悲劇を繰り返してはならない」の一篇だけである。

映画サークルという特性上、当時宮崎で上映された主な映画の題名は、労を惜しまず記録して、八回にわたり和洋一九〇タイトルを表示している。読者の中に、観ておられる題名を見て、懐かしく往時を回想される方もおられるのではと、私は秘かに期待した。

この連載を書きながら一九五〇年代の日本の映画サークル運動の記録を、ネットで丹念に調べたが皆無であった。南九州だけでも鹿児島三五〇〇名、宮崎一五〇〇名、大分一〇〇〇名の会員を組織し、福岡に「九州映画サークル協議会」の事務局を置いたと言われる市民文化団体が存在していたのに、記録が見あたらないのは不思議である。この拙い連載が欠落していると思われる記録の幾分かの穴埋めになれば幸いである。

連載を終るに当たっての思惑は、筆者にとって節目の「二年間を振り返って」(連載25)で既に詳細に書いている。何故筆者にとって〈節目〉であったのか、も含めて読んでいただけると事情をご理解していただけると思う。

最後に、この長い連載を最後まで読んでいただいた方がおられたら、心からお礼を述べたい。ご批判を頂ければ更に幸いです。

なお、三年三六回にわたり、ハイマートの貴重な一ページを提供していただいた宮崎市革新懇にもお礼を述べたい。編集者の初期の三浦栄人さん、続いての山崎亮さん、ありがとうございました。(完)

(二〇一八・六・二九　記)

# 「宮崎映画サークル」の愛読者であった者からの想い

宮崎市革新懇代表世話人　日高　脩

宮崎市革新懇の機関紙「ハイマート」の１０７号から連載が始まった『「宮崎映画サークル」について』が完結したので、たいへん興味深く読ませてもらった一人として、矢野勝敏さんにお礼を申し上げたい。

紹介されている「宮崎映画サークル」が創設された一九五一年ごろ、私は農業に従事しながら大宮高校夜間部に通学していて、「サークル」が誕生したことは知らなかった。

当時の映画館の一つであった映画センターは、支配人の湯浅氏の息子が小学校時代の同級生でもあり、よく記憶しているし、また、「サークル」の生みの親と紹介されている安達清則氏は、高松通りにあった写真館の店主であったことも知っていた、それだけに感慨深い。

私は一九五三年に宮崎大学学芸学部に入学して、憲法の講義で上野祐久先生から憲法九条や労働権の話を聞いていたので、あの温厚な先生が「宮崎映画サークルの歌」を作詞されているのには、びっくりした。

第15回に掲載された「映画サークル班」の人員表を見ると、多くの職場に班が組織されており、最大一五〇〇名以上の会員が地道に活動していたこと。今日の文化活動と比較しても、あの困難な時期にこうした運動を作り出された先人の努力に頭が下がる。こうした運動を引き継いで、三〇万市民の願いに応える文化運動を創出することの重要性を痛感させられた。

いま、改憲反対をめざす市民と野党の共闘が進んでいるが、こうした共闘を前進させるためにも、地道に宮崎の文化運動の発展に努力された人々の教訓に学び、粘り強く努力することが重要であると痛感している。

そうした思いにエネルギーを与えていただいた矢野さんの労作に感謝します。これからも力をお貸し下さい。

# 「宮崎映画サークル」の連載を終えて
## ―日高脩さんの厚意に謝す―

矢野　勝敏

三年、三六回にわたる連載を書き続けながら、戦後間もない一九五〇年代の民主的映画サークル活動に興味を持ってもらえる方が果たしておられるだろうか、と常に危惧していた。多くの貴重な紙面を使わしてもらったのだから当然である。

私のこうした危惧に対し、市革新懇代表世話人の日高脩さんが応えて下さった。『『宮崎映画サークル』の愛読者であった者からの思い」と題して、心温まるコメントを投稿していただいた。心から感謝しています。

映画センターの支配人湯浅氏の息子さんとの関係、サークル生みの親の安達清則氏のこと、また、宮崎大学の先生で「宮崎映画サークルの歌」の作詞家・上野祐久氏のことなど、懐旧の人を通じてサークルへの想いを書いていただいた。

それに加えて、現在の宮崎の文化活動の現状を顧み、かつてのサークル活動と対比して言及されている。『映画サークル』の人員表を見ると、多くの職場に班が組織されており、最大一五〇〇名以上の会員が地道に活動されていたこと。今日の文化活動と比較しても、あの困難な時期にこうした運動を作り出された先人の努力に頭が下がる」と。

サークル関係者の一員としては、何とも嬉しい誉め過ぎの言葉ではある。実態は割引目当ての会員が多数いたのは事実であるが、中核になって真摯にサークル活動を支えていた人達が大勢いたのもまた事実である。

今日の宮崎の民主的文化活動はどうなっているのだろうか。私にはよく解らないが、知る限りでは、宮崎市民劇場、宮崎平和美術展、宮崎文学会、「新婦人」のいろいろのサークル活動、日本科学者会議宮崎支部の読書会、有志の合唱運動など、それなりに活動されているのではないだろうか。

文化と名の付くものが殆ど映画だけだった時代と違って、現代は、創出し発展させる文化活動の範囲は広く、また可能性も無限にあると思われる。

日高さんの「こうした運動を引き継いで宮崎市民の願いに応える文化活動を創出することの重要性を痛感させられた」という感慨に私も全く同感である。

そこで一つ望みがあるのだが、ベートーベンの「第九」の演奏会を宮崎市でも恒例化できないものだろうか。延岡市では実現されているのだから、県都としても考慮の余地はあるだろう。四年前の二〇一四年の暮れに、宮崎市政九十周年記念事業として、「みやざき『第九』演奏会」が開催され好評を博した。私も久し振りにステージに立って、思い切り合唱を楽しんだ。

「第九」を高らかに歌い、憲法第九条を守り活かしていきたいものである。

（二〇一八・一〇・三一　記）

# 第二部　「宮崎映画サークル」「シネ・フレンド」主要記事項目一覧

（#は転写した連載文の番号、＊はサークルの推薦映画案内）

1950年8・10　警察予備隊発足

1951年（昭和26年）

創刊号　8・1発行　会長　武井正嗣：新たな出発に際して
これまでの経過（#2）　「どっこい生きてる」制作の苦心（#2）
八月市内の座館は、帝国、大成、宮劇、若草、センター、江平、日劇の7館（各館スケジュールは省略）
＊呪われた抱擁　憂愁夫人　カルメン故郷に帰る　袴だれ保輔

No.2　8・28発行（変形2頁）　本多猪四郎作品「花ある処女地」本県ロケイション
映画講座に出席して（図書館サークル　東）　サークル会員数　8・28現在587名
＊オルフェ

9・8　サンフランシスコ講和条約、日米安全保障条約調印

No.3　9・10発行　山中卓郎（日向日日新聞報道部長、映画評論家）：映画興行の盲点
木下慶介監督が「稗つき節」を映画化
＊少年期　先駆者の道　青い真珠　白い国境線　山びこ学校　わが一高時代の犯罪

No.4　9・25発行　事務所決定　対談〝映画への愛情〟より
＊パルムの僧院　ママは大学一年生　隊長ブーリバ　わが父わが子　日本海軍の終末　奴隷の街　愛妻物語

No.5　10・12発行　日本映画について―所謂　素人・玄人という事（武井正嗣）
推薦映画十本決まる　女だけの映画座談会　文化短信
＊ムソルグスキー　どっこい生きてる　麦秋

No.6　10・25発行　〝どっこい〟の動き　是非生徒に見せたくて（#5）　「どっこい生きてる」を観て（宮大映研）
＊自転車泥棒　鉄格子の彼方　シンデレラ姫　ダースなら安くなる　武蔵野夫人　四重奏　せきれいの曲

No.7

11・15発行　第1回映画合評会を開いて（電報局サークル　高井肇）　〝自転車泥棒〟を観て（県庁サークル）

＊母なれば女なれば　麦秋　海の花火　レベッカ　黒水仙　舞踏会の手帖

No.8

発行日付無し（本年最終特集号　8ページ）　副会長・田中広智：映画とサークルについて

会長・武井正嗣：サークルを大きく、強く─回顧と展望─　〝巴里の屋根の下〟雑感（統調　柴岡）

市内映画館支配人の横顔

＊風雪二十年　折れた矢　黄色いリボン　箱根風雲録　母なれば女なれば　山びこ学校　わかれ雲

# 1952年（昭和27年）

1月21日　芸術協会の集会で役員決定　会長：高橋学長　副会長：黒木芳郎　常任理事　演劇：武井正嗣

文学：神戸雄一　舞踏：沖村貞誠　音楽：園山民平　美術：川越篤

No.9

1・25発行　二月から割引復活の見込み　主張「良い映画」のための活動を　各社の今年の企画

図書館サークル合評会（わが谷は緑なりき、三人の妻えの手紙（注　合評会の中で矢野がYの表示で発言））

神田隆を囲む座談会（図書館会議室）　風雪二十年を観て─佐分利の情熱不足（図書館サークル　矢野）

＊ある夜の出来事　摩天楼　めし

No.10

2・10発行　ぞくぞく生まれる地方サークル（高岡、高鍋、清武、紙屋）

主張・サークルに血と生命を　1952年の宮崎映画サークルのベストテン（#7）

「母なれば」の神田隆氏大いに語る！　独立プロの展望

知性ある笑いを─「或る夜の出来事」を見て─（統調サークル　本條）

短評（風雪二十年　馬喰一代　アンナカレニーナ　サツマ飛脚　或る夜の出来事　摩天楼）

＊サンセット大通り　シーラ山の狼　アニーよ銃をとれ

No.11

2・25発行　洋画中心で陽春開館─サークルの協力を期待　主張・文化映画の上映を望む

四つの感想（統調サークル）　映画めし　第2回合評会の印象　良かった「めし」（電報局サークル）

めし評（県庁サークル　森山博）　短評（めし　シーラ山の狼　アニーよ銃をとれ　慶安秘帳　マルタの鷹）

＊河内山宗俊　母なれば女なれば　バグダットの盗賊

号外 3・6発行 「母なれば女なれば」の推薦特集 「日劇」の割引引換券付き（#9）

No.12 3・15発行 箱根風雲録の山本薩夫・岸旗江 来宮 主張・宣伝の問題 全九州映サ協議会開かる
〝麦秋〟より〝めし〟が、そして更に〝わかれ雲〟が（図書館映研 ひがし）
どこにあるスターの自由 三國・久我問題 なお未解決 芽ばえ―本城村からの便り
食糧事務所サークルの人気俳優の世論調査結果 男優：三船敏郎（18）佐分利信（11）若原雅夫（7）伊豆肇（5）岡田英次（4）坂東妻三郎（4） 女優：原節子（19）津島恵子（9）久我美子（6）乙羽信子（6）高峰秀子（5）小暮美千代（4）
＊赤い河 嵐の中の母 本日休診 風ふたたび

No.13 3・30発行 映画の一つの観方 山本薩夫・岸旗江を囲む座談会 箱根風雲録について 山本監督談 岸旗江談
短評（母なれば女なれば 白い恐怖 本日休診 赤い河 風ふたたび）
＊ポー河の水車小屋 ジープの四人 雪崩 霧笛

No.14 4・10発行 自主映画目指し〝現代俳優協会〟設立さる 主張・観賞の第一歩
待望の箱根風雲録いよいよ上映 箱根風雲録をみて（工学部サークル 佐々木正）
短評（ファスト ポー河の水車小屋 ジープの四人 雪崩 賭はなされた）
＊波 悪魔の美しさ ピカソ訪問記

No.15 4・25発行 大分にも映画サークル生る 主張・スターシステム（スター中心制度）
〝ポー河の水車小屋〟合評会（工学部サークル 15名出席）
短評（箱根風雲録 悪魔の美しさ ピカソ訪問 二世部隊 ファビオラ）
＊黎明八月十五日 明日では遅すぎる 夜明け 女相続人

No.16 5・10発行 第7回委員会開かる 会費納入、未納の件など 主張・新しい観客動員に注目せよ
明日では遅すぎる（図書館映研 X） 波を観て（電報局サークル 高井）
黒岩敏郎：「賭はなされた」を中心に―サルトルの文学とその映画化―
短評（波 女相続人 長崎の歌は忘れじ 三銃士）
＊夜明け お国と五平 西陣の姉妹 西鶴一代女

No.17
5・25発行　箱根風雲録完成記念興業―前進座来る！　サークル後援と決定　主張・サークルに声を（#10）
箱根風雲録を観て（宮大助教授 上野祐久）　夜明け評（工学部サークル 吉向英世）
短評（明日では遅すぎる　夜明け　お国と五平　西陣の姉妹　西鶴一代女　二つの花　浮雲日記）
＊山びこ学校　虎の尾をふむ男達　戦国無頼　れいめい八月十五日

No.18
6・10発行　記録映画「一九五二年メーデー」完成　主張・日本ええ映画の方向
「ヨーロッパの何処かで」合評会（食糧事務所サークル 矢野も同席）　山びこ学校　いよいよ上映
短評（ヨーロパの何処かで　朝の波紋　カーネギーホール　虎の尾をふむ男達）
山びこ学校を見て（県庁サークル T生）
＊白い国境線

6月4、5日　図書館ホールで上演　「二十日鼠と人間たち」図書館演劇部

No.19
6・25発行　九州のトップを切って「一九五二年メーデー」上映　主張・再びサークルに声を（#10）
期待される洋画の作品（伊「ドイツ零年」 米「ムッシュウ ベェルドオ」 仏「二百万人還る」）
カンヌ映画国際コンクールでの世紀の映画ベストテン（#16）　シナリオ作家協会　破防法に反対声明
黎明八月十五日―制作意図とその効果について―（図書館サークル X）
短評（黎明八月十五日　山びこ学校　凱旋門　銀の靴　安宅家の人々）
＊にがい米　天井桟敷の人々　おかあさん

号外
7・15発行　高すぎる最低料金七〇円について　県映画協同組合宮崎支部の決議事項（#11）
これに対し、伊福部敬子（県婦人児童課長）、山中卓郎（映画評論家）、黒木清次（作家）、宮永太（県職組文化部長）、上野祐久（宮大助教授）の諸氏がアンケートに答えている（アンケート　1．一本立と二本立のどちらがよいか　2．料金七〇円について　3．上映館への要望　4．サークルへの希望・感想）（#11）

No.20
8・1発行　注目を浴びる一本立最低七〇円、其後の動き
支配人会議訪問記　主張・映画はあくまで大衆のもの
「にがい米」のシルバーナとフランチェスカの問題（無署名）　お母さん（図書館映研 X）
短評（天井桟敷の人々　にがい米　おかあさん　嵐が丘　三等重役　雲の中の散歩）

No.21

＊いとし子と堪えてゆかん　キングソロモン　旅愁　娼婦マヤ　トムソーヤの冒険

8・15発行　入場料金その後　〝館は県が経営している〟県税課長の暴言

世界に訴えよう広島の気持ち！（原爆の子）　五十鈴さんら愚策映画の出演拒否

黒岩敏郎：カルネの集大成「天井桟敷の人々」について

＊若い人　ホフマン物語

## 9月6、7日　第一回職場演劇コンクール　図書館ホール

No.22

9・10発行　宮崎各館秋の布陣　奈良の映画館いよいよスト　県下支配人総決起大会

内外ニュース　日比谷公会堂　六月四日、七月三日　各職場大動員の第九交響曲

映画を観る練習について（県蚕糸試験場 IM）　短評（西部の男　キング・ソロモン　旅愁　若い人）

No.23

9・25発行　映画政策について各候補者にアンケート（左派社会党・片島港　改進党・有馬美利　自由党・川野芳満

日本共産党・沢重徳）（#13、14）　社共統一について（岡田英次）（#16）

映画と風景（電報局サークル　高井）　短評（欲望という名の電車　丹下左膳）

＊原爆の子　暴力　現代人

## 10月15日　保安隊発足

No.24

10・15発行　班会議組み換え―常任委員会で決まる

中部A412　中部B665　北部145　南部158　合計1380名（#15）

暴力と現代人（図書館 X）　視覚的、聴覚的な素晴しさ―第三の男をみて（高井）　題名のある映画（赤江中ひうが）

短評ていだん（A：安達清則　X：東和哉　Y：矢野勝敏）

＊続三等重役　お茶づけの味　虹を掴む男　殺人狂時代　サムソンとデリラ　慟哭

No.25

11・1発行　良心的な制作を続けるために独立プロ六社ていけい　都城で映さ結成―会長に図書館長

入場料のカラクリ　サムソンとデリラ（農中 M・T）　宮大秋の映画祭「雲の中の散歩」

＊ドイツ零年　稲妻　生きる

No.26

11・20発行　二本立復活―座館協定変更さる　二本立料金自由の興業復活

「泣き虫記者」の映画評　東さん一等入選　〝生きる〟を推す―編集委員座談会　〝原爆の図〟を観て（R）

No.27
短評（砂漠の鬼将軍　泣き虫記者　ドイツ〇年　稲妻　殺人狂時代　お茶づけの味）
＊巴里の空の下セーヌは流れる　人生劇場　令嬢ジュリー
12・5発行　サークル創立一周年記念行事決まる　前進座単独主催遂に決定―全会員に訴える
記念行事実行委員の記（図書館サークル　X・Y）　短評ロータリー（二つのパリ―他（Y）　巴里の空の下　人生劇場
姿なき軍隊　明日なき男　令嬢ジュリー　ウインチェスター銃73）
＊大仏開眼　青いベール　カルメン純情す　丘は花ざかり

No.28
12・25発行　多大の成果を残して　一九五二年の記念行事幕とず
「カサブランカ」「王様」「白毛女」上映　前進座公演は1000名目標に届かず460名
本年度県文化賞受賞に塩月桃甫氏（芸術）瀬の口傳九郎氏（学術）を推す（＃35）
我がサークル一九五二の歩み（X）　カサブランカと王様（Y）
可能性を信ずると云う事―美女カンテメを観て（K・N）　白毛女を観る（T）
＊アパッチ砦　真昼に決闘　アフリカの女王　誰が為に鐘は鳴る

## 1953年（昭和28年）

No.29
1・15発行　「シネ・フレンド」に紙名変更　希望の一九五三年　上野祐久：明けましておめでとう
「暁前の決断」評（寺島雄吉）「千羽鶴」について（山中卓郎）「シネ・フレンド」と決まるまで（＃19）
新春座談会（司会・矢野　安達　本條　高井　佐々木）六名で選ぶ一九五二年宮崎市封切邦画のベストテン（＃19）
＊河　ひめゆりの塔

No.30
2・1発行　新企画いろいろ　新任役員・会長　宮崎兄一（宮大工学部長）：会長就任に当たって（＃20）
「ひめゆりの塔」感想文募集（＃20）　嘘と誠（湯浅弘）　映画用語解説(1)（＃23）
前号の続き・一九五二年宮崎市封切洋画のベストテン（＃20）　今年度上半期予算（＃20）
短評ロータリー（誰が為に鐘は鳴る―南十次　千羽鶴―寺島雄吉　真空地帯―志郎　河―柴岡）
＊吹けよ春風　夏子の冒険　二百万人還る　地獄の英雄　劇王カルーソ　禿鷹は飛ばず

No.31
2・18発行　なつかしの名画祭―春にさきがけサークルで主催

「ひめゆりの塔」感想文入選者発表（#21）　主張・良心の問題（県庁　森山博）
雑誌と映画と（関屋邦宏）　映画用語解説(2)（#23）
＊自由を我等に　巴里祭　夫婦　まごころ　激戦地

No.32
3・8発行　多大の成果を収めて名画祭終わる　九州映画サークル連絡会議開かる
主張・今後の問題―量と共に質を―（図書館　中島）　なつかしの名画を観て（食糧事務所　K・Y生）
短評ロータリー（夏子の冒険―高井　花嫁の父―風三郎　夫婦―高井）
＊花嫁の父　加賀騒動　罪ある女　女狐　真昼の決闘　五本の指　女ひとり大地を行く　人生劇場（第二部）

No.33
3・31発行　日本興行組合連合会で入場税撤廃運動を決定　主張・配給会社の良心何処にありや（高井）
「村八分」を観て（宮大　上野祐久）
＊村八分　煙突の見える場所　母のない子と子のない母と　情火　静かなる決闘　運命児サパタ　逢いびき
　ダニー・ケイの牛　乳屋　愛人ジュリエット

No.34
4・15発行　前進座公演決定―県労評後援で―　職場の後援活動活発化（#28）
田野町にも映画サークル結成　全サークルの皆さんへ（事務局　安達）
各党に映画政策をきく（共産　左社　右社　改進　自由）（#27）
屈原の役（河原崎長十郎）　「革命児サパタ」（統計　柴岡）
＊陽のあたる場所　超音ジェット機　雨月物語

No.35
5・15発行　入場税を撤廃せよ―メーデー大会で決議　安達常任辞任　北星映画へ（安達清則氏は、宮崎映さ生みの親であり、事務局長として献身的に活動してこられた。後任には、元県労書記長の田原稔氏を決定）
日本映画を守る夕べ―東海地方映画サークル協議会　映画鑑賞団体として初めて功労賞贈呈式を行う（#35）
日本文化を守るために（図書館　I生）　短評ロータリー　逢びき（寺島）　ハリケーン（寺島）　煙突の見える場所
ものの見方・考え方（無署名）　零号作戦（風三郎）　超音ジェット機（県庁W生）
＊ミラノの奇蹟　静かなる男　文化果つるところ　混血児　縮図　妻

No.36
6・1発行　映画祭や記念集会スチール展―二周年行事のラインアップ
〝混血児〟合評会（県庁職員寮）　ミラノの奇蹟（寺島）　縮図（県庁　眞砂）　静かなる男（寺島）

No.37

「縮図」というかなしい女性を描いた映画をみて（農林中金 いしかわ・としお）
＊ライムライト 探偵物語 街は自衛する 愛情について 妻 真空地帯 苦い米 井戸
6・25発行 盛会だった記念行事―さらに一層の活動を 宮崎県映サ協結成
サークル割引禁止―大阪、大分、大牟田等で 私のベストスリー（宮崎の著名人にアンケート）（＃31）
年齢を超越した演技（県映画協同組合 遠藤生） サークルの皆様へ（北星映画 安達清則）（＃29）
特集・今年度上半期の映画を顧みて 6月6日県庁職員寮にて座談会（＃30）
その男を逃がすな―実質的な描写（寺島雄吉） 妻―高峰の妻は好演（電報局 黒木義澄）
欲望―創作意欲に疑問（風三郎） 街は自衛する（丸島町 横山章一） 演技俳優と映画俳優（図書館 秋原洋司）
無形の割引―割引論によせて（食糧事務所 本條）（＃24）
＊雲流るる果てに もぐら横丁 可愛い配当 犯罪国境線 七つの大罪

No.38

7・20発行 サークルの宣伝と組織を強める 主張・戦争ものの二つの立場 映画のエロチシズム
「雲ながるる果てに」を観て（田原森光） 職場サークル巡り（県庁サークル）
短評ロータリー（双頭の鷲 殺人者 ナイアガラ もぐら横丁 ライムライト 青色革命 愛情について 七つの大罪）
＊日本の悲劇 越境者 見知らぬ乗客 シンデレラ 雨に唄えば バラダイン夫人の恋

No.39

8・10発行 夏のリクリエーション―サークルから広く呼びかける 役員名（＃31）
主張・ノーモア〝ひろしま〟 異常な登場人物たち―「日本の悲劇」を観て（寺島雄吉）
平和の美名に隠れて再軍備を扇動する「戦艦大和」 私達のひろば（統計サークル）
短評ロータリー（シンデレラ姫 雨に唄えば 越境者 再会 都会の横顔 バラダイン夫人の恋）
＊噴火山の女 G・Iジョー 白魚 令嬢ジュリー 罪ある女 巴里のアメリカ人 ぽーリンの冒険

No.40

9・5発行 常任、編集合同委開かる 主張・会員証を生かすために
原作とシナリオと映画―「坊ちゃん」の場合（矢野勝敏） 文化生活を営むために―人事院勧告批判（県庁 W生）
私達のひろば（電報局サークルの巻）
短評ロータリー（坊ちゃん 白魚 噴火山の女 きんぴら先生と御嬢さん）
＊あにいもうと 祇園囃子 突然の恐怖 明日はどっちだ 旅路 青春銭形平次

No.41 9・22発行　落ちた偶像・人生模様　サークル主催の鑑賞会　主張・映画館のスト
黒岩敏郎：恋愛映画の監督者たち　高井肇：ろうかる映画覚書
短評ロータリー（ガラスの城　あに・いもうと　明日はどっちだ　祇園囃子）
私達の広場（図書館サークルの巻　記事の中に伊東淑子（現姓：矢野）の意見記事あり）
＊落ちた偶像

No.42 10・15発行　今ひと息だった観賞会　だが成果は大きい　主張・文化生活と税金
特集「君の名は」をめぐって　〝君の名は〟と四等的感傷（神宮春子）　悲しい女のあきらめ（石）
ドラマの魅力〝ゆみの歌〟（川越洋子）　〝落ちた偶像〟をみての雑感（県庁　H・T生）
高井肇：A・ヒッチコックの映画について
短評ロータリー（機動部隊　人生模様　雁　見知らぬ乗客）
＊大音楽会　広場の孤独　花の中の娘たち　沖縄健児隊

No.43 11・1発行　平和をめぐる二つの問題作登場　「ひろしま」「禁じられた遊び」
何を観るべきか―日本映画・秋の大作を展望する（た）　私達のひろば（農業試験場の巻）
推せん映画に一言（九波）
短評ロータリー（赤い風船　花の中の娘たち　わが心に歌えば）
＊三人の名付親　地の果てまで

No.44 11・26発行（この号よりB5版に変更）　一人でも多く「前進座」へ―映画サークル、演劇同好会共催
河原崎国太郎：古典上演に当たって　座談会「禁じられた遊び」をみて（農林中金サークル）
高井肇：「東京物語」―平凡な小市民の人生を描いた秀作―　黒岩敏郎：「夜明け前」について―尾を曳く生の宿命―
柴岡昇：「蟹工船」を観て
＊真夜中の愛情　拾った女

号外 特集『赤い自転車』　12・7発行　全逓宮崎、シネ・フレンド　共同編集会議発行

No.45 12・26発行　新春1月封切映画の案内　唐人お吉　クオ・バアディス　綱渡りの男　日輪　三文オペラ　女の一生
深夜の告白　終着駅

53年度に活躍した日本映画の監督たち（東和哉）　１９５３年の外国映画から記憶に残る監督群（高井肇）
映画と歌舞伎人（映画協同組合遠藤生）　放送劇の一年間（野の嬢児）　今年のえいが音楽（秋原洋二）
ごひいきスターを語る　芸格の深い演技者たち（図書館 石永正保）　山村聡（農林中金 竹中小枝）
木村功（田原森光）　千石規子（教育会館平林しづえ）　ジャンルイ・パロウ（九配 日高登志江）
数を増した独立プロ作品　独立プロえの期待と希望（森）　矢野勝敏：「にごりえ」びいき
一九五三年サークル推薦映画（＃34）
映画サークルの目標：映画を安くみる仲間を作ろう　みんなでよい映画をえらぼう　映画を通じて私たちの文化性を高めよう　平和を守る日本映画を育てよう　世界中のよい映画の自由な交流をはかろう　みんなで映画サークルをひろめよう
＊クオヴァデス　綱渡りの男　三文オペラ　日輪　叛乱　もぐら横丁　唐人お吉

## １９５４年（昭和29年）

No.46
1・26発行　１９５４年度陽春の話題作　年頭に際しての私の提案　名画鑑賞会の実施（高井肇）
山中卓郎（日向日日新聞文化部長）：私の推すベストテン「日本映画」（1東京物語　2情火　3あにいもうと　4縮図　5真空地帯　6日本悲劇　7雨月物語　8煙突の見える場所　9千羽鶴　10地獄門）
またやろうぜ　楽しかった「サークルの集い」
こぼれ話（1月14日　図書館ホールにて　農林中金　I生）　映画随想　主題歌（秋原洋二）
＊ヨーロッパ１９５１年　黄昏　シェーン　山の音　恋文

No.47
2・26発行　3月の新映画紹介（夜ごとの美女　エベレスト征服　恋路　白い馬　水鳥の生態　伊津子とその母　第二次世界大戦）　憲法擁護県民連合―映さからも参加
知らされざる国々の映画、次々に宮崎で公開（「郷土を守る人々」（朝鮮民線提供）　中国映画「葡萄の熟するころ」）
子供をつれていける映画会　映画サークルの歌（作詞・上野祐久）（＃35）
＊狂宴　或る女　山椒太夫

No.48
3・26発行　入場税　4月1日から国税移管か　割引にも大きな影響

No.49

短評ロータリー（深夜の告白　日の果て　陽のあたる家　伊津子とその母　シェーン）
全国の映画館数（常設館）3700　平均入場料　税抜58円　税込87円（時事通信）
＊虹の世界のサトコ　女の園　或る女　山椒太夫　真実一路　二つの世界の男　三つの恋の物語　シンデレラ姫　雪ふみ
5・1発行（一部5円）　5月のエクラン飾る　黒沢（七人の侍）大場（君の名は）の決選
メーデーの記録映画製作―宮崎第3回メーデー実行委員会で決まる
岸恵子をはじめ有名スター　独立プロ作品に出演　日南に映さ結成
短評ロータリー（女の園　山椒太夫　オリーブの下に平和はない　二つの世界の男）
西沢圭一‥現代の先端を衝く国際的色彩濃い危機感　キャロル・リード作品
高井肇‥キャンブラーの情熱を描く　アメリカ映画「雷鳴の湾」　アンソニー・マン作品
＊七人の侍　君の名は　美しい人　放浪記

No.50

6・12発行　各県まちまちの割引　宮崎でもバラバラ
サークル三周年　八月中を記念月間に（映画愛好者の夕　文化コンダン会　ともしびの映写祭　大山郁夫氏講演会
カチューシャ公演　ロシア民謡、朝鮮、中国の唄と踊り、中国の古典歌舞劇　中国映画「鉄鋼戦士」「大同団結」）
短評ロータリー（怪盗三人吉三　東京シンデレラ姫　素っ飛び男　私の凡てを）
映画サークル発展のために＝草案　事務局長　田原稔（1安く見るための運動　2良い映画、観たい映画を自由に見るための運動　3機関紙を衝く二回定期的に発行　4非劇場地帯、特に農村の移動映画　5文化団体、労組との提携　6批判、創作活動を通じてよい映画をつくり出す　7よい日本映画を守り育てること）
＊足摺岬　陽は沈まず　大阪の宿

第三部

# 「宮崎映画サークル」「シネ・フレンド」

## ——「宮崎映画サークル」の機関紙

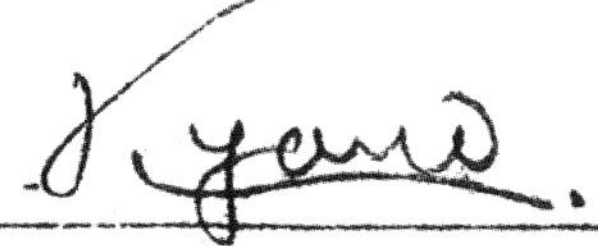

創刊号 1951・8・1

NO. 1

# 映画サークル

1951.8.1　＊宮崎映画サークル発行＊

## これまでの経過

昨年映画サークル設立会が一部映画愛好者によって作られたが巾広い人達を結集することができず組織もサークル活動も不活潑のまゝ自然消滅となっていた。今回は鹿児島市等の例にならい新しい組織として広く各職場・学生・個人を結集して健康で明るく本当に私達の映画を観たり話したり進んでは製作に協力したりするために動いています。

経過
1 八月の解説
2 七月の批評
3 どっこい特集
4

### 会員三百名を突破。

七月に入りサークル員の加入活動を初めて実際の日数は二十日位であったが各職場ともこのような文化活動に対する意慾は強いものがあり会員数はすでに三百名を突破した。

### 仮連絡所はタケイ書房

サークルの事務所ができるまで仮連絡所を橘通り四丁目タケイ書房に置きます。

### ＊第二の「ドッコイ」候補に日高繁明氏…

宮崎市出身の東宝演出家日高繁明氏のシナリオ「花嫁と馬一匹」が第二のドッコイ候補シナリオとしてあげられている。

### ＊鹿児島では一年で二千七百名のサークル員が…

おとなりの鹿児島映画サークルでは創立一年で会員が二千七百名を越え仲々盛んである。宮崎も負けないように立派なサークルを作って私達の望む映画が全国のサークル員の手で作れるようにしたい。

## 新たな出発に際して

武井正嗣

何と言いましても既に映画は吾々の生活の一部分になり切って居ります。い、映画を見たい、好い設備が欲しいと日頃心の中で思いつづけながらも積極的にどう仕様もなく宮崎興業界のあてがい扶ちを喰って来た吾々ではありますな訳に終戦后六年、宮崎の映画界も一応整備されましたので、今後は、大いに吾々の要望を実現する方向に進みたいと思います。

幸い、皆様の御協力により、宮崎映画サークルは多数の新会員の加入を戴き、又さゝやかながら機関紙を発行する事となりましたことは真に喜びにたえません。

会場と興業界との深密なる連絡機関紙としての役目を果し、宮崎の映画界をより好くするために、吾々の輿論を充分に反映させたいと思います。

映画を愛する人々こそ日本の品位を高めて行く人々です。

×宮崎演劇文化協会長、宮中・農高文科卒、映画にもそうけいが深く今回サークルの会長を依嘱された。

## ＊死せる恋人に捧ぐる悲歌（英画）＊解説＊

英国の親王室の某一代であるジョージ一世の渡英以前ハノヴァア時代の宮廷秘録を小説化した実話でジョージ一世の妻ソフィ・ドロシアとスウェーデン使節ケエニクスマアク伯の恋でそれがジョージの知るところとなり、ソフィードロシアは二十幾つかの若さでオールデン城に幽閉され・ジョージひとり渡英して王位についた。

この映画は天然色で一七二六年ソフィ・ドロシアが死の床に臥して若き日の思い出を語るという形式をとっていて、バジル・ディアーデンが監督し「シーザーとクレオパトラ」のスチュウトグレンジャー「宝石館」のフランソアズ・ロゼー「シーザーとクレオパトラ」や「嵐が丘」のフローラ・ロブスン「嵐の人生行路」のジョウン・グリーンウッド等という堂々たるキャストである。

26～29日 〃帝国館で

# 呪われた抱擁 （佛画）フランス・アンベリヤ映画社作

アナトオル・フランスの「楽屋裏の話」を脚色したもので「乙女の湖」のマルク・アレグレが監督し「凡ての道はローマへ」のミシュリイヌ・プレエル「美しき争い」のクロオード・ドオファンが出演している。

大根役者扱いにされている中年の俳優に訓練をうけ舞台に進出した若い娘が彼をふり捨てて美貌の貴族と恋におちる。俳優は永遠に二人の間を邪魔してやると呪つて自殺する。それ以来彼女が恋人と相抱こうとすると必ず俳優の幻影に邪魔されてどうしても恋をさゝやくことが出来ない。お墓へ行つて詫びても駄目である。遂に彼女はあきらめて芸一すじに生きる決意をし第一流のスタアになるが年老いてしまうという心理的な角度を組つたもの。

## 八月映画の解説

# 憂愁夫人 TORRENTS

マリイ・アンヌ・デマレの小説「激流」を映画化した作品。物語りはいかにも女流作家の筆になるものに相応しく、情緒の綿々とした三角関係の物語りで、フランス人好みのテーマ。監督は新しい顔のセルジュ・ド・ポリニイ・脚色はロブエール・ド・トマツソンと監督のポリニイの共作、台詞は「密会」で台詞を執筆したジヨルジユ・ヌヴウ。撮影に「めぐりあい」

「キユピドン酒場」の繊細な軟調子を得意とするルネ・ガヴオ音楽に「美女と野獣」「田園交響楽」のジヨルジユ・オウリツクとジエルメーヌ・タイユフエールの二人を起用した贅沢さ。

ジヨルジユ・マルシヤル、エレヌ・ヴイタ、ルネ・フオール出演

※ヤン・イバルセンと従妹のシグリツト・リンドヴアールは深く愛していたがふとしたことから二人の間に深いみぞが出来た。ヤンは医学の勉強をすて、年若い女レナ・デツクミンとアフリカの植民地に転を求めて故郷を去つた。シグリツトはアフリカへヤンの後を追つたがレナは深い歌声に輝いていた。シグリツトは絶望のあまり身重のレナを車に乗せ、無残にも砂漠のたゞ中に彼女を置き去りにした。然しレナは救われた。そしてシグリツトに残されたものはふる里の奔流と死の影だけであつた。

# 袴だれ保輔

原作、吉川英治
脚本 八住利雄
演出は「戦国群盗伝」の滝沢英輔

藤原一門が專政と栄華の限りをつくした平安朝時代。この権力のために学力がありながら栄達の道をふさがれ、許婚をさえ横どりされた袴だれの、生涯を通じての権力への反抗と悲恋を歌劇的な美しさで描く。

袴だれには池部良
その他 東山千栄子
伊豆肇
若山セツ子
山根寿子
新珠美千代

# 〝カルメン故郷に帰る〟 前売券発行

世界的に天然色映画への移行が急がれている中に日本にもやつと松竹の手で最初の作品が作られた。木下恵介監督・高峯秀子・小林とし子の主演・ユーモアの中に軽い人間愛をしのばせる。—前売券はサークル員に限り五五円—



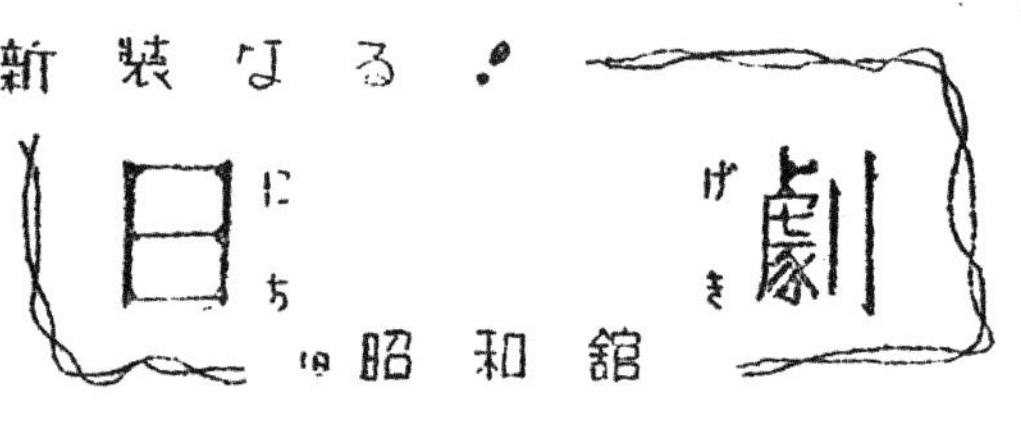

# 七月の批評

## 幻想の人を追った映画 ―シンゴアラ―

文芸作品を監督しては運着なクリスチャンジャックがスウェーデンの中世紀物語りに第二のバーグマンと云われるリンドフォルスを起用し作ったもので呪いの城の王子とジプシイ娘との不思議な邂逅に初る悲劇だ・物語りとカメラの描き出す北欧の雰囲気・背景に持味のフランスの悲劇性を加味しているが・同じケルマン族を血にうけているフランスとスウェーデンのもつ幻影の人が全巻に流れている・

中世紀の人間の存在は従属的存在であった。常に神に対する関係、家族或は同族集団に対する関係に於てのみ存在し存続した。主人公達はこのタブーを破ったのだ・人間の自己に対する関係に人間の存在の位置を作ろうとした。ジャックはこゝで悲劇を作りえた・何故ならこの従属的関係を破れば彼らの存在の位置を失ったら追放者となるから。私はこゝに人間性の解放の端緒を見うけた。しかしジャックはこの幻影の人ー運命を信じ、背負った人間を、発展のない人間関係のみを追い廻し終っている。

ラストシーンの死に到りクライマックスとしたジャックには珍しい様式化された演技の美しさをかも出していた。それにスエーデン人フーゴー・アルフヴエンの音楽はこの森の悲劇・わづかな太陽の光りを唯一の頼りにしている人々の姿ー幻影をいやが上にも高潮させた。又助演者はスウエーデン人であるというならその意を得ていたろう・従来のフランスものと少々異るのも当然であったろうがシナリオの所為かプロットの不足で中弛みがあり残念だ。一輪のシンゴアラに発するこの素材・要須を得たシナリオを得たことはジャックにとっては彼自身の映画の世界を作り得たと思う。

結局は幻影の人のみを追い廻したとはいえ・しかし私はか様な方法で映画芸術の発展・行詰りの打開があるとは信じていない。

（S生）

## 「栄光えの序曲」を観て

感激の作品でした。あのフランスのもつ香り高いヒューマニズムが逞しいリストの前奏曲と溶け合ってぐっと画面一杯に迫ってくるあたり──息詰る思いでした。音楽映画にしろこれ程主人公の生活をそのまゝ、画き出す事に成功した作品は稀だと思うし、それだからこそ私たちの心を打つのです。アパート街の裏道でアコーディオンを引いてきかせるロベルト、盲やおかみさん、子供たち、みんな生活の苦しさも何も忘れて耳を傾ける…・スクリーンを見ていた私もつい映画である事を忘れた程でした。

しかしロベルトの成長と共に襲いかゝる色々な悪の手──私たちはこゝから現代の資本主義社会が、神童ロベルト、をどの様に駆立てて苦しめるかを如実に見せつけられるのですが、作者の鋭い批判力がそのまゝ、にじみ出ており、俳優の演技も誠に鮮かな所を見せて呉れます。

だが何といってもこの作品の圧巻は、ロベルトが恩師マーシャルに再会して、再び自らの道を見出してリストの前奏曲を指揮するところでしょう。苦しみを踏み越えて解放された心の躍動を静大切れない笑いの何と美しかった事でしょう。

（K・M生）

◇推薦映画に割引々換券を発行します・券は連絡責任者を通じてお受取下さい。尚観賞后はぜひ感評をお寄せ下さい。

# どっこい生きてる

## ＊製作の苦心

「どっこい生きてる」くらい第一歩の企画から大衆に知られている映画はない。それは劇団前進座と元日映演労組委員長伊藤武郎、書記長松本酉三の両氏を中心に日本映画界で最高の才能をみとめられる映画人によつて作られた独立プロ新星映画社との共同作品（新星映画にとつては第一回作品）ということだけから来ているのではない。

　前進座が全国公演の中で大衆に訴え、大衆的な資金動員を行つて作りあげた、すなはち、観客自身が作りあげた大衆の血の通つた映画であるから、大衆が日本の民族映画を守るために支持と協力をおしまず完成を成功させたのである。そのスタッフは文字通り日本最高のメンバーによつて構成されている。

　こうしたスタッフの上に七十日間のクランク、四万呎のネガフイルム使用、その仕上りは八千数百呎、映寫時間一時間四十分という日本一ゼイタクな企業作品である。しかるにこの作品が出来上るには僅かに三〇〇〇万円の大衆資金（普通二〇〇〇万円位）ではじめられ、世界一ガタガタの借りあつめ機材で進められたのである。企業作品は日本一ゼイタクだが資金機材の貧乏なことも日本一であつた。

　こうした困難な條件の中でこうしたゼイタクな、しかも恐らく芸術的にも興業的にも今年度のベストワンだと目される名篇を生んだのは、名演出家今井正が心魂を傾けつくした演出と、全スタッフの大衆に献身しようとする努力、それに大衆の圧倒的支援協力が一体となつて出来たものである。

　こうした特色をもつとも表しているものは主役の一人秋山婆さんに扮する飯田蝶子が参加するについて云つた言葉であろう。

「芸術にイデオロギーのちがいなんてありません。あたしは前進座が好き、今井さんが好き、それにこの役はあたし以外の人にはやれません。

## ＊新聞批評はこの作品をかくたゝえる。

きびしい世相を背景に貧しい親子の生活苦をレアリズムのカメラでスクリーンに流す。この作品は日本映画がやがて「自転車泥棒」に追いつき、あるいは追い越す希望を与える。
―毎日新聞

さまざまな困難と斗いながら真正面からこの映画に取組んだ意欲は偉とするに足るし、こうした映画にあり勝ちなガタピシした後味やどぎつい主張が感じられないのはさすがに今井監督の手腕のほどをうかがわせる。
―日刊スポーツ

自由労働者だけの問題でなく吾々背広細民の生活につながる切実さが胸を打つ
―夕刊中外

## ・八月 市内各館スケジュール・

| 館名 | 上映作品（1日～31日） |
|---|---|
| 帝日 | 秘境／異様な處女／炎の街／西部の挑戦／大編隊／特種女子／死せる恋人に捧げる悲歌 |
| 大成 | 不敵なる進撃／袴だれ保輔／あばれ御輿／海賊船 |
| 宮劇 | 母恋草／カルメン故郷に帰る／恋文裁判／どくろ銭／東京のお嬢さん／角兵衛獅子 |
| 若草 | 七つの星／無宿猫／島組異変／花ある怒濤／明月走馬燈／有頂天時代／霧の夜の恐怖 |
| センター | 熱砂の白蘭／帰郷／若い娘たち／愛染香／憂愁夫人／昨日消えた男／ウルヴ／スケルトンの映画騒動／テキサス警備隊／呪われた抱擁／赤い靴 |
| 江平 | 恋人／母千鳥／鬼ヶ島／たのしき画家／自由学校／銭形平次／石中先生／姉妹星／美しき暦／暁の脱走／銀の星に手をふる天使／日の出船／鬼あざみ／感傷旅行／だれが私を裁くのか／千丈嶽／男の哀愁 |
| 日劇 | 休館／袴だれ保輔／いれずみ大会／明月走馬燈／あばれみこし／荒神山／海賊船／西部の炎／日の出船／霧の夜の恐怖 |

本県で待望久しい一回作品

# 『花ある処女地』本県ロケーション

―日向路は近く八月末撮影―

今迄にも本県には度々ロケーションが行われたが、その全部が映画化見ると僅かな数分のシーンであった。

こんどの「花ある処女地」はそれとちがって殆んど全部宮崎県でロケ撮されるもので現地の本県にはプロデューサーのロケハン隊はすでに来宮し新井、高千穂、米良方面に二十日間視察した。

県の観光課でも今度のロケは非常な[illegible]アップするため本県観光協会の用意怠りなくその成行を待っている。

サークルとしても撮影中、俳優さん（？）と座談会等をもち日本のサークルでは画期的な試みとして俳優との交流という会合をもちたいもので何かの形で本県の撮影が成功するように協力したい。

× × × ×

# 『映画講座』に出席して

宮崎県立図書館サークル　東

私達の職場に映画サークルが出来たのはつい最近のことだ。先日第[illegible]の人たちが来てここで第一回の研究会をひらいた。テーマは製作者側特にキャメラを中心として映画の作られる過程、技術面から話してもらったのだが、その方面では全く知識のない私達にとっては目新しく興味ある問題であった。これからもやらシナリオも読めるようになった。

私はその後でソヴエト映画の「シベリヤ物語」のシナリオを読み、或日映画を見せる時人に聴かせる為に訳、読みたがる同好の友にかさうとその日から寝ないでカットとカットとのつながりやカメラアングル、効果的なクローズアップに今までになかった新しい興味を見出しているのに気がついた。

[illegible]の感興をし[illegible]

てきたのが私達の集りで決して適当なものではなく、今の職場を[illegible]生活を共にしている人たちの中でも映画より何よりも私達と映画とのものは切り離せない生活的なつながりがある。それであればこそ映画に対する関心は一層大きいのではないかと思われる。

今日、日本では色々な面でそれぞれの意識に、映画の面にも多くの重要な問題を含まれならないのである。しかもこれを一部の人々だけにまかせて置くことの危険については誰でも知っている。その意味からも私達のサークルが全国的にどんどん大きくなって私達の手による要求や理想が実現に一歩一歩近づいていくことを願っているのではないだろうか。

※八月廿一日、図書館サークル部の希望により、本紙も講座「撮影」の続編です。希望される職場は申込を御持ち下さい。参加自由です。時間は大体[illegible]時間

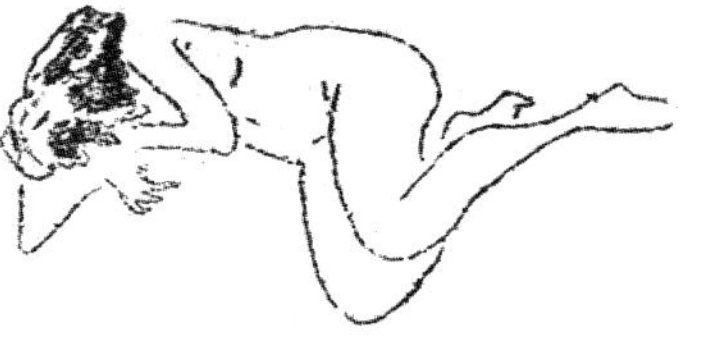

## 八月のスケジュール

| 館 | 上映予定（8月31日〜9月2日） |
|---|---|
| 日劇 | 野球小僧 暗礁 ／ 吉田御殿 ／ [illegible] ／ 魔の男 ／ 花の剣 ／ 沈まぬ夜の[illegible] ／ 浜 ／ 壮 ／ 大地の肌 ／ 舞子と唄わぬ男 ／ 青い[illegible] ／ [illegible] |
| 江平 | [illegible] ／ [illegible] ／ 江島[illegible] ／ [illegible] ／ [illegible] ／ 香山[illegible] ／ 大[illegible] ／ 三郎 ／ 西条家の[illegible] ／ 小天狗[illegible] ／ [illegible] ／ 泣かれた[illegible] |
| 宮劇 | 香[illegible] ／ [illegible] ／ 母 ／ [illegible] ／ [illegible] ／ 婚約 ／ 大会 ／ 夏祭三度笠 ／ 母 ／ 詩 ／ 草 |
| 高草 | [illegible] ／ [illegible] ／ [illegible] ／ 噂の天[illegible] ／ 笑 ／ 恋 ／ 湯の町[illegible] |
| ピソタ | [illegible] ／ 雪の部屋 ／ 大運河 ／ 女の[illegible] ／ 与太者と天使 ／ [illegible] ／ 七色の花 ／ 火星探険 |
| 市口 | 男の[illegible] ／ 家 ／ 路 ／ 情炎の谷 ／ コロンビア[illegible] ／ [illegible] ／ アリゾナ無宿 ／ 死の銀山 ／ 空杯の黄金 |
| 大成 | 改装のため不明．２０日頃から再開の予定 |

●メガホン●

◎八月廿六日付西日本新聞の宮崎版に「宮崎文化サークル発足」の記事が出ましたが、私達の「映画サークル」のあゆみです。

◎日向日日新聞社の[illegible]部長で映画[illegible]山中[illegible]入会[illegible]ニュース[illegible]次のニュースに[illegible]予定です。

（2）

# 九月上旬の映画紹介

日付からゆけば一日－三日、センターの「吹雪」がスエーデン映画のトーキー第一弾として珍らしいことと、映画技術が一流の国にくらべて発達していない国の作品だけに、トリックを弄せず、実景・実物の撮影によってのけるようであるが、それがトリック以上に立派な効果をあげているらしい。

続いて四日－六日センターの「執行猶予」は昭一九五〇年の邦画ベスト10の作品で佐分利信の演出・主演による作品。

九日－十一日、日劇の「せきれいの曲」のテーマは「真実に生きること」が女性にとって幸福なことであり、主人公ユキ（原夕起子）わ音楽が時の戦争屋の政策で、戦争に動員され、空虚なものにされてゆくのをこころよしとせず、教壇を追われ、音楽挺身隊を拒否して、特高にとらわれ、ゴーモンの中から一人娘のゆり（有馬稲子）にいって聞かせた彼女の半生の人生行路から生れたこの言葉を、彼女は一人娘とともにかつての恋人であり夫であり、父であった野田信之（山村聰）の「せきれいの曲」にみいだし[illegible]み合った。…

「オルフェ」はギリシャ神話が伝えるトラースの大詩人オルフォイスのことで、バッカントの女王の怒にふれて死んだ妻ユーリディスのあとを追って、地獄へ行った。

この伝説は古くから多くの詩人画家、音楽家の感興をそゝったが、コクトオも一九二〇年頃から此の神話をテーマとした創作を志し、一九二七年に戯曲「オルフェ」を書いている。

映画「オルフェ」は彼の思想の集顕を最も端的に発揮したものであり、映画芸術というものに新らしい暗示を与える作品である。「死」のプリンセスと詩人との恋愛を通しての生死の交流などその内容であるが、コクトオは可視の世界と不可視の世界を交流させて、詩人の不滅を物語ると共に、生と死とが互いにその領域の犯し難いことを云おうとしているのである。

コクトオは この映画を、撮影開始以前に死去した親友の画家クリスチャン・ベラールに捧げているが、コスチュームは殆んど全部ベラールのアイデアで、その単純なデザインは反って不思議な魅力を持っている。

一九五〇年ベニス映画祭批評家賞受賞作品

監督 ジャン・コクトオ
主演 ジャン・マレエ
マリア・カザレス
フランソア・ペリエ

＊サークル会員数＊ 8.28現在

[illegible]

## 声

※ 映画雑誌や新聞等でよく見うける「自転車泥棒」は宮崎ではまだ上映されて居りませんが、何時頃になりますか？ 又、日本の自転車泥棒だと言はれている「どっこい生きてる」についてはサークルニュース№１で大体わかりましたけれど何時頃上映されるかお知らせ下さい。

※ 私は何時も思うのですが、この様なよい映画がなぜ早く上映されないか、残念でなりません。都市に上映されているのに宮崎では今だに上映されないという状態ですが何とかサークルで出来ないものでせうか？ その点の見通しなり見解なりをお知らせ下さい。

（九電工サークル M生）

（お答え）

他のサークルからも同じ様な質問が多いのですが今迄市民の声が映画館の方え反映してないこと、「自転車泥棒」を上映した場合の観客動員の不安が映画館側にある事とが今迄当市に於てとり上げなかった大きな理由でしょう。「どっこい」については九月中に大成座で上映する事になっていましたが場内改修のため上映不能となりましたので残された途は他の館で二日間の契約の都合で上映するようスケジュールを組んでもらうことです。サークルが大きくなり観客の方々も希望すれば、良い映画しか早く上映される途がひらけるのです（事務局）

NO3 1951.9.10

# 映画サークル

★宮崎映画サークル 発行★

## 第二回委員会報告

八月三十日午后六時半から委員廿六名が集まり教育会館第二会議室で開かれました。事ム局からの経過報告のあと役員選出にはいり県庁職組委員長の田中さんが全員の推センにより副会長を快諾され次いで常任委員も六名選出されました。(会長武井さんは既決)

次いで運営、会計の事が討議され九月推セン映画決定の議題となると委員の活発な発言でニュース№2・朝日、西日本で発表された計七本に決り、終了后、どっこい〃の幻燈を観賞して九時半散会しました。

## ・九月映画の紹介・

### 少年期

江平 22-25

波多野勤子のベストセラー「少年期」を「カルメン故郷に帰る」の木下恵介が監督したもの。

戦争末期から終戦にかけて東京や疎開地で苦難に満ちた生活を送った一家庭のエピソードが母と子の愛情を中心として描かれている。戦后、戦災浮浪児をとりあげて清水宏が監督したドキュメンタリイ的映画「蜂の巣」の続篇となるもの。全篇ロケによる撮影。

### 先駆者の道

江平 29-30

医師ピロゴフの人類愛に捧げられた一生を描いたもので権力の圧迫に屈せず医学のために斗ったピロゴフのヒューマニスティクな彼らの尊い生涯がヒューマニズムの感動によってつらぬかれている。

### 青い真珠

日劇 19-20

黒沢明、谷口千吉と共に三羽烏と云はれている本多猪四郎が脚色・演出し池部良・島崎雪子・浜田百合子が出演している。

舞台は志摩半島の先端にある孤島で海女の生活・生態を描くことに重点をおいていて、海中撮影の面白さは最大の魅力であろう。

構想と自作シナリオに注いだ熱情と努力が買われた佳作。

### メガホン

●帝口館の「家路」の割引券を使用出来なかった人もあり館の方で聞いてみましたら特別興業の時はフイルム代金が高いので割引券使用は遠慮して下さいとのことです。迷惑をかけた会員の方に特におわびします。尚特別興業の時も利用出来る様交渉中です。

●「先駆者の道」は映画館の好意で三十日午前十時ー十二時モーニングショー(会員に限り廿円)をやる話しが進んでいます。

## 映画興行の盲点

山中卓郎

★…某日、ちょっとW劇場を覗いてみたら、人いきれでむっとするほど一杯なのに一驚し、あわてて外に出た。驚く方が無理かも知れぬが映画は「飛龍の剣」、残暑さめやらぬウィークデーのお昼である。「飛竜の剣」は見てないので真価のほどは判らぬとしても、何故大衆というものはこうも時代劇と西部劇が好きなのだろう。西部ものなど、どれを見ても大同小異と思うのだが、如何にせん興収が上るというのだからしかたがない。

★…しかし、しかたがないで済まされないのは、駄作映画の優先上映のために、秀れた芸術作品が犠牲にされることである。安易な興行方針に逃げこむために映画ファンの待望する作品が敬遠されることである。たとえば、「三人の妻に送る手紙」は、高鍋町ですらすでに六月上映済みだが、どうも宮崎市には訪れそうな気配がない。遠くは「旅路の果て」近くは「虹を掴む男」「女相続人」「白雪姫」「自転車泥棒」にしてまたしかりである。

★…配給会社の地域差による契約料金の制約と、観客の動員数からはじいてみて、採算がとれそうもない、という言訳には一理があろう。だがこの言訳は過去の不勉強なやり方の上にあぐらをかいた遁辞であって、真剣に宣伝面や契約の面で努力されてきたかどうかは疑問である。観客動員ということは映画人口を動かす技術であって、たゞ漫然と低い層の流れこみを待つということではあるまい。積極性のない動員技術はあり得ないのである。

★…例えば小津安二郎の「長屋紳士録」や「晩春」が三、四日の短期興行しか出来ずに「宗方姉妹」が一週間もしくは十日間うってるというのは奇妙な現象である。この場合、新聞小説の映画化が決定的なキーポイントではあるまい。たしかに宣伝力のせいである。「風の中の牝鶏」や「晩春」が当りそうもないとハナから逃げこむのでは、映画興行の常道を歩いているとは申されまい。秀れた芸術作品が必ずしも興行的に弱いとも言えぬが、高い内容の作品は当らぬという変な先入観を捨てゝ、新しい宣伝戦に移るべきであろう。

★…業者自体がつねに気ずかずにいる盲点は、終戦後、映画ファンの質が向上していることを忘れていることである。それらのファンの組織が日に日に拡大しつゝあることを見逃しては、もはや経営自体が行きづまるのではないか。

干ばつの続いた今夏のお盆興行に、期待していた農村の客が来なかったと嘆くのは、嘆く方が無理なのである。組織の力が浮動大衆より強いのは単に選挙の時だけではない。

(日向日々報道部長・映画批評家)

## 新作紹介

### イタリヤ映画 白い国境線

「平和に生きる」「帰人代議士」のルイジ・ザンパ（演出）とピエロ・テルリーニ（脚本）がトリエステ近郊の村を舞台に、国際委員会の決定によりイタリヤとユーゴースラヴィアの両国に分割されたその地の人々の運命を描いたもので一九五〇年の作品である。

話はトリエステに近いある小さな町が突然ユーゴーとイタリヤに分割されるところからはじまる。家と畑がきり離されたり、子供の遊び場が真二つになったり――。しかも住民はその日のうちに好きな方の国へ行けといわれ、人々はやっと許されたわずかな家財道具をまとめてユーゴー側からイタリヤ側へと、又ある人達はその逆へと住みなれた場所を後にして移動して行く。

こうして国境線で分断されて以来住民はおのずと対立感情に支配され子供達にまで影響してその対立もはげしくなる。国境の標識が悪いんだと子供達は皆で一本引抜いてしまう。

こゝで情勢は急速にひっ迫し、イタリヤ側はユーゴー側がぬいたと云い、ユーゴー側はイタリヤ側だといゝ、とうとう住民は武器をとって対時しあちこちで射合いが始まる。そのどまんなかを思いなやんだ一少年が標識をもとにもどせば騒ぎも治まると夜道をあえいで行く。結局乱斗の流弾を受けて少年は死ぬ。

一つの平穏と静謐は再びこの町によみがえりはしたが、しかし帰って来た平和は昔日のものではない。無気味な白い国境線は依然としてある意志を強力に放射しながら地平線の彼方まで続いているのである。

### 『山びこ学校』

「小島の春」や「暴力の街」のシナリオ・ライター八木保太郎が自作のシナリオを自らメガホンを取って製作するもの。新藤兼人がやはり初めて監督する自作のシナリオ「愛妻物語」と共に秋の映画界に新しい空気をなげかけるものとなろう。

原作は先の「少年期」のような村の少年達のルポルタージュ。

大映がシナリオを買いに来たとき八木氏は「オレが監督する」とデンとかまえて後にひかなかったというエピソードをもっている。

### わが一高時代の犯罪

「きけわだつみの声」「戦火を越えて」「軍艦すでに煙なし」を撮って以来、だいぶ沈黙をつづけていた関川秀雄の監督作品。「暴力の街」の山本薩夫も演出に参加している。原作は推理小説作家の高木彬光だが、いわゆる探偵小説趣味におちいることなく、時代を戦争の暗い谷間にとって自由と平和と青春をうばいさられようとする若い古代の姿を描き出そうとしている。

### 「稗つき節」を映画化

木下恵介監督により九州の代表的民謡「稗つき節」の映画化が予定されている。

約一ヶ月の九州滞在ですっかり九州にほれこんだ木下監督が口ケの帰途松竹九州支社に約束していったもので、来年フランスからの帰朝後上梓案に繰り拡げられた鶴富姫と那須大八の悲恋物語りとメロドラマに脚色「稗つき節」も万城目正氏などの作曲で現代化しようとしている。

本年度の外国映画輸入本数

洋画ファンの方え この程経済閣僚懇談会で決定した外国劇映画二百十五本の各国別割当をお知らせします。

アメリカ（一五〇）
フランス（一五）
イギリス（一五）
イタリー（五）
西独（五）
ソヴエト（三）

その他スエーデン、メキシコ、インド等が各二本以内となっている。

欧州映画が米画にくらべて少いのは欧州映画ファンにとってはいさゝかさびしい割当てゞある。

### 東西

＊「海の牙」「鉄格子の彼方」のルネ・クレマン監督は「チボー家の人々」の映画化を準備中だと伝えられるが、クレマン自身は原作者のロジェ・マルタン・デュ・ガールとそういう話をした程度だといっている。

＊ 台湾にはすぐれた映画劇場が九つか十あるが今では全部国民党直営で大部分はアメリカ映画をやっている。たった一つ風変りな映画が最近上映された。それは日本映画で今井正監督「青い山脈」である。しかも一ばんうけたそうである。

＊ シャルル・スパーク（脚本家、日本で上映されたフランス映画の傑作には彼の脚本が多い）は六月、映画に対する功績により政府からレジョン・ドヌール勲章を授けられた。彼は政府の検閲政策に反対し、アメリカ映画の進入からフランス映画を守れという斗争にいつも参加している。

宮崎映画サークル機関紙

# 映画サークル

1951・9・25 Nö 4

# 「どっこい」本決り

会員の間で「自転車泥棒」と共に上映要望の声が高かった「どっこい生きてる」は十月二十日から二十四日まで映画センターで上映されることに決定した。

延岡ではすでに九月中旬に上映され一万名が動員されたといはれる。終映后市の教員組合主催で批評会がもたれ色々活潑な批評が出されたが結論としては次の事に収約された。

「部分的にはおかしな個所がある。が作品全体として立派な映画である。」

次に延岡と宮崎の支配人の"どっこい"に対する意見をきいてみよう。

—延岡—
（丸山支配人）

損をしてもこんな映画をやりたいし、皆様に是非見せたい映画です。次から次にこんな映画が出来ればみんなに映画のよさが分り興行的にも成功することが出来るでしょう。

—宮崎—
（湯浅支配人）

私達の生活をはっきりと文芸術的に描いてあるからオルフェの様にわからない人はゐないと思います。ぜひ多くの人に見せたいし、そうするにはやはり料金を安くして多くの人を動員する様努力していたゞきたいと思います。

尚　料金は当日五十円
一般前売　四十円
サークル　三十円　です。

## 対談"映画への愛情"より　今井正×五所平之助

今井　"どっこい"はみんなの気持ちが違うんです。一人も文句をいはない。飯田蝶子さんも朝早くから電車にのって監督のサツエイ現場にやってくる。

五所　飯田さんはよくやる人ですよ。ぼくも長いおつき合で飯田さんの芸熱心にはいつもうたれて来ましたよ。

今井　しまいには人手が足りなくて前進座の家族全部と岩崎昶（映画評論家）さんや楠田清（監督）君までがきたないボロ服の上からナワおびをしめて雨の中を行列してくれました。ロケバスの横に気がひけるくらい大きな"どっこい生きてる"の幕がはってあるのでバスが止るとバーのマダムがビールを持ってきてくれたり、サラリーマンが「光」を五つ皆さんにわけてくださいと入れてくれたりするんです。上野の寛永寺に立ちのきをくっているバタ屋の部落がありますね。

五所　知ってる。知ってる

今井　ふかしたイモとお茶をもってきてしっかりやって下さい……とはげましてくれて――木暮実千代さんもウィスキーをさし入れてくれましたよ

五所　誠実な仕事をしてゐれば、ちゃんと支持がありますよ。そりゃ誰でも好意をもってくれますからね。

※今井　正　「どっこい」「青い山脈」「また逢ふ日まで」
※五所平之助　「ホテル酔日荘」準備中

## 事務所決定

新聞ですでに御存知と思いますが今度サークルの事ム所は高松通一丁目に決りました。宮崎劇場と映画センターの丁度真中　ミカエルパン屋の二軒隣りです。
場所も便利で雑誌やプレスシート・映画解説が用意してありますからお寄り下さい。
尚、電話も呼出（同じ家です）がありますから利用して下さい。三六五九番です。

## 若草宮劇も割引

皆様の要望の一つであった若草と宮劇の割引のことで九月二十七日、武井会長・田中副会長・安達常任・三人で支配人の山内さんにおねがいして十月から使用することが出来るようになりました。

割引額は、両館共に一般料金の二十円引きです。宮劇の実演（ターキー・ケニー・ダンカン）以外はどれでも通用します。

これで市内全館割引が通用することになりました。

## ・メガホン・

◎三号のニュースで紹介した「山びこ学校」のシナリオが近日着きますので入用の方は事務局まで申込んで下さい。

雪がコンコン降る
人間は
その下で暮しているのです
（「山びこ学校」）

◎事ム局の前にある告知板は会員の日高さん（駅前のトヨタ、大成座改装のデザイナー）のデザインです。

事ム局では街の要所に新しい形の告知板を作るプランをもっています。

◎皆さんの投稿と記事でニュースをうめ　皆さんの機関紙として一人一人が育てゝ下さい。

# 十月の映画紹介

## ・パルムの僧院

フランス文学の最高峰スタンダールの傑作をピエール・ヴェリ、ピエール・ジャリ、クリスチャン・ジャックが共同脚色したもので、撮影は「オルフェ」のニコラス・エイエで「オルフェ」のマリア・カザレスがザンセベリナ公爵夫人に扮し、烈しい恋と母性的な愛情に苦悩する女性の複雑な心の動きを見事に表現してロアルノ国際映画祭の女優演技賞をうけた。主人公ファブリス・デル・ドンゴにジェラール・フィリップ、薄命の佳人クレリアには「バラ色の人生」のルイ・サルウ、この他「カルメン」のリコシアン・エエデル、「無防備都市」のイタリヤ女優マリア・ミキ等が出演している。

原作は非常な大作で、これを映画にまとめるのは容易なことではなく延々三時間半という未曾有の長篇となっているが、クリスチャン・ジャックがこの巨大なロマンをいかに映画の世界に再現してみせてくれるかゞ観ものであろう。

## ・ママは大学一年生

（この映画は、母娘が一人の男を争うという倫理的に見てはあまり面白くない映画だが、〃子供が大人の真似をするのも悲劇の一つの材料であるが、逆に大人が子供の真似をするのも又喜劇の材料になるに違いない〃そういう思いつきから生れた映画で、細部の笑いの手が割合よく利いていて一寸楽しめる喜劇である。

## ・隊長ブリーバ

ニコライ・ゴーゴリの名作「タラス・ブリーバ」の映画化

アレクシス・グラーフスキー監督で、アリーポール主演、ジャンピエール・オーモン、ダニエル・ダリューなどの競演、慓悍奔放のコザックの中に咲いた恋、然かもそれは敵方の娘であった。斗うコザックの誇りと情熱

かつて全映画ファンをさらった名作

## ・わが父わが子

「旅路の果」「神々の王国」のジュリアン・デイヴィヴィエが製作、監督した一九四〇年作品で、劇作家のマルセル・アシャル、「女だけの都」のシャルル・スパークがデュヴィヴェと協力脚色したもの。ルイジュヴエ、レイシュ・プラン、ミシェル、モルガンの共演である。

デュヴィヴィエがこの作品で描かうとするのはいつわりなきフランス国民としてのフロマン家の人々を通じての戦争の惨禍、限りなき平和への願望である。しかも戦争と平和は、この映画で祖父、父、孫、その子との四代に亘って普仏戦争、第一次大戦、第二次大戦と三つの大きな悲劇とその間にもたらす幸福の背景をなしている。

これはデュヴィヴィエによる愛国映画でいわゆる好戦調の映画ではない。フロマン家の人々は農夫であり、教授であり、画家であり、医者であり、それぞれが戦争を憎み、幸福な営みをつゞける善良な市民なのである。しかも彼等は祖国の平和を愛するフランス人なのだ。

デュヴィヴィエはこの長い年代にわたるフランス人の歴史をいきいきと描き出し、父の子に、子の父に対する愛情、それさへも自由と誇りの為に捧げなければならない悲劇の根幹をなしているが、うるわしい夫婦愛、姉弟愛、恋愛が横の糸のように織りなされて、戦争を描きながらこれは家族愛、同胞愛の美しさに満ちている。

デュヴィヴィエのパリに対するノスタルジヤと平和時代への憧れがこの都のよき時代、あしき時代を縦横に描き出して生彩がある。それがこの映画をして年代記ものの単調さを救い出して彼の作品中でも第一級の記録と気骨のあるものに仕上げている。

なお、本作品は完成直後進駐した独軍によって没収され、唯一本残っていたプリントをデュヴィヴィエがアメリカに持参し、再編集の上シャルル・ボワイエの解説を付けて公開したものである。

## ・日本海軍の終末

これは十月二十四日から宮劇で上映されるが、朝日（Q）の映画批評は次のようである。

「マックアーサー元帥の日本着陸から日本を去るまでの功績を描くならそれはそれなりの題名にしてもらいたい・興業道徳に反する戦争記録は全体の約三分の一位、硫黄島や沖縄戦その他あれどフィルムもかなりの損傷でははつきりしない」

## ・奴隷の街（大映）

〃奴隷の街〃は今まで母もの、お嬢さまものを撮つた小石栄一がNHKの〃新しい道〃からヒントを得た人身売買を非とするそしてまた労働法規が改悪されようとしているとき労基法さえまで訴えようとする野心作である。

夜の女とみせかけ特飲街に挺身する婦人記者（久我美子）と新聞記者（堀雄二）が田舎の家出娘と、これを喰いものにする人肉ブローカー（田中春夫）街の与太物（植村）※

※　を特飲街の内でキャッチするという一歩あやまれば風俗映画に墮する処をトコトンの良心で最後までおし通しかろうじて製作意図をつらぬいている。

われわれとして奇異に属する物語りと舞台であるが　金銭とこれを悪用し人類を自らつき落す敵に対し驚と憎しみをおぼえる。

## ・愛妻物語

毎日新聞の映画コンクールで脚本賞をとりシナリオ・ライターとして名を成した進藤兼人が宿願かなつて自作の脚本を演出したもの。

主演は宇野重吉・乙羽信子。

主人公沼崎（宇野）は東京の某撮影所の脚本研究生、この男が愛妻孝子（乙羽）に激励され、苦難と落胆を乗り越えて運命を開いて行く物語り。

進藤は「自分の伝記ではない。フィクションだ」といつているが、長い間シナリオで苦労を積んで来た彼が、映画界で恵まれざる地位にある若いシナリオ・ライターの貧しい生活を描いた作品であるから、それだけでも特別の興味を引く。

進藤がこの脚本を書き、演出を志願したのは、映画人をケイベツしている人々に対して、撮影所にも良心があることを示したかつたからであるという。

**作品評**

## オルフェについて

〝美女と野獣〟〝オルフェ〟ともに詩人コクトオが映画に対する彼の野心を大胆に試みた作品である。特にオルフェは彼が力を入れた作品といはれる程あつて彼の鋭い詩人の感覚をもつて生と死を追及する超現実的幻想的な進め方はしらずしらずに我々を幽明の境に引き込んでしまふ——死の女王を求めて町をさまよふオルフェ、廃虚の廊下を進み行くオルフェと運転手、硝子売り、それにともなう音楽効果等、実にこの種類の映画としては最高のものではないだろうか。然しそれにしてもあまり感動をうけないのはどうしたことなのだろうか

イタリヤリアリズムの代表作として〝戦火の彼方〟〝無防備都市〟が我々に与えた身のひきしまるような人間の生と死に関する感動の高さを思い起さざるを得ない。

生と死といふ現実の生活と固く結びついたものを、超現実的なもの、感覚的なものとして追求しようとするオルフェは　映画に対するコクトオの遊びの域を脱することが出来ず、大人向きの芸術的オトギ話に終つている。これにつけても映画に於けるリアリズムの有位性といふものをつくづく覚らざるを得ない。

コクトオもこんな野心のくりかへしではなく、現実のフランスの人々を力強い芸術的形象で表はして欲しいものだ。

（緒方　直明・仙人加人）

## 青い眞珠

人間の愛情が社会的な枠の限界、可能な事で（この場合因習）内をどのようなあり方をするか、それをテーマとして追求した作品で如何にも堅実な泥臭い手法で一貫されている。この泥臭さは（この作品の場合非常にマッチして（この作品の価値を一層高めている。今後この非近代的な感じなどの様式——悪い場合には命取りともなるであろう——伸ばされてゆくか興味深い。

シナリオは大して難所がなく概して旨味に溢れているが、ナラタージュが利いていないのは如何にも惜しい。

撮影は自慢するだけあってさすがに綺麗だが、海中の場面（この映画のシチュエーションの大半を占めるが、ドキュメント的なタッチで描かれているため）、この場面を除いてドラマチックな盛り上りが見られなかつたのは不手際で残念だつた。

音楽の芥川也寸志は手馴れた感じ　録音はアフレコの失敗。

キャストの島崎雪子は田舎娘らしさが出ていたが、舟の中で泣くシーンでは如何にも女になりきつていて崩れを見せていた。池部は別に旨味も変化も見られなかつたが力演は認められよう。浜田百合子にはもう少し突込んでもらいたかつた。志村は無難であるが新味がない。

この映画は因習に閉ざされた海女の生活を、教師の西田を対比的に置き、組合を第三者として肯定的に描いたもので大日井戸にからまる伝説を伏線として主題を追求している。人物設定はシムボリックな嫌はあるが、一応ボロは出さず、ただ事件のあしらいが不自然でいただきかねる所があつた。

一体に不馴れが目に立ち、シナリオをものにしきれなかつた根がつよいが、（木立のシーンや海中のシーンがしつこくあくなかなか出る感傷的な美しさが全篇を支配しており、野枝の処理過程（死ぬ迄）もよく出ていて、一応の成功作品としては認められよう。

（きすみ・よこやま　宮大）

※宮崎市出身の監督日高繁明さんは溝口健二監督の「武蔵野夫人」（大岡昇平原作・主演田中絹代、轟夕起子・森雅之・山村聰）の演出補佐として活躍。今度撮影が終了したので宮崎へ帰るそーである。

# 伊誌の『羅生門』評

ヴェニスの第十二回国際映画祭で「羅生門」が「大賞」を得たことについて意外な感がした人もあり「さもあらん」とうなずいた人もあるよーだが地本イタリアの最も権威ある文芸誌「コリエーレ・デラ・セーラ」は審査員の見解を次のように報じた。

「羅生門」は技術の点では極めて正統的な手法を踏んでみるが新鮮で特異な感覚を盛り上げているところにその値打がある。この作品には激烈な劇的要素と強力な新材軸があふれてみる。米・仏の出品は表現方法の微妙さでより優れたものがあつたがこの日本映画は非常に風変りで明るい性格を描き出しており、それが映画祭に相応しい感銘を与えた。そして米仏の優秀な野心的作品をしのいで「大賞」の成功をかち得たのである。

東西

## 海外短信

☆「荒野の抱擁」「苦い米」でイタリアンリアリズムを発展させた ジュセッペ・デ・サンティスは「三つの扉」という新作にかゝつた。これはイタリアのパンパンを扱つたものらしい。

☆ジャン・ルノアール（「大いなる幻影」でしられた佛の進歩的監督）はローマでメリメ作「サンけクルマ

## 日本版

芸術祭参加作品

☆各社の芸術祭参加作品は次の通りです

（東宝）「めし」林芙美子作、千葉泰樹演出

（新東宝）「平手造酒」中山義秀作

（大映）「源氏物語」紫式部原作

新藤兼人脚色、吉村公三郎演出

（松竹）「大江戸五人男」「麦秋」「潟の花火」の中どれか

（東映）「天皇旋風説」尾崎士郎作 猪俣勝人脚色、佐分利信演出

☆カンヌ映画祭に出品され問題になつた反共映画「一台のジープに乗つた四人」（スイス映画）はこの程わが国での封切が当局から許可され公開を待つている。

☆松竹の大庭秀雄監督は「純白の夜」についでNHK放送劇八木隆一郎作「命うるわし」を十月下旬とりかゝる。公開は来年二月

☆東宝「めし」の主人公里子の役は今度東宝専属に契約した原節子と決定

☆秋の時代劇で人気の宿命と思われる「佐々木小次郎決斗篇」のキャストは、宮本武蔵を三船敏郎に決定他に田崎潤・森繁久彌がでる。

☆大映では「源氏」に次いで吉川英治作「新平家物語」を明年早々超特作としてとりあげることになつた。プランは吉川氏から近く大映に提出される。

☆前進座の“どつこい”に次ぐ第二弾「青年労仂者」物は家城巳代治、鈴木政男へ「人間製本」の作者）の両氏によってシナリオ化が急がれていたが、その万全を期するため先に予定のタカクラ・テル原作「箱根用水」に決定した。

## ・10月各館スケジユール・

（手書き書込み：羅生門）

| | | | | | | | | | | | | | | | |
|---|---|---|---|---|---|---|---|---|---|---|---|---|---|---|---|
| 日劇 | 火星征服 | 放課後の街 | アリゾナの決斗 / 折鶴笠 | 舞姫 / 愛よ星と共に | 頭上の敵機 / 吾が一高時代の犯罪 | 隊長ブーリバ / 愛妻物語 | 逢魔が辻の決斗・[illegible] / [illegible] | 若人の歌 / カリフォルニヤ | 恋人街の鬼・森の / 凸凹ストリップ | ひばりの子守唄・ターザンニューヨークへ行く | | | | | |
| 江平 | かがしき | 口笛 | 東海道は兇状旅 / 七つの星座 | 海の兵 / 王将 | 影法師 大会 | 復活 / 花ある怒涛 | 海賊島 | コンドル | 白痴 | 火の鳥 / 明月走馬燈 | [illegible] | 獣の宿 / 殺人鬼 | 幽霊列車 / 霧の夜の恐怖 | 日の[illegible] / あゝ青春 | 鮮血の手型 / 虎の牙 / 鐘の鳴る丘 |
| 若草 | 折鶴笠 / 月よりの母 | 愛妻物語 / まぼろし城 | 逢魔辻の決斗 | ひばりの子守唄 | | | | | | | | | | | |
| 宮劇 | 南風 / ダンカン・ターキー・実演 | 飛出した若旦那 / 東京踊り | 麦秋 | 鞍馬の火祭 / 日本海軍の終末 | | | | | | | | | | | |
| センター | 火星探検 | [illegible] | 我が父我が子 / ママは大学一年生 | 死の谷 / 悲歌 | パルムの僧院 | 追求 / 袴だれ保輔 | どつこい生きてる | 西部の炎 / 豪傑無刀流 | 獄門島 / [illegible] | | | | | | |
| 大成座 | 運命 | 舞姫 / 限りなき前進 | わが一高時代の犯罪 / 隊長ブーリバ | 若人の歌 外1 | | | | | | | | | | | |
| 帝国 | 密林の黄金 | 夢の宮廷 | ネバダの男 | 南支那海 | Gメン / 防諜 | 駆潜艇 | | | | | | | | | |

NO. 5 1951.10.12

# 映画サークル

宮崎市高松通り1の45 宮崎映画サークル TEL 3659

# 推薦映画十本決る

＝九月二十九日、第三回委員会で＝

九月の委員会は二十九日、図書館会議室で開かれ、十月の推せん映画を次の通り決定した。

①どっこい生きてる　（北星）
二十一−二十六日　センター

②わが父・わが子　（佛）
三−七日　センター
（ママは大学一年生と併映）
ニュースNo4で紹介

③わが一高時代の犯罪　（東映）
十三−十六日　日劇
（隊長ブーリバと併映）
十一−十七日　大阪座
（ブーリバと併映）
ニュースNo3

④又逢ふ日まで　（東宝）
廿日　江平
（めぐりあいと併映）

⑤海の牙　（仏）
六−七日　江平
（王将と併映）

⑥愛妻物語　（松竹）
七−十六日　若草
（とび出した若旦那と併映）
十−十三日　日劇
（街上の敵栈と併映）

⑦麦秋　（松竹）
十七−廿三日　宮劇

⑧隊長ブーリバ　（佛）
十−十二日　日劇
十一−十七日　大阪座

⑨パルムの僧院　（佛）
十一−十六日　センター
ニュース4で紹介

⑩羅生門　（大映）
七−九日　日劇
（無頼と併映）
二十六−二十七日　江平
（あゝ青春と併映）

右の外「限りなき前進」が候補に上ったが資料不足のためかつてベストワンをとった日活の作品であることが分らず推せんもれとなった。

# 日本映画について

＝所謂、素人、玄人という事＝

日本映画の愚作を見せられて、どうしてこう詰らないんだろうと、ヒステリックないら立たしさを覚えた事はありませんか。勿論日本映画界の内幕には色々な止むを得ない不振の原因がいろ〳〵伏在してることでせう。だがその中で一番目立た傲へ金や人や時間という様な問題に比較して〳〵しかも一番大きな原因が外にあるようです。それは日本映画の持っている伝統と云いますか、無声時代から連綿と伝はる映画人気質とでも云ひませうか、丁度テキヤの世界にテキヤ渡世人が持つ一つのアトモスフエールがあるように、日本映画界にもそのような程度の低い殻がある様です。

すべての企画も判断も、この殻の中で行はれ、これから一歩でもはみ出すと彼等は素人呼ばはりをするのです。つまり自分達は玄人だと云うのです。この彼等の玄人芸なるものが、今日、日本映画を一歩も前進させなかった大きな原因であると私は思います。

例へば、厳草の「きけわだつみの声」に関してもその片りんがうかゞえた様です。所謂玄人の間では、こんな映画はてんで素人映画だと云うのです。そして、素人映画の大成功に頭をかしげる。玄人芸から一歩飛び出すと、もう判断がつかなくなるのであると思います。

或映画界の玄人曰く「私は無防備都市は傑作とは思はない。何故ならこの映画は、例の拷問の場面が凄いので人気があるのだ。つまりまゝ子いじめの手法を用いたお涙頂戴だ」とおっしゃる。

日本の玄人も畑ちがいのものにぶつかるとこんな名批評をしてすまして居るのです。この手法でゆくと古今東西の名文学も単なる恋愛小説、スリラー小説という事になりそうです。

山本嘉次郎など、いう名士が時々日本映画界の楽屋話を簡単に書いていますが、そのセンスの低さはゾッとする位です。

又小供の時から聞き馴れたマキノと云うような名前が未だ盛んに聞かれるのも淋しいことです。

と、マア随分悪口ばかり書きましたが、これも一日も早くまともに見られる日本映画が現れることを希望して止まないからであります。

（武井正嗣）

# 『女性だけの映画座談会』

十月十七日（水）の青年の時間（六時半−同十五分）に、M・Gでは「ヌルフエ」と「アンナ・カレーニナ」を中心とした映画座談会を企画したが、映画サークル会員から、次の三名が女性として出席する。

鹿児島興銀　伊達牧子さん
教育庁　河谷さん
電話局サークル　小島アツさん
司会は神谷アナウンサー

# 十月の推薦映画紹介

## どっこい生きてる

十日－廿六日　センター

### ・解説・

この映画は新星映画社・前進座など観客みずからのつのった資金をもとにして作った作品である。映画会社のちからにたよらずに、作る者、見る者が協力して映画をつくるというくわだては、日本映画史上はじめてのことであり、外国にも例がすくない。

演出は「青い山脈」「また逢ふ日まで」の今井正である。

シナリオは、教育映画の演出家として知られる岩佐氏寿に、前進座の座付作者平田兼三を配し、さらに今井正が協力した書おろし。決定稿を得るまでに約半年をついやし、その間、観客の意見をとり入れて数回にわたって書きなおした。

主演は前進座一派に、東京映画俳優の飯田蝶子は「日本で私以外にこの役はやる人はない」と進んで参加、「野良犬」でデビューした木村功、岸旗江が特別出演している。

### ・ものがたり・

大都会の潮まだき――

きょうも、仕事にあぶれまいとおしよせる日雇労働者のむれが、職業安定所の窓口にひしめいている。

かつては町工場の旋盤工だった毛利も、そのなかのひとりだった。安定の仕事も、とかくあぶれがちのうえ、毛利は家主から立退いてくれとせまられている。

おもいあまった毛利は、現場の仲間に相談をもちかけたが、いつも親切な青年、水野や林田はあさんにもいい知恵がない。

家主の催促は、しびれをきらして毛利の留守ちゅうに、道具屋の取りこわしをはじめた。

毛利の妻、さとは、家じゅうのものを売りはらい、急場しのぎに、田舎の姉のところへ子どもまれで厄介になることを決心した。

ふたりの子をつれて、北国へたっていくさとを見送った毛利は、ヨロヨロかせぎの旺来ある花村のいる木賃宿をたずねていった。

現場の仕事もあいかわらずなくなってきた。日雇の二百円（二百四十円）では、ふたたび妻子を呼びもどすめどはつかない。

ある日、毛利は、町にはめずらしい求人広告をたよりに、とある町工場をおとずれた。

職長――しかし、年齢をきらう工場の要求にこたえる給料を定代も、いまの毛利にはとうてい求められない。すぐへこんどはなかをさきあえて、毛利は水野や林田はあさんの住む職業安定所へ足をはこんだ。

話をきいた水野や林田はあさんは、再出発する毛利のために、仲間のみんなたちからカンパをあつめて餞別としてとどけてくれた。

ところが、その夜、木賃宿にもどった毛利は、花村なかですすめられた焼酎に酔って、翌朝でみるとその有価百円は掏りの仲間に盗まれてしまう。

しかも、せっかくきまりかけていた町工場の口もことわられた。

どうすればいいのだ……もうどん底までおちこんでしまったような気持になった毛利は、花村の片棒をかついで、戦災の焼あとへ、鉄管を盗みにいく。

木賃宿へ帰ってみると、警察からの呼び出しも来ていた。

重い足をひきずって警察へ出頭してみると意外にも妻のさとと子どもが保護されていた。田舎でやっかいになりきれなくて、汽車賃をせびってもどってきたのだった。

警察から出された妻子を引きとって、木賃宿へ帰る毛利の気もちは重い。生きていく希望はない。

毛利は、ついに一家心中を決意した。さとも同意するほかはなかった。

翌日、――

花村からもらったお金をもって、毛利一家は、遊園地へ出かけていく……せめて死ぬ前に、子どもたちをよろこばせてやりたかったのだ。

無邪気にあそんでいる子どもたち。

しかし、毛利夫婦のこころは重い。

突然、――人びとのさわぎ。池へはまりこんだ者があるのだ。かけ出す毛利、長男の雄一がおぼれかけている。服もぬがずに毛利は池の中へはいっていく。夢中で雄一を救いあげた。毛利の両眼からは涙がとめどなく流れた。

――生きようとするちからのふしぎさ。

生きよう！だが、いったいどうして生きていくのだ。泥棒やかっぱらいなどをやらずに生きていくにはどうしたらいいのだ。毛利はもう泣いていない。

大都会の潮まだき、――

きょうも職安への道を人びとはいそいでいく。

★　（解説・北星映画株式会社）　★

## ☆この作品をこう見る☆

夕刊読売新聞

ともすれば日本映画の企画が目をそらし勝ちだったこの暗い現実と堂々と四つに組んだことはたたえらるべきだ。

本年度のベスト・テン有力候補と目されるものとなった事は企画のマンネリズムに悩む日本映画にとって良い参考となるだろう。

羽仁説子

現在の日本の現実は、あまりにみじめなことが多すぎるので、相当気が強いと思っていた人間でも、つい現実を正視することからずれて、ニヒリステックになる。そして、想象的にむちゃやに激しいことをいったり大衆をかつぎだして妥協的になったりする。

〝どっこい生きてる〟は、現実をじっくりと、もいちど私達に考えなおさせてくれる。今井さんの監督で、製作スタッフはりつぱだし、長十郎にしても、翫右ェ門にしても国太郎にしても、名優ぞろいの演技についてはあとまでおもいだせる美しい場面が少くない。

大木さんの音楽もよかったように思う。

（評論家）

## 麦秋

十七日〜廿三日　宮劇

松竹大船作品

脚本　小津安二郎・野田高梧
監督　小津安二郎
主演　原節子　笠智衆・杉村春子・三宅邦子

なむせの

婚期の遅れた娘の縁談を中心に家族のさゝやかな動きを写した風俗映画。同じ作者の「晩春」に似た趣向の映画的筆法で独特な作品が出来上つている。相変らず目立つた事件がなく華やかな趣きに乏しいが静かな技巧を生かしているのはさすがである。こうした映画が多いだけに、ひときわ光つて見える。たゞ、往年の小津が愛情をそゝいで観察された一連の小市民映画を知つてみるものにとつて物足りなさを感じさせるであろう。

あらすじ

老植物学者の末娘紀子は、某会社の秘書をつとめているがもう二十八になるので両親も気が気でない。専務の佐竹は良い縁談を持ち込み、両親も満足だったが、当の紀子は兄の病院につとめる矢部に結婚の承諾を与えた。両親は反対だったもともみんな紀子は決心をひるがえそうとは思わない。―

## 映画えの愛情に生きて

小津安二郎

問　「晩春」「麦秋」の世界からやンペン草の原っぱに建つた労働者街や、むさ苦しい長屋は画面に還つてこられることは予定していいわけですね。あのおかあちやんたちが、いまでも先生をなつかしがつていますよ。

答　それはぼくの作品の出身地ですからほかに還れない。しかし、いやなやつを描いてみようという気持は、なかなか起らないのです。

問　その際、あの頃みたいなやり切れないわびしさでなくて、もつと積極的な今日のすがたをと希望もし、期待もしたいのですがいけませんか。

答　そうね、もしぼくがね、いまやるのだったらあれほど絶望的な、あきらめ的面からとりあげずに、もつと明るいものをさがし出してやつてみたいと思つています。昔は、どうにもやり切れないまゝであつたけれども、それでは病的な悪趣味な感じがするのです。だから、いまふりかえれば、あの頃ともつとちがつたものを狙うでしょうね。そうしてそういうことになれば、リアルな面にぶつかるということになるかも知れないけれども、しかし、といつてぼくは共産者になつたわけでもないが、とにかく、そういう面からやつてみたいと思う。

☆　☆　☆

## 文化短信

来日中のメニューヒンの独奏会は千五百円の入場券に数倍のヤミ値を呼んで一般の音楽愛好者には手が出ず、せめてラジオで巨匠の妙技を聞こうと楽しみにしていたところ出演料のせりあいで大阪のN・J・Bが独奏の放送を独占したためN・H・Kの全国放送は望み薄となり、関西以外の音楽ファンに大きな失望を与えようとしている。

映画でおなじみの滝沢修（民芸）は「炎の人」（画家ゴツホの伝記劇）で主人公ゴツホを演じ好評を博している。

五所平之助は四年ぶりで「わかれ雲」を演出することに決定　川崎弘子や沢村契恵子が出演（配給新東宝）

商売監督　渡辺邦男はこのたび「母は嘆かず」を八日間で作りあげ奉仕ぶりをしめした。

大城座の改装もこのほど終り十月から上映再開、クッション付の椅子で出来る限り新しく替えたので皆さまの映画館として大事に使用してくれるようと館から要望している。

# 「シベリヤ物語」をしのぐソビエト映画
# 『ムソルグスキー』検閲許可さる！

一九五〇年スタ・賞一位、レンフイルム、天然色

このたび久方振りにソヴエト映画が検閲のせまい関を通って登場した。これで本年度のソヴエト映画は、先のシンデレラ（十一月上旬、センターにて上映予定）に次いで二本目である。

次に音楽評論家の門馬直衛氏の感想をのべよう。

「この映画は、ストーリーを追わなくとも十分楽しめる映画だ。画面を見ないで音楽をきくだけでも面白い。ムソルグスキーの音楽はいうまでもなくロシヤ国民音楽を築いた作曲家の名曲が豊富に採りいれられているように、その演奏が本場の優れたオーケストラによるものなのだ。ところがこれに華麗な天然色の画面が加わり、小説より面白いストーリーが共に進むのだから、この「ムソルグスキー」の映画が素晴らしいのは当然である。そこには、日本で見られない「ボリス・ゴドーノフ」のオペラの面もあれば、リムスキー・コルサコフ、バラキレフ、ボロイデンなどの作曲家も登場する。伝記も、他の作曲家の伝記映画のような無茶なこじつけがないのは嬉しい。日本でも、こういう伝記になる大作曲家がいて欲しいものである。」

## 《映画寸言》

"映画はつまらなくなった" これが最近の映画の通り相場、日向日々の映画広告欄を見ても、帯とけ佛法、湯の町情話、スキウキ道中、三本指の男、アリゾナ無宿、さあーっとこんなもの、金をもっていても仲々行けそうにないしろもの。六年たつと、なんでも後もどりするようだ。酒でも一杯のんでからでないと見れそうなものがない。

といって、こんなのは宮崎だけかと思って東京新聞に眼をとおすと、なあーんだ、チャンバラ、西部劇、スリラーもの、一流館を先頭として八割までがこれ。驚き入りました。一時叫ばれた日本映画の植民地化も、もう東京をはじめ南国の片田舎宮崎までもなめつくしているようだ。

時代逆行益々さかん、もうしばらくすると予備隊礼賛映画が西部劇に代わってハン濫しないと誰が保証し得よう。

映画愛好家も映画会社の御鳴り品だけ見ていては大変だ。

我々の映画を愛する気持を吐露せねばー、それにはサークルが必要だなどといふとサークルの御先棒たちのっいてるみたいだがねー。（左本臣）

## 十月スケジュール変更お知らせ

| | | |
|---|---|---|
| 日劇 | 隊長ズーリバ、頭上の脅威 | 十ー十二日 |
| | 愛妻物語、吾が一高時代の犯罪 | 十三ー十六日 |
| 若草 | 愛憎物語、とび出した若旦那 | 十ー十六日 |
| | 逢魔の辻の決斗、東京のカッパ祭り | 十七ー廿三日 |
| | ひばりの子守唄、神変じゃ香猫 | 廿四ー三十日 |
| 宮劇 | まぼろし城、東京踊り | 十ー十三日 |
| | 純白の夜<br>春秋（最初の三日間「秋のファッション、ショー」がつきます） | 十四ー十六日 |
| センター | どっこい生きてる<br>ー一週間に延期ー | 二十ー廿六日 |
| | アリゾナ無宿、春風二刀流、スンガ（米） | 廿七ー廿八日 |
| | 〃　千石まとい、 | 廿九ー三十日 |
| 大成座 | 若人の歌、美しき生涯 | 十八・ー廿三日 |
| | 商人街の鬼、五人の目撃者 | 廿五ー三十日 |
| 帝日館 | ジャングル・ブック | 廿三ー三十日 |
| 江東 | 歌の明星、サザエさんのど自慢大会 | 十三ー十四日 |
| | 又逢ふ日まで、めぐりあい | 十九ー二十日 |
| | 羅生門、ああ青春 | 廿六ー廿七日 |
| | 園重慶、野球小僧 | 丗一ー二日 |

「どっこい」と「ジャングル・ブック」は別にサークル用の前売券ができます。

## ・新刊紹介・

映画美の味い方　津村秀夫著
キネマ旬報　秋季特別号
映画新聞　十一月号
映画評論　十月号
ソヴエト映画　十八号
東京新聞

＜事ム局にあります、ごらん下さい。

-1- Kyaw.

第6号 1951・10・25

NO.6 1951.10.25
# 映画サークル
宮崎市高松通一丁目　宮崎映画サークル発行

# "どっこい"の動き

## 思はず拍手

★一番真剣に観たのは何といっても失業対策につとめてゐる人達で安定所に交渉して日曜の朝八時から団体観賞をかちとった。二ヶ月も前から自分の金で紙を買い皆にみてもらおうと宣伝していた南さんは観終って「是非全市民にみせたい。特に県や市のおえら方にみせたい」と知事や伊福部婦人少年課長に「ぜひ観てくれ」と確約して観賞の感想をもらうことにした。

（ある婦人労仂者）「丁度子供の運動会とぶつかりましたがどっこい"をみました。鉛をぬすんで旨く逃げた時は思はず拍手しました。たゞ一家が幸福になってもらいたかった。えらい人達に是非見てもらいたいものです。

（アパートの労仂者）「何もかも私達の生活と同じで飯田の婆さんも、カンエモンの花村さんもどこの飯場にでもゐるし引揚者寮も私のいるアオキアパートとそっくりです。

## 是非生徒にみせたくて

★雨の降る電休日、二里も離れた中学校から生徒二百人を連れて団体観賞に来られたが五時までは映写出来ないとのこと、何とかして見せたいと事務局のアッセンで館と丸電に交渉した結果遂に特別上映することが出来た。先生は「最初私が見てこんな映画はめったにみれないし、この様な社会の面も生徒にぜひ見せておきたいと思って連れて来ましたい」と云っている。

## 本庄から"どっこいトラック"

建設省の本庄出張所では「俺達仂くなかまの出て来る映画を是非みよう」との声が強く、ついに建設省のトラックで団十名が二十六日センターえと"どっこいトラック"をはしらせた。

## ●事ム局より●

十月試験的に割引券の交流をやって見た結果どうしても券がかたよるので十一月からAB級に分けて級内での交流をやることにしました。

A…センター、江平、日劇

B…宮崎、若草、大成、帝国

× × × × × ×

## 「どっこい生きてる」を観て

この映画を観て率直に感じた事は、この映画には従来の所謂批評家の批評精神なんか不要だと云う事である。誰が良かったの、誰が悪かったの、そんな事はこの映画がどんな条件のもとでつくられたかを考える時問題にするのがどんなに馬鹿げているかを自ら知るであろう。確に長十郎は余り旨くなかった。だがあのマスクには毛利が生きている。（普通の映画では善玉悪玉主人公脇役と色々な役によっておゝよそのマスクのタイプが決っているが、この映画では必要ない。この映画に必要なのはニコヨンの生活なのだ！）たゞ一人しかない毛利のニヒルなその癖未来をみつめている瞳が輝いているのだ。

未だ明けやらぬ飯田橋のペーブメントを駆ける靴音、眠りから覚めぬ街並を脇目も振らず急ぐ足々々、一番電車から飛び下りる人々・一日の眠を求めて食われんが為に道を急ぐ人々の姿は秀抜なカメラ・アイと相俟って側々と胸に迫るものをもっている。そして眠にあぶれて真晝の街並をさまよう人々の姿は、共に社会の矛盾への憎しみをかきたゝせる。不合理にもニコヨンの生活に追いやられて、世の悪意あるべつ視に堪えながら生き抜く人々のかもす同志的人情は余りにも麗しく、猪しい。そしてぎりぎりの限界に追い込まれた人々の底抜けの明るさは、素晴らしいレアリズムに裏打ちされて希望をもたらす。

この映画は全日本人が観るべきであろう・生きる為に、ぎりぎりの所まで追いつめられた人々の斗ふ姿は美しく、ある詩情さへ感じられる。

（きすみ・よこやま　宮大映研）

# 自転車泥棒

イタリヤ映画　一〇ー十三　江平映研

## かいせつ

「戦火のかなた」「平和に生きる」「無法者の掟」「荒野の抱擁」「靴みがき」につゞいで日本で封切られるイタリー映画、前五作が一九四五ー七年の作品だったのに、これは一番新しく一九四八年の製作であることはその後のイタリー社会の進み行きを示す点でも興味がある。脚色は五人、その一人のヴィットリオ・デ・シーカが「靴みがき」につゞいで演出に当った。

## 物語

ある失業者がやっとビラはりの仕事にありついた。けれどそのためには自転車が必要だ。妻は血のにじむ思いで自転車を質屋から受けだしてくる。

さて初仕事の日、彼はこのかけがえない商売道具を盗まれた。後にひかえているのはまたまた失業と飢餓！　気も狂うばかりに彼は自転車を見つけようと努める。警察ではケンもホロロ。泥棒市場をはりこんだが見つからない。だがその時たまたま乞食の老人と話している犯人を見つけたのだ。犯人はにげだしたが、老人から聞きだそうと執拗に喰い下がる。けれどこれもとうとう教会の中で見失った。

彼はむしゃくしゃして、思わず自分の子供をなぐってしまう。けれどすぐその後から反省の気もちが湧いてきて行きつけない高級料理店に子供をつれ、気嫌をとる。もちろん自転車を忘れたわけではない。だから料理店をでるとワラにすがる気もちで巫女のもとに訪れる。いい加減なご託宣に呆然としながら表にでたとき、また犯人を見かけた。今度こそは逃さない。追いつめてとうとう捕まえたが、カンジンの証拠は何もない。巡査はあきらめろという。どうしたらいいのか。とぼとぼと家路についた彼は、思わず他人の自転車に手をかけて捕まった。群集の制裁をあびる父に、子供はすがりついて泣く。幸い被害者が好い人で、それで事をすませてくれた。宵闇の流れる道を父と子は涙をたゝえて歩いていく。

## あとがき

・虚無的な詠嘆・人物も状勢もひどく抽象化され、それを貫ぬく現実の切りとり方が、シニカルな絶望感にもとずいていた。してみればこれらを通じて、この映画が人間一般の挽歌・絶望の詩をつずったこともうなずかれよう。

「靴みがき」の場合、靴みがきの少年たちが少年収容所に送りこまれ、何年かの刑に処せられていく。いわば貧乏少年の挽歌が奏でられていた。その意味ではこの映画とまったく似通った主題であったろう。しかしあの場合は少年たちをあそこまで追いつめていく環境が描かれていたことをはっきり認めねばなるまい。くどくどしい問題はぬくにしても、年上のパスクワーレという少年は、収容所の虚偽に挑戦して重刑に落ちていく。そこには人間の本性をねじまげる環境への怒りがもえていた。だが「自転車泥棒」では、その怒りは皮肉な嘲笑にすり変えられていたのである。

ここでは百姓の警察も左翼の政党も、人間の救いにはなりえない。おしなべて社会への不信がつよく押し出されている。その限りでは、たしかにこの映画はすぐれていた。巫子や警察の場はのぞいても、例えば泥棒市で主人公が、自分のものらしい自転車をみつけて警官をよんでくる。だが警官は、主人公が自転車の番号を調べることをはゞんで、自分がよみあげる。嘘をよみあげたのか本当だったかは示されていないが、それはどうでもいいのだろう。泥棒市と警官の関係がはっきり暗示されているからだ。こういう生ま生ましい社会絵図はいくらでも拾いだせる。そしてそういう現実描写が、この作品にかなり高いリアリティを附与していたことも事実である。

だがそれにしても、その現実追及はトコトンまでは果されなかった。それは恵みうすい人生をもたらした社会悪のたかだか現象を描き出したにとゞまる。そこで作者は追及の手をやめてしまった。ということは、作者が社会悪と真正面からぶつか

る立場にはなく、しかつてそれを除去する途もなく、彼等る立場にもいなかったことを示している。いえば此の映画を貫く強烈な…はげしい左右両派の激突の中に崩壊した中間層の挽歌であり、悲痛的な詠嘆なのであった。

# 鉄格子（てつごうし）の彼方

## 解説

イタリーのアルフレド・グワリーニ・プロとフランスのフランシネックス社との協力によって、詐欺、闇行為の犯罪が横行するジェノワを舞台に製作された伊仏提携作品、一九四九年度カンヌ映画祭で監督ルネ・クレマンは監督賞を、主演女優のイザ・ミランダは女優演技賞を獲得している。

（監督）ルネ・クレマン ― 持っているものを全部投げ売って撮影器具を買い込み、アマチュアの撮影班を組織して撮った「大[illegible]戦」（La Grande Duacorale）は記録映画として記者の認めるところとなったのがクレマンの映画人と彼の行動様式である。映画に出演する俳優も精熱は・職業俳優たる映画人として、活躍する演技者を指導した。「鉄路の斗い」（一九四五年）は鉄道従業員とマキ団員がレジスタンスのドラマを扱ったものだが、この作品によって彼の名は数ケ月間で世界に知られたと云われている。その後彼の才を逸早くとらえたジャン・コクトオは、彼を「美女と野獣」の技術的な顧問役として契約している。ついでクレマンは「海の牙」を完成した。この潜水艦のドラマは戦争末期の描写を描いた作品で一九四七年度のカンヌ映画祭の賞を得、一九四九年に「鉄格子の彼方」を完成したのである。最近作は大作「ガラスの城」である。

## 短いストオリイ

情婦殺しの科でフランスを追われたお尋ね者のピエールははやり病と貧窮と流浪に疲れて国際港ジェノワに降り立った。

一痛に言葉は分らず当惑して路傍に佇むピエールを親切に通訳を買ってくれた十二才生れの少女チェッキーナと知合った。ピエールは途中で行商人から偽札をつかませられた上に紙入れまで盗まれていた。彼は仕方なくチェッキーナの案内で警察に行ったが、拙い言葉は全く通じない。空腹を覚えた彼はそこで留置人の食事を運んできた給仕女のマルタの案内で料理屋へ行った。その給仕女はチェッキーナの母親でフランス語を話した。彼女は夫と別居していたが、その夫が親を尋ねに来て口論となった。ピエールは言葉も分らぬ為に彼に同情して夫を追い返った。それを機会にマルタはピエールに対して過ぎし青春の想いを蘇せた。このことを知ったチェッキーナはピエールに子供らしい嫉妬に燃えるのだった。

ピエール……ジャン・ギャバン
マルタ……イザ・ミランダ
チェッキーナ……ヴェラ・タルキ

## シンデレラ姫

「鉄格子の彼方」と併映

私達の小供のころ読みふけった話でなじみ深いシンデレラ姫です。では知っての通り、今から二百五十年程前、フランスのシャルル・ペロオ作、フランス語でサンド・ヨン（火たきむすめ）ロシヤ語でゾールシカ（灰かぶりむすめ）のソヴエト映画。石の花、せむしのこうま等々で定評のある児童向き家庭向きの教育映画として推奨したい。

内容は非常に明るい子供の世界として描かれ、正しい心をもって、まじめに働く者にはかならず幸福なおとずれるというおしえ話しで世界の子供たちからしたしまれてきた名高いおとぎ話しをソヴエトで有名な児童作家がシナリオを書いたもの。（一九四七年度作品）文部省・日教組推せん。

## ダスなら安くなる

五・一七日 帝国館

リーダイで紹介されアメリカでベストセラーとなった評判モテル小説の映画化。クリフトン・ウエッブ・マーナ・ロイ等が出演・「ホンバレ」と賞讃

# 武蔵野夫人

東宝作品

製作　児井英生（舞姫）
原作　大岡昇平（群像）
脚色　依田義賢（お遊さま）
監督　溝口健二（お遊さま）
　演出補佐　日高繁明
主演　田中絹代、森雅之
　轟夕起子、山村聰

解説

変態的な恋愛感情と性の不一致による男女間の不和。そういうものが「知的」に捉えられていることに魅力を感じたという溝口監督によってくずれかかった知識階級の一面とゆがめられた愛情がどの様に批判され描かれるかが注目される。

粗筋

戦後の出版景気の印税かせぎで金のあるフランス語教師とその妻道子、インフレの波に乗った石鹸工場主とそのコケティッシュな妻それに消息不明になっていた道子の従弟の勉の突然の復員、それをめぐって姦通と気ままな生活が始まる。道子だけが、勉に心惹かれながら、純潔を保つために自らの命を断つ――。

# 四重奏

廿一日―二日、江平

「剃刀の刃」「月と六ペンス」「雨」「人間の絆」などで知られたイギリスの作家サマセット・モームの短篇四つをまとめて映画化したもの。

第一話から第四話にいたるまで一貫して感じられるのは、所謂皮肉とか、一寸ひねったユーモアとか、危げない英国風コモン・センスの裏がえしである。

個々の話を個人の監督、ラルフ・スマート、ハロルド・フレンチ、アーサー・クラブツリー、ケン・アナキンが撮っている。キャストの中ではクフランソワズ・ロゼエが光る。

ゲーズボロウ映画

# せきれいの曲

四日―六日　センター

「情熱のタンゴ」と併映

九月日劇に来て二度目であるが豊田四郎演出、「また逢ふ日まで」の水木洋子のシナリオ。宣伝不足のため見逃がした人が多いようであるが職場でコーラス挙に入っている人達には一見をすゝめたい映画。

☆　☆　☆

事務局に次の新刊書が来ました。

## 図書紹介

＊目で見る世界の名作映画

活動写真の昔から今日まで（未封切も含む最近のものまで）の名画場面写真集である。分類の仕方に相当苦心したと編者も云っているが悲劇、喜劇等の一般的な分類の外に戦争映画、西部活劇、社会主義映画、日本映画、揺らん期映画を特殊の範ちゅうにして入れている所に編者の感覚がしのばれる。解説と監督、脚本、主演者名をのせた目録もついている。

＊キネマ旬報　十月下旬
　シナリオ「風雪二十年」

・事ム局より。
　ニュース五号のM・Sの座談会は録音不良のため中止されました。

## 11月各館スケジュール（変更する場合があります）

| 館 | 31 | 1 | 2 | 3 | 4 | 5 | 6 | 7 | 8 | 9 | 10 | 11 | 12 | 13 | 14 | 15 | 16 | 17 | 18 | 19 | 20 | 21 | 22 | 23 | 24 | 25 | 26 | 27 | 28 | 29 |
|---|---|---|---|---|---|---|---|---|---|---|---|---|---|---|---|---|---|---|---|---|---|---|---|---|---|---|---|---|---|---|
| 若草 | 石川五エ門／[illegible]京[illegible]歌 | | | | | | | 鞍馬天狗／三太物語 | | | | | | | 源氏物語 | | | | | | | あの丘越えて／炎の肌 | | | | | | | | |
| 宮劇 | わが恋は花の如く／[illegible]若き頃 | | | | | | | あわれ人妻／女次郎長ワクワク道中 | | | | | | | 海の花火／母はなげかず | | | | | | | ブンガワンソロ／ひばりのコンクール | | | | | | | | |
| 日劇 | 東京悲歌／[illegible] | | | 武蔵野夫人／ダコタ高原 | | | | 鬼軍曹ザック／女次郎長ワクワク道中 | | | | | | | | | | | | | | | | | | | | | | |
| 帝国館 | 熱砂の秘密 | | | | | 一ダースなら安くなる／ボンバ | | | 荒鷲戦隊 | | | | | 西部の無法者 | | | | 燃ゆる密林 | | | | 凸凹殺人ホテル | | | | | ベルリン特急 | | | [illegible] |
| 大成座 | 武蔵野夫人 | | | | | | | 酔どれ八万騎 | | | | | | | 死の断崖 | | | | | | | Zの旗に誓ふ | | | | | | | 黒水仙 | |
| センター | 命ある限り | | | | 情熱のタンゴ／せきれいの曲 | | | 鉄格子の彼方／シンデレラ姫 | | | | | | 第三の接吻／ジルバの鉄 | | | | 戦慄／千里の虎 | | | | レベッカ | | | | | | | ヨーク軍曹 | |
| 江平 | 四重奏／野球小僧 | | | [illegible] | 執行若旧部／恋文裁判 | | | 飛竜の鋼／おぼろ駕籠 | | | 自転車泥棒／相見お誕生 | | | | 牡犬／紫男の家 | | | [illegible] | 東京新撰組／戦のお嬢さん | | | 湯の町情話／春も恋す | | | [illegible] | 母を慕いて／ホームランX王 | | | 銀座の[illegible]／黒い花 | |

第7号 1951・11・15

No7 51.11.15

映画サークル

宮崎市高松通一丁目　宮崎映画サークル発行

## 第1回　映画合評会を開いて…

電報局サークル　高井肇

発足当時三二名であったが現在五六名の会員を数へるようになったがわが電報局サークルでは先月二三日第一回の映画合評会を開いた。宮崎劇場とセンター!で同じ頃封切られた「麦秋」と「どっこい生きてる」を合評の対象として決めるため会員の希望を集めた。これを回覧を作って映画名を書き込んでもらった。その回覧には両作品の解説・紹介・批評等を添付して参考とした。所が折悪しく回覧中にルース台風にぶつかったため予定していた期日等に大いに支障を来した。台風のためにわが職場は通信杜絶とそれに続く見舞電報の洪水に合評会どころではなくなったからである。がともかくどうやら希望の多いのは「麦秋」と決り第一回合評会の掲示をはることが出来た、「麦秋」と「どっこい」の優劣は別として差は少なかったが「麦秋」が選ばれたことは興味がある。いよいよ出席希望者を募ったところ、まだ見ていない、当日夜勤のため出られぬ、急用のため出られぬ等の理由で予定していた人達殆ど出席出来ず僅かに五六名であったが当夜は局の寮の一室を借りて小津安二郎の作品について語られた。

### 麦秋

平凡な感想座談会に過ぎなかったが「麦秋」の香りについて論じ、果ては映画放談になって夜十時過ぎ散会したが私はこれで結構と思っている。自分達の職場に一人でも多く映画の好きな人がふえ、良い映画をみた喜びを語り合う人が増えれば結構なことである。その為には会談会も活潑になるだろう。私はそう思ってこの次の合評会の事を考えている。

24日　映画サークル委員会

## キヌタ・プロ製作　母なれば女なれば　撮影開始

原作　徳永直
演出　亀井文夫
主演　山田五十鈴、岸旗江、沼崎勲

キヌタ・プロの「母なれば女なれば」は十一月五日撮影を開始した。セットは日大スタジオを借りて始められシナリオも最後の検討を終った。

「母なれば女なれば」とは?

・解説・

キヌタ・プロダクションが既成映画会社に挑戦する野心的な巨篇である。

キヌタ・プロは、昨年の東宝映画の争議解決の際、東宝労働組合が会社から六百万円の映画製作資金を受取って設立された、映画に働く労働者の才能と技術を集めて、一本の映画を作ろうと言うもの、この試みは既に昨年、日映演作品「暴力の街」で成功している。

更にキヌタ・プロの強味は、敗戦後の日本映画界で、続々と傑作を送り出した当時の東宝映画の優秀な芸術家が殆んど集っていることである。

この作品は、働く者自身が作る映画だから、日本中の働く人々に、脚本の試作ストーリイをパンフレットにして配り、どんな映画を見たいか意見を募った上で決定された企画である。今日の働く人々が痛切に望んでいる、もう戦争はしたくない、平和な世の中であって欲しいと言う願いに、ぴったり答えた映画。それをお説教や叫んだりしないで、うんと泣いて笑って感激してもらう映画に作ろうとする。

亀井文夫は戦後の東宝で「戦争と平和」「女の一生」を作って高名となったが、戦争中は「小林一茶」などで記録映画の第一人者として知られ、悲惨な戦禍の後を生々しく描いた「上海」「北京」「戦う兵隊」(これは上映禁止)に彼の人間らしい怒りが冷く描かれている。

会員1500名突破記念集会

映画サークルのつどい

11月25日 P.M6～9
ところ　図書館ホール

＊合唱(トロイカ他)＊バレー(益田統)＊
『なんでせう』(題名当て、M.Kと合同出演)

# 下旬映画紹介

## 海の花火（松竹）

十四—二〇　宮崎劇場

木下恵介の渡仏記念映画となっている。しかし木下自身が、この作品をフランスに持って行くことに懐疑的だそうである。本人としてはむしろ「女」を持って行きたいと思っているらしい。

シナリオを読んだ感じでは舞台が東京と北九州の呼子港とに分れてゐること、登場人物が余りにも多すぎて混線する危険があるように感じた。

木下の第一回作品「花さく港」（舞台はやはり北九州の港）のよかった印象を思い出しながらシナリオを読んだけど、「花さく港」以下なる心配がする。

「毎日」の評では山田五十鈴と杉村春子の演技が光っているそうだ。

## レベッカ（米画）

二一—二七　センター

当代スリラー作家の第一人者として知られているヒチコックの渡米第一回作品。ヒチコック時代の端緒を作ったものとして公開当時のセンセーションは今や伝説的である。原作はアメリカのベストセラーとなったもの、この原作の評判と当ヒチコックが米国でめずらしがられたという要素が当時この映画を名声高いものとした。

〃物語〃

南欧モンテカルロの夜——不思議な運命の糸が孤独の美しい女性の心に烈しい恋情をかきたゝせた。彼女は富もあり地位もある英国の旧家マンダレイ荘の主ウインター氏に迎えられて第二の夫人となった。何一つ不自由のない生活、若い女性の憧れを一人占めにしたような豪奢な調度品に囲まれて新しい人生を踏み出して行った。然し、何とも云い得ぬ不可解な霊気がこのマンダレイ荘内に立ちこめているような錯覚に捉われた・——（前売券を扱っています）

## 黒水仙（英画）

廿一—廿七　大成座

解説

「天国えの階段」「黒水仙」「赤い靴」の製作にアーチャーズ・プロの天然色作品「黒水仙」という題名の由来は主要人物の一人若い将軍（サブウ）がハンカチにつけている香水の名である。水仙（ナーシサス）は恋にたましいを奪われた神話のナーシサスの化身で魅惑と恋愛の意味が含まれている。それがさらにブラックという形容詞で魔性の・魅惑といったような意味を匂わせたもの。

物語

海抜九千尺の澄明な空気と[illegible]は暑熱のカルカッタから来た尼僧たちは心身共に異常な影響を与える。ここに英国使節ディーン・若い将軍・その召使達の異教徒らしい振舞が尼僧たちに悪影響を及ぼす。平和であるべき尼僧院は俗世界のような修羅の巷となる：この物語が色彩のあやしい魅惑を演出マイケル・ポウエル、エメリック・プレスバーガーの巧みさによって発揮されている。

## 舞踏会の手帖（仏画）

廿四日　法華映劇

廿三　廿四　ナイトショー

往年のフランス名画・ジュリアン・デュビィエ演出、フランソア・ローゼ、ルイ・ジューベ、アリ・ボール、ピエール・ブランシャール、マリー・ベル・フェルナンデル、レミュー等フランスの名優がづらりと顔を並べている。

中年期に入った女（マリーベル）は若かりし頃の「舞踏会の手帖」をめくりながら、かつて彼女をとりまいた男をたづねてまはる。坊主になった男（アリ・ボール）美容院をやっている男（フェルナンデル）ナイトクラブであやしげな事をしている男（ルイ・ジューベ）中毒のヤミ医者（ブランシャール）息子の死で気の狂った女（ローゼ）等、七つのエピソードを「舞踏会の手帖」がむすんで行く。仏画ファン必見の映画だろう。フィルムのいたみが気づかはれる。

# 『自転車泥棒』を観て

☆

＝県庁サークル　Ｑ生＝

×　　×

街・高いビル・人があるいている。ひしめいて階段をよじり舗道をからみ合い・ぶつゝかり合つて歩いている。一体彼等は何を目当てに歩いているのだろう？　暗い街と人の表情――その上をタイトルが流れる。

この映画には素晴しい美人も慰めも見受けられぬ。一かけらの恋もない。たゞあるものは厳しい現実とそれを支える親子、夫婦のあたゝかな愛情だけ。アントニオもブルーノもマリアもそんなものには縁がないばかりか眼をくれる暇もないのだ。三人は生きる術を探し求めるために血眼になつている。

自転車を工面して受けだし初めて出勤の日、朝もやに流れる自転車の列と並木と舗道がマツチして美しく描き出される。観客はしばらくアントニオから眼を离して自転車の列と並木を眺める。演出者の計算の何と狂いのないことか！　演出者は私たちが就職出来てよかつたなと思い一息つく余裕ができることを予想しているからだ。

間もなくそれも消えて観客の心はうわずつてくる。かけがえのない自転車がふとした隙に奪われて、のがれたように探しまわるアントニオとブルーノしか眼に入らなくなる。

ブルーノになりきつてしまつているエンツオ・スタイオーラの演技が素晴しい。雨をよけて走るブルーノ。水たまりにすべり込むブルーノ、この映画が映画として見られず、私達の悲しい歎として響くのは一つはスタイオーラの無心な演技の為でもある。

高級料理店――豪勢なテーブルを囲む家族の子供に投げつけようもない、いらだゝしさにおられながら食事をするブルーノ。食欲も忘れてしまつたアントニオ。人間がいいばかりに足げにされ、貧しい為に浮かび上れぬ仲間、人生とは何だ、幸福とは何か、私達は何故生きているのか、どうして生きればよいのだ。

何時かは「つまらないことは止せ」と妻にいいきつたアントニオ自身が占女を尋ねて行く。馬鹿々々しいと笑う気には成れぬ。大衆のたどりつくところを感傷もなく遠慮もなくあり〱にあらわしている。

魂が抜けそうになつたとき犯人にめぐり合う。執着ぐるいの追及も今は無駄となつてしまつた。あびせられる嘲笑に背を向けてとぼ〱と歩く二人。やがて二人はフットボール試合の米雷と歓声に包まれる。無数に並べられた自転車の波、何故一台の自転車の為に苦しまねばならないのか、暇があつて時にはスポーツを楽しむことの出来る人が何万といるのに何故私達だけがのけものにされるのだ！　ブルーノが不安な眼でアントニオの気持ちを探る。呵責なく人間性をえぐり出して私達を黯然とさせる。

アントニオが人の自転車をぬすもうとしてゐる。誰もとめる事は出来ない。音楽がサスペンスをいやが上にもあほり立てる。アントニオは自転車をぬすんで逃げようとするが忽ち捕えられて群衆に囲まれる。アントニオは泥棒などできる人間ではなかつたのだ。うちひしがれてしまつたアントニオとすがりつくブルーノ

なぜ自分だけが嘲笑されるのだろう？　自転車泥棒を追つていた時も、ぬすんだ時も。二人の大きい手と小さな手がしつかりつながつて夕やみの人ごみの中に消えてゆく。観客も手をつなぐ。何も言はなくていい。だまつて手をつなぎ、眼を見交すだけでよい。生きる望み、よろこびなどこにも見えぬ、だれも明日のことは分りはしない。夕闇を縫つて涙に頬をぬらしながら歩いて行くアントニオとブルーノの姿はその儘私達なのだ。サスペンスが始めから終りに移るにつれて大きくなつて行く。そしてむざんにつき离す。安逸も夢も許されない現実をつきつけられて、私達はのめりそうになる。

「自転車泥棒」はこう言う映画である。

×　　×

## 新藤監督の第二作

大映ではさきに「愛妻物語」を監督したシナリオライター新藤兼人の第二作を検討中であつたが、このほどオリヂナル場で「雪雨」の製作を決定・水戸光子・乙羽信子の主演で三月に封切る予定。

# 『源氏物語』シナリオを読んで

・西郷信綱

脚色者新藤兼人氏の言うとおり「源氏物語」を大衆化しそのために全体を単純化することは当然で、この点はある程度成功していると思う。

くに主題を光源氏と藤壷との密通事件においているのは正しい把握で藤壷の人間的苦しみがよく生かされている。光源氏の妻がうばわれる女三宮事件を淡路の上、良成という人物で単純化したのもムリ押しだが劇的効果は出ている。だが主題をこのように正しくつかみながら、本質的に原作の真髄を再現しているかどうかは疑問だ。大衆に民族的欲求があるのは正しく喜ばしいが、その内容は今雅愛で、単にこれにこびるのではなく、これを正しい方向に組織して行くことが必要である。この点シナリオは甘すぎて原作の本質をそらしている。紫式部は一体どういうつもりでこの物語を書いたか、当時の宮廷社会の堕落を批評するというリアリズムがこの作品を書いている。光源氏とその父のミカドの妻の一人たる藤壷との密通もこの観点から主題としてとらえられているのだ。その点が不充分だからシナリオでは逆に宮廷讃美の精神が見える。

原作は空蝉(ウツセミ)という女が出てくる。地方官の後妻で理智的な女だが、彼女は光源氏の気まぐれな求愛をリン然として拒む。紫式部はこれを力をこめて書いているが、シナリオは取上げていない。また原作にはないが、源氏と藤壷の会う場面をシナリオは余りにエロチックにクローズアップしている。源氏がチャンバラをやるのもおかしい。勿論 古典を扱う場合細部にこだはる必要はないが、これでは原作のリアリズムは抹殺されて 風俗画にしてしまっているといえよう。

その点源氏物語の本質が一番よく出ているのは このシナリオで扱はなかった最后の「宇治十帖」で、ここでは淡路と良成の罪の子が主人公となり、光源氏とは対照的な生き方をして、貴族社会の没落が潮々として出ている。これを続篇としてもう一度やるといい。このシナリオのまゝでは、むしろ宮廷社会へのロマンチックなあこがれをそそるのではあるまいか。

紫式部の作品には 所々に庶民とその生活が出ている。彼女は当時 下司(下層階級)に心をよせた唯一の作家だった。それらの点も充分生かされず 谷崎源氏に指導されて「細雪」的な感覚の風俗作品にされることは遺憾である。

(筆者は 法政大学教授・日本古代文学研究家)

# "麦秋"

戦前には 生れては見たけれど"、一息子"戦后には"長屋紳士録"、善小市民性を描いてすぐれた作品をつくった小津安二郎は、"晩春" "麦秋"と今迄と極めて違った道を歩いているように思はれます。麦秋は鎌倉に住んでいるプチブル家庭(但し九百円の洋菓子を食べる)の婚期の遅れた娘の結婚の波紋をテーマ!として淡々に描きだされていますが、題材が題材だけに極めて単調で何等のもりあがりもなく淡々として終っています。所謂小津の日本趣味お茶づけの味のあふれた作品です。老人菅井一郎が通りすぎる電車を踏切りで待つシーンがありますが、老人と走りすぎる電車とのコントラスこそ 煙硝の臭ひのたちはじめた日本の現実に背を向け、名匠として静かに映画盆栽をいぢりはじめた小津安二郎の姿ではないでせうか。筆者の名匠小津にお願いしたいことは彼の目が再び走りすぎる電車を追って現実につきすゝまれんことを日本映画愛好家達の期待しているところなのですが。

(直)

# ブルガリヤ映画「ヨーロッパの何処で」公開近し

戦争浮浪児をテーマにして評判になった反ナチ映画「ヨーロッパの何処かで」はいよいよ東映社で公開提供されることになった。この映画は監督ラトヴァニイ自身の乏しい資金で作られ、主演の浮浪児はいずれも実在のものである。

お詫び

(Ｑ)(直)さん紙面の都合で割愛しました。あしからず。

号外 1951・12・5

11月24日の委員会で決定した12月すいせん映画

A級　大いなる幻影．イヴの総て

B級　駅馬車．群衆．ヂエニイの肖像

12月のスケヂユールの中から五本を決定しました。日本映画が一本もないのは残念ですがサークルとして推せん出来る作品がないので今回は洋画だけになりました。

＝事務局だより＝

・　12月分の割引券おくれた事をお詫びします。

・　税務出張所の検印の手続きが変更になり夜中までかかってやっと出来上りました。

・　若草の10円割引．支配人の南さんと話したのですが．12月から館の経営方針が変ったことゝ20円割引は安過ぎるとの理由で12月から10円割引になった次第です。このことは今后色々な問題となる事ですから次回の委員会でよく審議したいと思っています。委員以外の人も出来るだけ出席して下さい。

・　メニユーヒンの映画　日劇で上映されることになりました。先程来朝した彼のバイオリンもNHKでは聞くことが出来なかったのですが1時間10分のコンサートが映画で観賞出来る訳です。サークル券を別に発行する予定です。

・　センターの12月分割引券、館の方で印刷が出来ていないので当分会員の中で廻はして使って下さい。

・　来年に入って中央の映画人2名（演技者1名、演出か評論家1名）呼ぶ計画をたていますす。希望される人があれば事ム局まで──

・　松竹三十周年記念映画「大江戸五人男」の前売券を扱っています。会員60円　演出伊藤大輔

・　次号は増ページの特別号にします．投稿を望む．

| 12月スケジュル | | | | | | | | | | | |
|---|---|---|---|---|---|---|---|---|---|---|---|
| 日付 | 1 土　2 日　3 月　4 火　5 水　6 木　7 金　8 土　9 日　10 月　11 火　12 水　13 木　14 金　15 土　16 日　17 月　18 火　19 水　20 木　21 金　22 土　23 日　24 月　25 火　26 水　27 木　28 金　29 土　30 日　31 月　1 火　2 水 | | | | | | | | | | |
| 帝國館 | 西部のさばき | ○サワラ戦車隊 | 奉鉄の嵐 | Uボート撃滅 | 前売券 北西への道（天然色） | 間諜エルナ | 前売券 西部の王者（天然色） | | | | |
| 大成座 | ○佐々木小次郎 ○駅馬車 | ○ホープさん・○群衆 | 哀愁の夜・36時間 | 八つ墓村 | アマゾンの美女 | 快傑鉄仮面 アリゾナの嵐 | | | | | |
| 若草 | 母人形 高原の駅 | 関の弥太っ兵衛・天狗廻状 | 千人悲願・飛弾の小天狗 | | | | | | | | |
| 宮劇 | | ○一母 ○命美わし | 前売券 大江戸五人男・星の肌 | 適令三人娘・薩摩飛脚 | | | | | | | |
| 江平 | 大いなる幻影 | 接吻第一号 天使も夢をみる | とんぼ返り道中 折鶴笠 | ○格子なき牢獄 | 嫉妬 純白の夜 | 愛妻物語 奥様に御用心 | 白鳥の死 | 南風・お嬢さん罷り通る・先生になるまで | 逢魔が辻の血斗．母月夜 | 初夜ふたゝび ひよどり草紙 | わが恋は花の如く 犬が地球に朝がくる | 平和への道 |
| センター | | ドンファンの冒険 | ○鎧なき騎士 | ジエニイの肖像 | 幻の馬 | ○イヴの総て | 休館 | | | | |
| | 陽気な道中 | 母の瞳 | ○巴里の屋根の下 | 暁に帰る | 凸凹スキー騒動 | むすめ七人 | バッタ君町え行く | | | | |
| 日劇 | 佐々木小次郎 母人形 | ホープさん．愛染橋 | ラスティの伝令 コルフス デパート騒動 | サンマー・ホリデイ 哀愁の夜 | 死の谷 飛弾の小天狗 | 八つ墓村 紅涙草 | 死せる恋人に捧ぐる悲歌．のど自慢三羽烏 | 奥様は魔女 特だね女史 [illegible] | ケンタッキー魂 テキサス警備隊 | | |

NO. 8　本年度最終特集号
映画サークル
宮崎映画サークル　宮崎市高松通一丁目

# 映画とサークルについて

副会長　田中広智

短歌や俳句については、最近「第二芸術論」という高踏的な論議が行はれたことがあったが、それが依然として我が国における伝統的な庶民芸術であることに変りはない。この意味において、映画は

我々の眼と耳と意識を通じて、その生活、その社会と切っても切り離すことのできない現代の大衆芸術である。しかもその大衆性は、いま欧米で非常な関心を呼んでいる所の「羅生門」に見られるように、或る意味では簡単に国際的ですらあるのである。

然したら、我々は以上のように簡単に映画を以て大衆芸術であると言い切って安心しているわけには行かない。なぜなら、既に多くの人々が自明のこと、して知っているように、近代の機械と科学と産業とから生み出される映画は、又何よりも「企業」としての厳重な制約があるのである。

このように映画は、何よりも先ず「金儲け仕事」であるが同時に又大衆の芸術的要求に應へうるものでなければ発展しない性質のものでもあるのである。こゝにおいて現在我が国においても進歩的な映画製作者・監督・スターらの集団によって、資本を離れた映画製作が行われており、又一方において各都市・各職場に「映画サークル」の結成が行われているが、それは外ならぬこの映画の企業的な面と芸術的な面とをこれを享受する大衆の中において積極的に解決しようとする努力なのである。

この夏宮崎に生まれた映画サークルもそのさゝやかな営みとして既に会員千六百名を擁するに至ったが、以上の事を考えると我々はこのサークルを一部趣味者の単なる映画研究会といったものにするのではなく、あくまでも此のサークルに集った多くの人々の極めて現実的な期待である所の「良い映画を安く楽しく見ることができるよう職場組織から活動しよう。

# サークルを大きく、強く

・回顧と展望・

会長　武井正綱

「サークルの集ひ」の楽しい一夜を忘れる事が出来ません。智性を愛するものの、映画を通じての芸術を愛する人達の集ひ、それは何と爽々しい雰囲気が自然に生れて来るものでせう。

一九五一年はサークルが成長の年でもあり、宮崎の映画興行界にとっても進歩と発展の年でした。新しい三つの館の誕生と既設のものの内容の整備は遅まき乍ら映画を愛する者達にとって大きな悦と言はねばなりません。又それにも増しての感激は物質的なサーヴィスと共に良心的な興行センスが生々と芽生へて来た事です。この芽を枯させぬ事こそ私達の大きな責任であると言へませう。会員の皆様の協力によって私達のサークルを大きく、強く育てること、それがこの問題の解決となるのではないでせうか。来年こそ日本映画にも〝自転車泥棒〟の様な名画が生れることを祈ってやみません。

# 々画紹介

## 風雪二十年

東映作品、芸術祭参加

上旬日劇にて上映の予定。

**解説**

原作は尾崎士郎、監督は「女性対男性」「執行猶予」「あゝ青春」の佐分利信、出演者岡田英次、宮城野由美子等戦争の悲劇をまともに取り上げたまじめな作品。

**筋**

法学生波切は単純な愛国心から恩人である政党大臣嵩田や恩師山濃部博士の天皇機関説に反対して青年将校石郷岡等と通じて二・二六事件に連座する。ある機会で知り合った由美子に迎えられ出獄した彼は、大陸に雄飛するがそこで見たものは皇軍の腐敗と民族虐待であり、やがて南方に転じた彼は特攻隊に反対して再び捕えられ懲罰として第一線にやられる。そこで瀕死の重傷をうけた彼は、彼を慕って看護婦として来た岩田の娘久恵と再会するが、石郷岡に辱められた久恵は自殺する。

終戦、不具となり失意と絶望の彼を故口で迎えたのは露店商になって生きて来た妻由美子と一子邦彦であった。一方山濃部博士達も新しい時代を迎へた……。

## 折れた矢

廿七日—二日南口館

FOX 色彩映画

**平和の？ 西部劇**

われわれが見る多くの「西部劇」映画は、獰悪無比の野蛮人インデアンが何の理由もなく白人に危害を加えることから話が始まって、平和と自由を愛する勇敢な西部男の出現となり、これを絶滅するたぐいのものである。だがこの作品は、そういった西部劇とは少し違う。此のインデアンは理由もなく駅馬車を襲撃するインデヤンではない。正義を重んじない一部の白人が、アパッチ族酋長の肉親を殺害した怨根から、白人の全滅を誓っているのだ。そして次々とその殺しあいは大きくなって、軍隊とインデアンの斗いに発展する。その時一人の開拓者が単身アパッチ族の本拠を訪れ、誠意をもって斗争の愚をとき、平和の尊いことを訴へる。酋長は理解する。

ところが白人にこの平和協定を守らぬものがいて、それが又相手の不和を生じそうになる。だが、開拓者と酋長の信頼は固く平和が訪れる——という話で史実にもとづいているそうである。

だが注意深くこの作品をみていると、白人とインデアンの間に真の和平がもたらされるかどうかと云う点で疑問がある。

## 黄色いリボン

廿日—二日日劇

R・K・O色彩

**解説**

「荒野の決斗」「幌馬車」「駅馬車」のジョン・フォードが一年有余の長日月を費して製作監督したテクニカラー西部劇で、撮影はウィントン・ホック。この作品でアカデミー撮影賞をもらっている。俳優は「駅馬車」を始めジョン・フォードの数々の作品に出演しているジョン・ウエインがめづらしくひげをはやした老大尉に扮して出演し、その他「幌馬車」のジョーン・ドルーやベン・ジョンスン等が出てゐる。

# 1月上映

**略 筋**

退役をま近にひかえた老大尉に最后の命令が下った。一隊に加わるジョンドルーは騎兵隊を愛する象徴として黄色いリボンを髪につけている。彼女を愛するハリイ・ケリージュニヤーとジョンエイガーは事ごとに対立するが結局騎兵隊の任務の前には協同して斗う。命令を完遂し、部隊に分れを告げて曠野を一人行く大尉の背後をやがて在官待遇で次の任務を命じた命令書がとどけられていた。

此の作品は ジョンフォードの作品系列の中では高い位置を占めるものであるかどうかは論議の余地があろう。しかしこれは西部劇を、そしてジョンフォードを語るものにとっては此を逸すべるものがあり、叙事詩としての風格と品位をもった得がたい作品である。

（キネマ旬報より）

# 劇場から

作報 ワタナベ

文化の余裕を受けることの少い宮崎の地に、我々の手で良い映画を安くで観るようにしようと内からの盛り上る声の結晶として宮崎映画サークルが確立された事は真に喜ばしいことである。勿論・十円廿円割引と云う事丈で入会した人が大部分であったろうが、毎月二回のサークルニュース・推薦映画の決定、各劇場代表者の常任委員会等々に依って会員の映画に対する知識も増え鑑賞する力も出来て「安くて見度い」と云う要求がより高い要求へと発展していることは確かであろう。

映画や音楽が我々の日常生活と密接に在って居乍ら今日迄に娯楽機関のみに終るのではなく見方次第では綜合芸術としてとり入れることが出来るのであって、今后益々その傾向を強めることに違ひない。面白可笑しいからとか涙を誘うからとかで価値を云々するのではなくして、その底に流れているヒューマニズムに依って云々すべきだろう。その事は我々が何故イタリアンリアリズムにひきつけられるかという一例をとっても映画が昔のような単なる娯楽のみに終らず、我々にそれ以上の何かを与へる事は疑いないこ事ではなかろうか。我々は「良い映画というものは、我々がよい映画を選択し見ることによって生れる」という自信をもち毎月見る映画に一層の楽しみを見出して行こう。サークルの推薦映画を入会してない方でも新聞紙上に発表されるのを参考にして必ず一の位は見て戴きたいものである。又当劇場では三、四人の映画通で委員会を持ち、会員の役立つ機関として発足する予定である。

・ ・ ・ ・

画 東京

アメリカ調査局の発表によるとアメリカ人は一九四八年度で一人当り年間二十三回映画を見てゐる。年間入場者数三十三億人、日本では七億人。映画館の平均入場料金四十四セント・内税金は客一人に対して七、六セント、三割。日本では十割。

＊「わかれ雲」を第一回作品として発足したスタヂオエイトではこの程第二作朝日新聞連載中の高見順作「朝の波紋」を五所監督で決定。明春四月公開予定。

＊ 当市出身の日高繁明さんは黒沢明のシナリオによる「カキヤの辻の決斗」の演出補佐として森一生の片腕となり撮影中である。

# 自主映画のページ

いろいろな面で日本映画の画期的成果をあげた「どっこいい」上映が全国にひろがると共に、「自主映画の製作促進」の声が全国からもり上り、民主的各プロダクションは勿論各映画会社においても大いに刺戟され、この種の映画の撮影が着々と進んでいる。

仮題・もうける為の映画でなく映画人と国民の良心が結びついて作られる映画・

## 箱根風雲録

演出・山本薩夫

**山本監督の馬上指揮**　十一月九日ロケーションを開始、現在箱根ロケ中へ仙石原の大合戦）中村彰右エ門を首領とする黒駒隊五十騎が代官に運ばれて行かれる与右ヱ門（長十郎）をうばい返すシーンでかねがね演出の山本薩夫が西部劇以上にスピードのある映画にしたいと云っていたシーンでもあろう。山本監督は颯爽と馬上指揮をやり、東京からはサン写真、中外に芸能、新映画、新女性、演劇会の人達がおおぜい取材に来た。

**期待される轟さん**　出演を快諾した轟夕起子さん（与右ヱ門の愛妻サヨ）は次のように感想をのべた。「サヨの役は最初飾りもの人形みたいで不満だったんですがシナリオが書き直されて大分性格も出て来たし演り良くなりました。私は仕事に対しては欲ばりだから、どんな役をも自分に与えられた役に対しては出来るだけ研究をし立派にやりたいと思っています。「箱根風雲録」はいい映画だから出演出来るのはうれしい。」

**全国に高まる募金活動**　▲全国銀行従業員組合…十月中旬中央執行委員会で自由カンパを決議十一月一日の機関紙を通じて全組織に宣伝を開始し各単位組合で募金活動が進められている。▲全国損害保険従業員組合…どっこいの上映資金に十万円をカンパしたが今度も活潑に募金運動を開始した。▲岩波書店組合…斗争資金を一応カンパの形で貸し出し職場内の募金が進められている。▲神戸映画サークルでも…神戸では四百人のサークルが一万円を突破する額を集めた。▲歌舞伎の人々も…歌舞伎座に出演中の松本幸四郎さんは楽屋中にカンパ帳を廻して集った金をとどけて下さった　カンパされた人々は幸四郎・守田勘弥・中村福助等の名も見える。

## 母なれば女なれば

製作・キヌタプロ　演出・亀井文夫

自主映画が国民の間に好評で興業面から有利であると見通しのついた東映では今度キヌタ・プロの「母なれば」を買い取って東映系で上映する予定。

『母なれば女なれば』、[illegible]

**山田五十鈴さんは抱負など語る**

「私が独立プロに出るのは大会社の作品はどうしても金もうけが先に立つ、それはそれで規模の上で優れた点もありましょうが、独立プロの場合はキメの細かな、自分の満足のゆく演技の出来るうれしさがあります。それにこんな狭いステージでも面白いもので亀井さん（監督）の工夫でクローズ・アップの大写し）を多くしたり、アングル（角度）に工夫をしたりしていろいろ面白い変った構図が撮れます。

「母物　今年は〝我が家は楽し〟でもやりました。母物は落ちなりにいゝ映画だったと思うの。だけど実際はあんな甘いお母でない。話にウソがあると思うのよ。そういう点でも今度の撮合、私ちがっていると思ふのね」

問「田中絹代さんがアメリカに行って大分人気を落してしまったが……」

「あれは、あんまり吉岡の方が期待しすぎたんじゃないですか、三ヶ月位外国に行ったってそんなに変るもんじゃありませんしね」

問「山田さん外国え行くならどこ迄……」

「私？イタリーね、イタリーの映画、なんてゆうか態度が違うと思うのよ……」

問「このごろ見た映画で何か学びましたかな」

「そう〝チャンピオン〟なんかおもしろかったし〝サンセット大通り〟ね……」

問「母物ばかりの様な製作方法についてはどう考へますか」

「今後盛んになるんじゃないでしょうか、この方がいゝ写真が安くできます。今度なども時間的にはずい分無理な長い時間を皆不平一つこぼさずに働いています」

## 山びこ学校

製作：八木プロ
演出：今井正

山で囲まれた雪深い山形県山元村の中学生たちを受持つ無着先生のクラスには毎日家事、農作業の手伝いのため生徒たちの休む者が多かった。〝何のために勉強するのか〟――

## 日教組中央執行委員会

### ・山びこ学校・製作援助決定

日教組ではかねて〝山びこ〟の製作について問題をとりあげていたが、いよいよ十二月十二日中央執行委員会の決定を待って本格的な製作協力に乗り出すことになった。

中央委員会は準備のため、日教組教文部副部長香地武雄氏と戸田プロデューサーとは去る十一月廿六日現地に急行、山形県教組と打合せた上、現地山元村に撮影、撮影スタッフと会見、〝山びこ〟の完成を誓い、教室を見学した。

### 一日も早く上映を……

宮崎県教組文化部長川畑正俊氏談　具体的な問題は十二月廿六日から開かれる中央委員会で決まります。十一月十日から三日間日光で全国教育研究大会が開かれ、山形県教組から切実な環境の許へおかれた無着先生も出席して座談会が開かれました。

今度の山びこ学校は日本の教育のありのまゝを描いています。この映画が一日も早く完成して、父兄の方や全国民の人に見てもらうことを望みます。又この問題は、社会的に解決しなければ基本的には解決出来ないものであること、、苦しい教育環境の中で自信をもって献身的に教員生活を続ける無着先生の態度は我々教職員を力づけます。

# わかれ雲 ☆

スタヂオ8

芸術祭参加作品

## 新しい詩情と身についた演出

スタヂオ・エイト(8)プロ
演出—五所平之助—
撮影 三浦光雄

『面影』以来四年の沈黙を破って五所平之助が手がけた美しい青春詩篇であると共に、製作にあたって相当の悪條件を合理的な芸術の上に組立て、解決しようとする試みが随所にみられて、日本映画の一分野を開いた注目の作品である。

### ストーリー

継母に反撥を感じて家出した娘が旅先きで若い医者の誠実さと旅館の女中の心づかいでだん／＼気持がやはらぐ過程を描いている。従来の日本映画に見られるような安易な遊びでなく、仂く青年から教えられたもの、旅館女中から授かったもの、友人の愛情からはぐゝまれたものの中から人間の真実を見きはめようとする真面目な態度で一貫され、しかも結末に当っては解素の可能性が力強く打ち出されて内容の充実も新分野を開いている。五所の渋い作風と身についた演出にベテラン三浦のカメラ技術が結びついて効果をあげている。

### 五所監督談

「こゝ数年間、私はいろいろの事情から映画を作る機会を持ち得ませんでしたけれども、決して空白のうちに時をすごしたわけではありません。映画を愛する気持ちには変りなく、この間の熟慮反省をもってこの作品にぶつかったのです。これは私が、私の身近にあった出来事として、松竹時代より抱いていたテーマであったゝめ、こんなに順調に進行することができたのでしょう。

この作品にかゝる前に、私たちが「どっこい生きてる」及び「三太物語」の独立プロの二作品を、各部門に亘って詳細に検討したことは非常に有意義でした。私たちの気心のあった総力が、この間一日の徹夜も半徹夜すらもさせず、愉しみつゝ机上計画通り進行させ、成功せしめた最大の原因なのでしょう。

それから私の忘れられないもう一つのことは、土地の方々の協力です。いさゝかの打算もない好意が、私達をどんなにはげましてくれたことでしょう。長い間の映画生活の中でもロケ地を離れる時、別離の涙を流したのは今回が始めてゞす。

★

# 『巴里の屋根の下』雑感

統調・宮崎 柴岡

八日の午后、ルネ・クレールのトーキー初期（一九三〇年）の傑作『巴里の屋根の下』を文字どおり胸躍る思いで観に行った。私はこのクレール一連の作品である「巴里祭」「自由を我等に」と並んだパリー市井の生活を取材した風俗映画であり、又別な意味では風刺的なコメディなとても好きである。作品の芸術的価値はともかくとしても、あの作品全体に漲るパリー下町の情緒描写の生粋さ、配するに甘く美しいシャンソンを主題歌とした音楽的魅力は、映画技術そのものがトーキー開拓時代の揺籃期の撮影技術の単純さ、幼稚さをカバーするに余りある。

描かれてゐる当時市井のパリー伊達男の自由で気儘な生活と、ラテン系人種特有の情熱をほどよく処理し、しかも人間味ある三角関係といきなパリジエンヌの屈托のない世界。とても他国映画にはまねの出来ない、すっきりと洒落た映画である。そして無条件に感ずることは――矢張りフランス映画は芸術である、ということ。フランスの俳優とは又何と実行と翳を持った美しさを発散するものか、余韻のあることか！又他国映画に比し、何と不思議な画面のやはらかさを持っていることか！フランス人自体が元来芸術的に出来ているのだろう，

そしてそれはどこから出ているのか・フランス人全体の芸術文化の本質的水準の高さの表れであろう。役者を育てたフランス観客の優れた趣好を日本映画のそれと比べて、エスプリの低調さをしみじみ残念に思うと共に、映画サークルの活動成果を期待するものである。

市内映画館

# 支配人の横顔

他市の映画館から宮崎の映画界は低調だといはれていた市内の映画館も今年の秋頃からだんだん動きが活溌になって来たようだ。

★南から行けば太洋の日劇・昭和館から日劇に変り経営も一変して中心地の他の映画館に互してひけをとらぬ方針。

支配人の吉田さんは学校を出てから今日まで映画興行界でメシを喰ったベテラン。自分で新聞広告の図案も書く器用さ、先に新聞に発表した「黄色いリボン」、「征服されざる人々」等を近い内に上映すると云う張切り方。サークルの方で動員がきゝさえすれば良い作品を取りたい気持は大いにある由。

★橋を渡って改装なった大成座と帝国館支配人は和服一点ばりの中村さん。大成座の新しいデザインによる改装、クッション付の椅子、と思い切ったサービスぶり。サークルにとって毎月の番組が一寸物足らぬが、館側からすれば帝国館で大成座の赤字を補っているという。

西部劇が圧倒的に多いのも興行収入が安定しているからか？　市内支配人の中でも古く年も上であるだけに人間的に滋味があり、オヤジといった感じのする、「大成」「帝国」ともに従来と特に変った方針はない模様。

★更に北上して「若草」とその姉妹館「宮劇」にうつれば「若草」は最近山内さんに代って南さんの再登場。市内で一番若い青年支配人だが、業者仲間の噂では仲々のびん腕家だそうである。どう云う訳かサークルとの折合がうまく行ってゐない。館の番組と経営方針に原因があるし、サークルの真実が徹底していないことにも原因があるのだろう。

この前会った時に館の経営方針を変えると云うことであったが、どの様に変るか今後の番組に注目しよう。

★次は、サークル結成以来縁の浅からぬ高松通りの「センター」である。秋から「オルフェ」「どっこい」「レベッカ」「イブ」とファンの食指の動きそうな良い作品を矢つぎ早に上映して今では市内の上層固定観客をつかんだ形。支配人の湯浅さんはエビス顔の好人物で会へば純宮崎弁で映画の話がつきない。神戸さん（日向日々の文化部長）の話しによれば、若かりし頃は新しい傾向の詩を作り将来有望視されていた青年詩人だったらしい。

このことでサークルの皆様も「センター」の方針に成程と思はれるだろうし私も湯浅さんが「西部劇ギライ」であるワケが分るような気がする。

財政的に経営がさゝえられる限り今の様な方針は続くと思はれる。

＊葛千穂通りロータリに建設中のニュース劇場を飛びこえて「江東映画劇場」え。支配人三浦さんは満州の引揚者、映画館の仕事は「江東映劇」設立からで、自分でも素人だから勉強しないと他館について行けないとおつしやる。番組にむらがあり、館の性格がはつきりしないのもそのへんに原因がありそうだ。

新年から松竹系の封切館になるそうだし、こゝも南の日劇同様地理的な悪条件を克服するために色々苦労がある。時々三浦さんが年寄りめいたグチをこぼすのもそのためか？

＊編集委員会の席上「市内映画館の動向」の記事が欲しいと云う声が出てこの文を書きました。館の方針は今のところ殆ど支配人の意志によるものなので、支配人の横顔として大ざつぱに書きました。（事ム局　アタチ）

## 事務局よりおねがひ

年末で忙しいことゝ思ひますが前売券の清算や会費を早目におねがいします。

＊　＊　＊

書籍を借りてゐる人も整理中ですから返本して下さい。

## あゝわが谷は緑なりき

独占会社として、悪評が高かつたセントラルは、昨年正月に「わが谷は緑なりき」「摩天楼」という名作を出しているのに、今年は、どちらを向いても、色つき西部劇、色つきチヤンバラ劇の洪水である。この現象が、正月だけなら、それほど問題にするにも当らないであろうが、当分各社とも、競つて大向う受けのチヤンバラものを輸入するような傾向があるのだ。

輸入制限は、本来、外国へ邦貨を流出されるのを避けるためにとつた措置だつたはずなのに、一番よりの、もうかる作品ばかりが輸入されて、高い芸術価値・文化価値をもつ作品が敬遠されるとしたら結果はどう在るか。

あゝ、わが谷は緑なりき！映画の緑園を踏みにじるのは業者か、官庁か。私は今考へているのである。

（善見恒夫）

## パリー通信　欧州でもテレビの育成

木下恵介

あいにくパリの撮影所は二三ヶ月前から休んでいるとのこと、聞いてみるとテレビジヨンに圧迫されて。それはフランスばかりでなく英国も伊太利もそうであるが、いま映画界は非常に不景気になつてきたとのことだ。映画館も満員などということはないらしい。

**フランス**の映画でアメリカ資本が半分入つていない映画はないとのことである。フイルム賞その他が高いからだ。天然色は三本できたきり「カルメン」の方が数等いゝとのこと

## （初旬）1月各館スケジュール

| 館 | 1・2 | 3〜7 | 8〜12 | 13〜16 |
|---|---|---|---|---|
| 帝国館 | 折れた矢(色) | 地獄への道 | 情炎の海 | |
| 大成座 | 怪傑鉄仮面・アパッチ砦 | 白昼の決斗(色) | | |
| 若草 | | 剣難女難大会<br>シンガ | 30→2<br>母子舟・暁の急襲 | |
| 宮劇 | | 月の渡り鳥<br>陽気な渡り鳥(ひばり) | 30→2<br>緋鹿の子異変・江戸城罷り通る。 | |
| 江東 | →死斗百獣谷・素晴しき求婚・江戸城罷り通る | | | |
| センター | 喜矢の輪舞・蕃地の記録・清水高林篇 | おどる海賊(色)<br>覆面二挺拳銃 | 荒原の死斗死の<br>疾走地獄の奔流 | |
| 日劇 | →黄色いリボン(色) | | | |

1952・1・25

# 映画サークル

NO. 9

宮崎市高松通1丁目
宮崎映画サークル発行

## 二月から割引復活の見込み

ー各館の状況ー

今年に入って色々問題になり会員の皆様にも迷惑をおかけしましたが二月から大体左の要領で割引券が復活します。

(日劇)・従来通り。但し二月から一本立になり料金も下るので普通興行の時は二十円引が十円引きになります。

(大成座)会長以下職場からサークルの代表者に集まってもらい交渉した結果、サークルの主旨が全部の会員によく滲透する事を条件として割引が出来るようになりました。二月上旬はとりあえず〃めし〃の割引券を発行します。

(センター)従来通り。但し再映物は一般料金が安いので十円引きになります。

(若草・宮劇)サークルの主旨が館側としてはっきりしないとの理由で今度〃或る夜の出来事〃を試験的に割引してその結果又相談することになりました。

(江平)支配人不在で未交渉

キネマ旬報の一九五一年度ベストテンは四十五氏の投票の結果次の如く順位を決定した。

日本映画

一、麦秋(松竹)
二、めし(東宝)
三、偽れる盛装(大映)
四、カルメン故郷に帰る(松竹)
五、どっこい生きてる(新星)
六、風雪二十年(東映)
七、源氏物語(大映)
八、あゝ青春(松竹)
九、命美わし(松竹)
十、愛妻物語(大映)

外国映画

一、イヴの総て(FOX)
二、サンセット大通り(PAR)
三、わが谷は緑なりき(FOX)
四、オルフェ(佛、ホールヴェ)
五、邪魔者は殺せ(英トゥシティズ)
六、悪魔の美しさ(佛 フランコロンドンフィルム)
七、バンビ(ディズニイプロ)
八、雲の中の散歩(伊 トランス.エウロウベ)
九、チャンピオン(クレマープロ)
十、黒水仙(英アーチャーズ)

次点
白晝の決斗(セルズニック)
港のマリー(佛デイシナ)

※　※

### 主張

## 『良い映画』のための活動を

津村秀夫という映画批評家が次の様なことをいってゐます。「優れた映画によって得るものはそこに人生のどういう価値が発見されてゐるかということを発見する喜びである」要約すれば良い映画に生甲斐を感じとることであり、生きる喜びを発見することであります。

私達の映画サークルも「良い映画を安く見たい」という観客全体の要求を土台として昨年夏出発して以来、すでに会員数千六百を突破し昨年十一月には盛大な記念集会をもつことが出来ました。

この様に昨年は数では目覚しい発展をしましたが、文化団体として不充分な点が残されて新春を迎えました。それは最初に書いた「良い映画」を見ると云う点と各職場で自主的に良い映画を見るための活動が足らなかった点です。

そのためサークルが単なる割引だけの集りの様に思はれ、映画館側から「主旨と実際と違っている」と言はれたこともあります。今年こそ映サークルが本来の主旨を貫ける様各職場の活動を活発にし見て生甲斐のある映画が一本でも多く作られ上映される事が出来る様努力しようではありませんか。「母なれば」「山びこ学校」等日本映画の良心の灯が一九五二年年頭より大きな国民映画えの発展に輝かしい方向を輝しています。今年こそは宮崎映画サークルも明るい見通しと着実な活動で大きく飛躍する年です。

CAST

# 各社の今年の企画

＊松竹　邦画同志が互に争うということは損であるということから外画に対抗出來得る映画を建前として純文芸作品を始め、天然色劇映画の春、秋の各一本の製作も計画し、今迄の月産四、三本を五・三・三本に引上げる。その内容はシリーズ物を強化、天狗もの、新婚もの、若旦那もの、お嬢さんもの、歌謡もの、五種とする。之は出演も同一俳優とし三ケ月に一本各シリーズ作る。二月以降の主な企画としては「本日休診」（井伏鱒二原作、斉藤良輔脚色、渋谷実監督）「波」（山本有三原作、中村登監督）等である。

＊大映　五一年度は邦画の質的向上は本数削減以外に方法はないとの結論から「源氏物語」が現れたわけだが、五二年度の企画をみると月一本宛に年十二本の大作映画の他に超大作と称する「源氏」級作品二本が企画されている。又「羅生門」が世界的話題になった今日、市場の拡張を更に強化するため国内ばかりでなく広く国外にも拡めようとも計画中である様だ。なほ企画作品は「長崎の歌は忘れじ」（田坂具隆監督）「西陣の姉妹」（吉村公三郎）「雪崩」（新藤兼人脚本、監督）等である。

＊東宝　現在においても再建途上にある東宝としては一作一作毎に東宝再建への前進という意務があるから企画は慎重を期しているようだ。大体の主な企画作品は「風ふたゝび」（豊田四郎監督）「霧笛」（谷口千吉監督）「生きる」（仮題・黒沢明監督）「戦国無頼」（稲垣浩監督）等があり、その他大作とされている横光利一原作の「旅愁」がある。これは新藤兼人が脚色し吉村公三郎が監督に当り、五、六月頃フランスロケを行い主演には原節子を予定している。又菊地寛原作「恩讐の彼方に」も企画があがっている。（３）

## 松本サークルのベストテン

私達と同じ地方のサークル松本映画文化研究会の五一年度のベストテンをあげます。一頁のキネマ旬報と比較してみると面白いと思います。（五島）

## ＊低調の五一年＊

昨五一年度は二一二本もの映画が製作され、本数においては世界第三位の本数を占めたが、質の面ではどうであったろうか？　五〇年度のベストワン「また逢ふ日まで」や「帰郷」「きけわだつみの声」などに匹敵する深い感銘と感動の嵐を全観客にひき起した映画が五一年度にあったであろうか。

昨年の佳作をひろってみても「盛装」「風にそよぐ葦」「善魔」「少年期」「白痴」「わが家は楽し」「わが一高時代の犯罪」「どっこい生きてる」「愛妻物語」「源氏物語」「風雪二十年」「麦秋」。残念乍ら五〇年度作品に劣るとも優るもののない事実がいやが上にも浮び上ってくるようだ。確かに「夜の未亡人」を筆頭に「お遊さま」「純白の夜」「武蔵野夫人」など一連の姦通エロ映画も五〇年に劣らず盛んであったし、「東京ファイル」「運命」などの日米合作のスパイ映画、「この旗に誓う」の予備隊讃歌、軍隊映画？のはしりとも云うべき平和憲法治下の文化国家のチジヨクであるこれらの無節操と追随、姑息と苦悶の作品がほとんどであった。

—宮崎縣—においても農村で「わだつみの声」を見て死んだ家族があった事、おくればせながら「自転車泥棒」され吾々に深い感銘を与へた事等五一年の忘れがたい思い出であろう。結局日本映画は戦后以来の低調と貧困のうちに一九五一年を送ったと云えよう。

# 年の回顧

界の動き

## ＊映画史上に記録される五一年

だが、「一九五一年」は日本映画史にとって重大な意義をもつ年でもある。

作品の質は極めて低調であったが、この一年間に日本映画は民族映画の正常な発展と成長に向って著じるしい変貌を見せ始めてきた。

### イ、五一年の三大ニュース

昨年の邦画界の数多くの出来事のなかで、松竹が日本最初の色彩映画「カルメン故郷に帰る」を製作し、新星プロと前進座を中心に全国民の資金により日本最初の自主映画「どっこい」が作られ、大映の「羅生門」

る

# いづれも野心的で高いレベル
# 独立プロの活躍

「芸術新潮」一月号より

民芸プロ「或る夜の出来事」前進座プロ「箱根風雲録」八木プロ「山彦学校」キヌタプロ「母なれば女なれば」という力作が、同時に貧しい独立プロで作られている。封切はまだきまつていないが、どれも野心的で作品としてレベルも高い。しかも製作費は極めて安いのだから、ボヤボヤしている大会社の作品などは心から恥じねばなるまい。

ロケーションでも、独立プロは貧素極まりなく、大会社の方がつまらぬ作品に金を多くかけているのといゝ対照を示している。

映画を作りたい熱情を持つている人々と、事務的に一本の映画をヒネリ出している人々とが同じ日本映画界には、はつきり分れて住んでいる。

## 山びこ學校に六百万円

日教組では廿八日、正式に八木プロ自主映画〝山びこ学校〟〈今井正監督〉に六百万円を製作資金として援助することになつた。なお〝山びこ〟スタッフは暮に全員現地から帰京して近く東京近郊でロケを行う予定で千葉白浜附近をロケ中であり、完成は今月一杯の予定でいる。

### 用語解説

**プロダクション** Production（略）

映画製作所をいうが撮影所の有無は関係しない。独立プロとは製作だけを企業目的として配給、興行から独立しているプロをいゝ、製作に当つてプロを形成し、借入れた製作資金で撮影設備や労力を賃借して製作し、出来上つた作品を配給会社に利益の何パーセントかを手数料として支払つて興行の線にのせる。

**スタッフ** Staff

班・組。たとえば製作スタッフというと演出者・撮影者録音係等々製作関係者をさす。

**キャスト** Cast

配役

**脚色**

原作（小説戯曲など）を映画的に構成しなおして脚本にすること。

が日本最初の国際映画祭大賞を授賞したと云う、この三つが五一年の代表的な日本・世界両映画史に記録される三大ニュースである。

## 1951 日本映画

「どつこい」に刺戟され、勇気づけられて既成会社でも自由・反戦・平和をうたう良心的な主題の映画や、「赤追放」組の映画人をどしどし起用しはじめて来た。

又「どつこい」に勇気づけられたキヌタプロの「母なれば」八木プロの「山びこ学校」、スタヂオ・エイトプロの「われかれ雲」前進座の「箱根風雲録」など各民主的プロはどしどしと第二作、第三作を準備製作している。これらの映画に対する大衆の支持は勿論、山田五十鈴、轟夕起子等俳優陣の積極的な協力は注目にあたいする。

### 八、朗報と汚点

以上の民族映画とともに「羅生門」が日本映画で初めての国際映画祭「大賞」を獲得した事は邦画の海外進出に明るい希望をあたへた。しかしこのニュースで思い出されるのは「また逢ふ日まで」がカンヌ国際映画祭に出品される事に決定したにもかゝはらず費用三〇万円がないとの理由で不出品に終つたのは誠に惜しい事であつた。この一事は単に個人の「残念な問題」として片附けられるものではなく、日本映画史の一大汚点である。

又「カルメン」が着色技術の制約によるとは云え製作された事は、内容の物足らなさはあるとはいえ、同じ松竹で日本最初のオールトーキー「マダムと女房」が五所平之助演出によつて作られたことゝ共に、その意義は深く史上に刻みこまれるニュースであつた。

# 「風雪二十年」を観て

## ―佐分利の情熱不足？―

図書館サークル　矢野

この映画に寄せる期待が余り大きかったせいか、少々物足りぬ映画であった。

昭和初頭から敗戦までの二十年間、風雪の社会に生きる様々の人間像を描き、そこにヒューマニズムを見出そうとしている意図は誠に結構であるが、佐分利監督にとって御膳立が余り大きすぎたせいか、彼の製作意欲の不足でか、肝じんのヒューマニズムの描出に、燃え立つような激しさを見出し得なかったのは惜しいことである。

佐分利監督は今迄の「男性対女性」「執行猶予」「あゝ青春」をまとめたのと同様、この大作をも小ぎれいに作り上げようとしている様に結果として思はれるが、何故もっといきり立って、この野心作にぶつゝかって行かなかったのだろうか。

「きけわだつみの声」には技術的な欠かんは数多くあるが、併し関川監督の火の様な情熱が我々に訴えてくる何物かを持っていた。勿論情熱だけが映画を感動的なものに仕上げるとは思はないが、少くともこの映画を作らずにはおられなかったと云う製作えの情熱は表はされていなくてはならないと思う。佐分利監督にこの情熱があったら、きっとこの大作映画を立派に作り上げたであろうと思はれる。

カメラの高さが常に目の高さを保って単調であるが、今少し意を用いればダイナミックな味も出る筈だし、実写のインサートをうまくやって画面にとけ込ませればリアリティの増すのも分っている筈だ。これも佐分利監督の情熱の不足と見るのは情熱病患者のそら言だろうか。

次に、シナリオから見ると最大の不満はラストの運動会のシーンである。競走でころんだ子供がひるまず起き上ってゴール迄走る事に人生的な意味をもたせているのだろうが、こんな説明は余残で、このためどれ程この映画の迫力をそいでいることか。

それに登場人物が右翼学生、作家、天皇機関説学者、家出従軍看護婦、大臣と特異な人物が多すぎる割にダンサー由美子の様な大衆に身近かな存在が少し、か描かれていないのは、資本主義映画の常套的ドラマツルギイで余りにも唐突な解決が多すぎるのと合せてリアリティを非常に弱めている。

演出者は岡田英次、佐分利信、薄田研二、その他皆いゝ味を出しているが、特に宮城野由美子は役柄も手のだので彼女の持味を十分出し最も感銘深い演技をしている。

総じて今井正の「又逢ふ日まで」の様なすばらしさはないにしても、日本映画の危機が叫ばれている現在、佐分利監督がこんな良心的野心作を作ったという意義は決して少くはない。

### 芸術協議会役員決定

廿一日芸術協議会の集会に於て役員を次のように決めた。

会長　高橋学長
副会長　黒木芳郎
常任理事
演劇　武井正衛
文学　神戸雄一
舞踊　沖村貞誠
音楽　園山民平
美術　川越篤

### 絹代と五十鈴

★田中絹代と山田五十鈴の二人は今の日本映画界で女優さんを代表するスターだといってもよいだろう。

絹代が戦后渡米スターの第一陣で大騒ぎされながら帰朝すると第一回作品「結婚指環」で散々に失敗し、未だに影がうすいのに対し、五十鈴の方は進歩的な新劇俳優加藤嘉と幾度目かの結婚をすると共に彼女の思想・芸術の深まりは「殺陣師段平」に圧巻の演技を示し、ついに「箱根風雲録」や「母なれば女なれば」に出演するようになった。今まで映画畑で育ったスターとして出色の発展であり、正に国民女優の名に価するような成長ぶりである。二人共芸熱心で知られているが、絹代が長い間大船の甘ったるい映画で年柄にも合はぬ女学生などやらされ芸の熱心さが受動的なものにすぎなかったが五十鈴の方は「浪華悲歌」から生活のアカにまみれながら一歩一歩になじみ深い人間像をつくりあげてきた。―北川鉄夫―

（大阪映画の友誌より）

## "わが谷は緑なりき"

**合評会**
図書館サークル

。最初は観た感じから
Y：：先づ画面が造形的で陰影がつよい事を感じました。
O：：牧師のエピソードよいと思つた
T：：ジョンオードの作品に一貫して流れている弱い者に味方する作風がこれにもうかゞはれる。
X：：私はそれよりイギリスのある時代の炭坑町に対するフオードの郷愁と云つたものを強く感じる。フオードの西部劇も西部開拓期えの郷愁・あこがれといつたものを強く感じます。
Y：：いや郷愁ではなくてもつと社会性に重点があると思う。たゞその点で甘いということが物足らない点だつた。
・しかしあの炭坑町の描写の中からにじみ出る詩情はすばらしい。
A：：私もYさんの主張される牧師を中心とする社会性とXさんの一言にしていつてゐる詩情とが前の発展から統一されずこの点で強い感銘がなかつた。印象が漠然としていたのですが今皆さんの話しからその原因が扣めたような気がします。
T：：牧師とモーリン・オハラが別れるときの場面が印象的だつた
Y：：炭坑夫が仕事を終り哥をうたいながら帰るところや結婚式の場面が印象的で全般に男性的な感じが強かつた
Y：：末つ子の外の兄弟の個性が少しも画かれていない
X：：出て来る人間が総て善人ばかりで作者の人間の善意に信頼をおいている事が感じられる
A：：結局牧師の「わが谷を再び緑の谷にもどしたいと云う熱意を行動を中心として作られていたらもつと素晴しい映画になつたゞろうと思います。

## 三人の妻への手紙

・卒直に感じた事
O：：大体よかつたと思つたがアデユーが出て来た方が良かつたのか出て来ない方が良かつたのか分らなかつた
K：：あまりいゝとは思はなかつた。しかし女の心理を良くとらえてあつたと思う
Y：：全ての理解力を集中しないと分りにくいのぢやないかと思うが日向の山中さんの評にあつた様に脚本のうまさをよくとらえてあつたと思う
T：：分りにくかつたが着想の新鮮さに魅力を感じた。描写がうまく煙草をふかしながら回想する所やそのバツクに音楽を使つた点とてもうまいと思つた。アデユーが最後まで出なかつた点は実に賢明だ
X：：初めから終りまで引きつけられた。すべての人間を集めて象徴的に一人一人を描いている。
A：：みてないが小津安二郎の行き方に似ている様だ

（二頁二段より）
洋画
一、自転車泥棒　二、無防備都市　三、邪魔者は殺せ　四、オルフエ　五、わが谷は緑なりき　六、雲の中の散歩　七、嵐ヶ丘　八、黒水仙　九、火の接吻　十、白雪姫　次、白い国境線
邦画
一、風雪二十年　二、どつこい生きてる　三、めし　四、麦秋　五、カルメン故郷に帰る　六、偽れる盛装　七、愛妻物語　八、わが一高時代の犯罪　九、わが家は楽し　十、白痴　次、少年期

## 神田隆を囲む座談会

サークルでは日劇後援で一月廿七日午后六時から図書館会議室で"母なれば"の神田隆を囲んで座談会を開いた。

突然の催しにか、わらず四十名からの集会となり話は"母なれば"のスチールを順にめくりながらの映画物語りから初まり盛会の裡に午后九時散会した。



## おねがい

◎編集委員が作られましたが広く職場の声をとりあげニユースをより豊かに吾々に親しいものにして行きたいと思つていますので、会員の皆さんから批判や投稿をお願いします。
◎ニユース発行、割引券印刷がおくれますので一月分の会費未納のサークルは早く納入して下さい。

# 上映々画紹介

## 清潔な佳作 或る夜の出來事

大映・若草 2月上旬・

民芸プロが奥夕起子・高杉早苗を加え、島耕二監督で作る横光利一原作のもの、徹底的な善意の人々をえがいた清潔な佳作。

戦前鳴らした漫画家桑木（宇野）は戦後は仕事もせず子供相手に野球ばかりして妻（轟）に養はれているお人好しだが、ふとした機会に夫婦げんかして妻は家を飛び出してしまうが子供を捨てゝ頼って来た女（小夜福子）の出現で怠け者の桑木もふんきし、めでたく再出発するという話。助演の滝沢修、加藤嘉（山田五十鈴の夫君）清水将夫等の演技も期待される。

## めし

大成座・2月7－12日

東宝の芸術祭参加作品でその死を惜まれた林芙美子の遺作「めし」を原作にした文芸作品である。

物語りは商業都市大阪の小市民の時代風俗を背景にしたサラリーマン夫婦の微妙な愛情の交錯をえがいたもの。岡本初之輔はたゞ一足の靴を買うために好きなタベコも止めなければならぬ、妻の三千代はつゝましい女房だが生活のわびしさに焦って朝めしの膳で夫と口喧嘩してしまうこともある。そこへ気儘な姪がとび込んで来る。それによって夫婦の感情にヒビが入り思ひあまった妻は実家へ帰ってしまう。しかし結局は夫の迎えに又もと通りの平凡な生活に帰るという筋。

脚色は「わが家は楽し」の田中澄江と井手俊郎、監督は成瀬巳喜男で東宝五一年度の第一作と評している人もある程、完結しなかった原作の意図を立派に移しえがいていると言う。

出演者は四年振りに東宝専属となった原節子、主人公に上原謙、島崎雪子、山根寿子や二本柳、杉、山村、風見、杉村、飯田、花井と文学通りの豪華メンバーとなっている。演技も恐らく最良の演技だろうと云はれる原節子を始め、上原、島崎なども好演で特に杉村春子を母とする村田一家は〃みな出色の出来〃と言われている。

撮影は最近めき〳〵と売出して来た玉井正夫、音楽は早坂文夫が担当している。スタッフ・キャストともに腕達者ばかりなのでます期待してよい映画であろう。

## 摩天楼

日劇 2月1.2日

エイン・ランド嬢の同名ベストセラー小説の映画化で彼女自身が脚色に当り「白昼の決斗」のキング・ヴィダーが監督に当った一九四九年度ウォーナー大作である。これは個人の独創力と、個人の尊厳が総ての法の上に存在するという個人主義の絶対性を主張する注目すべき作品である。映画に登場する主要人物は革命的独創力を持った建築家と凡俗な吾周に絶望を感じている烈しい気性の女性と、与論の力を信じ与論を作り出す自分の力に絶対的信頼を持つ新聞人の三人で、この強烈な個性を持つ三人がそれ〴〵の信念と人生観を以て交叉し相寄り、また激しい衝突の世界で切り結ぶという劇的構成と堂々たる風格をそなえた作品である。主演は「ヨーク軍曹」「打撃王」のゲーリィクウパー、「恋の乱戦」で映画デビューしその演技力を買われた新星パトリシャ・ニール「失われた心」のレイモンド・マッセイです。

## 2月スケジュール（上半期）

| | 1 | 2 金 | 3 土 | 4 日 | 5 月 | 6 火 | 7 水 | 8 木 | 9 金 | 10 土 | 11 日 | 12 月 |
|---|---|---|---|---|---|---|---|---|---|---|---|---|
| 宮劇 | 此の春初恋あり | | | | | バグダット | | | | | | |
| 若草 | 或る夜の出來事 | | 戦乱の花嫁 | | | | | いざよい海道 | | | | |
| 帝口 | | | 熱砂の掟 | | | | めし | | | | | |
| 大成 | アンナカレーニナ | 頓馬と金髪娘 ハリウッドアルバム | | | | テキサス決死隊 | | | | | 渡洋爆撃隊 | |
| 日劇 | 魔天楼 | | | ストリップ実演 遊民街の夜襲 | | | | ターザンの復讐 | | | | |
| センター | アリゾナの決斗 江戸前男祭 | | | 西部の無法男・安中草三郎 | | | | | | | | |
| 江平 | 此の春初恋あり | | | | 春秋・羅生門 | | | | | | | |

### ―後・記―

一月のニュースが遅れた事をおわびします。二月から月二回十日・廿五日に定期的に発行します。

1952・2・10

# 映画サークル

NO.10

宮崎市高松通一丁目
宮崎映画サークル発行

## ぞくぞく生れる地方サークル

県下の農村に於ける文化の慾求は強いものがあり自主的な映画サークルが各所に生れて新しい文化活動の芽ばえを示している。

**高岡**…先月当サークルに高岡サークルから五人の監督の住所の問合せがあった。活動状況はくわしく分らないが上映館も少い高岡でサークルが生れた事は心強い。

**高鍋**…作報出張所で良い映画が来た時連絡しあって団体で行く事から近くサークルが確立する。一方町の青年の間でもサークル結成の具体的な話が進んでいる。

**清武**…宮崎えの通勤の人々を中心に農校・役場で十三名の映画愛好者の集りが出来近日中十名さらに増加するといわれている。

**紙屋**…昨年末の〝どっこい〟十六ミリ映画会を機に村内で「良い映画をめぐまれぬ農村え」との要求から会員三十名の紙屋映画サークルが結成され、映画だけでなく其の他の文化部門にも活動を拡げることが申合された。

## 主張　サークルに血と生命を

劇場で合評会を開いた。はじめ一寸固くなって発言が少いので先づその映画の好き嫌いをつゝみかくしなく一人一人云ってみることにしてから、だんだん空気がほだけて、みんなが何だかしゃべりたい雰囲気を作り出して行った。映画をみて感じたことを皆で正直に率直に述べあうことは楽しいことである。むつかしい専門的知識はなくても、生活や思想を異にする人達が夫々遠慮なしにだべる話し合いの中で、問題は掘り下げられ、ぴりっとした発言や、とんでも無い的外れや、思いもよらぬ結論が出て来たりして、自分達の生きてゆく上にプラスになることが多い。

私達は決して映画通でも无ければ、専門の映画批評家でもない。専門的術語を並べたり、部分的キャメラの技巧を追ったりすることよりも、一人の生活者、勤労者として映画にぶつかると云うことが基本でなければならない。

ところで、こんなとき一番淋しく思うのは、仲々思うように仲間が集ってくれないことである。勿論みな夫々時間に制約された仕事をもち、経済的にも乏しく、不自由極まる生活ではそこまで手が廻らぬこともあろう。劇場におけるサラリーマンや労働者の文化活動のこのような悩みと矛盾は、多かれ少かれ何処にも共通しているに違いない。この矛盾を少しずつでもなくするためには、会員全部の力を必要とする。只名義に名を連ねる、会費を収める丈ではロボットに等しい。このロボットに血と生命を吹き込まねばならぬ。

良い映画を安く見たいと云うさゝやかな願いさえもが、一人一人の力を持ちよること以外に実現出来ない現状がそのことを私達に要求しているからである。

## 宮崎映画サークルのベストテン ―1―

二月二日の編集委員会に於いて五一年度宮崎上映分の邦画、洋画のベストテンを左の如く選定した。（八〇点満点）

**邦画**

1、麦秋（七一） 2、どっこい生きてる（六一） 3、愛妻物語（五八） 4、善魔（二八） 5、カルメン故郷に帰る（二三） 6、命美わし（一九） 7、偽れる盛装（一八） 8、わが一高時代の犯罪（一七） 9、あゝ青春（十） 10、青い真珠（九） 次、少年期（八）

**洋画**

1、自転車泥棒（八〇） 2、イヴの総て（四九） 3、無防備都市（三八） 4鉄格子の彼方（三〇） 5わが父わが子（二六） 6、オルフエ（三三） 6、駅馬車（三三） 7、レベッカ 8、罠 9、先駆者の道 10、密告（一〇）

# 『母なれば』の神田隆氏　大いに語る！

1.27

その要旨（一部略）

※「どっこい」て期待されていた程の興業成績を挙げ得なかったことと併を考慮して一年以上をシナリオの選定に費し、これなら大丈夫と自信を以て製作されたのがこの「母なれば女なれば」である。現在興業成績の最もよいものは何と云っても「チャンバラ」と「母もの」であると云う事実はみのがすことは出来ない。前進座の「箱根風雲録」は「チャンバラ」キヌタの「母なれば」は「母もの」と一応形式的には云えよう。

※　併し、今迄の「チャンバラ」、「母もの」と我々のそれとは見て貰えばわかる筈だが本質的に違うものである。例えば、この映画に出てくる未亡人とその不良息子と、隣りに住む男教師の三人の関係を問題とする場合に今迄の「母もの」では、不良息子一人を更生させるために母親と教師はギセイになり、恋しながらも泣く泣く別れると云う様な封建的仕打ちにひしがれた悲劇を見て涙が出るのであるが、この映画では三人が皆幸福になるにはどうすればよいかと云う問題を投げかけて、これを解決しようとする努力を描き、封建制を打ち破ろうとする人間的な美しい力強い積極を見て泣くのである。要するに今迄のは封建制えの〝忍従〟であり、我々のは〝否認、止揚〟であると云えよう。

※　この映画製作には各地で多くの労働者が協力して下さったが、例えば東京映画サークルでも五百人のエキストラ志願者がロケに参加され、エキストラ料十五万円全部を製作資金にカンパして下さった。又山田五十鈴さんは商業映画会社の出演料は百万円も取れる方であるがこの映画には無料で出演され熱のある演技を示していられる。

※　こうして出来た立派な映画を生かすも殺すも観客の支持如何にかかっている。どうか我々の自主映画が宮崎で上映されたら、サークル員が中心となって一人でも二人でも多くの友達をさそって見て、そして大いに批評して頂きたい。その批評をもとにして自主映画は力強く発展していくのであり、この道だけが現在の日本映画の危機を救うものであることを皆さんに訴える。

（文責　在宮映サ）××××

# 独立プロの展望

〇スタヂオエイトプロでは「わかれ雲」につづく第二作として同じく五所平之助監督で朝日新聞連載中の高見順作「朝の波紋」の映画化を決定しこの春公開の予定、主演高峯秀子。

×　×

〇山村聰、伊豆肇などの所属するオ一協団ではまずマキノ雅弘監督と協同で東映の「酔どれ八万騎」につづく「浪人街」オ二話を山村聰、河津清三郎主演で計画し、さらにさきにキヌタプロで予定した「花嫁と馬一匹」を関川秀雄監督、山田五十鈴主演で製作する方針を立てた。

〇民芸ではこの程横光利一原作「失うべからず」の映画化を決定。脚色稲垣浩、潤色新藤兼人、監督島耕二で出演者は滝沢修、宇野重吉、森雅之、山田五十鈴、小夜福子など。配給は大映の予定。

×　×

〇新星プロ……どっこい、箱根風雲録につづく第三作として「らくがき大将」の準備にかかっている。内容は明るい労働者の生活をテーマにしたもの。

×　×

〇キヌタプロ……次回作として具体的な問題となっているのは「原爆の子」（岩波書店刊）があげられている。

# 内外短信

**チャップリン立つ**

チャップリン自作自演で昨年末より「名声」を製作中。

**〝嵐の中の母〟**

（君死に給うことなかれ）改題　東映系封切　は八住利雄の「戦争と平和」「女の一生」と共に三大シナリオといわれている良心

**〝箱根風雲録〟十八日封切**

# 〃知性ある笑いを〃

## 「或る夜の出来事」を見て

―統調サークル 本條―

稲垣浩のシナリオ、島耕二の演出、宇野重吉、轟夕起子主演と云う洵に願ってもない組合せ、おまけにテーマは貧乏漫画家と来たから大喜びで見に出かけた処、この期待は残念乍ら裏切られてしまった。製作意図の良心と折角の題材の良さが、充分に生かされなかった事は惜しかった。島耕二の作風から云えば固苦しい理屈は抜きにしてその垢抜けした洒脱さを愛すべきであろうが、此の作品は題材から想像されるユーモラスなものを表現出来ず、何ともつかない中途半ぱなものになってしまった。

主人公、茶木は宇野重吉がヒゲ面で飄々然とした漫画家の性格を旨く演じていたし、轟の細君も先ず無難な出来であったにも拘らず、実生活から来る庶民的な共感や、日常茶飯事の中に見出されるおかしみと云ったものが表現されず、凡そ狙いから離れた陳腐なギャグに笑いを求めたことに第一の誤りがあったと思う。

借金取が隣の戸を間違えてたゝいたり、喜びの余り土足で部屋にかけ込むと云った使い古しのギャグは、判り切ってしまって笑いを誘うことにも成功していない。近所の子供達と野球をしている夫を呼びに行った細君が、用件を忘れて一緒に仲間入りしてしまい、一人取残された客が待ちくたびれて、棚探しを始め、ツマミ喰いをする。既にこの辺りになるとおどけすぎて何かそら〲しいものを感じる。

次にはこの作品の眼目となっている主人公の心境一転を劃する〃或る夜の出来事〃がこしらえ物の匂いが強いことである。何ともエタイの知れない女が紛れ込んで来たり、その女が捨てた赤ん坊を探しに出た茶木が牧師と交す会話など立話しにしては実がありすぎて、ハッピイ・エンドに持って行こうとする無理が目立った。

この他、茶木の友人になった滝沢修がロクロク顔も見せずにゴソゴソするのと、その妻高杉早苗のミスキャストが気になった。

以上気のつくまゝ……妄言不悪（二・二）

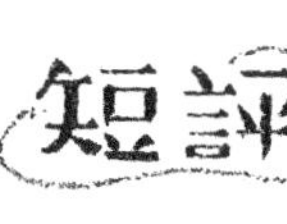


・今度から毎号編集委員会でまとめた評価をのせます・・・・

**＊風雪二十年**

良心的な力作、傍観者の諦めは物足りない。近頃の世の流れと似ているのでゾッとした。運動会のくだりは台なし（編）

**＊馬喰一代**

お涙もの、タイプを脱した異色作、三船の演技は素晴しい。西部劇に似た面白さもあり、季節感もよく出ている。迫力があった。（編）

**＊アンナ・カレーニナ**

実につまらない。虎の威を借る狐の感、その上原作に忠実でない。扁変木のウロンスキー、それにうちこむアンナの愚さのみ目立つ。何を描こうとしたのかさっぱり分らない。（編）

**＊サツマ飛脚**

パチンコに負けて帰る時みたい。（編）

**＊或る夜の出来事**

宇野クンのヒゲ漫画家がいたゞける。たゞそれだけ。一向つまらないのはシナリオのせいかな？ ふくらみがないよ。もっとユーモアを（本）

× × ×

民芸（劇団）作品らしくて芝居をみてゐる感じ、田物、チャンバラの奔乱している現在、ユーモラスで肩がこらずスッキリした好短篇。（矢）

**＊摩天楼**

堂々と聳え立つ大建築を仰ぎ見る感じ、信念に生き抜く芸術家の情勢に酔う。G・クーパー、P・ニール、R・マッセイ何れも好演、殊にマッセイ（社長）が旨い。写真がすがすがしく音楽が印象的（本）

× ×

# 上映々画紹介

## サンセット大通り

21−27日、センター

キネマ旬報五一年度ベスト二位、東京記者クラブベスト一位。

「イブの総て」とともに昨年度のベストを争った作品、舞台と映画の差違はあるが、同じ芸能人の名誉執着心を扱っている点では共通したものがある。たゞし「イブ」とは全く肌合いが異質で印象はこの方がすさましい。同じ作者の「失はれた週末」に似た不気な人間ベクロがある。・悲惨味の強弱はあれ、人気稼業の一人生図とみられて興味深い。」ー東京新聞（叡）

主演のスワンスンはかつて無声映画の女優で当年五十三才の老優、話はこの女の邸にとび込んだ失業脚本家ウイリアム・ホールデンが巧言が因で結んだ醜関係の破たんから射殺され、既に狂った女主人公は殺人犯として包囲されたとも知らず、ニュース・キャメラマンの前に狂演する場景を大詰にしてゐる。

タイム誌（抜すい）

これはハリウッドによって輝かしくも最も良く語られた殆んど最悪のハリウッド物語だ。映画製作技術の素晴らしい行使以上のものであり、またハリウッドのやり方やモラルに関する悩ましい批判だ。

## シーラ山の狼

12−16日 センター

明月の夜、納屋の片隅で若い一組が抱擁している。富農の（アメデオ・ナッツアリ）の妹と村の貧農の青年である。おなじ時刻に殺人事件が起り、青年は嫌疑をうける。相手の女は進んでアリバイを証明しようとするが、家名が汚れるのをおそれた家父長ヤッツアリは断乎これを制止する。怒った青年は脱獄し、母ともども射殺される。孤児になって悲嘆にかきくれるその小さな妹ーというのが物語の発端。

※この作品は一九四九年度の作品であり、戦後に新リアリズムの名のりを上げた一連のイタリア映画がマーシャル計画に追いつめられた一つの袋小路をはっきり見せてくれる（他の待避所としてはデシーカのような象徴的な諷刺およびロッセリーニに見られる神秘主義的な傾向がある）

ー映画新潮より

※「シーラ山の狼」は一見アメリカの西部劇ーというよりも森林劇ーの観を呈している。しかしシルヴァナ・マンがアノ、アメデオ・ナッツアリ、ジャック・セルナス、ヴイットリオ・ガスマンなどのすぐれた俳優によって演じられる森林劇は単なるアクションドラマではなく、まえにもいった強烈な人間感情の「場」ともなっている。ー飯島正、

## アニーよ銃をとれ

・16−19日 日劇・

異色西部劇、天然色の一九五〇年度作品・インデアンの駅馬車襲撃の劇を呼びものにしている。物語は見世物一座がオクラホマに乗りこむ　そこで浮浪少女のアニーが一行の曲芸射手の花形青年をまかす、しかしアニーはこの青年にホレて一座に入る。青年はアニーに人気を奪はれ喧嘩別れになる。のちに欧州で人気をあげて帰って来たアニーと、アメリカ一の名射手と呼ばれる様になった青年と再会、又々喧嘩、しかしアニーが男の面をたて、やってめでたしめでたしとなる。

## 2月スケジュール

| | 10 | 11 | 12 | 13 | 14 | 15 | 16 | 17 | 18 | 19 | 20 | 21 | 22 | 23 | 24 | 25 | 26 | 27 |
|---|---|---|---|---|---|---|---|---|---|---|---|---|---|---|---|---|---|---|
| | 日 | 月 | 火 | 水 | 木 | 金 | 土 | 日 | 月 | 火 | 水 | 木 | 金 | 土 | 日 | 月 | 火 | 水 |
| 宮劇 | バグダット | | | 夢と知りせば | | | | 大空の誓ひ デロチャン千一夜 | | | 若人の誓ひ | | | | | | | |
| 若草 | | | ジェロニモ 大当りパチンコ娘 | | | | | | 群狼の街 | | | | | | | | | |
| 大成座 | めし | | | 慶安秘帖 | | | | | 西部の覆面男 | | | | 青春会議 | | | | | |
| 帝口館 | | 海洋爆撃隊 | | | | | インデアン渓谷 | | | | | セントルイス | | | | | | |
| 日劇 | ターザン | | | 新選組 | | | アニーよ銃をとれ | | | | 木の馬車 | | | 始めか終りか | | | | |
| センター | | | シラー山の狼 | | | | | キーラーゴ | | | | サンセット大通り、マンガ | | | | | | |
| 江平 | エノケンの一心太助他 | | | 夢と知りせば | | | | あの丘越えて 若い季節 | | | 若人の誓ひ | | | | 命美わし あわれ人妻 | | | |

1952・2・25 NO.11

# 映画サークル

宮崎市高松通一丁目（デ3659）
宮崎映画サークル・発行

## 洋画中心で陽春開館 ニュース劇場（假称）

### ―サークルの協力を期待！―

高千穂通りロータリに建設中の映画館（県建築課進藤技師設計）は三月下旬開館の予定で既に番組の交渉に入っている。大体洋画専門でやって、今迄宮崎で上映されなかった文化映画等も上映する模様。経営方針として市内インテリ層をねらいサークルの積極的な協力を期待している。

館内装備は個人掛け椅子で三百五十、影写機はR・C・Aの新品、冷ぼう装置。事務は市会議員の戸高氏、支配人はのど自慢でおなじみの依田久氏。

＊　＊　＊

## 宮大卒業記念映画祭に『港のマリー』

宮大映研では三月一日（土）日劇で午前十時から終日マルセル・カルネ演出・ジャンギャバン主演の「港のマリー」を上映する。前売券二〇円（解説プログラムを含めて）サークルにありますから早目に申込んで下さい。

＊―東京新聞評―

この恋物語には甘美濃厚な魅力は乏しいかわり、ありふれた世間話の内に実感が漂って気をひかれるものがある。カルネのにくらしいほど落着いた演出は男女関係の微妙さを見事に写し得ている。

＊　＊　＊

## 主張　文化映画の上映を望む

我々が社会生活を営む上に映画によって教養を高め知識を吸収し社会の動きを知るという点で映画をみることは生活と切り離して考えられない。年と共に映画と大衆との結びつきはいよいよ密接になってもはや映画は一部の人達のものではなく国民大衆全部の文化的資産であると言えよう。

殊にニュース映画や文化映画は大衆の知的生活に仂きかけることでは大きな影響力と広汎な浸透力を持つ。我々も新鮮なニュース映画や良い文化映画を見たいという欲求が強いのであるが一般の劇映画やニュース映画は宮崎市の映画館に行けば見られるが文化映画については残念乍ら鑑賞する機会に殆んど恵まれぬと言ってよい。

昨年度も「中尊寺」「上代の彫刻」「美の殿堂」等の文化映画が作られ「中尊寺」が毎日新聞の映画コンクールで入賞しているし、今迄にも「霜の花」「生きているパン」「魚の変情」「櫻島」等の記録的・科学的な数多くの秀れた短篇映画が作られているのであって、我々はそれらの作品の名前を知るだけで実際に鑑賞することが出来ないのである。

これらの文化的角度から見ても貴重な、吾々に新しい知識と見聞を與へてくれる文化映画に接することが出来ないというのは大きな損失であると言はねばならない。

聞けば文化映画製作に当る人々は非常な経営難に陥ってそのため腰をすえて真に優れた映画を今後続けて製作出来ないという。やはりこうした短篇映画はいつまでも長尺劇映画のそえ物的位置に置かれるのであろうか。文化映画こそ日本映画のために育て発展さすべきであるにも拘らず！。

宮崎市にも良い文化映画が上映されるように切望する。そのためにニュース映画、短篇映画専門の映画館の一つはあっても良かろうと思はれる。

＊　＊　＊

## 毎日『映画コンクル』入賞評

選考の結果「めし」「麦秋」「カルメン故郷に帰る」の三篇が残った。

### 監督賞

この中から成瀬巳喜男の「めし」がえらばれた。彼は監督として二十年来すでにその技術において精妙なる小太刀の名人としての定評がある。

### 美術賞

ことしの美術賞審査会は映画生産に対しての映画美術家の真摯な悩みの問題にまで触れて頗る活気を呈した。かくして栄冠は、まこと悪條件と斗いぬき、さかんな意慾と創造を「どっこい生きてる」「わかれ雲」に示した久保一雄氏にさゝげることに決した。

# 四つの感想

映画"めし"

統計調査サークル

△非常に気分のよい映画で現今のダイナミックなメカニズム本位の世の中で、このような小市民的な心ほのぼのと温まる抒情作品は、特に当事務所の朝から晩まで数字と取組む仕事の性質上からいっても、生活への免疫心の渇き勝ちな今日、精神面に大きなうるほひを与へてくれる。

画面構成も巧みでつなぎの使い方も手なれた感じがあるが、内容から見て"めし"の題名が少し弱い。演技は杉村と原が断然光っているが、上原と原の生活描写はやりくり生活であるべき安サラリーマンの生活が何となくそのがあり表面的には一応その格好であるが、豪華にさえ見えるのはやはり演技の未熟によるものか？ともあれ、激賞とまで行かずとも大作であるには違いない。

△あの映画では妻の幸福をあのような平凡に娘時代の形式的な結婚生活への憧れと社会認識で現状を掘り下げようとしない考へから必然的に到来した破綻の結末へ、たったあれだけの過程でうなづき、婦人が男をたよりにする幸福の在り場所を肯定してしまうのは納得出来なかった。

△家事の不満とは見るべきでなく、時期的に倦怠期にある妻が、新婚当初からの生活をふり返り、夫の愛情に不満がありその具体化を求めていたと見るべきものである。小市民の妻の幸福を追及しているので、三十代の態度には女の立場からみて肯定出来る。一つの実地体験で空想から生れたものではない。でも家事の傍ら新聞を読み書物をひもとくゆとりと、それに対する理解が夫にあってこそ家庭での妻の幸福は到来するものであろう。たしかに考へへるものを持たしてくれる。

初之輔が妻のいやみの原因と過程を少しも知ろうとしなく一人ずもうをとっているのは大きな不満である。

△杉村の役が林芙美子の代弁者として登場していると見るべきで良心的な作品ではあるが日本映画発展過程のある意味では健全な行き方であろうが、小市民の夫、妻、それぞれの立場で、もっと幸福への積極的な追求と解決へもつて行く努力は描かれていず、この点独立プロの自主映画がどしどし擡頭して来ている現今、本当に勤労大衆の生活感情にピッタリマッチした、しかも芸術的レベルも高い作品が要求され、又そのように発展して行かねばならないのではないか。既成高踏的な芸術概念とまったく一変した新しい感覚の映画―

又何も独立プロの作品だから戦争の悲惨性とか経済生活の苦しさばかりを描き、人生の暗い面のみを見せつけるだけではない。つゝましやかな生活の中からしっかり現状に根を下した健康な知性、ユーモアがそこには当然生れてくるはずであろう。しかしもっともっと大衆の魂の深奥まで揺ぶる様な作品がどしどし出来て来るようになることを日本映画に念願してやまない。そしてそれは到来を待つというのではなくしてもっと積極的にサークルをもり立てゝ行く我々がそのような映画への支持如何にかゝっている。

―柴岡―

(サークル事務局、県庁、食糧事務所、調統、サークル員出席)

# 電報局サークル

## 第二回合評會の印象 良かった『めし』

去る十三日当サークル第二回の合評会が開かれた。最初合評会をやる予定ではなかったのであるが"めし"を観てきた会員が、とても良い是非やろうという訳で早速合評会開催とはなったのである。先づ"めし"をみてどう感じたかという点から率直な感想やそぼくな批評が飛び出した。"麥秋"よりも良い、面白いという感想が多かった。主人公夫婦の生活感情がそこはかとなく職場の人々の共感をよび起したのであろう。今日の苦しい時代に生きて行く人々の胸にはやはり、あゝいった題材の映画の、それも柔らかな感触をもって描かれた点、大いに語りたい何ものかゞあるのである。原節子の女房役には皆異論なく演技の素直な巧みさを賞めていた。又平凡なサラリーマンの夫を演じた上原謙の振舞が意外に好感の持てるものであり、更に杉村春子の心憎い旨さ并演技陣の良さが此の映画の印象をよくした(三頁へ)次

# 〝めし〟評

縣庁サークル　森山　博

◇娘時代に描いための夢、この夢。それは結婚とともにはかなく消あるものはたゞ"めし"のための平凡な日々の送り迎え。結婚五年目、生活に味気なさを覚え始めた或日、とびこんで来た夫初之輔（上原謙）のメイ里子（島崎雪子）のほんぽうな振舞に益々気をくさらせて行く妻（原節子）の感情線を深くとらえて結婚生活とは何か、女の幸福はどこに求むべきかをしみじみ考えさせる作品。

◇すべての女性が生涯には幾度か見舞れる現象をあきらめだけで美化しようとせず、余りにも新しすぎる里子の行状と対比させながら、結婚、大きくは人生を追求してゆくあたり、林芙美子の原作のよさに加えて原節子の好演で"めし"は「麦秋」以来の傑作第一位にあげられよう。

◇しかし人生そのものを画き出そうとしているだけに舌足らず、量足らずの点が惜しまれる。妹夫婦の家庭はさらりとあげて（杉村春子がいゝ）出色だが夫初之輔、従兄一夫をあいまいに描写しているために、妻里子が浮き出してしまった感がないでもない。里子がみるほど夫初之輔は頼り甲斐のない男ではないことを向う三軒のおかみさんや二号さん、或いは株屋の同僚で示そうとしているだけに、それが大きな弱点としてあらわれている・

同窓会のあしらいもうまいとは云えぬ。もたもたしすぎるのは花井蘭子等のまずい演技のせいか。

◇まずいと云えばカメラも麦秋ほど効果的に使われていない。観光バスのくだりもそうだが、一般に俗っぽい手法が用いられている。カメラ如何では一般と高い格調を味わわせたであろうに！

◇ともあれ"めし"が高く評価されるのは、その内容の良さと演技陣の総体的なうまさのためであろう。この作品は"めし"を観るよりか、"めし"を喰った方がましだったなどの批評は間違っても起らない程、現段階の邦画では最高の水準を抜いているといってよかろう。

## めし

身近かな小市民の生活が共感を呼ぶ。杉村春子と妹夫婦が持にいゝ味を出している。

## 短評

### シーラ山の狼

柳の下にどじょうがいるとは限らない。期待外れの愚作。イタリヤ映画よ頑張ってくれ。

### アニーよ銃をとれ

大金持の大道楽、ラブシーンだけは素晴しい。インディアンの取扱方は何日もの黒人蔑視のイヤミ。

### 慶安秘帖

Bクラスとして作られBクラスに出来上った作品。カメラが美しい。

### マルタの鷹

ジジョン・ヒューストンの歯切れよさ、ハンフリーボガートのタフな味。探偵映画としては秀作。

※とみたい。加うるにロケーションによる大阪風景の感覚的な美しさとみボートの浮ぶ河畔の風景や、川崎職業安定所附近の点描等には撮影の美しさもあるが、やはり庶民の眼を通して見た生活風景といったものが感じられてそれらを語るとき合評会はいよ〳〵面白く皆何かをしゃべりたいといった類であった。

## 独立プロの横顔

・序・

戦后の日本映画界で特筆的なことの一つとして、作家や俳優のグループが作られ、それ〴〵従来の企業的なワクへの反逆を、なんらかのかたちで展開していることがあげられる。東宝争議を契機として生れた映画芸術協会や新星映画社あるいは松竹資本との抵抗からつくられた近代映画協会等は主な作家の集団であり、また東京演技者集団や第一協団や自立俳優クラブのような俳優のグループもある。その他にもまだあるが、順次このニュースで紹介してゆきたい。

# 上映々画紹介

## 河内山宗俊

河原崎長十郎、中村翫右衛門、市川扇升、原節子以下の強力キャストを駆使し、不世出の鬼才山中貞雄が原作を書き、三村伸太郎のシナリオによって自らメガホンをとるもので、その無類の面白さ、構成の妙味、加えて感覚の清新さに於て、日本映画史に残る名品と云われ、舞台の興趣を一層リヽツクにドラマチックに表現した傑作時代劇である。

お馴染お数寄屋坊主の河内山が、金子市之丞と力を合せ直次郎お静の姉弟を救う物語りの中に人情の美しさと庶民的な哀調を織込み、更に大向うを唸らせる松平家での名台詞、半々完璧の劇的効果を発揮したもので助演陣に高瀬実乗・山岸しづ江など—

・・・・・・

## 母なれば女なれば

山田五十鈴は哀れな弱い母親として苦しんでいる間の演技もうまいが、反抗の勇気を取りもどしてからの演技が感動的である。

相手役、健次を演じる神田隆は東大仏文の出身で「暴力の街」の新聞記者で認められた俳優であるが、やりにくい役をよくこなしている。実にうまいと感心させられるのは、ひねくれた新吉を演じる少年二口信一である。満点をやりたい。健次の妹の岸旗江は平凡。町のボスをやる三島雅夫は、不幸な貧乏人を、ますます不幸にする悪人をよく表現している。

亀井の演出は、きちんとした思想的主題を追いながら、いわゆる「母物」の大衆性を忘れなかったのが成功である。夜業の録音がよくないのと、画面効果が照明が暗すぎて、弱いのは残念。「赤道祭」の脚色者、棚田吾郎の脚本は、最后の部分に難点があるほか大体成功。瀬川順一のキャメラには、なかなかいいところがある。

貧しい独立プロのまじめな努力が、粗製濫造、放漫政策の大会社を刺激するようになれば、日本映画の進歩のために大変結構なことである。（毎日・永戸俊雄）

＊キヌタプロ第一回作品
＊「戦争と平和」「女の一生」の亀井文夫監督
＊原作 徳永直 ＊配給東映

## バグダットの盗賊

これはロンドン・フィルムの總師アレクサンダー・コルダがアラビアン・ナイトの挿話にヒントを得て色彩映画大作として製作した同社空前の大作である。コルダはこの映画を第二次大戦前に企画・アフリカ・ロケーションを企て、いたが、製作中に戦争勃発、情勢が変ってそれが不可能になったので、その大部分をドイツ空襲下のロンドン郊外デナム撮影所のオープンセットによって撮影、最後の巌窟のシーンのみアメリカに渡って国立公園グランド・ケニヨンにロケーションし一九四〇年暮近く、三ヶ年余を至て完成したのであった。

監督は「ワルツの夢」「ワルツ合戦」などのドイツ映画でわが国にもお馴染あるウイーン出身の巨匠ルドウイッヒ・ベルガーと後に「赤い靴」「黒水仙」「ホフマン物語」など優れた色彩映画を次々に発表しているマイケル・パウエルが協同で当り、アメリカロケのみホイーランが應援監督した。

## 3月上旬上映々画

| | 1 土 | 2 (日) | 3 月 | 4 火 | 5 水 | 6 木 | 7 金 | 8 土 | 9 (日) | 10 月 | 11 火 |
|---|---|---|---|---|---|---|---|---|---|---|---|
| センター | カリフォルニヤ戦うロビンフット | | 紀元前百万年 天然色マンガ | | | | | イースタパレード、悲しき口笛 | | | |
| 日劇 | ●落のマリー | 船乗りシンバッドの冒険 | | | | | | ●母なれば女なれば | | | |
| 宮劇 | 出世篇●河内山宗俊 2日のみ春のおどり | | | | とんかつ大将 | | | | | | |
| 若草 | 女王蜂 | | | | バグダットの盗賊 色 | | | | | | |
| 大成座 | 山岳贅天 眼西部快晃 ● パンドラ 色 | | | | | | 元禄水滸傳、蛇姫様 | | | | |
| 帝国館 | 潜行決死隊 | | 西部の王者 色 | | | | 快傑ダルトン | | | | |
| 江平 | 青のアルバム・出世とび | 角兵衛獅子、飛び出した若旦那、東京おどり | | | とんかつ大将、子供の美術学校、美しい暦 | | | | 馬喰一代、荒木又ェ門 | | |

**10日以后の主な番組**

●白い恐怖 ●赤い河
●本日休診
●嵐の中の母
●風ふたゝび
等

1952.3.6　映画サークルニュース号外

原作……徳永直
監督……亀井文夫
脚本……棚田吾郎
主演……山田五十鈴・神田隆・岸旗江・沼崎勲・三島雅夫・加藤嘉・二口信一
撮影……瀬川透徹
音楽……飯田信夫

## 朝日新聞所載「新春の映画から」

### すぐれた作品「母なれば女なれば」

二十八本の（正月）映画中、とにかく正月らしからぬものだが、非常にすぐれた作品はキヌタプロ「母なれば女なれば」である。東映系に第三週封切られるもの。戦争未亡人の問題を扱っているのだが、在来の母ものとちがい、現実に根をおろした迫力があり、母として女として悩む一人の未亡人の姿が浮彫りされている。山田五十鈴の好演は期待される。（十二・廿六夕刊）

### "ものがたり"

ぼろアパートで内職のミシン仕事にしがみついている春枝親子の隣室に、中学の先生健次が妹と二人で住んでいる。健次も、出征中妻に裏切られた戦争犠牲者で、かれと春枝の心は互に引き寄せられる。健次の態度は積極的だったが春枝はうるさい世間を恐れて、健次と再婚する決心がつかぬ。五年間の浮浪児生活から母のもとに帰った新吉は、手のつけようがないほど性根が曲り、ひがみ切っていた。うるさい世間と共に、かれも母親の健次に対する恋情を、沈黙と白眼の武器で攻める。春枝と健次の恋愛に対する妨害は民生委員、PTAの町内ボスからも来る。春枝は新吉のためにすべてをあきらめようとするが、健次の激励によって勇気を取りもどし、理由のない没我や犠牲を「後家」に強要する世間――幸福を求める個人の権利を押しつぶす世間に対して、敢然と戦う道を選ぶ。

☆　☆

# 素晴らしい演技陣

サンデー毎日　永戸俊雄評

キヌタ・プロの第一回作品。＊山田五十鈴の主演で、亀井文雄が演出。新しい型の母物として注目に値する。

## ヒューマニズムの映画

「母なれば」は「どっこい生きてる」と製作準備（大衆からのカンパ）だけでなく、作品の内容、性質にも、にかよったところがある。ひと口でいうと、これも「どっこい」と同じく、貧しい、不幸な人たちのために作られたヒューマニズムの映画だからである。

## 新しい型の母もの

この映画も、いわゆる「母物」に違いないのであるが、たゞ、哀れな、弱い女の母性愛で、お涙を頂戴するだけのものではない。子持ちの戦争未亡人も、恋愛する権利があり、ほれた男と再婚して幸福になる権利があることを、はっきり主張している。封建的で不合理な偏見が支配している世間に対して憤激し、反抗する母を描いている。そこが「母物」として、新しい型であるゆえんなのだ。

## 演技陣

**山田五十鈴**は、哀れな、弱い母親として苦しんでいる間の演技もうまいが、反抗の勇気を取りもどしてからの演技が感動的である。『わが家は楽し』の母親役で立派な演技を示した彼女は、この新作の母親役で、さらに優秀な演技、印象の深い演技を示している。

相手役、健次を演じる**神田隆**は、東大仏文の出身で、「暴力の街」の新聞記者で認められた俳優であるが、やりにくい役をよくこなしている。実にうまいと感心させられたのは、ひねくれた新吉を演じる少年、**二口信一**である。満点をやりたい。

健次の妹の**岸旗江**は平凡。町のボスをやる**三島雅夫**は不幸な貧乏人を、ますます不幸にする悪人をよく表現している。

※**亀井**の演出は、きちんとした思想的主題を追いながら、いわゆる「母物」の大衆性を忘れなかったのが成功である。録音がよくないのと、夜業の照明が暗すぎて、画面効果が弱いのは残念。「赤道祭」の脚色者棚田吾郎の脚本は、最後の部分に難点があるほか、大体成功。瀬川順一のキャメラには、なかなかいいところがある。

## 日本映画の進歩のために

貧しい独立プロのまじめな努力が、粗製濫造、放漫政策の大会社を刺戟するようになれば、日本映画の進歩のために、大変結構なことである。（了）

× × × × ×

**子供を、夫を、もう戦争に渡さない！この母の抗議こそ、わだつみの声に答える叫びだ！**

## ☆配役

|  |  |
|---|---|
| 安川春枝 | 山田五十鈴 |
| 新吉 | 二口信一 |
| 清 | 伊藤延雄 |
| フミ子 | 小松原良子 |
| 高瀬健次 | 神田隆 |
| 幸子 | 岸旗江 |
| 長島 | 三島雅夫 |
| 校長 | 加藤嘉 |
| 久保寺 | 沼崎勲 |
| ひで | 北林谷栄 |

1952・3・15 No12

# 映画サークル

宮崎市高松通 丁目 TEL.3659
宮崎映画サークル ・ 発行

## 箱根風雲録の 山本薩夫・岸旗江来宮!!

今度"箱根風雲録"上映館を挨拶まはりする為九州入りをした山本監督と岸旗江は二十二日宮崎え立寄ることになつた。

サークルでは上映館大成座の協力で夜七時商工会議所に於て「一人を囲む座談会」を開くことになつてゐる。

中央の製作関係者とのつながりのうすい地方サークルにとつて良い機会で色々活溌な意見が取交されるものと期待される。

## 全九州映サ協準会 開かる

今迄九州各地に散在してゐた映画サークル、同好会の経験、資料、スチール、内外ニュース等を交換したり民主映画の上映促進を効果的に進めるため、去る八日福岡に於て全九州映画サークル連絡協議会が開かれ、当サークルから安達常任が出席した。くわしくは次号で。尚、この会えの正式加入は近く開かれる委員会で決定される。

## 主張 宣伝の問題

羊頭狗肉と云う言葉があるが映画の宣伝にも同様な嘘が多い。映画が企業であり作品は商品であるから宣伝上の多少の誇張は止むを得ないとしても、その宣伝は飽くまでも良心に基いて作品の内容、真価を曲げることなく伝えるものであるべきだ。

映画の観客がパチンコに喰われると云う現象は無責任な映画宣伝に負ふ処がないと云いきれるであろうか。愚劣な作品に過大な讃辞を弄したり良心的な作品に低俗な興味をそゝつたりすることは単に観客を欺くと云うことに留らず大衆の真実の要求を反映しない興業成績を齎しひいては映画の正しい発展に大きなマイナスとなつて表はれて来ていることに気付く時その罪は決して小さいとは云えない。

茲に於て吾々映画サークルの打算性のない宣伝活動の意義と重要性が強調される所以である。

良い映画を求めて止まぬ此の映画サークルが全国に強くスクラムを組む時に日本映画に新しい黎明が訪れることを固く信じて疑わない。外国映画の輸入に於ても同様であろう。

良い映画は一人でも多く見てつまらぬ映画をボイコットすることがこの目的を推進する唯一の方法だと信ずる。（本）

× × ×

× ×

## 短評

○**サンセット大通り**

映画的構成とシナリオの素晴しさは感嘆の外はないが……

○**別れ雲**

五所平の愛情をこめた製作態度が画面ににじみ出てゐる秀作。せゝらぎに似た清涼さを感じる。よきところ、導入部・旅館の描写・川崎弘子・三津田の好演等々……

○**港のマリー**

フランスの漁村のフンイ気は出てゐるが、娘の内的生活が理解出来ない。ギャバンは中年男のさびしさをよく出してゐるが「ギャバンだけが男ではない」といつた反パツも感じる。

○**パンドラ**

全般を通じて色彩が秀逸。メーソンはいつもながらうまいがガードナーも素晴しい。

○**河内山宗俊**

劇的な盛上りなし。「麦秋」「めし」を見たあとで「河内山」の原節子を見て映画の移り変りを泌々と感じる。

○

○

# 芽ばえ

## ——本城村からの便り——

前略、映画サークルニュース嬉しく読ませていたゞきました。あなたがたのサークル活動羨しく思います。今後当村の河野さんを中心にしてサークルニュースの購読とサークルの結成が行われるでしょう。皆さんの御活躍を祈ります。

次に感想を書いてみました。

私達の村には常設館はないが、三日か四日に一回公民館で上映される。移動映写なので、映写の技術がまずくトーキーもまずい。

隣りの福島町には映画館があって時たまみに行く。どの映画も見たいと思うのだけれど、経済的なことや映画がすんでから家に帰る迄(約三十分かゝる)のことを思うとそうはいかない。新聞や雑誌や映画評によって出来るだけ厳選して見に行くのだから信用ある映画評やら映画の解説が欲しい。

十ヶ月振りに宮崎市に公務で出張して二晩とも映画を見た。

江戸の竜虎、わかれ雲、出世鳶、河内山宗俊、

わかれ雲だけ現代もので、他は時代ものばかり。

一番良かった映画はわかれ雲で「こんな女に誰がした」以来の感激した映画であった。常々いい映画であると聞いていたし、五所平之助監督の作品であると知っていたので顔のほてる感じてみたが、一回だけでは物足りない感じがしてもう一回みたかった。

主人公の女子大学生のもつ一つのなやみ、それには或程度共感がもてる。反撥となってあらわれているそのなやみは我々も持つものであり、そのなやみを解決する方向は若き医師が長沢村の朝のシーンで少しばかりときかせてくれる。それは社会を美しく正しい生々とする為の活動をすることであろう。

カメラ店主の面白さ、邪教の紫昌、ニユールックを誇る村の政治家候補、宿屋の主人と奥様。本当によくそろったものだ。殆んどロケとのこと、聞いていたが、美しい山々と山間の町の情緒は何とも言いつくせないよさがあった。

江戸の竜虎は戦前の作品であろう。嵐寛の人斬りには少し痛快だが全く人を馬鹿にした様な映画。

河内山宗俊　映画としてのうまさ面白さ、よさがあるがもう感覚が大分違うと思った。

出世鳶　無思想映画と僕はよぶ。悪くもないがよくもない、時間をすごすにいゝ映画。

村の公民館で見たのは、昨年の暮みた「どっこい生きてる」と「レミゼラブル」が問題になる。いゝ映画を見てみんなで批評するために映画サークルをつくらねばならぬ。その声があちこちでたしかにおこっている。

南那珂郡本城村崎田　末　秀哉

事務局からおねがい。

この様な地方の声をどしどし投稿していたゞくことを希望します。

## 世論調査結果

このほど食糧事務所サークルでスターの人気について行った世論調査の結果が左の通りまとまった。

調査は御ひいきの男女優各三人づつを記入する方法によった。

回答四一 男三二、女九、

| | 順位 | 氏名 | 計 | 男 | 女 |
|---|---|---|---|---|---|
| 男優 | 1 | 三船敏郎 | 18 | 15 | 3 |
| | 2 | 佐分利信 | 11 | 7 | 4 |
| | 3 | 若原雅夫 | 7 | 6 | 1 |
| | 4 | 伊豆肇 | 5 | 2 | 3 |
| | 5 | 岡田英次 | 4 | 4 | 0 |
| | 5 | 阪東妻三郎 | 4 | 4 | 0 |
| 女優 | 1 | 原節子 | 19 | 12 | 7 |
| | 2 | 津島恵子 | 9 | 5 | 4 |
| | 3 | 久我美子 | 6 | 4 | 2 |
| | 3 | 乙羽信子 | 6 | 6 | 0 |
| | 4 | 高峰秀子 | 5 | 2 | 3 |
| | 5 | 木暮実千代 | 4 | 4 | 0 |

この結果では男優三船、女優は原が圧倒的、得票の傾向も似て良い対照。

若原は案外の人気、女性に受けるのは佐分利、三船、伊豆と云う処か。女優では津島が手堅く久我乙羽が次ぐ。乙羽と木暮は男性向？総じて容貌のみを求めぬ傾向はいゝが、大御所、田中、山田、長谷川が上らぬのは淋しい。（本）

# "麦秋"よりめしが そして更に"わかれ雲"が

（図書館映研　ひがし）

五所平之助が四年間の沈黙を破って久しぶりに手がけたスタジオ8プロの五二年度芸術祭参加作品・「今ひとたびの」における美しくも哀しいリリシズムが彼の四年間の病臥生活を至て風雪の現実に根を下し、更に高く発展しているのは何とも云えない喜びである。

継母に育てられて、過剰な少女意識からひねくれた我侭な女に成長した女子大生の昌子（沢村契恵子）がその智性の故に意識的な人間嫌いに陥るが、旅先で病気になり、信州の田舎の自然と周囲の暖い人々の中で、自然に前向きの人生に喜びを感じ始める過程も、その極めて短い時間的無理を自然に然もリアルに画いて光彩を放っている。此の場合、知性に富み、悩みながらも剛く伸びんとする可能性に充ちた沢村の健康な姿態とマスクは当に適役で、彼女に慕われる青年医師（沼田曜一）も好演。"美しい手などつまりませんね"と淋しく笑い、労仂によって自分の足で歩く喜びを見出していくおせいの川崎弘子も見事なカムバックで光っている。

シヨットの[illegible]に二三気になる点はあったが、全篇を流れるリリシズムはベテラン三浦光雄のカメラに支えられて美しい。

然に開と一夜を過した山奥の寒村の朝まだき、分教場の校庭から見下す左手のたんぼ道わきで黙々と稲を干している百姓達の朝霧にくすんだ情景は、最も感動的で素晴しく、暗い現実と未来への"夜明け"とを象徴しているかの如くである。難を云えば昌子の田舎が画き足りず母娘の関係がぼやけているのは惜しい。

部分的に心をひいたシーンでは、父親の一寸した何げない動作、たとえば膝についた煙草くずを左手の指先でとって灰皿に落す場面や、足の裏をふんぎくれる娘に何か物言いたげにふりかえり、だが何も云はずに安堵した面もちであごを衿にうづめるあたり等々、父娘の情感がふれ合ってしっとりとしたものを感じさせる。

「麦秋」よりも「めし」が、そして更に此の作品は我々に身近で迫るものがつよい。

嶽にかゝる雲の様な淡く美しい昌子の夢が、南との結婚を通じて厳しい現実の生活の中でどのようにたくましく成長して行くか、此の次にはそれを追求し、画いてもらいたいものである。

# どこにあるスターの自由

## 三国、久我向題なお未解決

最近話題とされている三国連太郎と久我美子の契約向題は単にスターの引抜戦ではなく、スターの社会的問題として、依然向題は紛糾している模様である。

三国の向題というのは、さきごろ木下恵介監督の「善魔」「海の花火」などでデヴューした松竹の新人三国連太郎は、東宝の稲垣監督の「戦国無頼」に出演の契約をしたことから、松竹の重役会は、社員である三国が松竹の体面を汚したと首切りを表明、結局三国は首切りは免かれたが、今度は東宝は、これは三国本人の意志ではないと返してきた契約金を受付けず、三国自身も「本日休診」の撮影後不方不明を伝えられている。

もともと三国連太郎は、演技研究生なる名目に松竹の社員俳優であるが、東宝の「戦国無頼」に出演したい意志から東宝と契約したもので、スターの引抜きを極端に恐れる会社側で、あくまで有望な新人として三国を松竹に引止めるべく横槍を入れたもので結果として新人三国の後援者としての自由を会社は完全に拘束した形となった。

又久我美子の場合は、大映との契約が切れる機会に、有利な條件で、久我本人の知らぬ間に、家人が松竹と契約したといわれこれには一時スターの出演料を数百万円にまで上げた俳優ブローカー星野和平氏（松竹顧向）が動いて居り、久我自身はこれを断り再び大映と契約したので怒った松竹は告訴するとまで騒いでいる。商品としてのスターと、これをあくまで営利のために独占しようとする映画会社と、ともあれこの二つの事件は一見華やかな映画スターの地位がどういうものか露骨にその断面を見せて居り、勤労者、演技者としての映画スターの自由の向題としてその成行が注目される。

上映映画紹介

# 赤い河
ユナイテッド

監督、ハワード・ホークス、「暗黒街の顔役」「ヨーク軍曹」
主演、ジョン・ウェイン「駅馬車」モンゴメリー・クリフト「黄色いリボン」

一九四八年に発売され西部劇大作再流行の端緒となったという曰くつきの一篇。幌馬車の行進、インディアンの夜襲、牛群の移動等西部劇ならではの見せ場が豊富。人物の扱い方に特質がありカメラも遠近感が利いてゐる。

前売券 一般八〇円、会員六〇円

# 嵐の中の母（東映製作）

脚本・八住利雄「戦争と平和」「女の一生」のライター
監督・佐伯清

配役
母 稲子　水谷八重子
長男 圭一（息子）　沼田曜一
村田信子（圭一の許婚）　岸 旗江
[illegible]江 宏　原 保美

大陸から復員して来た最愛の一人息子を戦犯として再び大陸へ送り返さねばならなかった不幸な母と子の悲惨を描き戦犯問題をとりあげた良心作。

東宝児童サークルからの通信によれば水谷が「母なれば」の山田五十鈴におとらぬ程の好演とのこと。

# 本日休診

監督 渋谷 実

配役
三雲八春　柳 永二郎
〃 伍助　増田順二
湯川三千代　田村秋子
〃 春三　佐田啓二
津和野悠子　角 梨枝子
外文学座

製作は「麦秋」の山本武、井伏鱒二の原作で戦前日活作品の「多甚古村」に次ぐ映画化である。好人物の町医者八春先生を中心にちョッとした市井風俗の中に鋭い社会諷刺のある喜劇をねらったもので、監督渋谷実は「自由学校」（松竹）で分るように通俗喜劇にすぐれているので期待できるのではなかろうか。

町医者八春先生は開業一周年に院長と看護婦が温泉へ出かけたあと「本日休診」の札を掲げてゆっくり昼寝でもと思う矢先き婆やの息子の勇作が軍隊生活に狂って発作が起き鎮めたとたんポリが家出娘を連れて来たり、お産だ、盲腸炎だでてんやわんやの大騒ぎ、遂に「休診」の一日も忙しく過ぎてしまう。

# 風ふたたび

スタッフ
監督　豊田四郎

キャスト
久松香菜江　原 節子
宮下 孝　池部 良
道原敬良　山村 聰
川並陽子　浜田百合子
久松精二郎　三津田 健
お 律　杉村春子

朝日新聞に連載の永井竜男の小説の映画化で植草圭之助の脚本。

結婚に失敗した久松香菜江が大学教授を父とし、夫と別れて自活の道を講じて生活している。彼女の前にふとした機会に、生活に恵まれてはいないが生々とした青春に生きている父の教子宮下と、世間の辛酸をなめつくして安楽な環境を楽しんでいる中老の実業家道原が現われて、二つの世代に代表された男性に対して、香菜江の中に眠っていた女性の情感がどの様によみがへり彼女の心に再び春の風が吹きそめたかと云ふ物語り。ただドラマに浮き沈む人間の群像がどんなに描かれているだろうか。

## 3月下旬スケジュール

| | 15 土 | 16 日 | 17 月 | 18 火 | 19 水 | 20 木 | 21 金 | 22 土 | 23 日 | 24 月 | 25 火 | 26 水 | 27 木 | 28 金 | 29 土 | 30 日 | 31 月 |
|---|---|---|---|---|---|---|---|---|---|---|---|---|---|---|---|---|---|
| センター | 白い恐怖 | 自転車泥棒 羅生門 | | | | 赤い河 | | | | 事務局に前売券あります。 | | | | 有[illegible]の女 猛獣地帯 | | | |
| 日劇 | (色)無頼漢 | | | | | | | | 絶海のターザン 女族とハンガン アテキなる逆襲 | | | 嵐の中の母、長崎の子、風雪二十年 | | | | | |
| 宮劇 | 次郎吉格子 | | | | 本日休診 | | | | | | | 風流活殺剣 | | | | | |
| 若草 | 呼子星 | | | | あばれのし | | | | | | | 生きのこった弁天様 | | | | | |
| 大成座 | シエラ | | | | | 風ふたたび、ケニヤ草原 | | | | | | ラッキーさん パチンコ必勝法 | | | | アリババと40人の盗賊 | |
| 帝国館 | オペラ怪人(色) | | | 廃墟の群盗 | | | | | 熱風の町（色） | | | | | | | | |
| 江平 | 次郎吉格子 | | | | 本日休診 | | | | | | | 風流活殺剣 | | | | | |

1952・3・30 No13

# 映画サークル

・発行・ 宮崎市高松通一丁目
宮崎映画サークル

## 映画の一つの観方

ので
文学

私は映画を観る時そこに描き出される社会相に興味をもつて観る。日本のくだらない映画はよくブルヂョアの生活を描きたがるが、それはわれわれに何ら迫るもの、ない堕落の生活である。「麦秋」や「めし」は割によかつたが、それでも何かピンと来ない。「どつこい生きてる」や「母なれば女なれば」が始めてわが口の行きづまつた社会相を描き出し、われ〳〵に物を考えさせる。

「荒野の抱擁」や「自転車泥棒」などイタリヤ映画が敗戦国の生々しい現実を描いてわれ〳〵に与えた感激は大きかつた。特に前者にはナチスや悪党と組んで勤労大衆を苦しめる地主、ブルヂョアとそれに抗して団結して立上る大衆の姿が描き出される。それは資本主義末期の苦悶の姿である。「イヴの総て」は玄人批評家は非常に賞めていた様だがそこに描き出されるのは資本主義映画界の堕落した嘘と策略の社会である。「幌馬車」「赤い河」その他西部劇にはたくましいフロンチア、スピリットは描かれているか知れないが、腕がものをいう安価なヒロイズムの世界である。それにやくざに義又は倫落の底の純愛がつけ加えられるだけである。「オルフェ」その他フランス映画は社会の現実の苦悶から純粋芸術という高尚な？世界に逃避してしまつている。「シベリヤ物語」「遥かなる愛人」などソ連映画にはブルヂョア社会の堕落も悪も苦悶も見られない。そこには働く者の建設的な喜びの光輝と歌声がある。余りに悪と悩みがなさすぎるという香方には物足らなく又宣伝だと感じられるらしい。それが真実のソ連の姿かどうかは政府がカーテンを下して旅券を交付してくれないから確めるすべがない。しかし、資本主義諸国の映画がみじめな或は爛熟堕落した社会を描き出しているのに対しソ連映画が吾々に未知な違つた社会を描き出していること、今まで貧乏と失業に苦しんだ労仂者がにこ〳〵していることは事実である。そしてギャング映画が浸過る程入り労仂者や農民の映画を入れないのも事実である。（上野裕久・宮大教授）

＊　＊　＊　＊　＊

## ソ連漫画映画・試写会

去る三月十八日朝　大成座に於て五月中旬上映予定のソ連漫画映画一〇本を教育関係を招いて試写した。

〈盛会だつた〉

## 山本薩男・岸旗江＝を囲む座談会

山本　岸を囲む座談会は廿二日夜商工会議所に於て開かれた。終会後山本監督が「あと廿分時間が欲しい」といつて名残りをおしんだ。自主製作に対する基金を一人で千百円応じた商店主もあり、座談会は「箱根風雲録」を幻燈があつた。（尚座談会の模様は次頁に載せました）

ファビオラ
シネモンド最優秀伊・佛合作映画作品賞受賞作品
脚色台詞監督　アレッサンドロ・ブラセッティ
四世紀のローマに於けるキリスト教徒の迫害をバックに、其の豪壮華麗、眼を奪う残忍性は、アメリカに於けるあらゆる興業記録を破る!!
17日⇨23日 ロマン座

# 箱根風雲録について

山本薩夫 談

"風雲録"の製作途上において我々は宿賃も払えずタバコも買えぬ状態にあり、飯田さんなんかゞ彼女らしい踊りをして皆んなからカンパをしてもらって宿賃を払った様な仕末であった。こんな状態にあってもスタッフ一同の間に少しの不平も起らなかった。皆んなが死にもの狂いでやった。体で作った映画であり、不真実な映画では決してないからその点を見てもらい度い。私はこの映画を撮るに当って、これは決して三百年前の出来事ではない、我々の身近にころがって居る問題とつながりがあると云う考えの下に、現代劇を撮るつもりで撮りました。

昨年度に於て外国映画が二百五十本(一昨年の五倍)日本映画は二百数十本(一昨年の倍)封切られているが、その間争議等により良心的な作家、俳優、従業員は続々と去り、総従業員は約半数に減っている。だから粗製乱造の映画しか出来ず、且製作に当って当然労仂強化が強いられている。自分で自分の首を締めて行っている現状において、"どっこい"、"母なれば"、"山びこ学校"等一連の作品が日本映画を愛する皆さんの力に依って出来たと云う事は意義ある事と思います。皆さんも、"風雲録"をご覧になったら是非御感想、御批判をサークルその他を通じてどしどしお寄せ下さることを希望致します。

## 映画の大衆性について

映画は大衆的でなければならないと云うのが原則であるが、こゝで大衆性とは何かと云う事が問題になる。

一応我々は大衆的であればある程芸術的に高いと云うものを作ろうとするがそれは実現がむづかしい。一部の人は激讃するが一部の人はわからない。そこでわからない人は"あれは頭が悪いのではないか、芸術とはむづかしいものだ"と考へる。これではいけない。

どう云う人が見ても面白いとか悲しいとか感動したとか云う点が問題にならなければならない。"風雲録"も今迄四〇回位試写を行って学者、厂史家、丹那トンネルの技術者、農業の技術家、先に実態調査をした学者、文士、画家、学生層、筋肉労仂者、会社員とか云う人に広く見てもらいました。千葉で農民の方にも見てもらいましたが受け取り方は色々違い、いろいろな批判もありましたがそれよりも何よりも一番先に感動したと云うのです。

服部総之(厂史家)……"厂史的に見ておかしいと思う点もあるが、そんな事は問題じゃない。とにかく感動した。"

田宮虎彦(小説家)……"これは民族映画だ!文字の見えない婆さんも涙を流して喜んでいた。"これ等から見て私は一つの大衆性の方向が見付けられた様な感がした。

つまり広い層に支持されることが低俗映画に走る人達をも引き上げることになるのです。

## 世界に誇れる"山びこ学校"

私はこちらに来る前"山びこ学校"の試写を見て参りましたが「この映画はどこに出しても絶対におかしくない。日本の世界に誇り得る映画であると云う私の確心は間違いではありませんでした。アメリカ映画なんかこの前では全然問題外であり、"私はシベリヤの捕虜であった"なんかは全然見むきもされない状態であった。

## スターシステムについて

会社ではスターを品物と思っている。そこで各社間で奪い合いをする。それにつれて出演料が上る。所がスター自身は自分自身が芸術的に向上したと感ずる。でも"自分の出演映画にはろくなものがない"と瞬間的に目覚めると云う時がある。最近とみにこの傾向が強い。(山田五十鈴、轟夕起子)

デコちゃんもフランスから帰って来て新聞記者に今年は今井正先生と一緒に仕事をしたいと云っていた。記者はかげに呼んで「今井はコミュニストではないか」と云ったら「コミュニストがなぜ悪い。あの人達は立派な作品を作っているではないか。フランスのコミュニストは立派ですよ」と云ったそうだ。私はデコちゃんもフランスに行ってフランス映画の好い面、フランス映画上映口民運動（ルネ、クレールを中心に ①アメリカ映画のボイコット ②フランス人の映画を作れという運動）なんか見て来て目覚めたのではないかと思って居ります。立派な仕事をして行こうとするグループを見出したのでしょう。これがスターシステムを打破することになるのです。

## 岸旗江さん談

私しのデビュー作品は〃戦争と平和〃なのですが、丁度東宝争議の後であり、映画界のこともろくに知らないし、わづか三ヶ月のニューフェイス訓練を圣たばかりで基礎的な事は何んにも身につけていなかったので馬車馬みたいにやって〃アッ〃と云った時には映画が出来ていたと云う状態だったんですよ。

そこで映画を作るだけでなく皆んなの意見を聞いて歩こうと云う事になり、監督、カメラマン、俳優等が日本全口を廻りました。そこで私し　全然考えもしなかった問題を提出されたんです。㈠未亡人の問題をどう思いますか　㈡あの映画の時代と現代とくらべた時にどう思いますか……私しはこれを聞いて映画を作ると云う事は非常に責任の重い仕事だと云う事を感じました。

## 俳優も数多い人の中え

一本の映画を七百万人もの人が見ると云う数字にびっくりしました。私し達は今迄観客と云うものは身近かなものでなく赤の他人みたいな感じでいましたが、それは間違っていたと云う事がわかったんですよ。俳優も数多い人の中に入って行かなくては駄目だ。世の中の事を全然知らないではすまされない。

私し達が皆さんの中に入って行って、色々な事を知らなくては本当の俳優にはなれないと痛感したのです。

## 悪い映画はボイコットしよう

日本映画に限らず好い映画は全口の人達で守って行かなければならないが、今の映画をみるとギャング、西部劇と云った映画が本当に全口の人達が守ってゆくに価いする映画かと云う事が問題になると思います。こんな悪い映画はボイコットしなければなりません。

〃どっこい〃や〃母なれば〃とか〃風雲録〃と云ったものが好い映画の全部ではないのですが未だ他にフウシ劇とか色々なものがあります。とにかく私は良心のある映画に出て、興業成績が上り、皆んなに喜んで頂けて、私自身もお金がもうかると云う様になれば一番嬉しいんですよ。（一同洪笑しきり、拍手もまじる）

## 良い映画に出よう

はなやかな銀幕とか云いますが全部の人が何百万円もの出演料をもらっているわけではないんです。作品が立派でも名の売れたスターが出ないと喜ばれないと云うので何百万円のお金を払ってスターさんを連れて来る為に小会社では借金をしてまでするのですよ。

所が映画と云うものは綜合芸術でありますからカメラマン、大道具、小道具とかその他色々の人の力を借りなければ出来ません。

そこでその小会社は大スターを連れて来た為に従業員の方達には三ヶ月も月給が払えなかったと云う事です。

私し、全部の映画人がもう少し考えてお金を取るだけでなく、良い映画に出てくれたらと思って居ります。

## 短評

＊　＊　＊　＊

**○母なれば女なれば**…山田の力演とするどい世相描写は戦争に対する抗議を呼び起し自主製作の口民に根を下した誠実な歩みを示している。一般に力みすぎたきらいがあり恋愛の過程が説明不足。

**○白い恐怖**…サスペンスの盛上りはさすがヒチコックだが一寸肩すかしを喰った気持。気狂いの心理は矢張り縁遠い。

**○本日休診**…盛沢山でにぎやか、通俗的な面白さでは成功だが、チクリと来る諷刺が弱い。盲腸患者の附添は好演。

**○赤い河**…牛の暴走が見もの、俳優の個性が生され西部劇のイヤ味はないが結局それ以上のものは期待出来ない。

**○風ふたゝび**…原節子の宣伝みたい、人物の生活が漠としてゐる。豊田四郎も調子が低い。

# 推せん映画紹介

## ポー河の水車小屋

10－13日 センター

現代のイタリヤ文学殊に一流作家群の文学では、我々の社会はいつも各個人の特色なり、或はそれ以上にたゞ一つの階級によって描き出されているようだ。イタリア作家たちの幾世紀にも及ぶ王宮的傳統は、民衆の生活が社会と接觸するのを妨げたと考えられる。私の考えでは、我々の文学の開花を際限なく遅らせた原因を探求しなければいけないと思う。

此の映画の主役はイタリヤの農民である。彼等は物語りの中から自由にとび出し、「正義を！」と叫びつゝ、厂史のかなた、不明の未来へと消えてゆく。この映画は十九世紀末の物語りを取扱っているが私には現実に徹したものと思われるのである。（ポー河の演出家）アルベルト・ラトアーダ

## ジープの四人

2－8日 若草

戦后はじめてのスイス映画。いわば中立国の映画だが、この国が現在国連という名のもとに米国の庇護をうけている事実はこの映画からも如実に知ることができるだろう。したがってこの映画の特色ともいうべき、ウィーンのドキュメンタリー的描出はかえってこのようなアメリカ製の民主々義やヒューマニズムを合理化するに役立つだけである。監督は最后のチヤンス」を作ったレオポルド・リントベルイ、主演はスウェーデン女優ヴィヴェア・リンドフォルス。彼女はその后アメリカに帰って何とかいう反共映画の女主人公をやっていたように思う。

× × ×

## 雪崩

2－8日 若草

新藤兼人の「愛妻」に続く自作自演出のもので、藤田進、水戸光子、乙羽信子が出演。北国の発電所を背景に若い技師と妻、女技師を巡っての物語り。（ジープの四人と同時上映）

× × ×

## 霧笛

9－10日 大成座

「霧笛」は往年名作と云はれ当時村田実監督の下に、中野英治、志賀暁子主演で映画化されたこともある。ロマンスの匂い高いエキゾチックな作品である。物語は明治初年、開港地ヨコハマの外人居留地に、顧役外人の寵をうける花と云う女がいる。物質的には何不自由ない栄華の日を送りながら、而し彼女の心はラシャメンの悲しさで晴れる時とてない。この女の前に、馬丁の仕事を続けながら、洋行の日を夢みて勉学にいそしむ千代吉と云う書生が現れる。二人の間には押へ切れぬ恋が燃え上り、関係は忽ち主人に発見され、迫害は容赦なく降りかゝる。而し真実の愛情を守り抜くため、二人はあらゆる権力の圧力をもはねのけ、自らの幸福を求めて立上ろうとする。

この原作を八住利雄の脚本は、原作の趣きをや、変えて、現在の客観状勢を加味して描かれている。「暁の脱走」で男性的な感覚を十二分に発揮した谷口千吉が、帰国第一回の山口淑子を迎えてエキゾチックなロマン風の雰囲気を、原作のどの程度に表現するか見物だろう。

## 四月上旬スケジュール

| | 1 | 2 | 3 | 4 | 5 | 6 | 7 | 8 | 9 | 10 | 11 | 12 | 13 | 14 | 15 |
|---|---|---|---|---|---|---|---|---|---|---|---|---|---|---|---|
| | 火 | 水 | 木 | 金 | 土 | 日 | 月 | 火 | 水 | 木 | 金 | 土 | 日 | 月 | 火 |
| センター | ラ<br>夢 | ブ<br>の | レ<br>宮 | ダ-<br>廷 | フ<br>赤 | ア<br>い | ス<br>靴 | ト | | ポー<br>ニユ | 河の<br>-ヨ | 水車<br>-クの | 小屋<br>饗宴 | | |
| 宮劇 | | 三 | 早<br>味 | 春<br>線 | 二<br>ヤ | 重<br>ク | 奏<br>ザ | | | 紅<br>書 | 空 | 浪 | 人 | 扇 | |
| 若草 | | ジ<br>雪 | ー | プ | の | 四 | 人<br>崩 | | 娘 | シ<br>十八 | ヤ<br>びの | バ<br>くり | ン<br>天 | テ<br>国 | ス |
| 大成座 | アリ<br>四人 | ババ<br>の盗 | と<br>賊 | 怪<br>阿 | 船<br>波 | シー<br>の | ネネ<br>踊 | ット<br>子 | | 霧<br>ラ | ッ | キ | ー | 笛<br>さ | ん |
| 帝国館 | 陽気<br>恋の | な<br>乱 | 幽霊<br>戦 | 情 | 無 | 用 | の | 街 | | 別 | 動 | 隊 | | 拳銃 | 王 |
| 江平 | | 早<br>あい | 春<br>青春 | 二<br>、 | 重<br>公衆 | 奏<br>道徳 | 乾杯若旦那<br>[illegible] | | | 紅<br>わ | が | 家 | は | 扇<br>楽 | し |
| 日劇 | 宝<br>漫遊 | 島<br>記 | 、<br>地獄 | 水戸<br>谷の | 黄門<br>豪族 | アフ<br>私は | リオ<br>殺さ | 珍道中<br>れる | 大曽<br>とた | 根家<br>びの | の朝、<br>安城家 | 今ひ<br>舞踏会 | 暗は<br>愛 | なさ<br>慾の | れた<br>港 |
| ロマン座 | 踊る<br>或る | 大ニユーヨーク<br>日の | 沼地 | | 二 | 荒<br>馬 | 部 | 隊 | | | | 火<br>ラジ | の<br>オの | 女<br>役 | 割 |

1952・4・10 NO.14

# 映画サークル

宮崎市高松通一丁目 ★★★
★★★ 宮崎映画サークル 発行

## 自主映画目指し『現代俳優協会』設立さる

加藤嘉、山田五十鈴、岸旗江、松本西三（プロデューサー）下村正夫（演出）の五人が主になり「現代俳優協会」（仮称）を設立した。この協会は最初一種の研究団体として発足するが将来は自主映画の製作にも乗り出す方針で、内定をみているものは「ボヴァリイ夫人」を田中澄江（我が家は楽し、紅扇のシナリオライター）が脚色して女剣劇の世界に移しかえ、それを今井正が映画化する案が立てられている。現代俳優協会が目的とするところは今まで独立プロがつくってきた映画「どっこい生きてる」「母なれば女なれば」「山びこ学校」などが俳優をあつめるのにフリーの形でやっていたのをむしろ一つの協会に参加することで統一ができたらいいだろうということでそれが実現すればレパートリイの選定からシナリオの依頼、監督と俳優の協同研究まで進めたい意向のようである。尚、志田研二、三島雅夫、水谷八重子、山村聰、滝沢修、宇野重吉等にも応援を頼むもようである—（東京新聞四・四より）

★

## 主張 観賞の第一歩

徳永直の文学ノートにこんな事が書いてある。「赤ん坊はうれしくてたまらないから笑うのである。大人が物を書く時も、喋りたくてたまらない事を書くべきである。これが芸術における第一條件としての成功である。よく喋べれたか、うまく喋べれなかつたかは別としても、もはやそれだけで第一の悔はないであろう。」又、トルストイの言葉にこんなのがある。「若し君が或る着想をもち、それを書かないですますことが出来るなら、それを書くことをよし給へ。婦人が妊娠すると彼女は分娩しなければならない。でないと死んでしまう。併し豫め妊娠してないのに分娩するとしたら一体どういうことになるだろうか」

芸術としての第一條件は作家が先ず妊娠することであるが、現映画界の「チャンバラ」「母もの」「ピストルもの」の氾濫は、自主映画「どっこい」「母なれば」「風雲録」と合せ観て果して正当なる分娩であろうか。

私達にとっては「よく喋べれたか、うまく喋べれなかつたか」を観賞することも非常に大切な事であるが、それにもトルストイは一つの暗示を与へている。「読書も又一の創造である。何故なら読者は常に小説を補足しているからである。それは自分の想像、感情的経験、性格によつて小説を補足する」

私達の映画観賞にも色々の考え方があるが、最も大切なことは、先に述べた第一條件の吟味である。それは「赤ん坊がうれしくてたまらないから笑っているか、無理に笑わされているか」を見分けることである。そこから私達の映画観賞の第一歩をふみ出すことを主張する。

（図書館サークル 矢野）

## 短評 その1

### ファスト

音楽は素晴しい。目をつぶって音楽を楽しむ映画。

★

### ポー河の水車小屋

悲恋物語、イタリヤ風物詩、農民大衆の描写が統一されていないので感銘が弱い。写真はキレイ「シラー山の狼」よりは数段いい。農民の描写はよかった。

### ジープの四人

ニュースの紹介が大体正当な評価。作られた意図とは逆になるかも知れないが、エルベ河で米ソの兵隊が会い抱きあって喜びあうシーンが一番感銘が深い。見ていて「平和」などのように尊いかしみじみ感じた。

（編集委員会）

★

# 特集　各新聞一斉に絶讃

東京の各日刊新聞は一斉に「箱根風雲録」の批評をのせ絶讃した。以下その要約である。

## 巧な群衆処理

朝日新聞

これまで日本映画は伝記ものが二が手だったがこの作品が比較的成功したのは、活劇的な場面を意識して画面に押し出し、その兴味で物語りを進めたからである。それでも前半において与右ェ門が用水工事の資金に苦しむあたりはかなりダレる。しかし、与右ェ門の妻が登場して夫のために資金を作ろうと決心し江戸へ入らその金をもって帰るところになると、

多く、友野夫婦の涙を誘う情愛場面など、なかなか娯楽的にしつらえてあるが、その底には人間の強さ、大衆の底力といったものが一本通っているものだろう何か精気みたいなものが感じられる映画だ。(宮)

## 巧みに描かれた人間像

読売新聞

※

友野与右ェ門の苦斗も彼一個人として描かれた時より、下積階級(農民)と合体して表現された時の方が益々人間としての力強さ、美しさと云うものが我々の心の隅々まで浸み通って来る。

友野自身が「金もうけ」の為にやり始め、幾多の困難に会い妻が江戸の屋敷を売り払って資金を調達して帰って来

## "箱根風雲録"をみて

工学部サークル　佐々木正

"箱根風雲録"をみて半月になろうとする今日に於ても、あの時に受けた感動は未だ消え去らず私の脳裏に深く刻まれている。

この映画は、余りにも「現代」との類似性」を掘み出しているので"時代劇"と云うより私はむしろはっきり、現代劇"であると言い度いのである。

そしてどうしたら自分達の幸福がつかめるか、と云うことを知る、明日への希望を力強く訴える点では"どっこい"母なれば"より数段すぐれた作品である。

セットに貧弱な点もあったがこれ等は映画全体として見た時は問題にならない。

この映画を見乍ら、農民が友野を役人に渡すまいとして集る所で「あゝ言う所がアカくさい」などと言っている大人がいたが一人の老婆は「あゝしんきな」と叫び、子供達は「なぜあの役人を殺さないのか」と言っていた。マス・コミュニケーションのとりこになっているインテリぶった大人を軽べつしたい。

とも角、日本映画が低調を極めている今日、すばらしい迫力と感動を呼び起し、思わず映画自身の中に引っぱりこまれるこの様な立派な作品が自主映画の中から生れ出たと言う事に対し、私は心からの賛辞を呈し、心からの拍手を送りたい。

× × × × × × × × × ×

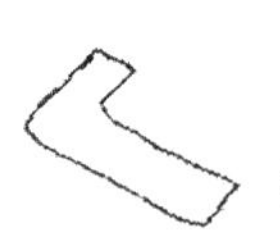

⦿あんなに汗みずくになって一生懸命やってるのに、なんぼえらい者とあんな者やいうたて、あないに殺してしまわいでもいいと思う、僕はあの時あの役人をた、き殺してしもたろかと思った。水が通った時は、本当に僕が水の中へ入りたくて手が頭の上のへん迄上った。（姫路　M男）

⦿欲し、さがし求めていたものを手に入れた気持がした。作品中よりにじみでる人間性は観客が最も高く評価し吸収すべき随一のものであろう。小さい点ではマリと捨吉の関係でその発展過程の表現が物

いますがこの映画はその中でも優れた力強いものでした。映画からの帰り途疲れるだろうとタクシー代を用意しましたが都電を利用し、スタジオ建設資金を浮かしました。医師も「映画を見て急に元気が出て来るんだから薬より効くか」と苦笑して居りました。

（東京下谷病院　鈴木）

⦿この映画は種々の層の人に種々の専門家に、何をなすべきかを教へてくれると思ひま

## 「美術手帖」より

大島辰夫

「箱根風雲録」はじめにり

劇的な盛り上りが出て来て終りまでこの調子が続く、「暴力の街」で群衆を扱いなれた山本薩男演出の処理のうまさも見逃せない。（純）

### 投書の山

足りぬ事はあるが映画全体からうけるものが今日のわれわれの社会に相通じ力づけられ教えられることが大きい。敵石ェ門の演技は実にうまい。（宮崎統調サークル）

◎永年病床にある私は年に二、三度映画を鑑賞してみることにしてす。そして又お百姓はきっと喜ばれるでしょう。私達がどんな些細なことでも人の為になる事、それ程うれしい事はないでしょう。友野のごとくやってやるのではなく皆さんのためにやらしてもらう、この考えは実に尊いものです。是非外国人に見せてやって下さい。私達も運動しますから国際コンクールに是非出して下さい。羅生門をコンクールに送ったのは日本人の恥です。

た時に老農の〃人柱に建てゝ呉れ〃と言う声を聞き、バクチの金をさし出されたりした瞬間農民達の前に打ち伏し、皆さん私の考へは間違っていました！と言う場面に到りクライマックスに達する。

この映画を見乍ら初めは人間性に打たれて感涙にむせんだ人も、時の権力者幕府の弾圧につぐ弾圧で友野が殺されるラストに到ると、それはくやし涙、権力者に対する激しい憤りを持った涙に変る。

つばなものである。見おわった人にこれ程深い感銘をのこす作品は、近頃の日本映画には稀有のものといえる。まずこの作品をつらぬいている香りたかく、あたゝかみあふれるヒューマニズムの偉大さ。人間をつくりかえ、つねに「新しき人間の創造」を志向するリアリズム精神を基調とした革命的なロマンチシズムの詩情たゆとう美しさ——美のアングルを忘れていないこのような民族文化の伝統を真に生かそうとした作品が「海外」に向けられたなら、いったいどのような反響を呼ぶであろうか、と想像すると何かしら楽しさをまじえたいきどおりに似た感情がわいてくるのである。

★上映館　大成座　16〜22

## 熱意がこもった力作

毎日新聞

伝記映画であると同時に、当時の世相政情にもふれて、厂史映画でもある構想の大きなものだ。原始的なトンネル工事の模様、馬をかる群盗黒馬隊の襲撃などの見せ場も

※地味な素材といい、製作困難なこの映画化、まったく独立プロダクションがその力を十二分に発揮した労作である。友野与右ヱ門と妻や権力者の名主をはじめ脇役の農民達に至るまで、勤労大衆の面の人間像は巧みにほり下げられ群衆場面も鮮かなさばきで成功している。

中村敵石ェ門は、いつもながら達者な演技で、特に与右ヱ門の人格と工事の貴さを知ってから、トンネル内の演技は一段と光るが、その役そのものが画ききれていないため「どっこい」ほどさえない。長十郎、山田五十鈴、中村進五郎の好演のほか、端役に至るまで熱演。（錦）

## ◎前進座から　おわび◎

「箱根風雲録」の各地上映にあたり「どっこい生きてる」以来の出資者の皆様を御招待致す事になりましたが、種々の手ちがいから三月十三日封切の京都、大阪、神戸、名古屋その他の都市の一部の上映館との連絡がおくれ、折角お出でになっても入場できず御迷惑をおかけいたしましたことを深くおわび申上げます。直ちに配給の北星映画社から各上映館に手配をいたしましたから、今後はそうした不都合はないことをお約束いたします。

御入場出来なかった方々には再び近くの上映館でお使い下さるようお願いいたします。

なお、全口の招待ハガキは四月上旬までにお手もとにとゞくよう準備いたしておりますが、万一未着の場合はお知らせ下さい。

——前進座——

・・4月下旬のスイセン・・・

## 映画紹介

### 『波』 宮劇・江平

山本有三の原作を中村登が自分で脚色し、演出したもの。おびたゞしい愚作凡作の中で静かに光を放つ佳作である。ドロ田に咲いたハスといっては大げさだが雑草の中のスミレかタンポポといってもいいであろう。

この映画がこのような佳作になったのは第一に脚色が良かったためである。それから主演に佐分利信、相手役に淡島千景、助演に笠津島恵子、桂木洋子、皆衆を選んだキャストの成功である。特に佐分利信を主役に使った判断のよさである。

この映画は静かな水の流れるような感じである。行介の悲劇的な運命をしんみりと描いてどこにも誇張はない。

行介を演じる佐分利の演技は「帰郷」以上といってもいゝであろう。善良で平凡な男が、女で苦しみ子供で悩む人生の悲哀を佐分利ほど切実に表現出来る俳優はないと思われるくらいである。

### 悪魔の美しさ 18－23 センター

キネマ旬報ベスト6位
＊ルネ・クレール帰仏第二回作品
＊主演ミシェル・シモン・ジェラール・フィリップ・ニコル・ベナアル
＊ゲーテの「ファウスト」と同じ題材による問題作。

あらゆる学藝を極めたファウスト博士は悪魔に誘惑されて魂と引きかえに青春を得た。青年となった彼はマルグリートとはげしい恋をする。

悪魔は彼に全能を与へ彼は一朝にして国家の英雄となる。だが観楽の果、生きる楽しみを失った彼は悪魔に逆う。マルグリートの元に帰って新に生きる力を見出した彼に悪魔の黒い影が迫ってゆく――

SIMONE VALERE

### ピカソ訪問記 一九五〇年度

一九五〇年ヴェニス国際映画祭ドキュメンタリー映画賞授賞作品。

ピカソ訪問記の映画は偉大なるピカソその人の歴史、現在の生活環境、作品、製作、その成果と誰でもピカソを知り得るほどの人が皆知りたいと思う点をスバリと一つに新しい興味を持たせ、見せてゆく。そのイデーに[illegible]一感激してしまう。中でもピカソが大きな夜ガラスを立てた向う側から白い線描で鳩、牛、裸婦、牧師、静物等をすみ渡った大きな目玉をかゞやかせながら描いて見せるところは実に圧巻である――。

猪熊弦一郎

### 短評 その2

**雪崩** 失敗作。オシの真似など観客をバカにしている。第一作「愛妻」につゞく新藤の作

## 四月下旬スケジュール

| | 15 | 16 | 17 | 18 | 19 | 20 | 21 | 22 | 23 | 24 | 25 | 26 | 27 | 28 | 29 | 30 |
|---|---|---|---|---|---|---|---|---|---|---|---|---|---|---|---|---|
| | 火 | 水 | 木 | 金 | 土 | 日 | 月 | 火 | 水 | 木 | 金 | 土 | 日 | 日 | 火 | 水 |
| センター | 北西高 | への原 | 道児 | 悪今宵 | 魔よ永 | の遠に | 美ピカ | しソ訪 | さ問記 | 大潜航 | 空決戦 | 艦隊 | | 黄リ | 色木 | いン色 |
| 宮劇 | | | 天魚 | 狗岸 | 週ティ | 狀巧 | | | | | | 波 | | | | |
| 若草 | | 傾 | 修範 | 羅季 | 城女 | 被の | 南殺 | 人 | 長東 | 崎京 | のアベ | 歌ツ | はク | 海地 | ルし図 | |
| 大成座 | | | 四稲 | 枚根 | の風 | 羽芸 | 根銭 | | | | | お大 | 軽江 | 動戸 | 平の | 君 |
| 帝国館 | | 拳 | 銃 | 王 | 戦 | 場 | を | みけ | る | 男 | 高原の サスラ | 白馬 イの涯 | 落 | 日 | 決 | 斗 |
| 江平 | | 天大 | 狗江 | 週戸 | 狀五 | 、人 | 家男 | 族 | | 波 | | 少 | 年 | 朝 | | |
| 日劇 | | | 未 | | | | | 定 | | | | | | | | |
| ロマン | 火の女 ラヂオの役割 | | | | フ稲 | アの | ニー | ズ芸 | ラ | | アダマ | ム氏ダ | とム | 家サマ | ホリ | 路ディ |

第15号 1952・4・25

1952・4・25 NO. 15

# 映画サークル

宮崎市高松通一丁目 ★
★ 宮崎映画サークル発行

## "一ヶ月で一五〇〇名"
## 大分にも映画サークル生る
### ・・・全館学生料金（うち三館は子供料金）

大分市ではこの種のサークルとして大分映画同好会（会員約五〇名）があったが、本年三月福岡で開かれた全九州映画サークル協議会に出席して、各地の活発なサークル活動に接し、本格的に大衆的な映画サークル結成に乗出し、宮崎と同様、主な映画館に殆んどサークルを作り・一ヶ月にして大量一五〇〇の会員を結集するに至った。

**割引** は市内全館（六館）が学生料金、三館はサークル指定映画月一本を子供料金で見せている。"箱根風雲録"、"ヨーロッパの何処かで"は一般九〇円を会員五〇円に割引して動員は大成功であった。

役員は会長に大分大学学芸学部首藤教授、副会長に大分大学経済学部清原教授、顧問として大分合同新聞の社会部長がいる。

これで鹿児島（会員三二〇）宮崎（一七〇〇）大分（一五〇〇）と九州でも千名を突破する映画サークルが南九州に確立され、今后相互の協力と三者合同の種々な企画が期待され、当映サでも具体案を検討中である。

## 短評

※ **箱根風雲録** 三本の自主映画中最も感銘が深い。リツ（五十鈴）が江戸から帰ったシーンは圧巻。物足らぬ点は黒馬のエピソード、音楽、馬のスピード感のないこと等、自主映画も箱根で質的な飛躍をなしとげた。

※ **悪魔の美しさ** ・全体として何か物足らないことを感じる。悪魔のあつかい方は秀逸。最后の死ぬシーンや「人間の方が悪魔より残酷だ」となげくあたり。この映画の言はんとするものと従来のクレール的な雰囲気が矛盾して感銘を弱くしているのではなかろうか？

**ピカソ訪問** ガラスごしにこちらをのぞき込むピカソの目の魅力。二十世紀の巨人という感じ。

**二世部隊** 日本人なら誰でもイヤになるだろう。習性のない二世にイヤ気がさす。それ程描写がリアルなのかな。

**ファビオラ** イタリヤからアメリカに渡って編集しなおされ相当切られたということだが、そのケッカンがよく出ている。ダイジェストにつきもの、浅さ。

## 主張
## スター・システム
### （スター中心制度）

山本監督、岸旗江を囲む座談会でもスターシステムが日本映画の発展をこばんでいる一つの原因として問題にされたが、スターシステム発生の地アメリカと日本の比較を数字により比較してみよう。

| | （アメリカ） | （日本） |
| --- | --- | --- |
| 原作料並びにシナリオ料 | 全製作費の二〇% | 全製作費の四〜八% |
| 監督料 | 七% | 二〜六% |
| 総俳優費 | 一三% | 五〇% |

この表によっても明らかな通りスター中心制度の弊害はアメリカより我が日本においてひどい。アメリカの一三%に対して日本は五十%の自慢にならぬ高いパーセントを示している。

その理由として製作される本数だけ多く（世界第二位）その割に俳優、殊にスターが少いので各会社がスターの争奪戦に血みどろになっていることがあげられる。そしてその争奪戦の火に油をかけているのは、観衆が映画を見にくるというより、スターを見にくるという傾向である。残念乍らそれが日本の観客の現実である。観衆団体としてのサークルの良い映画を送んで見るという活動が拡大されればそれだけ日本の映画製作に及ぼす影響も大きい。縁の下の力持ちの苦労も忘れてはならぬ。

## 新作紹介

# 黎明八月十五日

脚本　八木保太郎
　　　西沢裕
監督　関川秀雄

。。

解説：東映が五月一週のゴールデンウイークに贈る超大作として企画したもの。

物語は戦争末期の内閣の混乱と軍の焦燥を一通信記者の体験を通して描かんとするセミドキュメンタリ映画である。

スタッフには、企画岡田壽之、脚本八木保太郎、監督は関川秀雄が〝石川五右ヱ門〟に次ぐ東京撮影所での三回目のメガフォンである。撮影は〝風雪二十年〟の藤井静が担当している。

××　　××　　××

演出者のことば　関川秀雄

「平和への願ひ」

敗戦後僅か七年しか経ないうちに、私たちのまわりはすっかり変り果てゝしまい、敗戦の時に、口も、政府も、みんな一つになってきめた口の新しい平和な進路が、大へん横道にそれて来たのではないかと思はれます。

これでよいのであろうか！

よいと思う人もあるであらう、間違つてゐると感じる人もあるであらう。

いずれが正しいのか！

それはやがて厂史が決めることと、思う

が、今日此の頃の我々のあり方について、もう一度反省し、再考するも無駄ではないと思う。

此の映画は、近世日本の厂史上重要なポイントである「昭和二十年八月十五日」を出来得る限り事実に即して記録再現し――苦難にみちた過去の厂史から、真に正しい、幸福な、平和な我々の今後の生活について考へる何事かのたしになりたいと念ずる次第である。（六月二週目封切）

ーキャストー

| | |
|---|---|
| 林記者 | 松本克平 |
| 佐伯記者 | 岡田英次 |
| 吉田願吾 | 河野秋武 |
| 山田二等兵 | 信欣三 |
| 〃　良子 | 岸旗江 |
| 留さん | 花沢徳衛 |
| 遠山さん | 三島雅夫 |
| 小山参謀少佐 | 神田隆 |
| 総理大臣 | 青山杉作 |
| 外務大臣 | 滝沢修 |
| 大石軍令部次長 | 永田靖 |
| 情報局総裁 | 加藤嘉 |
| 侍従武官長 | 島田敬一 |
| 某重臣 | 千田是也 |
| 東部軍司令官 | 佐々木孝丸 |
| 近衛師団長 | 石黒達也 |
| アナウンス | 和田信賢 |

## 会員の声

ニュースに色んな鑑賞感が沢山出ていて参考になります。余り映画を見ていない私ですが少し許り考へを述べて見ましよう。

映画鑑賞に先立ち、そのスタッフ・キャストについて一応に知ることは良いことですが批評或いはストーリーを知るべきではないと思います。私は専門家でもありません。映画を楽しんで見、情操を高め、少しでもその言はんとする処を感じ素直に味わえる様に努力すべきです。双葉十三郎氏、清水昆氏も映画ファンたるもの梗概を先に読むべきではないと言って居られますが全く同感です。批評を見、他人の考えをもって作品に接することは作品を本当に素直に味わうことは出来ません、ストーリーを知っていることも切角の楽しい映画が興味半減してしまうことが多い様です。例えば「断崖」の最后でも夫が妻を殺すかとヒヤヒヤして見ていますがその最高潮の場面になって急に意外な方向に解決し夫は気弱い善人であることが分りアッと驚いてしまいますがこれもストーリーを前もって知っていたら面白さは半減するでしよう。私は英語も分らずスーパーインポーズと画面を半々に見て仲々忙しい。特にセリフの多い映画だったら尚更です。それで良い映画だったら大概二回位見て居ります。二回目にはストーリーも分って来るし少しは落付いて各人物の演技、或いは撮影に対して見得る様になります。

映画の本も余り読みません。旧い本をおくればせ作ら作品紹介、解説を読む程度でストーリーを読まない様にしております。その映画を見て簡単な感想を書き以前の雑誌を引出して参考記事や批評を読んで参考にしております。映画に関する参考になる記事を読むのが大好きです。

（小学校・女教師）

# "ポー河の水車小屋"合評会

一九五二・四・十四
十五名出席
工学部サークル

★全体として

A……この映画は全体として立場が中ぶらりんだ。この点あの男の主人公によく現れている。彼は地主についても農民についてもいゝのであって要するにインテリの立場と同じで本質的にはプロレタリヤであるが故に出世する近道の為にはどっちにでもつくのだ。彼自身が両者の間に立って悩む点はよく出ている。

B……画面はきれいだった。あの時代と今の時代では考え方が大分違うと思うが、税金であんなにさんざん苦しんでいる水車小屋の人達が組合に入らない理由がわからない。

A……日向の批評で"非常に暗い"と言っていたがこれはもっと南欧的な明るさを描いてほしいと言うのだろうか？それとも金持の様な明るさが描けてないと云うのか、社会的に「暗い」のは当り前だ。

C……農民の建設的な"明るさ"の方面から描いてほしかった。

A……その点、荒野の抱擁"の様な明るさはないね。

E……イタリヤ映画をみていると確かにたまらない位「暗い"のだがこの"暗さ"は我々を深く考へさせる暗さだ。"無防備都市"や"自転車泥棒"の様に「がんばれ」と言ひ度くなる。

★組合を取扱っている点

F……資本家と労働者の関係がはっきり描かれていない。"書つか"。書たれるか"と言う農民の場面が一番すばらしかった。

A……あの辺を見ていると現代の法律が一体誰の為を考へているかと言う事が好くわかる

B……組合運動という点は描き足りない。組合運動をやっている事はわかるが、組合運動に関心のない人が見たら一種のセン動としか見ないだろう。

D……あの組合長にしても少しも描かれていない。ボスみたいな感がしたよ（一同失笑しきり）

G……組合を支持しているのかどうかさっぱりわからない

H……製作意図が違うのだよ

A……その点では"わが谷は緑なりき"の方がまだましだよ

E……あの当時にすでに組合運動があったイタリヤをもっと知りたいという期待を少しも万足させてくれない。

I……あの組合長はあの男達が畑に入ろうとする時にとめた時に確心を持っているのかと疑はれるよ。まさにボスの感じがする。

★悲恋物語として見る時

A……悲恋として語るのは当然、ハッピーエンドに終るはずはないよ、

E……結末がもの足らない。二人の間の愛情が少しも描けていない。たゞ二人がくっついて起居している姿だけだ。これは時代の悲劇だろうか

F……時代の悲劇だ。愛情よりも社会を気にして描いている。

G……時代の移り代りの中のある人物を描いただけの感じだ。あのラストシーンの悪文句がこの映画の言はんとする所だよ。少しも全体的にバランスがとれていない。結局あれだけの映画さ。

★演技その他

B・C……あの馬鹿は非常に印象的だ。演技というより地で行っている感じがする。個々の登場人物の性格が印象深い。嵐の前の風や、落雷場面、税ム署が来る所が好く描かれている。

H……農民の場面がすばらしい。あそこだけ見れば後は見ないでもいゝ。あの農婦達のクローズアップは心にくい程内面的心理をつかみ出している。なにしろこの映画は中心的にずれがある。

B……映画賞はやれないが演技賞はたしかにやれるね

★結論として

イタリヤ風物詩、農民運動悲恋物語の統一がない為感銘が弱い。

農民の場面だけ見ればいゝ。全体としては甘すぎる。馬鹿男の印象が深い。

以上の点であった。

# 5月上旬 映画紹介

## 明日では遅すぎる

この映画が封切りされると、若い男女の間に異常な反響をよび、新聞や雑誌はおどろいてその現象をとりあげ、諸家の検討を待集する騒ぎを巻き起した問題の映画。演出のモギイは青年男女の心理や感情をえがくことにすぐれた感覚を持つことはすでに「格子なき牢獄」等でよく知られていたが、今度もアンナ・ピエランジェリをはじめ、イタリヤの少年少女達の見事な動きによって、ごく自然な描写をつくりあげながら、描写が具体的で生き生きとしていることがモギイの特長であり、イタリヤで製作してもやはりフランス映画の感触が失われていないのを、私は興味深く感じた。

イタリヤ映画なら、この問題をより一層生の現実として鋭い描写で観客の前に投げつけたであろう。

もっとも　モギイの映画も世の親達にこの問題を具体的な形象によって提出してはいるが　その割合に解決暗示は力が弱い。

## ニューヨークで八週間続映

ニューヨークのスタンレー劇場では、ソヴェト映画「夜明け」が大好評のうちに八週間の続映をおこなった。最近アメリカ人の間にソヴエトを知りたいという気持が非常に強まっており「石の花」「クバンのコザック」（日本で未封切）など再上映された。

## 夜明け

14日－20日　大成座

## 女相続人

★「女相続人」（これは「嵐ヶ丘」「我等の生涯の最良の年」のウイリアムワイラーが製作監督した異色作。

★十九世紀の半ば頃、ニューヨークのワシントン広場にスローパー博士という医師がいたが、その娘キャサリンは今は亡き母ー博士の妻とは似てもつかん醜い女で誰一人近寄る男もない。唯彼女は年収四万ドルの跡とり娘としての取柄しかない。現に只一人彼女を愛した男も金が目当であった。初めて愛された彼女は狂喜した。そして自分が愛する事さへ出来るなら金を目当ての男と結婚しても良いと思った。然し父が許さなかった。男は脈がないとみると寄りつかなくなった。それから彼女は打って変って強くなった。ー男に対してー。

この映画は文芸作品としても高い心理描写のリアルなタッチの、言わば女よ男にだまされるなかれーというワイラーの、或は原作者ジェームスの叫びが聞えるようである。主演はオリヴィア・デ・ハヴィランドで主演女優賞の外多くのアカデミー賞を獲得している。

## 日本映画ガンバレ

中国の映画雑誌「前哨影」の呼びかけにより、今度前進座のスタヂオ建設基金として三十万円送金して来た。

中国から30万円

## ・事務局から・

※今度から前売券は市内館主の申し合せにより上映前日で締切ることになりましたので御了解下さい。

※会費、前売券の未納の職場が多く困っています。責任者の方は出来るだけ早く回収をお願いします。

## 五月上旬スケジュール

| | 1 木 | 2 金 | 3 土 | 4 日 | 5 月 | 6 火 | 7 水 | 8 木 | 9 金 | 10 土 | 11 日 | 12 月 | 13 火 | 14 水 | 15 木 |
|---|---|---|---|---|---|---|---|---|---|---|---|---|---|---|---|
| センター | | チ<br>タ | 一<br>ザ | 夜<br>ンの | 物<br>復 | 語<br>讐 | 明<br>懐 | 日<br>し | では<br>の | 遅<br>ス | す<br>ワ | ぎ<br>ニ | る<br>ー | 凸凹騒動<br>ーダースなら安くなる | |
| 宮劇 | | 伊豆<br>変化 | の艶<br>、小 | 歌師<br>柳舞 | 、雪<br>踊小 | 之丞<br>女歌劇 | 相<br>そ | 惣<br>の | れ<br>夜 | トコ<br>の | トン<br>妻 | 同 | 志 | | |
| 若草 | | 乞<br>上 | 食<br>海帰 | 大<br>りの | 将<br>リ | <br>ル | 初 | 西<br>恋 | ヤ | 遊<br>ッ | ト | 記<br>ン | 師 | 西陣の姉妹<br>西鶴一代女 | |
| 大成座 | | 私は<br>西 | シベ<br>部 | リヤの<br>の | 捕虜<br>怒 | だった<br>リ | 無 | 愛<br>頼 | よ<br>漢 | い<br>長 | づ<br>兵 | こ<br>衛 | | 夜明け | |
| 帝国館 | | ママの新婚旅行<br>女相続人 | | 愛 | と | 血 | の | 大 | 地 | | 北西 | 騎馬 | 警官 | 隊 | |
| 江平 | | 雪之<br>伊豆 | 丞変<br>の艶 | 化<br>歌師 | また逢う<br>麦 | 日まで<br>秋 | おい<br>その | ぼれ<br>夜の | トコトン<br>妻 | 同志 | 執行<br>小女 | 猶予<br>危険な | 不良<br>年令 | 二つの<br>風雪 | 花<br>二十年 |
| 日劇 | | ダ<br>魔 | ラ<br>剣 | ス<br>乱 | <br>[illegible] | 無<br>高 | 法<br>原 | 者<br>の | の<br>悲 | 綻<br>歌 | | <br>し | め<br>べ | し<br>リ | <br>カ |
| ロマン | | | わが輩はこうして生れる | 三 | | 銃 | | 士 | | 真<br>無 | 夜<br>法 | 中<br>地 | 泣<br>帯 | | |

## 第16号 1952・5・10

1952・5・10　No.16

# 映画サークル

宮崎市高松通一丁目　宮崎映画サークル発行

## “ともしび”のメロデーとともに
## 第七回委員会開かる

第七回委員会は図書館会議室で〝ともしび〟（わかれ雲主題歌）のなつかしいメロデーの指導で始まつた。先づ一九五一年度第四、四半期会計決算報告に入り、会計監査の方から監査報告があつたがその際未納会費の件につき、次の様な強い要望があつた。会費未納は会員数の多い単位サークルが多いがこの問題は何時迄も残つて問題であるから、その様なサークルには監査の方から督促状を発して五二年度一、四半期中に片づける様にする。尚この際各単位サークルでは会費納入については毎月確実にやつてもらい度いとのこと。

その後五二年度一、四半期予算審議に入り、事務局案通り承認。これに伴い事務局員一名増員の件につき、サークル自体の活動活発化の見地より全員承認、続いて九州映画サークル連絡協議会の報告が行はれ　これに加入する事を正式決定、今後連絡を密にし「生の批評」等を送つてほしいとの要望が委員から出された。

今月の推せん映画に就いては次の通り決定した。

- ・ヨーロッパの何処かで　廿八－卅一　日劇
- ・明日では遅すぎる　七－十三　センター
- ・カーネギー・ホール　廿九－　〃
- ・西陣の姉妹、西鶴一代女　十四－二十　若草
- ・朝の波紋　廿一－廿七　〃
- ・夜明け、お国と五平　十四－二十　大成
- ・女相続人　帝国

ここ、で一応委員会を終り「波」の批評座談会を開き開散に臨み、〝ともしび〟の歌を再唱、階段を下り作らもハンミングが続いていた。

## ・主張・　新しい観客動員に注目せよ

良い映画を見るため観客組織－映画サークルが宮崎に昨年夏生れて以来一年近くになる。日本映画の低調さにあきたらず、より良い映画をという観客の叫びが結集されて今や各地にこの運動が広げられ、盛り上ろうとしている。こうした積極的な観客自らの動きが正しく健全に発展することが日本映画をより良くする一つのみらなのであるが、ここに於て映画興行界は、この観客組織の動員力に注目すべきである。過去に於ける「女の一生」の場合の労働組合を通じての組織動員、「忘れられた子等」の場合の教職員、学生層を動かしての観客動員が「どつこい生きてる」の全口労働者層を動かしての場合などそれぞれ成功したこと、併せ考えて、良い映画を見ようとするサークル会員に広く訴えかける新しい動員形態に、今後のサークルの発展と相俟つて期待して欲しい。事実今までのサークル活動の跡をみて良心的な映画（今年の「めし」「わかれ雲」「箱根」「波」など）のサークルによる観客動員数は見逃すことのできない力を示しつゝある。「夜明け」「明日では遅すぎる」「西陣の姉妹」に続いて「山彦学校」「ヨーロッパの何処かで」などが上映されるであろうが映画興行界とサークルが提携してより多くの人々に良い映画をみる機会を与へる事こそ我等の望む所であり日本映画向上の基礎である。

## ☆ 短評

＊「波」　佳作・落着いた演出、見終つて快い余韻を感じる。物語のつながりが唐突、佐分利が立派すぎて大学教授が作家みたい。この映画は国際舞台に出品されるそうだが世界の人々に共鳴出来る国際性はもつてゐない。

「女相続人」　全般に細心の注意が行き渡り密度の濃い映画・ラブシーンは真に迫つてゐて（女の激情）それだけにラストが生きている。

「長崎の歌は忘れじ」　田坂監督の意義込みほどには立派でない。原爆の洗礼を受けた子供達の登場にこそ我々は頭をなぐられる。〝雪の幻想〟の音楽は琴でもオーケストラでもすばらしい。

「三銃士」　メトロ式・時間つぶしに結構たのしめる。活劇は〝ドンファンの冒険〟の方が面白い。★

# 明日では遅すぎる

図書館映研　X

人間の一生の中で極めて重要な位置を占める思春期を性教育の面から描こうとするこの種映画は、ややもすればお説教じみたり、汚らしさが先に立ったり、大げさなゼスチュアに終ったりして、嫌味が鼻につきがちである。此の映画にはそれがない。清潔でまじめでユーモラスに富んでいる。しかもなお多くの問題を正面からなげつける。少年少女達をとり巻くものは〝死の接吻〟の刺戟的なポスターに表現されるような戦争が必然的に招いた頽廃と混乱の社会である。それは決して敗戦日本だけの現実ではなかった。とりすました道学者や聖人、君子ではもはや救い得ない現実である。

性問題を不潔だとか堕落とか罪悪だとする考え方は当にその言葉にふさわしい大人達が決めたことであるらしい。どの父親も母親も愛する自分達の子供だけはこの社会悪から守ろうと努める。だがそれは〝臭いものには蓋〟式の無駄な努力に汲々するのみで子供達の好寄心を満足させることは出来ない。そこに嘘や強制が生れる。これは性問題へだけに限らないの「無知」に帰着する。年ごろの息子を教育しようと試みるが御本人がてれてしまって、てれかくしに小使銭を与えてお茶をにごす父親や、おろ〳〵するばかりの母親、赤ちゃんは何処から生れるのかとしつこく問いかけ、キャベツから生れるのだと聞くとそんな赤ちゃんはいやだとむくれる幼児など、家庭の描写はよく、身近な共感を覚える。特にひとり娘のミレッラの描き方が、その個性的で印象的な演技とマッチしていい。異性に対して始めて抱くロマンチックな胸のときめきが、街頭で雑誌「男性に愛される法十ヶ條」を買い求めるところや、鏡に自分の姿を映してみとれたりする数ショットによく出ている。

「私は男の子を生みたい。男の方が幸福だから…」近所の赤ん坊を抱いて語るミレッラの言葉に私は思わずぎくりとした。

林間学校を抜け出して湖へ行く途中、不可思議なしかも自然の引力にひかれるフランコとミレッラが互に相手の名を呼び合いながら巨木と灌木の森をかけて始めて一緒に手をとり合って語り合うシーンは迫力と重量感がある。全篇にロマンチシズムとリアリズムが詩的に美しく融け合っている。音楽はさすがに本場だけに密度があってすばらしいと云う他はない。

レオニード・モギイの演出はデ・シーカの協力を得て特に子供達の群像の処理やその個々の演技指導はすぐれている。特にデ・シーカが理解ある教師として風格のある名演技をみせてくれたのは感激であった。更に、進歩的で飽くまで理想主義を貫ぬこうとして斗う女教師アンナの姿に、子供達の不良化の原因は社会にありとして互に許えるモギイの子供達への愛情がうかゞえる。

ラストは一見悲劇的に見えながら、新しい若い生命が何と健康で建設的に太陽を求めて進んで行くかを象徴して感動的にぐっと全体をしぼっている。

このように書いて来たにも拘らず、み終ったとき「自転車泥棒」ほどの感動を受けなかったのは私だけだろうか。

その原因については、もっと落着いて友人達とゆっくり議論してみたいと考えている。

# 「波」を観て

## —生かされた原作のヒューマニティ

・久しぶりに良い映画に接して嬉しく快かった。秀れた映画を観ることは貴重な経験と言えよう。私が「波」をみて感動したのは見並行介の苦悩を通して描かれた——落ちついた演出であった——誠実な人間の生き方というものにヒューマンな共感を覚えさせられたことであった。

佐分利信によって表現された誠実さに私は、生きる人間としての共鳴を感じた。ここには、観た後の一種のすがすがしさがある。ふと自分の生き方について反省もさせられた。何しろ長年月にわたる小説の映画化であるから、回想形式を使って工夫をこらしても唐突に思われる部分もあり（瀬沼涼太郎の件など）原作の持つハバの広さとか奥行の深さといった点では映画は文章に比べて不利なのであるが※

# 「賭はなされた」を中心に

## —サルトルの文学とその映画化—

詩人 黒岩敏郎

フランス実存主義文学の第一人者、ジャンポウル・サルトルの作品の映画化は、昨年度わが国において封切られたジャン・ドラノア監督の「賭はなされた」をはじめフランス本国では「汚れた手」が上映され、一九四六年度戯曲「恭々しき娼婦」が着手されている。

ジャンポオル・サルトルが、演劇の領域をこえて映画に異常なかん心をよせ、彼みずからがシナリオという形式で、フランス映画界になんらかのいみにおいて寄よしていることは、すでに先刻承知のとおりである。いわゆる実存主義文学運動が、第二次大戦後の西欧の荒廃した領域において、展開され、「エヌエル・エフ」運動の集大成として「嘔吐」「壁」「悪魔と神」「自由への道」という二十世紀文学のピークをしめす問題作をのこしたことは、ぼくらのふかく記憶するところである。

人間を主体的な位置におき、人間の状況において、絶対的な人間の愛や、孤独や神や死を革命のなかにとらえることは、文学の領域において、たしかにあたらしい。そして、映画の主題としてもあたらしい。だが、これは困難なことである。

ジャン・ドラノア作品「賭はなされた」を観て、ぼくがサルトルおよびサルトルの映画化作品に異常な関心をはらったのは、たゞしくこの意味においてである。

革命の流動する西欧社会のはげしい思想対立と、みずからの弾圧のあらしに吹きすさびながら、レジスタンス運動にてい身するひとびとの斗争をサルトルは描く。「賭はなされた」においても、大きく浮き彫りされた主題はこの点にほかならなかった。

ジャン・ドラノワは、フランス映画界の中けんとしては、ジョルジュ・クルウゾオ(「密告」、「情婦マノン」)ルネ・クレマン(「海の牙」「鉄格子の彼方」)とともにもっともぼくの注目する演出家であるが、この「賭はなされた」においては、巨匠の片りんを部分的にはしめしながら、充分な成果をおさめていない。

仮空な国家と社会運動の連関が充分につながっていない事や、主と死の交流を捉え一組の男女の交錯をあつかいながら、革命と愛との対極の火花が弱いことや、党の組織、党の内部が部分的にしか描かれていないことが一貫した劇的統一感を欠いている。

とはいえ、サルトル文学の映画化の価値は、この「賭はなされた」においても、新しいもろもろの主題をふくんでいる。

死と生の交流を扱いながら、コクトオの「オルフエ」より現実感があり、ぼくらに強い感動をあたえるのは、これが単なる芸術的遊避のみにとゞまっていないからである。

革命はいつかおこる。そしてそれは戦争への参加ではない。人間のあたえられた自由と幸福と平等のための斗いであることを、サルトルは説く。

そして、ぼくらはヒィルムのなかにジャンポオル・サルトルという人間の生きたエスプリを見出すからである。

※それでもよく映画として消化していると思った。丹念な描写を積み重ねていって、その中から観客の心を打つものが滲み出てくる映画である。部分的には野々宮昂子の所に子供を預けにゆくあたりから良いと思った。妻きぬ子の死の場面も印象に残る。演技では佐分利信が適役を得て巧みな演技だと思う。

(電報局サークル・高井)

## スクリーン短信

**「佐分利信、諷刺映画を」**★東京プロを新設した佐分利信は東映と提ケイして諷刺劇「清浦君議員となる」を企画中。製作を前に佐分利は「ぼくは現在の政治には批判的だ、だから傍観者的な単なる諷刺ではないまともなものとしたい」と抱負の一端を語っている。

★一部会員の間でも待たれていた「ガラスの動物園」「ハーヴェイ」はロマン座で上映することに決定。

★**ダニー・ケイの「検察官」**ワーナーでは喜劇役者ダニー・ケイの主演でゴーゴリの「検察官」の映画化を企画している。

★

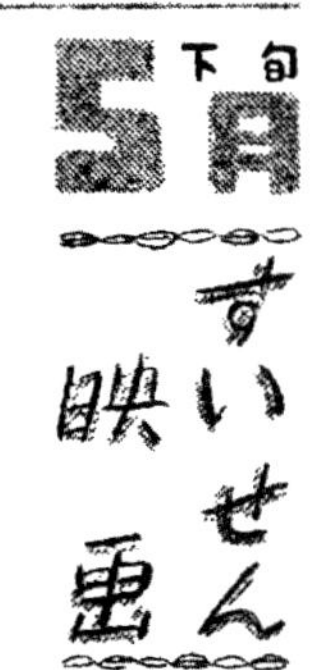


## 夜明け

ムソルグスキーは一九世紀のロシヤが生んだ偉大な音楽家である。彼の作品が劇的であるように彼の生涯もまた劇的なものであった。映画「ムツソルグスキー」は十八世紀六ー七〇年代のロシヤとロシヤ音楽史上有名な「力強い仲間」の運動を背景に彼がもっとも力をこめた「ボリス・ゴドウノフ」作曲の時代を描いたものである。この映画のなかで演じられる「ボリス」の戴冠場面の迫力は類のないものである。

演出はかつて日本で封切られた「白夜」のロシャーリ。彼の戦後の作品には、すぐれた科学者の伝記映画「パヴロフ教授」があるが、「ムッソルグスキー」はパヴロフ教授の役で名演技をしめしたボリソフを主役に、ソヴエト映画最高のスタッフと俳優をあつめて完成したものでロシヤーリ最初の天然色映画である。編曲と作曲はムッソルグスキー研究家であるカバレフスキーが担当し、ムッソルグスキーにゆかりのふかいレーニングラードのキロフ記念オペラ劇場管絃楽団が演奏している。

## お國と五平

お国と五平という谷崎潤一郎の原作を私はしらないが、しかし殺された武士の仇討のためにその妻と仲間が連れだって行くこの仇討道中記映画は、私には少なからぬ感銘と興味を覚えさせられた。仇と目される友之丞とそれを追うお国と五平、この三人がそれぞれの立場で、アダウチというものの馬鹿らしさを感じていること、そしてその気持ちを自らの行動にはっきりと出せないで、苦もんしながら運命に押し流されて行く、という哀れな人間の姿に私は感銘を覚えた訳である。興味はお国対五平のロマンスをはらみロマンにみちためいだからの変移である。感嘆するほどの良い映画ではない。しかし悪くはない（K）

※吉村公三郎監督京都三部作「偽れる盛装」に次ぐ第二作にあたる。

## 西陣の姉妹

西陣一流の織元も時世の波には勝てず、主人は莫大な借金を残して自殺、残された妻と三人の娘は忠実な番頭に励まされて再起をはかるがこれも又失敗、先祖代々の土地屋敷を人手に渡して一家は離散する。という物語りである。

吉村の演出にいままで見られなかった落着きが見られるそーだが、京都西陣にある根深い封建性との取組がどの位見る人に強い感銘を与へるかゞ問題である。

## 西鶴一代女

溝口健二監督、西鶴の「好色一代女」の映画化、二時間廿分の長巻。三十年に渡る女（絹代）の半生を描く作品である。その主人公は宮仕えから売女まで十幾たびの波乱にみちた境遇を重ねる、構口はその愛慾遍歴のうちに、女というものの本性をさぐろうとする。時代考証、セット等に金をかけただけに風俗描写の厚みを増し、撮影、録音共に好調。同じ古典の映画化でも吉村の「源氏」より期待出来る。

## 五月下旬各館スケジュール

| | | 16 | 17 | 18 | 19 | 20 | 21 | 22 | 23 | 24 | 25 | 26 | 27 | 28 | 29 | 30 | 31 |
|---|---|---|---|---|---|---|---|---|---|---|---|---|---|---|---|---|---|
| センター | 凸凹<br>ース | 騒動<br>なら安 | ーダ<br>くなる | タ<br>リオ | ル<br>ブラ | サ<br>ンテ | ン<br>のと | りで | オ<br>彼 | クラ<br>女は | 木<br>二 | マ<br>逆 | 無<br>拳 | 宿<br>銃 | ○カー<br>木 | ネギ<br>ー | ー<br>ル |
| 宮劇 | 14日<br>から | | 二<br>命 | つ<br>美 | の<br>わ | 花<br>し | | 魔<br>森 | 林 | | 泥 | 像<br>棒 | | | | | |
| 若草 | 〃 | ○西<br>○西 | 陣<br>鶴 | の<br>一 | 姉<br>代 | 妹<br>女 | | 東<br>朝 | の | は | 波 | 東<br>紋 | | | | | |
| 大成 | 〃 | ○夜<br>○お | 国 | 明<br>と | 吾 | け<br>平 | | 浮<br>大 | 雲<br>江 | 戸 | 日<br>の | 記<br>鬼 | | 征<br>ざ | 眠<br>る | さ<br>人 | れ<br>々 |
| 帝国 | 北西<br>警 | 騎<br>官 | 馬<br>隊 | 破<br>笑い | 局<br>人 | 泣き<br>生 | | 赤 | い | 百 | 合 | | 血 | | と | | 砂 |
| 江平 | 二<br>風 | つ<br>雪 | の<br>二十 | 花<br>年 | 青い<br>愛よ雲と | 山脈<br>共に | | 天<br>魔 | 狗 | の | 安<br>像 | あの丘こえて<br>母をしたいて | | | | | |
| 日劇 | | 酔ど<br>唐人 | れ歌<br>街の | 手<br>鬼 | 海の<br>絶壁の | 魂<br>彼方 | 腰 | 赤<br>抜 | け | 穂<br>二 | 抜 | 拭<br>拳 | 銃 | ○ヨー<br>栄 | ロッパ<br>冠 | の何処<br>涙 | かで<br>あり |
| ロマン | | 酒<br>絶壁 | の<br>の彼 | 魂<br>方 | 酔どれ<br>唐人 | 歌手<br>街の鬼 | | | | 〃<br>〃 | | | | | | | |

待望の
ヨーロッパの
何処かで
日劇 28→31

# 映画サークル

1952 5.25 No.17 宮崎映画サークル発行 宮崎市高松通一

## 箱根風雲録完成記念興行 前進座来る!! サークル後援と決定

五月廿二日図書館会議室で開かれた委員会で六月八日（日）公演の前進座興行を後援することに決定した。

今度の公演は〝箱根〟の完成記念興行であり、「どっこい」から「箱根」と二本の自主映画を製作以来初めてゞあり、箱根で友野与右門に紛した長十郎一行でありその熱演が期待される。

サークル会員は後援団体の一つとして一般前売一五〇円が一〇〇円に割引される・・・・・

すでに解説と共に前売券が発売され、K銀行では全会員に売れ渡り、宮大職組でも百枚の札が飛ぶように売れている。

## 主張 サークルに〝声〟を

私達の映画サークルには一八〇〇名もの会員が居るのですが、皆んなが一堂に会し顔を見合はせる機会は年に一、二回という所でしょう。だが私達が顔をつき合せなくとも〝ランデブー出来る場所〟がある事にお気付になるでしょう。その場所がこの「サークルニュース」なのです。私達は映画を通じても平和国家としてのあり方というものを考へさせられるでしょう。その様な考へや、サークルに対する註文や批判を発表し、お互いに又批判し合いみがき合ふ事が出来るのです。

批評家の人達の批評でなく映画を愛する大衆の一人である私達の「生の批評」、これほどすばらしいものはない筈です。お互が身に感じ取ったものに対して高所から見下ろした様な批評は必ず負けるのです。映画は大衆芸術ですから……。映画をみたら自分の感じた事をそのまゝ、飾り気なく表現し、サークルに送りましょう。自分でなっとくの行かない点は皆んなで合評会を開いてその記事を送りましょう。皆んなでニュースの舞台で舞りましょう。

編集委員や事務局の人達に「てんてこ舞い」をさせ〝助けてくれ〟と言はせましょう。

その時にこそ「サークル」は一つの大きな力を持った立派なものになるのです。

編集委員もそれを切に望んでいるのです。

## 六月の推薦映画

同委員会に於て六月すいせん映画四本を決定した。

- ○山びこ学校　帝口館
- ○虎の尾を踏む男達　大成座
- ○戦国無頼　〃
- ○れいめい八月十五日　ロマン座

## 短評

「明日では遅すぎる」　思春期の子供への愛情をもった清純な映画。嵐の中のシーン、小屋のローソクはつじつまが合はない。

「夜明け」　腹にこたえる重量感は抜群！前半の難解にくらべて後半の〝ボレス〟を中心とする盛り上りは感嘆！ようするに、うらやましい…

「お国と五平」　つかみどころがない、劇的構成のまずさで途中で出た（S）

「西陣の姉妹」　つまらん大森家の没落過程の描写が美しく胸に迫った。瓦のくずれおちる所が印象的だった（T）劇的な構成の弱わさ、菅井一郎のコクのある悪役のうまさ（A）

「西鶴一代女」　もの、あわれを感じる。溝口健二のあわれも――

「二つの花」　後味の悪くない佳作。都会的な感覚がある（T）

「浮雲日記」　ドラマチックで楽しめる。必然性のない浮上ったセリフが目立つ。マキノの職人的名人芸（X）ラストの持って行き方は一応成功。

# 夜明け（評）

工学部サークル
吉向英世

二年に渡って待ちわびた〃夜明け〃が遂に公開されたことは、近来にない大きな悦びであった。そして又、ともすれば宣伝に行き過ぎ、人々を失望せしめることの多い映画の中にあってこの映画が、私のかけていた期待の大きさにも拘らず、充分その期待に答えて呉れたことは、一つの大きな驚きでもあった。

先づ私の心をひいたのは、色彩の美しさ——二、三の場面を除いては全画面を流れる色彩の落着いた美しさである。そこには私が想像していた様な強烈な色彩強調は殆んど見られず、全体を通じて一貫した明るい澄んだ色彩と落着いた色調が、画面を美しくそして如実に描き出している。唯幾分か、アクセントに欠けてゐる様な感じがしないでもなかったが、ふだんあまりに強調された色彩ものを見なれているせいだろうか。

それに何といっても音楽とその演奏は素晴らしい。近代リアリズムの強烈な表現である〃ボリス・ゴドノフ〃は就中その滴る様な現実感を以って私達に迫る。少くとも、これ程のすざまじい緊迫感をもつ歌劇を他に知らない。特にこの映画をかくも素晴らしいものとしてゐるのは色と音と演技との秀れた結びつきにある様な気がする。渋い色彩とこれらの音楽と演技のよさがよく調和統合されて、この映画全体に生々とした現実感を与えている。静かに地平線の彼方に沈んで行く夕陽の光をうけて窓辺に寄り楽想にふけるムソルグスキー、そしてその心に力強く湧き上って来る楽想と共に、眼前に生々しく描き出されるクロームの場…'湧き起るドンコサツクの嵐、胸をえぐる様な口民ー「寝ては夢に見さめてはまふたに浮んで来る」口民一人一人の目、顔、叫び、それ等はも早単なる幻想としてゞはなく　暗い厳しい現実そのままの姿となって浮び上って来る。

狂住者のアリアとその場面は特に印象的であった。「今に敵来りてとこやみ近づきぬ…」飢餓と困窮の底にあえぐ口民の悲哀が、このアリアの中に、画面の上に狂ほしいまでに感じられる。「ワルラームの歌」「ボリスの独白」も如何にも力強く真に迫っている。シャリアピンとコヴェントガーデンのビクター盤を想い出してなつかしかったが画面を通じて聞く感じは、又一入である。

蚤の歌は、ファウスト第一部の「ライプチヒのアウエルバッハの地下室」でメフィストフェレスが歌ふ「蚤の歌」の言葉に作曲したものだが、聞きなれたシャリアピンやローヂングの歌とは又異った味はいで面白い。激しい公憤と刺す様な皮肉が生きてゐる。この蚤の歌の場面でも、人形芝居の場面にも、ムソルグスキーの面目が躍如としてゐて微笑ましかった。彼には確かにこういった半面があったことであろう。

いつものことながら、ロシヤ人の持つ張りのある声の美しさと、その豊かな声量とには驚嘆の外はない。モロゾフ、スルロフ、ベズベンコ、シュトイカンは勿論のことオルロヴァ、ボリソフ、はてはチェルカソフに至るまでそれぞれの持つ豊かな声をにくらしいまでに私達に聞かして呉れる。この様な映画もそうふんだんに見れるものではない。合唱の素晴らしさは云ふを待たない。ロシヤ口民程歌を愛する口民はない様である。歌は彼等の生活から切離すことの出来ないものとなってゐるからである。それは又確かに彼等にとって、一つの大きな強みなのではあるまいか。私達がつくづくうらやましく思うことの一つである。又高度の芸術家養成教育が行はれてゐることが想像される。

二コライ・チェルカソフのあの熱情と、気品に溢れた堂々たる演技は見てゐて気持ちがよかった。「ヴォルガの舟引き」等の絵を通じてしか知ることの出来ないレーピンに画面の上ではあったが会えたのは嬉しかった。「クロームの場」や「餓えたるものにパンを…」の場面には、レーピンの絵を見る様な感があったが、気のせいだったらうか。

しかし、一方欲を云えば、「ボリス・ゴドノフ」をもっととり入れてほしかったし、他の作曲家達の曲も、殊にリムスキー・コルサコフの音楽を少しは入れてほしかつたと思う。「夜明け」は勿論単なる音楽映画ではないが、しかしそうすることによつてこの映画の意図する所が失はれることもなかつたのではあるまいか。

　ソヴェト映画についてはよく"イーズム"が先立つて興味が高いと云はれるのを聞くが、果してどんなものだか。しかし、芸術のみに限らず何事にも根本となる指導原理はあるに相違ない。世界の口々には、夫々の仏性ともいうべきものがあり、厂史がある。私達はそういつたものを深く理解し、その中から、真に人類を平和、幸福、そういつた共通の高い目的えと導く指導原理を見出して行かなければならないのではあるまいか。

　それはとも角、この「夜明け」が数多い映画の中でも非常に秀れたものであること、そしてこの様な映画が更に〱多く私達の前に現れて呉れることを殆んど大多数の人々が信じてゐるのではあるまいか。そして又、もつともつと数多くの人達によつて愛され、親しまれ、楽しまれるのを、これ等のよい映画は希つていることであろう。

　ともすれば　中傷と誹謗と疑惑の雲を通してしか眺めることを許されない口に対しても私達ははつきりと真実の眼を見開きたいと思うのである。

　私達の誰しもが持つている良きもの、正しきものを感ずる力、見分ける力、育てる力、そういうもの、上に立つて、正しきもの、よきもの、美しいものを、強く守り押し進めて行きたいと思うのである。

＊　＊

　最后についでながらソヴェト映画に課せられた3/150以下という輸入比率は、誰が決めたものか知らないが、とても正気の沙汰とは思えない。

## ――箱根風雲録を観て――

　普通の映画評は俳優の演技やカメラや劇の構成だけを問題にしている。しかし一般大衆はそのストーリーや劇から来る印象を受ける方が多い。映画がよきにつけ、悪しきにつけ教育的、宣伝的効果をもつのはその為である。従つて映画評も玄人演劇評の外にそういつた観方からする批評がもつと必要ではないだろうか。

　箱根風雲録はわれ〱に色々な問題について考えさせる。先づ幕府は友野与右衛門の用水路穿鑿の技術を生かそうとしないどころかこれを圧迫する。新しく勃興しつゝある市民階級の生産力に対し、当時封建社会が桎梏と化しつゝあるのを見る。封建的支配階級は友野の水利技術を生産増加に用いようとはしない。黒馬も倒幕の兵術に利用することしか考えない。このことは現代でも同じである。資本主義社会の支配階級は原子力を平和的な目的、生産増加に利用することはできず、原子爆弾として殺戮に用いるのに血眼である。

　次に友野の大事業も彼が自己の利益の打算からやつている限り成功しない。新興市民階級たる彼と農民達が同じ利害関係を意識し緊密に協力してこそ始めて成功する。現代では労働者と農民の関係が同様の課題として出て来ないだろうか。

　第三に代官の非道に憤つて農民達が石を投げて戦うが、友野を奪い取られざるを得ない。史上多くの農民一揆が起つたが、殆ど成功しなかつた。原因は何であつたか。それは彼等に組織と計画がなかつたからである。更に又農民達は勿論、組織のある武装集団たる黒馬一味も代官に打負かされざるを得なかつたのは鉄砲の偉力の為である。最新の兵器、最新の科学が勝敗を決するのも冷厳な現実である。

　最後に、支配階級たる幕府や代官は、妨害のためには手段をえらばず、テロも平気でやつてのけることが見られるが、これ又現代でも同様なことがないであろうか。

　箱根風雲録を観ながらこんなことを考へたのは考え過ぎであろうか。こういうことも考えられるというのは、破壊活動防止法案が通過すればこのような映画や、このような批評はすべて暴動を煽動したというかどで処罰される恐れがあるということでもある。そして処罰を恐れるために映画は戦時中のように全く統制され、真実をおおいかくした一方的な宣伝になり下るであろう。批評も又所謂芸術に逃避して真実を言わずにごまかしてしまうことになるであろう。（宮大助教授）上野裕久

＊ハンガリー映画　28－1日　ロマン座＊

# ヨーロッパの何処かで

★かいせつ★

第二次大戦中、外国特派員として欧州各地を転々としていたゲーザ・ラドヴァニイが戦塵やんだ母国ハンガリーに帰って、まず目にし、痛く心をうたれたものは、「大人」の起した戦争のために犠牲となった「子供」たちの悲惨極まりない不幸な姿であった。彼はこれを唯徒らに傍観しているわけにはいられなかった。これを言語以上の言語である映画の言語によって広く世界に発表しようという熱情に駆られたのである。私財を投げうち、古撮影機を買い入れ、生フィルムを買い一九四八年に撮り上げたのがこの作品である。

各国の新聞批評でも「靴磨き」以上の作品と高く評価され、作中の老音楽家が演出者の意図を代弁し、戦争の不幸、積極的な子供への愛情　浮浪児達の行動を観衆によく訴える。俳優は老音楽家に扮するアルトウル・ショムライ以外は殆んど無名の人々ばかりである。

## “山びこ学校”試写会で拍手

帝口館での山びこ試写は上映后観衆の中から拍手が起り、館側でも試写会で拍手の起ったことは珍しいと云っている（十一日－十七日　帝国館）

## 『二十日ネヅミと人間達』上演

図書館演劇部では、六月四・五の両日、同館ホールにおいてスタインベックの「二十日ネヅミと人間達」を上演する。

## カーネギーホール　1－3日　センター

CARNEGIE HALL

ピアノのルービンスタイン・ヴァイオリンのハイフェッツ・指揮のブルーノ・ウオルタ、ストコフスキィ等の演奏ぶりが、手にとるように見えることが、音楽の愛好家たちをよろこばせる映画である。

上映時間二時間二十分に達するこの作品中、クラシックの音楽の部分だけ録音したら一時間十分かゝったといわれている。

アメリカに於ける楽壇への登竜門といわれるカーネギー・ホールは、一八九一年に華々しい開場の大演奏会を催したのであったが、それ以来数多くの世界一流の音楽家達がこの舞台で名技をふるって満堂の聴衆を酔わせて来たのである。

カーネギー・ホールは、また長年のあいだ紐育フィルハーモニック・シンフォニー・管絃楽団の本拠となって、定期的な演奏会が行われて来たのである。即ち、カーネギー・ホールはメトロポリタン・オペラハウスと共にクラシック音楽を愛好する人々にとっての聖堂であろう。

映画「カーネギー・ホール」は、現在のアメリカに於ける一流音楽家で、しかも世界的な名声を持ち、同ホールとゆかりの深い音楽家十四名と紐育フィルハーモニック・シンフォニーを登場させ舞台の全部がほんもの、ホールで撮影され、演奏され全曲を完全に聞かせるものである。

## 六月上旬各館スケジュール

| | 1 | 2 | 3 | 4 | 5 | 6 | 7 | 8 | 9 | 10 | 11 | 12 | 13 | 14 | 15 | |
|---|---|---|---|---|---|---|---|---|---|---|---|---|---|---|---|---|
| | 日 | 月 | 火 | 水 | 木 | 金 | 土 | 日 | 月 | 火 | 水 | 木 | 金 | 土 | 日 | |
| 帝口館 | 我が<br>都合 | 心は<br>の | 君に<br>戦慄 | | 暗<br>高 | 黒<br>原 | の<br>の | 命<br>椋 | 令<br>嬢 | 者 | 山<br>ハー | び<br>ヴェ | こ<br>イ、 | 学<br>マン | 校<br>が | 17日迄 |
| 大成座 | 虎の尾を<br>征服さ | ふむ<br>れざ | 男達<br>る人々 | | 姿<br>春 | 三<br>秋 | 四<br>鐘 | 郎<br>山 | 城 | | や<br>銀 | ぐ | ら<br>の | 太 | 鼓<br>靴 | 〃 |
| ロマン座 | ヨーロッパの<br>何処かで | 森<br>熟 | 林檎<br>風の | 病院<br>街 | お | し | や | れ | 狂 | 女 | 黎<br>ネ | 明八<br>ブラ | 月十<br>ス | 五<br>カ | 日<br>魂 | 〃 |
| 日劇 | | | | | | | | | | | | | | | | |
| 若草 | 栗　は<br>納の波 | 東<br>紋 | 続<br>青 | 修<br>い | 驪<br>宿 | 城<br>紋 | 祇<br>歌 | 園<br>の | 山 | 脈 | タ | ルフ<br>サ | アー<br>ジ | 駐屯<br>ン | 兵 | 17日迄 |
| 宮劇 | | | | 凸<br>腰 | 凹<br>抜 | 外<br>伊 | 人<br>達 | 郡<br>騒 | 隊<br>動 | | 安<br>母 | 宅<br>の | 家<br>願 | の<br>い | 人々 | 〃 |
| 江平 | 若人の<br>車、歌う | 歌、花の<br>野球 | 進<br>小僧 | 腰抜<br>酔 | 伊達<br>どれ | 騒動<br>八方 | 晴 | 俺は吹<br>恋門 | オー<br>谷 | 号、初<br>恋愛教室 | 母<br>吾 | の<br>子と | 願<br>歌 | い<br>わ | ん | |
| センター | カー<br>ホ | ネ<br>ー | ギー<br>ル | ア | 砂<br>二 | 丘<br>一 | の<br>よ | 敵<br>銃 | を | と | れ | | | | | |

No.18 1952・6・10

# 映画サークル

宮崎市高松通り1 宮崎映画サークル

# 「一九五二年メーデー」完成 記録映画

★企画編集メーデー実行委員会宣伝部

五月一日のメーデー事件の記録映画が完成し販売貸出を初めた。遠く中央から離れた当地では大新聞・N.H.Kの報道だけでその真相は不明である。一方では商業新聞が「一部尖鋭分子の煽動」と報じ一方メーデーを見た作家の梅崎春生は「私の見た限りでは最初に暴力をふるって挑発したのは明らかに警官側であり『組織された暴徒』とは、デモ隊ではなく、完全武装のこれら警官隊であった」と書いている。この映画は当日の事件を各ニュース映画社と広汎な映画技術者の協力製作によるもので全国民にメーデー事件の真相を訴へるものである。サークルでは早速宮崎上映の具体化について一日も早く上映される様対策中である。

**映画館と観客**・最近の統計によれば終戦以来六年間に、劇映画の観客数は一〇%減っているのに映画館は二倍、上映本数は外画を含めて三倍に増えてゐる。つまり一館当り観客数は½以下に、一映画当り観客数は⅓以下に減ったことになる。

**配給会社と上映館**・五一年度上半期の配給収入は前期に比べ松竹一〇五%、日活二〇%、大映四〇%増、これに反し上映館の九三%は赤字経営

## 仂くものゝ映画物語 募集

主催……機関紙映画クラブ
後援……総評
締切 八月十五日
賞金 一等 五万円
映画物語、盛場、生活、斗争記録、日記、シナリオ
しよう細は次号

## 主張 日本映画の方向

よく盛場やその他でいろいろの機会に聞くことですが、「此の頃の様に経済的に苦しい世の中にゐると映画なんていうものは館に居るだけでも日常の生活の苦しさ・憂欝さを忘れ、スクリーンに展開する登場人物の豪華な生活やスリルに浸り、笑いたのしむだけでよいのだ」等という人や、又いわゆるインテリ層に多いのですがやはり汚濁の現実からの逃避が代表的な例であのフランス映画のペシミズムへ諦観主義)芸術へとか他にもいろ〳〵ありますが)へとそのはけ口・なぐさめを求めている人が多いのではないでせうか。

しかしこれは決して我々の健全な文化吸収の態度ではないと思うのです。外国映画の例をとって見ますとイタリヤ映画「自転車泥棒」などにおいてあの上映がどうしてあれだけのすさまじい絶讃と生々しい共感を広汎な大衆に与へたか、それは戦後日本の社会が非常に彼の国と似通っている所に、リアルな国民生活を卓抜せるイタリアンリアリズム独特の手法で劇的に盛り上げている所が大衆の生活感情にマッチしたからに他ならないと思うのです。

現在日本映画に劃期的な新風をそゝぎ込んでいる一連の自主映画、昨年の「どっこい」をはじめ「わかれ雲」「母なれば」「山びこ学校」等の作品に日本映画のリアリズムを見付けます。そしてそれは今までの日本映画と違って総ての角度から国民大衆の中に深く根をおろした、しかも芸術的レベルも高く、駄作林立した中で燦として光彩を放って居ります。

まともに、真面目に大衆の課題を課題とし、現在の分析から明日への夢となり、生活の原動力となる建設的なものが将来の日本映画の中核となって作られて行かねばならないのではないか。民族文化としての映画の大道をかく思ろのです。国民の生活感情に融合されない文化の正常な発展はありません。今回の「山びこ学校」で我々はそれを痛感しました。大衆の生活感情を捉え、その血肉を通じて陶冶され、昇華される所にこれからの芸術の大道ありと思うものです。綜合芸術としての映画に大きく要望する所以もここにあります。

★

# 山びこ学校

東北地方の貧しい農村の赤裸々な生活の実態の中で青年教師無着成恭の極度の貧困の中にただ小供等と真正面から取りくみ愛情溢る、ヒューマニズムで包まれた新しい教育の在り方を示し、ひいては新しい人間性の誕生――人間革命へまでおし進めた高らかな建設の歌声を盛った良心作で「箱根風雲録」と共にその取材対象とい、シナリオの良さとい、カメラアングルの用い方とい、最近稀に見る傑出した立派な作品だと思う。先づ一番感動した点を拾ってみますと無着先生の教育のスローガンである人間らしくなるための勉強――いつも力を合せて行こう、かげでこそくしないで行こう、働くことが好きになろう、もっといゝ方法がないかと探そう、喜びも悲しみも一緒にしよう――この五つの誓いに沿ったヒューマンな全人完成への不断の前進を熱情こもった慈愛とユーモア溢るゝ教育態度、いやそれは従来の所謂教育態度などと云う押つけた天下り式のものではない。あくまで小供と共に生活しその中に飛び込み、小供の身になってものを考へ、その中から小供によって教へられたものを整理統一してこれが又小供達への教導となってかへってゆく。ある意味では弁証法的な教育とでも云へようかこのすばらしい成果がこの映画では具体的に結果描写されて居り、我々の理想の建物が徐々に地道にしかも堅実に築かれて行く。そこには逞しい生産と建設への高らかな槌の響きがある。そこには平和を愛し伸びることを喜びとする良心的な人々――現今の世界の動乱のさ中にあってこの良心の灯を堅持せねばならないことと今より緊要な時はない現在、大きな力強さを与へずにはおかない。

## いよいよ上映！

（今井正演出）

去る三日、昼休みのひとゝきを利用して「ヨーロッパの何処かで」の合評会を開きました。＝食糧事務所サークル＝

**※先づ全体の感想※**

矢野――僕は浮浪児の存在は戦争を惹き起した大人の責任だと云うこの作品のテーマの力強さに感激したなア、採点すれば八〇点だね

長沼――私は浮浪児の群衆心理、あの心理描写はとても素晴しいと思いました。

宮原――僕も同様な意見でとても感動的だった。八五点位やってい、ナ

小川――私は期待しすぎたせいか後半の作意的なところが一寸気になったんです。でも全体を貫く人間愛にはやはり感激しました

日野――私は全体がそのまゝ卒直に受取れました。とても立派な作品だと思いました。

鈴木――音楽家が皆んなに、自由は斗い取るものだ、と云ったが僕はあれがこの映画の思想だと思う。先づ八〇点と云う処だろう

本條――僕は実の処一寸期待外れだった。勿論い、作品には違いないけれど、全体の統一と云う点で疑問を感じてそれ程感激しなかった

**※ファースト・シーン※**

宮原――白っぽい道を黙々と無表情で浮浪児たちが歩いてる、あのファーストシーンは良かった

本條――うん、一種の詩情があって……一寸イタリヤ映画の感じだね

**※ラ・マルセイエーズ※**

日野――私は音楽が良かった。あのピアノの効果は素晴しかったですね

小川――本当にあのマルセイエーズなんか感激しました。

長沼――あのククシと云う子が射たれる前にハーモニカを吹くでしょう、あそこなんかとても良かったですね

**※溶けゆくヒットラー※**

宮原――機銃掃射で子供が逃げ込んだ家の中でヒットラーの蝋人形が不気味に溶けてゆく処があったがあれなんかあんなに細かく描く必要はなかったんじゃないかな

本條――確かにあれは前半のリアルな描写の中では一寸念が入りすぎてるようだネ

**※パンの処分をめぐって※**

矢野――みんなで自動車を停めて奪った一個のパンの処分ネ、結局クジで一人に与えたんだがあれなんか僕らだったらどうするかな？

本條――あれは意外だった、みんなひもじいのだからあれはツミだよ。吾々だったら小さく切って分けるだろう。

五

# 山びこ学校

映画構成のうまさの点では、全体的に明るいカメラアングルの巧みさ、特に杉皮負ひの子供等の山より降る額に汗した充実せる行動の一場面は大下正夫のよくマッチした音楽効果と相俟って全篇中の圧巻ともいうべく、小供等のいじらしさ、自主的な行動が大きな迫力となって胸に迫り、頬が濡れて行くのを覚えた。

又演技の点で特長的なことはこゝでは映画人よりも小供等(東京の中学校からも大男行き江一少年などはその一人だというが)が実に素朴な巧まざる好演を示している事である。木村功の扮する無着先生もこの子供の好演に影が薄いといはれる程であった。おしい所はトーキーが悪くきゝずらい上に方言でセリフのわからない所が数ヶ所あったようである。

独立日本の真の黎明はこの映画の理想とする方向、新らしき人間性の誕生にあることを我々認識を新にし、植民地的パチンコ文化にマヒされ安住している人々に強い開眼を促す。全日無教にあるであろう無着先生、山びこ学校の不断の前進を祈ってやまない。(R生)

## 短評

**★ヨーロッパの何処かで**・・私眼を投げ出して作った作者の態度は立派。!リアルな前半のよさにひきかえ、後半の作為が気になる。マルセーズは素晴しい。

**★朝の波紋**・・後味の悪くないサラッとした作品、池部良も嫌味のない好演、デコは今度どうのびるかに期待出来る。

**★カーネギー・ホール**・・音楽は素晴しいが筋が邪魔になる作品、克明なカメラの動きによる巨匠達のコクのある風貌は印象に残る

**★虎の尾を踏む男達**・・黒沢的才気は感じられない。歌舞伎の野外劇と云った感じで新解釈という程のことはない。エノケンの強力の一人舞とラストシーンは印象的である。

# ヨーロッパの何処かで

合評会・・

日野—あれ一人分だと云ってたでしょう。だからあれでいゝんじゃないかしら?

矢野—いや、あの場合僕らだったら見付けた者が独りでこっそり喰うよ(笑声)

**※絞り首の場※**

本條—老音楽家が浮浪児たちに絞り首にされようとする処があったね。あそこで音楽家が首に網を巻かれて今にも吊り上げられると云うのに平然として少しも動揺の色がない、あれなんか随分おかしいんだが・・・

長沼—恰も助かる事を知ってる様で確かに変でしたね

**※ピエールとエヴア※**

小川—浮浪児の首領のピエールって人、あまり人間が出来すぎてる様な気がしたわ、小さな女の子を命がけで助けたりとても正義感の強い処があったり、特にエヴァが女だと判ってからも感化院出と思えない紳士振りだったでしょう、顔なんかとても良くって(笑声)

宮原—ヴィクター・マチュアに良く似ていたね

日野—私は今の点そうは思はないんです、感化院に居たからって悪い人と限った訳でもないでしょう。

長沼—小川さんの言はれる点は判るんですけど・・映画としてはあゝしなきゃ纏まらないんじゃないの?

本條—その辺が作りごとめいた気がするんですね、殊に前半のイタリアンレアリズム的な感じと対照して見ると前と後とではかなり違った印象を感じさせてね

宮原—エヴァがピエールに打開ける回想場面なんか余り念が入りすぎてるな、乳房なんか出して・・・

矢野—あれはいゝよ、ナチの暴虐ぶりを強調してるんだ、迫力があって僕は良かったと思うんだが・・・

**※演技者※**

長沼—断然ククシが良かったわ、最后の死ぬ処なんか真に迫って旨かったですねエ

宮原—あの老音楽家も良かった、顔だって仲々立派で巨匠と云う感じが出ていたよ

日野—音楽家以外は旨素人だと云うのに旨いですね、日本人だったら仲々あゝ旨くはゆかないでしょう。

**※ヒューマニズム※**

本條—まア挙げれば色々と欠陥(上段左へ)

(下段より)もあったけど何か作者の人間えの愛情と云うかヒューマニズムがにじみ出ていましたね。

—同同感

推薦映画

## 白い國境線

ルイジ・ザンパの作品は、日本ではまず「平和に生きる」によつて紹介された。「白い国境線」は彼の最近の作品である。

ザンパの人間愛は彼の作品の基調である。キヤメラが感情をもつかのように、対象をじつと見つめる。角度や構図は、その自然の結果として、位置をさだめる。単に美的な意味で構図や角度が考えられるのではない、うつす人の人格がそれをきめたのである。それゆえ、野こえ、町をつらぬく白い国境線は、それ自身はなんでもないはずだが、ザンパの目をとおすと、それに対する無言の抗議をあらわすようになる。

## 山びこ学校を見て

（県テサークル　丁吉）

これは眞実の姿である。子供の綴方の中に現れた噓の無い、寒村の日常の姿である。だからまづ吉田さんや、彼を據点とする搾取家に見せたい。そして彼等の立つ基盤がどんなものであるかを知らせたい。

私は映画を余り見ない。しかし庶民の生活を描いたものはつとめて見ることにしている。それでこの映画も書物になつたものではなく、それ以前の子供の綴方として紹介されたものを子供の雑誌で読んでいたので心がけていたものである。見て良かつたと思う。ともすると小市民的になり勝ちな私をぐつと引しめて呉れた。

雪こそ降らないが、宮崎の農村にもこの風景は見られる。であるからこそ私達も何とか人間として立上るようにしたいと憤む無着先生と同じものをもつのだ。成る程無着先生は教師である。だから月給をもつて帰らなければ親父さんに叱られる。しかし子供のことを考へるとじつとしてはおられない。

私は無着先生のように農民を愛してはいても月給をさらけ出すことは出来ない。けれども唯単に月給どりとしての仕事のみに止まることは出来ない。

空疎な農村問題の解決方策を月給取りである官吏や公吏が机の上で建設してもそれが何にもならないことをこの映画は教へる。そこで前に云つたように小市民的気持が拭われるのである。所がこの映画の良さは吾々に「この通りだから考へ直せ」と強力を以て迫るのではなく、そくそくと教へて呉れるところにある。

大言壮語する政客や空念仏を唱へて身の保全をはかる月給取りや、農民のおかげで喰つていながら高く物を売りつける悪徳商人や企業家に見て貰いたいものであるし、又労仂者としての自覚と誇りをもつ組合労仂者の諸君にも見て貰つて、農村の仂く人達が町の労仂者とどんなに身近かなものであるかを改めて反省させたいものである。

しかし乍ら、雪は降り積る。その雪の下にも伸びようとする生命がある。恐らく再び来るであろうこの映画をこの度び見なかつた人へ（特にお偉い方達）人のために——。



## 六月下旬スケジュール

| | 15 日 | 16 月 | 17 火 | 18 水 | 19 木 | 20 金 | 21 土 | 22 日 | 23 月 | 24 火 | 25 水 | 26 木 | 27 金 | 28 土 | 29 日 | 30 月 |
|---|---|---|---|---|---|---|---|---|---|---|---|---|---|---|---|---|
| 帝口館 | 山 | びこ | 学校 | サ | 地ン | 獄セ | へッ | のト | 逆大 | 襲通 | 虹 | 小の | 間女 | 使王 | | |
| 大成座 | 銀 | の | 靴 | | 追金 | | はの | | ぎ卵 | | 腰 | 戦抜 | 口脈 | 緋爆 | 鞘娘 | |
| ロマン | 線八 | 朗月十 | 五日 | | 勇続 | 者木 | の穂 | み坂 | | | 腰水 | 抜色 | 千の | 両ワ | 役ル | 若ツ |
| 日劇 | | | | | | | | | | | | | | | | |
| 若草 | タル | フア駐屯 | ー兵 | 富死 | 士の | 12街 | 立を | つ逃 | 影れ | て | 右 | 銭門 | 形備 | 平物 | 次帖 | |
| 宮劇 | 安 | 宅家人 | の々 | 黄 | 銀色 | 座い | パカ | リバ | ーン | | 月 | 形勇 | 半操 | 兵の | 太街 | |
| 江平 | | 晩 | 春 | 黄銀 | 色い座パ | カバリー | ン | め帰 | | し郷 | 月ひば | 形りの | 半子守 | 兵歌康 | 太伏三 | 人男 |
| センター | | サ | 海ン・ | 洋アン | 見トニ | オ | イブ黒 | のす水 | べて仙 | 白祕 | い口 | 魔線魔 | | 白書海財 | のバラ | 決斗ブッド |

NO. 19
映画サークル
1952・6・25　宮崎映画サークル 発行

# 九州のトップを切って 一九五二年のメーデー 上映

「デモ隊の一つの流れは馬場先門から人民広場へ……」「もうひとつの大きな流れは祝田橋から」（警官隊）とたゝみかける解説に乗って、乱斗事件は凄じく画面が動く。広場に突入した赤旗は意外に多く、銃口を向ける警官の姿もするどくつかんでいる。

人民広場を人民が使ってなぜ悪い！

記録映画「一九五二年のメーデー」が遂に宮崎で上映される。一人でも多くの人に観てもらう様に活動しよう。

## メーデー事件の記録映画を見て

私はつい最近東京に出張してはからずも第二十三回のメーデー事件の真相を知る事が出来た。少くとも私は商業新聞やラジオの報ずる範囲のものしか知らなかったが共同映画社の必死の努力によって作られたこの記録映画によって今までのメーデー事件に対する見方が完全に変らざるを得なくなった。私は先ず全く驚いたことは、今回の事件が完全に一方的警察側の行き過ぎであったと言ふ事実である。東大教授大河内一男氏が此の事実を認めた事も当然の事と思はざるを得なかった。労仂歌も高らかにデモに移行した労仂者の列は全く今日の国際的祭典を祝すかの様に見えたが、遂にあの血の祭典に化してしまった。

私は今こゝであの現場を筆で現す事も口で言ふ事も出来ない。たゞ言える事は憤激と涙の瞬間であったと言う事のみである。頭をわられる者、拳銃で射たれる者……未だに私の胸にはっきりきこえる言葉「日本の国土に何故日本人が入れないのか」卑怯者去らば去れ　我等は赤旗守る!!私は日本の労仂者が一人残らず見てもらう事を希望する。

（食糧事務所　福園）

所変れば
〃パリーのアメリカ人　アカデミイショウ
〃東京のアメリカ人　アンチクショウ
品変る・・・（[illegible]）

## 主張・再び〝サークル〟に声を

本紙十七号の本欄で、サークルに声を、即ち単位サークルの皆さんのたくましい率直な希求といい意見の声の湧き起るを期してから一旬が過ぎた。その後二三のサークルから、健康で明るい声が投稿されたものの、その大勢は相も変らぬ沈黙の固守で、昔日某々の某日く「沈黙は金」式の微笑ましい意気込み？が感ぜられなくはないものゝ、その実は困った古鳥に白髪富に増した様なもの、若々しさ力強さの無いも甚だしい。若々しさとは何か、それは私達が絶えず新しく前進して行くことであり、又力強さとは私達が手を結び合い声を掛け合って前進して行く巾を広く大きくすることだ。その為にのみ私達は機関紙を設けた筈である。前進して行く為には横を周りを見つめねばならない。見つめたら手を結ぶことだ。手を結べば声をかけたくなる。声をかけ合ってお互に私達は前進する方向を考へ合はねばならない。再び〝サークルに声を〟見つめるためにサークルに声を手を結ぶ為により一層力強い声を、そして声をかける為に愈々にたくましい建設的な声を　その時こそ私達の声は何時も、何処でも〝前進しよう〟と叫び出す。サークルが単なる割引券発行所に終ることは、其処に唯一つとして前進することの方向が無いことに一致する。前進する為にサークルの湧き起る声を、そしてそれは絶えず〝映画〟私達の生活に結びついた映画私達を本当に励まし、楽しませてくれる映画、私達に明日の世界への歓びに充ちた明るい希望を抱かせる映画それを観ること、作ること、育てることを私達のサークルはその為にのみ生れて来た！と叫ぶだろう。

# 期待される洋画の作品

## 伊「ドイツ零年」米「ムッシュウ・ヴェルドオ」佛「二百万人還る」

今年の春以来、数多くの洋画の大作が封切られたが、とくに大きく評判になった「にがい米」「ヨーロッパの何処かで」などにつゞいて、その内容の現実性から注目される作品が、当面三つ予定されている。第一は、ロベルト・ロッセリーニ監督の『ドイツ零年』、第二は、チャップリン監督主演の『ムッシュウ・ヴェルドオ』、第三は、フランス映画『二百万人還る』（原題「生への帰還」）だ。

『ドイツ零年』は、ロッセリーニ監督の「無防備都市」「戦火のかなた」につぐ三部作で、戦火に破かいされたベルリンを舞台に、ファシズムと戦争がいかに人間性を破かいしつくすかを、一人の子供を中心にはげしい迫力で追求している。

『ムッシュウ・ヴェルドオ』はハリウッド最高のヒューマニストといわれ、戦前数多くの社会諷刺作品で親まれ、ことに「独裁者」では徹底的にナチズムを批判したチャーリー・チャップリンの戦后の作品、一人の殺人ブローカーを主人公に、個人の殺人は罰しても、国家による大量殺人は罰しないのか、という主張をテーマにしている。

『二百万人還る』は、四人の監督による四つの物語からなり、戦争が終って抑留生活から故里フランスへかえって来た四人の人々が、それぞれふるさとでぶつかる複雑な現実を通して、平和への希求を力強く訴えている。ノエル・ノエル、故ルイ・ジュウヴェなどが出演している。

海外だより

## 廿世紀の映画ベスト・テン

一位 "戦艦ポチョムキン" (ソ)

「源氏物語」が撮影賞を受けたこの間のカンヌ映画国際コンクールで、今世紀五十年間のベスト・テンが選ばれた。第一位はエイゼンシュタイン監督（ソ）の『戦艦ポチョムキン』第二位、第三位はいずれもチャップリン主演の"ゴールドラッシュ"（黄金狂時代）と"街の灯"、第四位はデ・シーカ（伊）の「自転車泥棒」第五位はジャン・ルノアール（仏）の「大いなる幻影」、第六位はルネ・クレール監督の（仏）「ル・ミリオン」第七位「サムソンとデリラ」

第八位「十誡」第九位「キング・オブ・キングス」第十位「十字架の印」はいづれもアメリカのセシル・デミルのものでどれも一票のみ。また第一位の戦艦ポチョムキンは最近フランスで上映禁止になった。

## 作家劇団 破防法に反対声明

シナリオ作家協会では五月廿六日行われた総会の席上において作家活動を制限する"破壊活動防止法案"に対して反対を決議し、近く声明書を発表すると共に、国会に対して創作活動の自由のため反対陳情を行うことになった。また廿五日行われた監督協会の総会においても、協同組合法に違反するので反対の意志表示はしないが、具体的に制限をうけた場合は政府の反省を促すことを申し合せた。また映画連合会でも、脚本提出等を同法により求められても、この要求を拒否する態度を決定している。

## ★仂くもの、★ 映画物語募集

各労組機関紙の団体である"機関紙映画クラブ"では このたび独立プロ六社とていけいして、仂くもの、映画物語を次の要領でひろく募集しこれの映画化をはかることになった。

1. 形式　映画物語、職場・生活・斗争記録・日記、シナリオのいずれも可
2. 枚数　シナリオ（制限なし）を除き四〇〇字詰原稿用紙十枚以内
3. 内容　現代をテーマとするも、厂史・伝説等の時代劇も可
4. 締切　八月十五日
5. 発表　九月十五日（各機関紙上）
6. 賞金　一等一篇五万円　二等一篇三万円　佳作四篇各五千円
7. 審査員　岩崎昶、吉村公三郎　八木保太郎、浅野竜麿、高極高典
8. 主催　東京都中央区銀座西六ノ一　機関紙映画クラブ

# 黎明八月十五日

## —製作意図とその効果について—

図書館サークル X

近世日本の厂史上重要なポイントである〃昭和二十年八月十五日〃を事実に即して記録、再現しようとする製作意図が、果してどれだけ効果的に表現されているか。なるほど部分的には今まで紹介されて来たいわゆる〃終戦秘話〃に忠実であるようだ。コッパの団子を噛って爆弾の下で竹槍をふり廻し乍ら、皇国の不滅を信じている嘗ての自分達の姿の何と滑稽でおかしいことか。ブリキ屋の留さん（花沢）やそのおかみ（戸田）、隣保班長の遠山さん（三島）は当時の国民を代表的にあらわしていて好演である。

だが全体としてみたとき、ギクシャクした技術的拙劣さは別としてもクソリアリズムの偏向とそこから生ずる危険性を無視するわけにはいかない。

即ち此処では最も重要な意味をもつ天皇が極めて無批判に取扱われている。のみならず緊迫した感じをよく出している閣僚会議からは、祖国とその国民を救った救世主として天皇が浮び上って来そうである。又青年将校蹶起のシーンは最も圧巻で、当時の私がそうであったためか、彼等の純粋な憂国の至情に私はいたく共鳴し感動した。

そう云う所から現実の復古調の波にのって頭をもたげて来た天皇制護持や誤れる愛国主義に拍車をかけることになりはしないか。その意味で此の映画は観る人の受取り方によってその製作意図と全く逆の方向に持って行く危険を感ずるのである。

只天皇の名において無辜の国民をなぐり倒したり、精神訓練だと涙ながらに君が代を歌わせられる芸妓のショットなどに批判の目がのぞいている。ラストシーンは結論的に全体の暗さを平和の喜びで訴おうとしたのだろうがくどすぎる。全般的に表面の事象を追いかけているため、底の浅いものになってしまった。

再軍備と戦争の危機が叫ばれるとき、過去の悲惨な戦争の末路を再現して反省させようとした製作者の意図と努力は汲みたいと思う。

結論的には反戦映画として理解したいゆえんである。

## 短評

・**黎明八月十五日**……凸凹道をガラクタ自動車で行く感じ、運ちゃんの努力は涙ぐましいが心もとないと乗客は舌をまかされる。

・**山びこ学校**……感激、感激、民族の誇りを覚える。がっちり大地をふまえていて、伸くことの力強さがにじみ出ている。もはやゆっくりもの、時代は過ぎつゝあるのではないか。

・**凱旋門**……繁華街を駆足で通りすぎるようだ・ダイヂェストが不充分で消化不良を起す、ボワイエはさすが。ラブシーンはすばらしい、うっとりした（H）

不純だ、生理的反パツを感ずるネ（X）

・**銀の靴**……赤い靴よりスキ、上品な色彩処理、内容もコメディとして成功（H）

・**安宅家の人々**……九十度頭をかしげてみないとピンとこない。あの甘さは吉屋信子の限界か（X）

＊　＊　＊　＊　＊

## ソヴェト未公開映画 上映着々進む【福岡】

未公開のソ画は東京、大阪では既に次々と上映されているが、九州では福岡でソ画上映の準備会をひらき次の候補作品を七月八日前后に上映することに決めた。

①ベルリン陥落　②大音楽会　③若き親衛隊以下六本

## 山びこ合評会

### サークル初って以来の盛会

六月十八日図書館会議室で映サ主催の〃山びこ〃合評会が開かれた。会場には臨場の会員以外に宮大学生、教授、中学生まで加はり四五名の人達が活潑に意見を出し、間で土曜合唱団の〃どちよっこふなっこ〃の合唱詩があり列席してみる人を再び〃山びこ〃の雰囲気にひたらせた。

※**宮大教授**……私は明治の教育を授けて来て頭につめ込むだけの教育であったが、山びこを見て行って知ることの貴さを痛感しました。

※**大宮高校生**（女）：私達の学校の先生にみてもらって一歩でも無着先生のやり方に近づいてもらいたいとつくづく思いました。

※**中学生**（女）：クラスの人達ではねむってみた人が大分いました。映画の中の中学生の様に会合の時思った事がどしどし云えるのは大変うらやましく感じました。

# 7月《上旬》推薦映画

## にがい米

すでに公開された「ポー河の水車小屋」の舞台、北伊ポー河流域は米作地帯として有名であるが、こゝへは毎年五月の始めになると北イタリアの各地から幾千人となく娘達が出稼ぎにやって来る。彼女達のなかには農家の娘は勿論のこと女工、店員、事務員、そして時にはタイピストや学生までも交っている。仕事は田植と田の草とりで烈しく照りつける陽の下に腰まで泥水につかり、蚊を払い除けながら働く。朝の六時から十時間の労働の後、小川の水浴で汗を落してから、あてがわれた宿舎へ集団的に入る。この半ば軍隊的な生活の中にも、夜ともなれば宿舎を抜け出して、星空の下、村の若者達と愛を囁く者も多い。かくして約四十日にわたる激しい労働の後、四十瓩の米と四万リラ（二万二千円）の報酬を得て、再び我が家へと帰って行く。だから生活や嫁入り支度のためにアルバイトにやって来るわけだが、なかには自由の生活に憧れて・恋と冒険を求めにやって来る女達もいると言う。こうした出稼ぎ女達の世界にも、こゝにはこゝなりの風習、法則、善徳、悪徳といったものがあり、彼女達の間には劇的な、困惑に溢れた情熱的な事件が、争斗と奸策に織りなされて繰りひろげられる。

監督のジュゼッペ・デ・サンティスは戦後「荒野の抱擁」をつくるに及んでネオレアリズムの代表的監督の一人である。

## 天井桟敷の人々

製作三年三ヶ月、製作費六千万フランと言うぼう大な数字に加えて上映時間三時間四十分の長編作品。一八四〇年代の花の巴里の盛り場で各種各様の劇場が軒を連ねたデュ・タンプル通りから物語は始まり、豪華なボックスで観劇する社交界のお歴々、天井桟敷に鈴なりになって笑び、叫び、わめく人々はては大道の曲芸や香具師に群がる人々、人生の哀歓が渦巻くこの劇場街を人呼んで犯罪大通りと云った。

第一部「犯罪大通り」第二部「白い男」と分けられて波乱万丈の人生流転の愛憎を「霧の波止場」「悪魔が夜来る」の巨匠マルセル・カルネが監督、キャストは純粋な愛と芸道に苦悩するピエロに「しのび泣き」のジャン・ルイ・バロオ、「オルフエ」のマリア・カザレス等が出演。

## おかあさん

（新東宝）母を主題にした綴方の入選作品を集めた全日児童綴方集「おかあさん」に素材を得て「また逢う日まで」「せきれいの曲」などの水木洋子が脚本を執筆し「めし」の成瀬巳喜男が監督するもので、庶民生活の中の、父のないあとの母子の生活を明るいユーモアとエピソードでまじめにあつかった作品で、駄作の多い日本映画の最近の佳作。

やさしくてよく働く母（田中絹代）威勢のいい父（三島雅男）長女の年子（香川京子）長男の進（片山明彦）年子の好きな平井パン店の一人息子信二郎（岡田英次）等が出演

＊　＊

・高いフイルム代・座館の赤字経営が慢性化してゐる一方映画社会だけ黒字でホクホクしているが最近の米画「キングソロモン」は座館収入の七割という高率で写真料をボラれている。

## 七月上旬スケジュール

| | 1 | 2 | 3 | 4 | 5 | 6 | 7 | 8 | 9 | 10 | 11 | 12 | 13 | 14 | 15 |
|---|---|---|---|---|---|---|---|---|---|---|---|---|---|---|---|
| | 火 | 水 | 木 | 金 | 土 | 日 | 月 | 火 | 水 | 木 | 金 | 土 | 日 | 月 | 火 |
| 江平 | 春秋 | 華 | やか | な | 夜 | 紅湯の | 浅町 | 草情話 | 女 | の | | 命 | 母子 | 恋万長 | 草者 |
| 若草 | | 猛の | 獣少 | 使女 | い | | | | | 滝 | の | 白 | 糸 | おかあさ | ん |
| 帝国 | 暗恐 | 黒 | の獅 | 嘯 | の | 木 | 蔭 | 夫 | は | 偶 | 者 | | 破新 | 煙夫 | の地 |
| 大成 | | 三 | | 等 | | 重 | | 役 | 母 | を恋 | ふ | 歌 | 線の | の少 | 獄女 |
| 日劇 | | ストリップ | 追はぎ | | 追 | は | ぎ | | | 海 | の | 無 | 法 | 者 | |
| ロマン | | | | 天 | 井の | 桟人 | 敷々 | | | 嵐 | ヶ | 丘 | | | |
| 宮劇 | | 江戸城罷り通る 大当りパチンコ娘 | | | | 恋 | | 婚 | | 交 | の | 命 | | | |
| センター | | | にがい米 | | 拝兵 | れ | た顔 | 笑演 | ヴァ | レ | ン | チ | ノ | | |

映画サークル　1952・7・15　号外

# 高すぎる最低料金70円について

## ー県映画協同組合宮崎支部の決議事項ー

六月末市内映画協同組合の会合で次の事が決められた。

1 七月から一本立とする
2、最低料金を七〇円とし割引の場合も七〇円を割らない
3 再映は封切より二ケ月とする
4 再映の場合は二本立も可
5 一映画の最低上映日数は三日以上とする。

右の各項に違反した館は他の全部の館に一館当り五万円宛の違約金を支払うこと。

館側としては市内に映画館が乱立してゐる上に高いフィルム代で二本立が続くと経営が成立しないと云う理由が主である。事実配給会社が法外にもうけている一方経館が経営難である事は宮崎市内だけでなく、全九州その様な状態であり、月と共に深刻になっているが、その解決として料金値上げでは映画興行の大衆性からいっても解決出来ないもので、巾広く多くの観客を安くで動員する方針が正しいのではないのだろうか。

今度の決定は館の中でも「自縄自縛だ」といっている館もありサークルとしても「良い映画を安く見・上映する」主旨からも活溌に値下げ運動を進める対策をとっている。

### アンケート

1、一本立と二本立のどちらがよいか
2、料金最低七〇円について
3、上映館への要望
4サークルへの希望・感想

**★伊福部敬子**（県婦人児童課長）

4、東京とちがって宮崎の観客層は廣いから一本立にしたら大衆うけのする映画をねらはぬと成り立たぬことになる。三日も続くかしら？ 経営的に巾広い観客を引きつけること、又観客の立場からも多く入れればコストは安くなるから時間を明確にして二本立にした方がよい。

2 最低七〇円は高い。採算も成り立たないのではないか、ろ、もう少し経営を工夫して料金を下げてでも少くとも一週間は続けて欲しい

4 サークル独自でフィルムを借りたりもって来ることが出来るなら、もっと文化的映画を上映するようにして欲しい・好きな映画を見るだけでなく、進んで自分達の力で良い映画をもって来て会員外の人にも見ていただくと云った心構が欲しい。

**★山中 卓郎**（映画評論家）

1、個人としては一本立の方がいゝが質の低下をまねくおそれがあるし観客、館側両者にとって、宮崎では二本立が妥当と思う。

2、高すぎる

3、サービス料金にてつして欲しい。これは館主だけでなくチケットガールに至るまで、無理かもしれぬが夏は冷房、冬は温房の完備にまでもって行かねば駄目だ。

4、政治意慾をすてよと云いたい。〃ソ映画〃や・五二年メーデー〃だけでなく、他の良い映画、例へば〃天井桟敷〃等にも力を入れて欲しい。近く来る〃ホフマン物語〃等はとりあげるべきではないか。

**★黒木 清次**（作家）

1、一本立がいゝ。時間的にも多忙であるし、長時間みるよりもつかれが少く楽しい気分で帰れるから。

2、高すぎる。もう少し安く映画によって振巾をもたせたら。

3、椅子を快適に。冷房温房装置の完備、要は客本位の思い切ったサービスを。

4、事ム局のかくれた努力に感謝する。地理的に不利な條件にある宮崎に良い映画をどし〱もって来る様努力されたい。

**★富永 太**（県駐組文化部長）

1、一本立がよい。映画の生活面に於ける娯楽性、又良い映画を安く娯楽の健康性と云うことからも一本立がよい。

2、高い。経済面からも一本立の場合最低料金五〇円が妥当だろう。

3、便所の臭気と換気を何とかしてもらいたい。休憩時の音楽は柔かくなごやかにけんそうな流行歌や呼出のマイク等はやめてもらいたい。

4、組合文化活動の政治性ひいては世界平和と云うこと等の大きな観点から組合活動に於けるサークル活動に大きな意義を認め高く評価し感謝す。

**★上野 裕久**（宮大助教授）

1、一本建がよい。二本は料金が高くなりだき合せになつたりし、その上疲れる。

2 一本建で最低四〇円普通五〇円。七〇円は高すぎる。映画を止て本を買うことになる。

3、良心的な良い映画特にソ連中国の映画を上映してもらい度

4、別に何もない。良い映画の割引はぜひ確保して下さい。

NO. 20　1952・8・1

# 映画サークル

宮崎市高松通一丁目　宮崎映画サークル発行

## 注目を浴びる 一本立最低七〇円 其後の動き

既報号外で発表した宮崎県映画協同組合宮崎支部の一本立最低料金七〇円の決議はその後配給会社、宮崎市民にも色々な反響を捲き起しているが、サークルと映画館の交渉を中心にその後の動きをお知らせします。先づ座館の意向を聞きサークルの希望をのべるため七月十四日支配人会議へ行つた。

### 支配人会議訪問記

（常任委員　X）

一本立最低七〇円の問題について七月十四日月曜の昼休み・委員数人集つて支配人M氏を若草に訪う。が、丁度市内興業館の支配人会議をやつているという。願つたり適つたり。一度市内の支配人さん達と語り合いたいものと日頃望んでいたところだつたから。

雨雲重くたれこめて今にも一雨きそう万物悉く蒸発作用を停止・ひどくムセル中を一同勇んで会場松本さん宅へのり込んだ。女中さんに刺を通ずる。広い邸内ではいるのか向処で会議が踊つているのか見当もつかぬ。五分程してゆたかな松本さん出場。A君が一同を代表して一本立最低料金七〇円についての一般の人々の要望を傳へる。我々の要求は館の経営を無視した要求ではなく、観客動員の面で両者の歩みよりによる興業面の危機の打開でもあることをサークルの立場から。

「よく分りました。みんなに伝えて相談してみましょう」と幕内へ。やがて組合事務長の谷元さんが代つて登場・幾分緊張した面もち「市内の館にとつて浮沈にかゝわる一大事件が突発して今緊急会議をやつてるとこなんです」となるほど・支配人の定例会議は十五日だつた筈。（二頁へ）※

### 主張　映画はあくまで大衆のもの

六月に決議された市内映画館の申合せをめぐり配給会社サークルの間で色々問題が起つてゐるがサークルとしては一本立に対しては昨年の与論調査によつても、むしろ一本立を望む声が多く、この事は座館と配給会社間のフイルム料金と座館の営業方針に問題がある・サークルにとつても観客にとつても直接の問題は「最低料金七〇円」にある。

現代の社会機構の中で座館が赤字つゞきではつぶれる外はないし、つぶれない保証は誰もしてくれない。サークルとしても座館にどしどしもうけてもらい　鑑賞條件を改良し良い映画を早く上映してもらいたい。座館としても観客が多くつめかける事は望むところだろう、映画はあくまで大衆のものである。

座館の商業主義とサークルは観客動員という座館にとつて一番大切な点で矛盾しない。

座館の経営不振打開の重点は不当な税金とフイルム料金を引下ることに向けられるべきであり入場料を引上げて観客の巾をせばめる事はあくまでさけるべきではなかろうか。

フイルム料金引下げの運動は全国で起つており、どこの支配人も製作・配給会社が五割六割といつた株主配当をとりあまりの収奪に怒りを感じていることが専門誌でも判然としている。

キネマ旬報で新宿文化劇場支配人小俣氏は次の様に云つている。

「現在の様に金づまりというか、むしろ日常生活へ衣・食・住」に力が注がれていて、娯楽はと云うときには、すでに余裕がなくなつている現状である。

映画はあくまでも大衆のものである。映画の価値を最后に決定するのは大衆である。この事を忘れては映画製作・配給興行は出来ない」

サークルとしても座館との日常的な交りを緊密にして行きたく八月中に支配人と観客との座談会を企画している。市内座館の支配人の方々の出席を希望し、大衆の声を聞いて頂きたい。

サークルもフイルム料金値下運動には出来る丈の力を発揮し座館と協力して行きたい。映画は飽迄大衆のものである。

※一頁二段より

幾分緊張をゆるめて谷元さんは語る。「皆さんの云い分、よく分ります。サークルの存在は、私達の間でも問題になって来ておりますから、なるべくよい方向へむかうよう善処します」

興業面で危機に面している座館の浮沈は又サークルの浮沈と無関係でない。今日はそこまでゞ、話し合いの中に加わることは適わなかったがそう云う面でも、サークルの組織の力が何らかの形でプラスになることを我々は望んでいる。理解と協力の上に立って両者が共に前進するために。

## 若草映劇 訪問記

七月十九日、宮大工学部・統計・県庁・全損保の各単位サークルの代表五名は、若草と宮劇の間を往復すること二度にしてやっと支配人南氏と会うことが出来た。

一通りの挨拶がすみ

「今度の最低料金七〇円の事で会員の中からいろいろ質問が出て来るのですが職場の委員として納得さす為にも館側の意見を伺いたい」と切りだした。すると他の都市の料金を知ってますか?と時事通信を出す。福岡、長崎等一〇〇円、最低地六〇円となっている。

次でサークルの『好い映画を安く見る』の『好い映画』について質問があり・若草としての統計によれば、サークルの良い映画と指定される映画に実際会員は動員されず、低い映画に会員が多く仂員されるので主旨を疑うことや、飲屋え行ったとき女給さんから割引券をもらって心外であったこと、「われかれ雲」をたゞで午前中見てもらいたかったけど事務局で何の沙汰もなかった事等出される。

「一本立になってからの興收は?」の質問については**がた落ち**、一本立四日間で十万円上ったとすると二本立一日だけで七万上ると云った具合。

又館の乱立について人口の割合に館が多いこと、パチンコ屋に一ヶ月落ちる金額より映画館に落ちる金額が**百万円**も少いそうである。

「"お母さん"の成績は」

「ためですねえ」

「あの映画は多くの人に見てもらいたい映画だったのですが、宣伝はどんな方法でやられましたか」

「あたり前の宣伝です」

最后に問題の最低料金の問題を出す。

「最低料金七〇円はなんともならないのですか」

「なりませんねえ、私の所なんか本社から毎月少しづゝ援助してもらってゐるからやって行ける様な有様で、市内の座館で黒字と云うところは無いはずです。私もこんな商売は止めてオヤジの所え帰り土建屋になりたいとも思うのですが、好きだからこそやっているのです。

まあ入場税でも下がれば何とか考へられますがねえ。

それも十月頃ではないかと思ひます」

陽のあたる場所、支配人室は外の暑気がにじり込み彼我の吸う煙草がてい迷する中をこの様な機会を今後持つ事を希望し南氏も賛意を表し別れを告げる。

我々職場から直接支配人に会ったのは初めてだが、成程興行界と言うものは複雑で裏表のある世界だと思った。労組の交渉のやうには行かない。

この問題も映画が大衆によりささえられている限り大衆の生活をはなれて興行は成立しないのだと云う感を深くし、大映封切館若草を去った。

## 結び

以上の様にサークルとして他館にも交渉してゐるが、館により最低七〇円に対する見解もむらがある事は事実だが決議の手前云々といった具合学生が六〇円で割引最低四〇円とかなとってある事から、今后交渉の余地があり、単位サークルからの創意性のある意見・運動が切望される。事務局でも連日各館をまわり会員の要望を伝えている。

## 声

宮崎の三流映画館で一本立七〇円値上げはどう考えてみても高い。映画は大衆の娯楽なのだ。それを経営者側で独断的に値上げするとは…ものと我々の要望に耳を傾けよ。話してわからぬ映画館は組合と宣伝の力をもってボイコットしようではないか。

★(電話局の声)今までサークルの割引があるので普通二本見るのを四回位見ていたが今度割引が利かなくなると行けなくなる。何とかして割引を復活してもらいたい。

## 東京でも座館の値下運動活潑

映画料金の適正化について東京都興行組合では七月九日第一回委員会を開催値下げ運動を提議展開することになった。

# 『にがい米』の
## ＝"シルバーナ"と"フランチエスカ"の問題＝

「自転車泥棒」をピークとするネオ・リアリスモの一連の映画の中で、これは最もメロドラマ的である。「荒野の抱擁」で監督ジュゼッペ・デ・サンティスが社会連帯性によって人間愛の真実を描こうとした意図は、この「にがい米」に於ても認められるが、こゝでは余りにもメロドラマ的興味が浮き上って現実の冷厳な実存が描き足りず、結局社会連帯性と人間愛の空中分解悲劇に終っている。

こゝで一番問題になるのは、主人公シルバーナ（シルバーナ・マンガーノ）の人物設定である。彼女は空想好きなお転婆娘で、ダンス上手の所謂アプレ・ガールであるが、彼女の労仂せねばならない必然性は少しも描かれていず、単なる肉体の魅力を農場に売りに来たとしか思われない。

それに比べてフランチエスカ（ドリス・ダウリング）はよく描かれている。最初は宝石強盗の情婦として農場に入り込まうとたくらむが、農場で仂く中にマルコ軍曹と知り合い、真人間に立ち返って行く。デ・サンティスの意図はむしろこのフランチエスカの生長に托されている様に思はれるが、併しそれにしては、ドラマの主人公とするに余りにもフランチエスカの描き方に迫力がない。

結局、シルバーナとフランチエスカの二人の人物描写の密度の比重がこの映画をメロドラマとし作者の意図をピンボケさせ（まさかマンガーノの豊満な肉体を売ろうとするのちやめるまい）先に述べた様な結果にしたのではなかろうか。この二人の描写密度の比重を逆にすれば又別な面白い映画が出来たかも知れない。

# "お母さん"

図書館映研　X

☆手がたいスタフやキャストが期待させたこの映画は、果してそれを裏切らない佳作であった。題材そのものが極めて庶民的であること、そしてそれを嫌味のない淡々とした手法で画いていることが、この映画の成功の最も大きなモメントをなしている。

☆下町娘年子（香川）の心のレンズを通して、よく仂く荒れた手の母親（田中）を中心とした戦后のきびしい庶民の生活が展開する。——戦災で焼出された洗濯屋の再興をめぐって続出する苦しさや悲しみにみちた事件、だが、その中でも生きる喜びを見失わずたくましく生きようとする庶民特有の楽天的な生活力と人のよさは、可能性に生きる我々青年の共鳴をよび起すに十分である。

☆人生のさまざまな哀しみに耐えてゆく母親も、従来描かれて来たような母の感傷におぼれず、サラリとあげていて却って甘いお涙ものにみられないこめられた哀しみが胸にくる。成瀬はこの作品で新しい母もの、タイプと方向を示しているといえよう。

☆館を出て余韻をひいてホノボノとした気分をさそう。これは現実の我々の生活と結びついているからである。その時はいくら感動しても観終ってバカらしくなる作品にはどこかウソやゴマカシがあるものだ。加東大介は云う言葉を知らないほどの好演。

## 〈天井桟敷の人々〉短評

★天井桟敷の人々

見答へのある映画。演劇、文学、映画を統一する意図、効意を買う。パントマイムは純品。

★にがい米

製作意図が商業主義に喰はれた標本の一つ。イタリヤ農民の生々しい生活のつっ込みが足りない。雨のシーンの迫力は素晴しい。

★おかあさん

佳作、新しい型の「母もの映画」である。所謂母もの、廉価な感情におぼれていない。庶民生活の描写が板についている。加藤大介は好演。

★嵐ヶ丘

どこといって破綻のない落着いた演出。オリヴェイエの渋い演技はいつものことながら彼の妻にも共感を覚える。

★三等重役

原作の味をよく出している。森繁久彌の浦島太郎は秀逸。笑いに嫌味がない。

★雲の中の散歩

全篇ににじみ出るヒューマニティ、がっちりした構成の楽しいオーケストラを聞いている感じ。ラストの外交員の半側は現実の冷厳さを象徴している。時が経つのを忘れる程とけ込ませる作品。

## いとし子と耐えてゆかん

主婦の友社発行の「全国未亡人の手記」に取材した映画。二人の愛児をもつ戦争未亡人の生活と母性愛の葛藤を描き出す東映の母物映画。豊富なお涙乱造の中で、カンヌ映画祭で好評を博した〝嵐の中の母〟に次ぐ作品として一見をすゝめる。スタッフは監督中川信夫、撮影永塚一栄の斬新メンバー。キャストは水谷八重子を始め山田五十鈴、宇野重吉、神田隆、加藤嘉等の豪華メンバーである。

## キングソロモン

（米・色彩・MGM一九五〇年作品）世界的に有名なH・R・ハガードの冒険小説「ソロモン王の宝窟」の映画化ではあるが此の作品は前の面白さより大規模のロケに依って把えられたアフリカ奥地の風景や動物の生態、土人の風俗等が絶大の興味を呼んでいる。廿一台のトラックを繰出し赤道下のアフリカに八ケ月間の大ロケを敢行しこれが素晴しい色彩効果（五〇年度アカデミー色彩撮影賞）と相俟って充分の成果を示して娯楽映画としては最上の出来映えと云われている。デボラカー、スチュアート・グレンジャー主演。

## 旅愁

五〇年夏イタリー各地にロケイションして撮影されたウイリアム・デイターレ監督作品。ローマからフランスへ向う旅客機の乗客の中にアメリカ人の技師（ジョゼフ・コットン）とピアニスト（ジョーン・フォンテイン）がいた。そしてふとした事からお互に愛情を感じ合うようになる。技師には妻子があるが夫婦仲はあまりうまく行っていない。旅客機はナポリに中途着陸する―。こうしてこの物語が展開されるのであるが「ラヴレター」で示した恋愛劇作家としてのデイターレが美しいロケーション効果を生みして独得のしっとりした情感をもり上げ、カルピスのように甘くやゝ哀しい恋愛劇に仕上げているであろうことは想像に難くない。J・コットンとJ・フォンテインのコンビというのも食慾をそゝる。女性向き映画（米・パラマウント）

## 娼婦マヤ

シモンカンチヨンの有名な舞台劇「マヤ」の映画化で・一九四九年ウィヴィアンヌ・ロマンスが組織したイザラ社の第一回作品として製作されたものである。内容は娼婦ベラの恋と救われざる生活を描いたもので、ひらたくみればロマンスの一種だが、いさゝか哲学趣味を加えて重味をつけている。

★

## トムソーヤーの冒険

（米・色彩・セルズニックプロ一九三七年作品）お馴染のマークトウェインの少年冒険小説の映画化。腕白大将トムが或日洞窟で一トテツもない財宝を発見、一躍村の英雄になる話。トムはトミー・ケリーが演ずる。製作の古さは覆いがたいが西部劇ばやりの昨今面白く見れる点で特に年少者へすゝめたい。監督・ノーマン・タウログ。

## 八月前半スケジュール

| | 1金 | 2土 | 3日 | 4月 | 5火 | 6水 | 7木 | 8金 | 9土 | 10日 | 11月 | 12火 | 13水 | 14木 | 15金 |
|---|---|---|---|---|---|---|---|---|---|---|---|---|---|---|---|
| センター | 印度の放浪児 | | | ブライカン 鼻曲夏の競争 | | | | にがい米 | | | | | カンサス騎兵隊 | | |
| センター（ナイト） | | ターザンの豹女 | | | | | | 第三の妻 | | | | | | | |
| 若草 | | 母子鶴 | | | | | 振袖狂女 | | | | | | 大学の小天狗 | | |
| 宮劇 | | | 本日休診・晩春 | | | お染半九郎 | | | 恋の応援団長 | | | | ちゃっかり夫人とうっかり夫人 | | |
| 宮劇（ナイト） | | 女ざかり | | | | | | | | | | | | | |
| 日劇 | はだか大名 | | | | | 宮本武蔵大会 | | | はだか大名（后篇） | | | | キングソロモン | | |
| ロマン | 白銀の嶺 | | | セントルイス・コマンチ族の怒り | | | | 鉄路の弾痕 | | | | | キングソロモン | | |
| 帝国 | | タイクーン | | | | | 我が谷は緑り が丘。スワニー | | 恋人よ今一度 | | | 悪名高きテキサス人 | | | |
| 帝国（ナイト） | | 腰抜け大捕物 | | | 戦うロビンフッド | | | | シンガポール珍道中 | | | | フランケンの逆襲 | | |
| 大成 | 四八人目の男 | | 無法地帯 | | | | トンチンカン三つの歌 | | | 宝島・戦場を駆ける男 | | | 若い人 | | |
| 大成（ナイト） | | せむしの仔馬 | | | | | | | 鋼の上の敵 | | | | | | |
| 江本 | 本日休診 | | | ←八月中休館→ | | | | | | | | | | | |

1952年8月15日 NO.21

# 映画サークル

宮崎市高松通一丁目 宮崎映画サークル発行

入場料金その后

## "館は県が経営している"
## 県税課長の暴言

去る十三日、事務局員は現高額入場料金の最大原因の一つである入場税担当の県税務課を訪ねた。入場税係長の万福氏に刺を通じて突当りの場所に案内される。

「現料金は決して高額ではない館の経営状態から見て安過ぎる程だ。それに吾々の頭痛の種は県税収入の悪成績である。大映の六割というベラボーな株の配当率から明らかな様に、配給会社の暴利はけしからん。むしろ吾々の県財政が配給会社に喰われている調子だ。何しろフイルム代は現金、それに諸経費、その残りを税金の方に、しかもそれが故意に納めない感さえある」というのが氏の見解で、次いで課長に紹介される。「暑いですなあ」といったがこちらを振り向うともしない。ニュース二の号の主張を読んでいる。

「現料金は余りに高すぎるというのが大衆の圧倒的な声であるが」と切りだす。「冗談じゃない、安いですよ、安い」「しかし大衆は自分達の生活の経済的基盤に立って物を言っている。その声を無視して興行は」「しかしですなあ、あんた方は高い高いと言はれるが、現在館の経営状態を考へてもみなさいよ、赤字続きで四苦八苦の有様なんですぜ」「え、それは分り過ぎる程分っています。然もその原因がフイルム代金と不当な入場税から出ているということ、全国の館の八八%は赤字経営であり直営館までがその様な状態だ」「入場税〳〵と云はれるけれど何しろ税金は法律ですからな・所であんた達の割引も現在殆んど出ないでせうな」「え、出ません。さっき館の健全財政ということが出ましたが、例へば、硫黄島の砂、というような物すごいフイルム代のフイルムを買わない様な勧告を出すとか？」「あゝやってますよ。何しろ館は県が経営してるも同じですからな。唯館主に経営を委してゐる丈だ。実質的には県が経営してゐる様なものですよ」

「はあ、で現在入場税納入の成績は？」「悪い。ひどいですな。殆んど全然納めていない。故意に納めないといった風だ。今度は吾々としても館の存否がどうなっても構わない所まで徹底的に徴税しようと考え、既に一部の館には手をうけた」「サークルの割引についてどう思うか」「あんた達ばかり割引を出すのは実に不当だ。特別にするわけにはいかない。今後割引券はどこからも全然出さない様にしたい」「さっき徴税の徹底的攻勢に出ると言はれたが、現在館の経営を考へた場合、フイルム代はあの様に高いし、一本立にしてから観客は激減してゐるし」「ですからな・もっと・もっと入場料金を上げるべきだ。フイルム代、諸経費の残りが私共の税金ちややり切れません。半分の三十五円（後の五割は税金）でそれからのやりくりが不可能なら、やりくり出来るまで入場料金を上げるべきですな」「あなたはそう言はれるがそれ丈聞いただで私達は無性に腹が立ってならない。そういう考え方は甚しく大衆を冒流している。しかも入場料金値上げという方向も不当に大衆の負担を増加させるものだ」「あんたそういうけど税金は法律なんですぜ」「しかし私達はこゝではっきり、大衆への不当な収奪を守る為に入場税の切下げと、フイルム代の値下の為に斗うことを表明したい」「……」とに角私共としても色々苦しいわけですよ。県税事務所ではもっと詳しく分ると思いますが。もと〳〵私共が館の健全財政の確立をいうのは館を少しでも良くしたいと考えるからです。それともう一つ館が良くなるということは県財政の方にも相当影響してくる問題ですから」――

割引の問題に含まれる種々の問題、各配給会社セールスマン等々のことを考へ合せながら別れた。

サークル創立一週年
映画祭（企画）！
9月上旬
1.巴里祭（仏・ルネクレール作品）
2.ブリンカ（ソ、未封切）
※新しい企画を事ム局へ

# 世界に訴えよう広島の気持!

## 原爆の子

近代プロ劇団民芸の共同作品〃原爆の子〃(製作・吉村公三郎、監督・新藤兼人、主演乙羽信子・宇野重吉、滝沢修)は一人の資本家も介入せず純粋に芸術家の集団によつて演出料、脚本料、映画放送等の出演料の積立てを投資し製作、原爆の現地ヒロシマでのロケを終り、セツト撮影を残すのみで完成、九月封切りされる。

演出の新藤兼人は次のようにいつている。〃戦争か平和かということは〃原爆をどう処置するか〃という問題です。大きな口も、小さな口も、富める口も、貧しい口も、ヒロシマの話をよく聞いていたゞきたいのです。

## 〃眞空地帯〃

### -新星プロで映画化決定-

・新星プロ次回作品・前二作〃どっこい〃〃箱根風雲録〃に次いで、旧軍隊機構の中で歪められてゆく人間像を中心に、軍隊の非人間性をバクロしたベスト・セラー異色作、野間宏の「眞空地帯」の映画化に着手、完成九月中旬の予定。製作差我善兵、岩崎昶、監督・山本薩夫、脚本・山形雄策。

## 愚作映画の出演拒否

### —五十鈴さんら

山田五十鈴、高峰秀子さんが相ついで愚作映画の出演を拒否して映画会社をあわてさせている。さきごろ機関紙映画クラブと持たれた〃山田五十鈴を囲む会〃で、山田さんは「魔像〃のような作品には絶対出ません」と語つたが、その後大映の〃振袖狂女〃と松竹の〃悲恋五條坂〃の二作品に出演をことわつた。

また高峰秀子さんも、今井正監督の「純愛」の出演をきめ、三社からの申込みを一応辞退した。このため各大会社では大あわてで、せつかく作つたポスターや広告をにらんでくやしがつている。

又乙羽信子さんはさいきん芸術上の良心から大映を「退社したい」ともらし、現在大映の反対を押切つて「原爆の子」に出演、「娘初恋ヤツトン節」の出演を拒否した。

## 米画に苦しめられるフランス

### ◈木下監督帰国談◈

七月五日フランスより帰国した木下恵介監督は次のように語つた。

映画の勉強に行つたつもりだがフランスでは日本のように一週替りの封切興行でなく、無期限ロングでやつているため数多くの映画がみられなかつた。むしろ、レヴユー・オペラ、バレー等を丹念に見て歩いた。

フランス映画界の現状はずいぶん立直つて活気をおびてきたようだが、それでもアメリカ映画と税金の攻勢で、経済的にずいぶん追いつめられている。

特に米画はフランスで上映される映画の八〇%位を占め、しかも西部劇が多くて、その苦しみは日本と同じだと思う。

米資本の入らないフランス映画は一本もない位だつた。

* *

## 「白毛女」入荷

新中国映画「白毛女」(一九五〇年・東北電影製作)がこのほど日中友好協会に入荷した。

これは国府治下の中国農村のヒサンな生活と革命による解放をえがいたもの、協会ではこの映画の上映を東京映サ協などの協力です、めることになつた。

## 文化人が佛映、画の上映促進

日仏友好芸術と文化の会」は大蔵省の外画輸入割当制度と税関検閲に反対しその無制限な全廃を主張するとゝもに、CIE検閲をそのまゝ受けつごうとする税関検閲制度の確立は官僚検閲の復活であると指摘、同会が主催して「娼婦マヤ」を中心にして税関検閲について」の座談会の席上各氏は次のように発言

三笠宮「マヤを禁止するのなら、その前に西部劇の上映をやめさせるべきだ。」

辰野隆「興業成績のみで西部劇はかりを入れている今の割当制度はまちがつている」

なお同会は「鉄路の斗い」「夜明け」「祖国」等民主的な仏映画の輸入準備を進めている。

# カルネの集大成
## 「天井桟敷の人々」について

黒岩敏郎

マルセル・カルネの本領は、ポエテック・ドラマにあるといわれる。

もちろんポエテックとは、かならずしもロマンテックやサンチ・メンタルを意味しない。

詩とは、現実であり、ぼくらの人生でさえあるからである。

カルネは、このエスプリを悲情なほど、計算した眼でたゝえている。

映画の冒頭と、終末とに、無数の群衆が「犯罪大通り」をおびたゞしく歩いていく場面がある。

祭の狂気のような人波のひしめきを描いて、劇場、舞台と展開していく。このファストシーンは、映画「天井桟敷の人々」の素晴しい導入部として、たいへん印象深い。また前篇の登場人物の出し方の見事さは、他に比類がない。劇の展開、筋の運び方のうまさは、映画の巨匠カルネならではなしえざるところで、ぼくらは「天井桟敷の人々」全三時間半の長尺をいっきに見終らせられる。カルネの卓抜な手腕に驚嘆せずにはいられぬ。

それぞれの人間たちは、皆それぞれの非喜劇を秘めている。それは、なにもこの映画のギャランスやバティストやフレデリクやまたナタリイやモントレ伯やジェリコ・ラスネエルにかぎらない。群衆のなかにカルネはいる。今日も「犯罪大通り」をひしめきぬっていく群衆は、昨日とかわることなく、生活の重さや人生の苦しさをせおっている。生きることは、逃れられぬことだ―――。

マルセル・カルネが、デュヴィヴィエや、クレールと、フランス戦前派の巨匠たちから、はっきり区別される理由は、かれが人生派の詩人であるということである。

日常性のなかにカメラをむけ、平凡さのなかから節度と格調をもって、一篇の映画詩にまで昇華していく才能は、たんに鬼才や非凡という言葉のみでは当らない。

「天井桟敷の人々」は、今近の映画史始まっていらいの最高傑作である。映画芸術の綜合性をこれほど十二分に発揮した映画も、これまでになかった。その芸術性の高さからいって、この映画に競うものは、わずかに「女だけの都」と「大いなる幻影」があるのみ、とぼくはおもう。

個々の俳優の演技がまた素晴しい。とくにこの映画でパントマイムを演ずるジャンルイ・バロオの演技は至芸といって申分なく、本年度上半期演技賞ものであろう。

撮影、ロジエ・ユベエル、音楽、ジョルジュ・ムウク、装置リュシアン・バルザック等の仕事も、もちろん最高のものである。

## 芸術祭参加作品

十月一日から十一月末日まで開催される文部省主催の芸術祭参加を含む十一月一週のゴールデンウィク各社の野心作は、つぎのとおり

松竹―第二回天然色「夏子の冒険」（監中村登、主若原雅夫、角梨枝子）
大映―「大仏開眼」（監衣笠貞之助、主長谷川一夫、京マチ子）
東宝―「父と娘」（監溝口健二、主島崎雪子）
新東宝―「彌太郎笠」（監マキノ雅弘、主鶴田浩二 高峰秀子）
東映―「大菩薩峠」

なほ、芸術祭には以上のほか各社一作品が参加する

松竹―「王将一代」（監伊藤大輔、主阪妻、山田五十鈴）
大映―「美女と盗賊」（監木村恵吾、主京マチ子、森雅之）
東宝―「生きる」（監黒沢明、主志村喬、小田切みき）
新東宝―（未定）
東映―「人生劇場」（監佐分利信、主片岡千恵蔵、高峰三枝子）

## インド大使館貸出し

インド大使館では十六ミリのインド映画を非商業的な目的のためなら貸出しする。記録映画が主であるが、こんごとも映画愛好会その他と協力して、インド映画の普及につとめたいと大使館情報部ではいっている。

内容は「インドの舞踊」「私たちの遺産」「ガンヂーの横顔」など五十数本のほかニュース映画四十本ある。

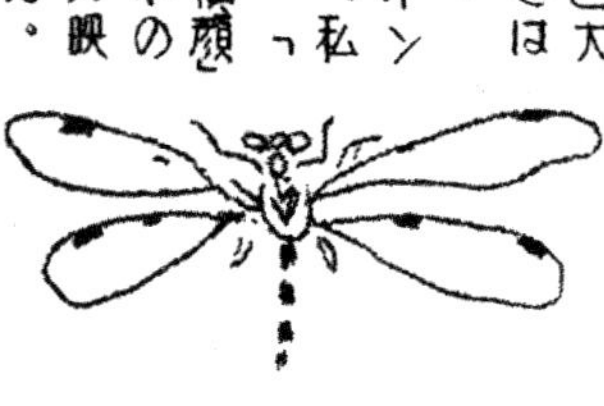

# 若い人

**スタッフ**

原作・石坂洋次郎
脚本・内村直也
和田夏十
市川崑
監督・市川崑

**キャスト**

間崎慎太郎…池部良
橋本スミ…久慈あさみ
江波恵子…島崎雪子
江波ハツ…杉村春子
江口健吉…小沢栄

**かいせつ**

若さに溢れた青春の香気と筆致で、一躍文壇に名声を馳せた石坂洋次郎の永い作家生活の中で、最高の傑作と謳われた小説「若い人」の映画化である。

この小説は昭和八年より十二年に亘り「三田文学」に連載されて大好評を博したもので、当時東京発声で八田尚之脚色、豊田四郎監督で映画化され若い人の間に異常なセンセーションを巻き起したことは記憶に新しい所である。

製作・藤本真澄
音楽・芥川也寸志

# ホフマン物語

—英ロンドン・フィルム一九五一年度作品—

この映画には、全篇を通じて普通に語られる台詞というものは一つもない。すべての言葉が歌の形をとつていて、つまり映画全体がオペラとしての構成の上に、更にバレエをふんだんに配して、言わばオペラとバレエの映画による結合という全く新しいスタイルが試みられている。

「天国への階段」「黒水仙」「赤い靴」と色彩映画に相次いで目ざましい新生面を開拓し続けて来たマイクル・パウエルとエメリック・プレスバーガーのコンビが、バレエ映画としての「赤い靴」の成功を、より一層大規模な形で再現しようとした一九五一年の作品。

## 帆足氏らのフィルムで 映画一本製作中

ソ連・中国をつぶさに見聞してきた帆足、宮腰の両氏はかの地の実状を約四百五十フイートのフィルムにおさめてきた。これを新日本では「私はみてきた」という短編記録映画にまとめて目下製作中である。尚共同映画社では両氏のもちかえつた日中貿易協定調印式のフィルムを中心に「新中国ニュース特報」を完成貸出しを行つている。

## 日本映画の輸入を中止 イタリー

イタリー本国のアニカ(全イタリー映画産業組合)が中心となり日本におけるイタリー映画上半期二本の割当に対して抗議是正しない限り日本映画の輸入を中止する旨決議した。

①「羅生門」以后、日本映画を一切輸入上映しない

②「羅生門」のイ語版製作権利金は、いままでこれを免除していたが取消す。

**北星九州の下半期封切作品**

八月「勇敢なる人々」
九、「原爆の子」
十、「ヒイヴァ」
十一、「真空地帯」
十二、「抵抗もの(未定)」

# 八月下旬 スケジュール

| | | 15 | 16 | 17 | 18 | 19 | 20 | 21 | 22 | 23 | 24 | 25 | 26 | 27 | 28 | 29 | 30 | 31 |
|---|---|---|---|---|---|---|---|---|---|---|---|---|---|---|---|---|---|---|
| | | 金 | 土 | 日 | 月 | 火 | 水 | 木 | 金 | 土 | 日 | 月 | 火 | 水 | 木 | 金 | 土 | 日 |
| センター | | | | 暴 ーダー | 銃 スな | の ら安 | 警 なる | 秘 | 密 | 警 | 察 | 北 警 | 西 官 | 騎 隊 | 馬 | ホフ 物 | マン 語 | 血と砂 |
| | ナイトショー | | | | | | | | 蛇 | の | 穴 | | | | | | | |
| 若草 | | | | | 東京 | の | エク | ボ | 歌 | くら 荒 | べ 神 | 山 | 霧 壁 | る 狼 | 影 の | 街 | 決 | 斗 |
| | ナイト | | | | | | 阿 | 波 踊 | の 子 | 四 | 谷怪 | 談 | | 家彦と | 先生 | | | |
| 宮劇 | | | | 緑 | の | 風 | 飛 パ | 弾の チン | 小天 コ大当 | 狗 り | 母 | の山 | 脈 | 姿三 | 四 | 郎 | こんな私 なかつた | ちゃ に |
| | ナイト | | | | | | 石中 行 | 先 状 | 生 記 | | | | | | | | | |
| 日劇 | | | | いとし 耐えて | 子と ゆかん | | | 修 | 羅 | 八 | 荒 | | | | | | | |
| ロマン座 | | キ | ング | ソ | ロモ | ン | ボ | ー 八 | トの 人 | 娘 | 旅 | 愁 | | | | | | |
| 帝国館 | | | | 北 | 大 | 西 | 洋 | | モ | ン | タ | ナ | | 地 | 球最 | 後 | の | 日 |
| | ナイト | | ラブレ | ター | | | 祕 | 境 | | 戦乱 | 花嫁 | | | | | | ジャン ジ | グル ム |
| 大成座 | | | | 娼 | 婦 | マ | ヤ | 嘘 安 | 峠 矢 | 街 | タ 波 | ラ 洋書 | ス 隊 | ジープの 隊長 | 四人 ブーリ | バー | | |
| | ナイト | | 怒 | 愁 | | | ブロン 子守 | ディ の巻 | | クマオン 人 | の 喰虎 | | | ブロン 泥棒 | ディ の巻 | | ベル 特 | リン 急 |
| 江東 | | | | 八 | 月 | 中 | 休 | 館 | | | | | | | | | | |

映画サークル 1952・9・10(22)

宮崎市高松通一丁目(TEL 3659) 宮崎映画サークル

## 宮崎 各館秋の布陣

夏枯れの苦境を切り抜け盆景気をそのまゝ秋に引つごうと各館共に秋のスケジュール作成に余念がない。センターの「チャップリン」大成座の「原爆の子」を初め大作、良心作が十月を中心に布石されている。以下事務局で調べた各館の大物—

**★センター**

九月下旬アメリカの黒人と白人の問題にメスを入れた異色作「井戸」に引続き十月より映画王チャップリン久々の作品「殺人狂時代」が九州トップ封切りで堂々のおまみえ、東京封切りが九月一日だから写真も新しくこの秋一番の期待作。この他「大いなる幻影」の演出ルナールの「河」色彩の素晴しさでは他の色彩映画よりはるかに高く、印度の風俗とともにルナールの詩情が全篇にあふれている。

**★ロマン・日劇**

九月下旬ヒチコックの「断崖」「虐殺の河」が秋の魁・十月に入ると俄然見たい作品がひしめき合つてゐる感じ・十月トップに往年の名画「未完成交響曲」続いて「ペペルモコ」とこの他東和商事配給のヨーロッパの作品、新版「会議は踊る」ルネクレールの「美女ありき」が・デュビィビィエの「巴里の空の下」が十一月とヨーロッパ映画ファンの待望作が続き、十月中旬はアメリカで五一年度アカデミイ最高賞を獲得した「巴里のアメリカ人」が番組に重味をつけている他ダニイケイの「虹をつかむ男」米口独立プロの異色作「チャンピオン」白雪姫につゞく長篇漫画「バンビ」と好篇続々。

**★大成座・帝国館**

何といつても吉村公三郎製作、新藤兼人監督の「原爆の子」が邦画随一の秋の良心作。どの評をみても「平和をねがう意慾が静かに深くしみこんでくる」「全世界の人に是非見てもらいたい」と痛感すると書いてある。この映画が宮崎だけ動員が少いとなると宮崎の恥となろう。九月末の「硫黄島の砂」はすべての批評家から総スカンを喰い口群映画とまで云はれたのに観客動員が物すごく批評家をげつそりさせたシロモノ。九州の各映サでも批判的に取上げられている。十月に入り帝口が「原爆の子」大成が「姿なき軍隊」の予定。「デンマーク映画であることを誇りたい—と同口の批評家に叫ばした。」とあるが誇張でも空宣伝でもないことにこの映画の高さがある。サークルとして是非上映促進する映画。

**★宮劇・若草**

邦画は洋画に比べて製作会社自身の企画がはなはださびしい事と中央の芸術祭参加作品がおくれて宮崎え来る事とで十月一杯までの番組でとりあげる作品は少い。九月下旬若草で大映の「続馬喰一代」が前作におとらぬ意気込みと規模で作られ上映される。スタッフ、キャスト共に總代りで監督島耕二、猿之助、轟夕起子等。十月初旬宮劇の「現代人」は「本日休診」で好調の渋谷実、朝日評は「題名通りの現代人としての知性をもつた」見答えのある作品で池部、山田が好演。十月中旬に入り黒沢の羅生門」の姉妹篇とも云はれる木村恵介監督の「美女と盗賊」が若草で上映される、京マチ子、森雅之、菅井と羅生門のメンバー。

## 奈良の映画館いよいよスト

映画のプリント代が大都市に比べて高すぎるとして大阪中心地の映画館と同じようなフィルムの歩合制を主張している奈良県映画興行協会では映画会社の確答がなく、一方映画入場税の五割減額も実施の見通しもたゝず、県当局との交渉も八方ふさがりのため九月第一週より県下廿八館が一斉ストに入ることを決め勤労大衆の支持を求めている。

### 県下支配人總ゲツ起大会

不当入場税と高いフィルム料金に対して県下支配人が団結して対策をとるため八月二十八日午后一時より図書館会議室で開かれた。県側からもお偉方多数出席の上各館の苦しい経営が訴えられたが結局県側の説明会の様になつたとの事である。事務局から傍聴を申し出たが断られたのは残念千万であつた。

# 内外ニュース

## 「仂くもの、映画物語」驚異の応募成績

先に本紙上で紹介募集した機関紙映画クラブ主催の「仂くもの、映画物語」募集は、八月四日現在で二百七十篇に達し、予選審査員に悲鳴をあげさせる程の応募ぶりで、応募原稿は全口各地の地誌に基いた史実物語、組合労仂者の投稿、最近大争議のあつた八幡製鉄を中心に、日立、東芝の記録など、性別割合は男一七一篇、女九九篇。地域別にみると東京二一篇、福岡一四篇、北海道一三篇となつている。

## スタジオ8製作を準備

スタジオ8プロでは、次回作品として永井龍男原作「明日はどのちだ」を長谷部慶治監督で製作準備をすゝめている。

また十月には新東宝提携で椎名麟三原作「無邪気な人々」を五所平之助監督が田中絹代の主演で製作することになつた。

## ロッセリーニの喜劇

ローベルト・ロッセリーニは目下「自由はいずこに」を撮影中で、彼が手がける初めての喜劇物、主演はニタ・ドヴァとトト。

## 『警官と学生』

大庭秀雄監督は、八月松竹大船でシスター映画「警官と学生」（仮題）を製作、これは三木鶏郎の冗談音楽にヒントを得て、三木鶏郎、馬場当山内久の共同脚本、現在社会の諷刺劇で、NHKの日曜娯楽版を再現した胸のすくような諷刺がのぞまれる。

## "カルメン恋をする"
### 木下監督帰朝第一回作品

注目される木下恵介の第一回作は「カルメン恋をする」と決定、九月上旬から大船撮影所で製作開始する。

これは昨年の「カルメン故郷に帰る」の続篇ともいうべきもので、すでに脚本は木下自身により完成、主演高峯秀子と決つた。封切りは十月末の予定。

## メキシコ映画
### 輸入を関税部押える

「真珠」「雷雨」など民族的な香りの高い作品がすでに日本でも紹介され、メキシコ映画は続いて「忘れられた人々」が送られて来たが、大蔵省税関部では思想上問題があるとして通関に反対しているといわれる。

この映画の物語は、メキシコの貧民街で育つた少年が貧困の故に盗みや人殺しをやり遂に警官に殺される迄をリアルに描いたもの。海外でも非常に勝れたものとして好評をよんでいる。

## 各耺場大動員の 第九交響曲

去る六月四日、七月三日、日比谷公会堂で、専門家と六百十名にのぼる耺場コーラス員で、圧倒的なベートーベン「第九交響曲」を公演、出演者、聴衆者に非常な感動を与えた。この演奏会は耺場合唱サークルが中心となり、耺場が終つてから練習するという真剣なもので、新しい型の勤労者主体の演奏会として今后の活動が各方面から期待されている。

## 市内九つ目の常設館

孔雀座はこの度松竹、東映大映系の再映上映館として発足、内部も今迄のサジキが椅子になる筈。

## 宮崎中央合唱団生る

先月初旬、宮崎にも仂く者市民のための「宮崎中央合唱団」が誕生。現在市・県庁の勤労者を中心に、週二回、勤務後に楽しい練習を続けている。

尚合唱団では会員募集中（無試験）で、入会希望者は当サークル事務局で申込みを受付けている。

---

第1回
耺場演劇コンクール

とき　9月6.7日
　　　午后7時より
ところ　図書館ホール

参加予定耺場　鹿児島興銀
　　　　　　　親銀・図書館 Etc.

---

残暑お見舞申上げます　宮崎映サ

# 映画を観る練習について

県蚕糸試験場　I・M

映画評論家T氏は、斯う言つている。

「映画を趣味として、つまり一種の遊びとしてゞはなく、如何に生きるかという意味に結びつけて鑑賞してゆく――」そして「勝れた映画によつて得るものは、そこには人生のどういう価値が発見されているか、という事を発見する喜びである筈である」と。

薄給の身で多くの芸術鑑賞に接する機会の経済的に？少い吾々にとつて、哲学者のいう存在によつて意識が規定され勝ちなのは止むを得ないことであらうか……。

誰れでも見ている――眞に見ていると言うのがぴつたりする最もとりつき易い筈の映画も、これを鑑賞するという事になると実に難しい事になる。映画は誰が作るものか？という大きな問題を論ずるのを一応別にして（異論の人が多いと思はれるけれども）吾々は平気に、勇敢に映画を数多く見ている。入場料が高いと云つては割引券のある者は最大限に之を利用して、洋の東西は之を向はない。そして格安のナイトショウなるものを夏の夜は長いとは云へ之をフルに観ようというのだから実に勇ましい限りである。しかし之も又良き理がある？か。しかし人生について考へさせられる点の深くそして観る眼によつては実に偉大な人間の築き上げた芸術にしみ〴〵と触れる事の出来る優秀外国映画が続々と封切られ、又幾多の良心的な日本映画に接する機会も今後益々多くなることであろう。実に吾々映画ファンにとつて嬉しい事である。サークル発行のニュースも大変参考になつて嬉しい。西部劇の（宮崎の夏場のもの）ピストルの打ち合ひ、そしてハッピーエンドものも鼻について来たがやはり面白い？と思う。（思つていゝかどうか？）身が悲しい。新しく輸入された「第三の男」「誰が爲に鐘は鳴る」「眞晝」「風と共に去りぬ」等の大作が宮崎のスクリーンを賑はせるのは何時であろうか……書き出しのT氏の言うも……のを何らかの形でつかみたい……と思う。

# 映画界あれこれ

（サークル通信から）

※松竹系の地方のある館で監督の人気投票をやつたら、「今井正」がトップに出た。松竹系では「山びこ学校」を上映しただけであつたが。

※所で「山びこ」の成績は集計するとすばらしいものになつている。たとえば東京浅草のR館では、殆んど組織動員の経験などないところだが、こゝでも正月興行に次いでの興行成績だつた。

※松竹子飼の人気スター鶴田浩二が、松竹をとび出すといつてさわいだ。そして、今井正監督で「ハワイの夜」というのを現地ロケでとるといつているそうだ。木暮実千代も朝日紙上で秋に今井さんの作品に出られるのが楽しみだ、といつている。大ていのスターに誰の作品に出たいかときくと「今井さん」が出てくる。彼のまじめさは、なにか象徴的なものになつて来たらしい。

※それだけ華やかなスターたちの不満は大きいということだ。山田五十鈴を始め、田中絹代、乙羽信子、香川京子、利根はる恵、などサークルの通信や新ぶんで紹介しただけでも「いゝ映画」への要求と不満をのべている。（鹿児島映サの機関紙に徳大寺伸もめんめんと映画界への不満をのべている）

近頃では乙羽信子は、大映の反対を押切り「原爆の子」に出演し、その交換條件として大映との再契約に応じたという。ところが早くも同社の次回出演についてもめている。

こういう不満がなぜ一つにならないかは大きな問題だ。

※スターを会社にレイ属させるこの契約だが、最近「肉体契約」が復活したというウワサがもつぱらだ。こうしたみにくい奴レイ的人間関係が必ず反動勢力の復活と結びついているのが注目されなければならない。

## 祝　第一回職場演劇コンクール

職場の演劇がこれを機会に活溌になることを同じ文化サークルとして期待し協力します。

# 劇場前で××。『硫黄島の砂』の☆感想をきく

「硫黄島の砂」については、すでに評論家清水千代太氏（キネマ旬報社長）なども、朝日紙上に「このような映画にたくさんの観客が集るということは、日本人の恥ではないか」とのべているが、映画タイムス社ではこの映画の感想を日比谷映画劇場で観客からきゝ、次のように報告している。

△　△　△

こゝで出てきた人の一人一人にあたってきいてみると、答えない人が大部分だった。その人たちは「日本人ならば感想などきくまでもないだろう」と暗黙のうちにこたえてゆくようにも思はれた。答えてくれた人は「防空壕から出てきたようだ」といゝすてゝいったが汗をかき空襲のさ中にでもいるようだった。

コロンビヤの社員　二七才
「〝映画だと思えばいゝぢやないか〟と自分にいゝきかせながら見ていましたが、どうしても映画だと思うことが出来なかった。もう戦争をくりかえしてはならない、今いえることはそれだけです」

アロハをきた青年　二五才位
「戦争はもういやだ、二度とくり返したくない」

家庭の主婦　三五才
「恐しい映画でした。私は弟を硫黄島でなくしています。アメリカの新兵器は恐しい、アメリカの軍隊は強い、このアメリカにはむかうものは硫黄島の日本軍のように無ざんな結果になるのだといっているようでした。アメリカの兵隊も激戦の中でバタバタ倒れてゆく、こんな時に、人を笑わせようとしていましたがおかしいどころではありません、戦争はもう絶対にいやです」

## 《短評》

**西部の男**

ワイラーのヒューマニズムをワイラー及びビーンが好くあらはしている。現代のメカニズムには縁遠い鄙びた田舎情緒に憬れを覚える。（矢）

**キング・ソロモン**

アフリカの土人風俗動物の興味は絶大。前は原作より相当落ちる。（本）

**旅愁**

別に掲載してある銀行女性の評が要をえています。たゞイタリヤの名所旧蹟を重点においてみせてもらいたかった。（安）

**若い人**

スピーディな演出とドラマチックなストーリーは一応退屈させない。然しよく視ると破綻が眼につくし、全体的な調和にとぼしい。（矢）

## 『旅愁』と『哀愁』

「映画をみてもみんなと話合う雰囲気がないのでさみしい。だからこの頃では家で銀行の図書室で借りた本を読む方が楽しい。映画の方はすっかりご無沙汰だけど最近みたのは「天井桟敷」と「旅愁」。「旅愁」ってつまらない映画ね。あんな不道徳なことを平気でやれる人たちの気持ちが判らないわ〟そこへいくと「哀愁」はよかった。ウソがないっていう気がする。

終戦後まもなくみたせいもあるんだろうけれど「哀愁」の戦争の悲劇がしっくりきた。今みればまた違うしもしれないけれど――。

なんだか昔の方が映画がよかったわ」

（Q銀行女性二二才）

## 〝原爆の子〟12日試写会　大成座

## 九月中旬スケジユール

| | 10 水 | 11 木 | 12 金 | 13 土 | 14 日 | 15 月 | 16 火 | 17 水 | 18 木 | 19 金 | 20 土 | 21 日 | 22 月 | 23 火 | 24 水 | 25 木 |
|---|---|---|---|---|---|---|---|---|---|---|---|---|---|---|---|---|
| 宮劇 | | 円父 | 下 | 帰 | 左 | 膳る | | | | 坊 | ち | や | ん | 重 | 役 | |
| 若草 | 花新 | 嫁や | 抱じ | むこき | チャンた | バラ道 | 節中 | | | | | | | | | |
| 大成 | 愁嘆とい | う名の電車 | 初ン | 恋息 | トコシマ子 | 題い | 名映 | の画 | な | | 上 | 海 | の | 女 | 硫黄島 | の砂 |
| | ナイト | 今は永 | 背久 | 窓の黄 | 林金 | | | | | | 思いの | 出瞳 | | | | |
| 帝国 | 月銃 | 下 | の声 | | 成 | 吉 | 思 | 汗 | | | ひ | ば | り（ユニバーサル） | 大 | 時 | 計 |
| | モロッコ | 守備隊 | | ラスティ | の店舎 | | | | | | ブロンディ | 仲人の巻 | | | | |
| ロマン | う | た凱 | か | た旋 | の | 恋門 | | 怒涛の果 | 情炎の海 | | 旅 | | 愁 | ? | | |
| 日劇 | オ千 | ク一 | ち夜 | ホ物 | マ語 | 無 | 宿 | | 母 | | の | | 罪 | | | |
| センター | 愁嘆とい | う名の電車 | 地 | 獄 | への | 道への逆襲 | | 物 | 体 | X | | | 烙 | | 印 | |
| 孔雀 | 白紅 | | 薔薇 | 南稲 | ばん妻 | 頭草 | 巾紙 | 母和 | の根の | 顔大 | い祭 | 母お酒 | 月落 | 夜狂女 | | |

1952・9・25　NO.23

# 映画サークル

宮崎市高松通り一丁目　宮崎映画サークル

# 映画政策について 各候補者にアンケート

## 左派社会党 片島港

一、営利本位のために必然的に頽廃的或は逆コースの傾向にあるのは遺憾である。映画による影響は極めて大きいので宜しく文化に寄与するような良心的な作品をなすべきである

二、① 外国映画の輸入には必ずしも反対はしないが、日本映画を圧迫せぬ様配慮すべきである。割当の割合中米国ものが多すぎる。

(ロ) 大衆課税である入場税は撤廃すべきであり入場料は当然この分だけ引下るべきである。

三、営利企業に対抗しての良心的独立プロは賛成。原爆の子の如き作品の製作には協力すべきと思う。

四、質問の要旨が余り単的過ぎるが単に主旨が良い映画を安くと云ふ意見を卒直に受け入れゝばイエスと答へる外ない。

## 改進党 有馬美利

一、1現在の娯楽的取扱を捨て、文化的取扱に変更する事

2、優秀作品製作方針を確立すること

3、避村迄本文化施設の浸透を確立すること

二、イ外国映画中優秀なものは努めて輸入する如く努むること。

ロ、入場料の高いのは娯楽施設と考ゆるからであつて是を文化施設と考ゆるようになれば自ら解決する問題であります。

三、良心的作品、良心的独立プロに対しては経営の合理化を図ると共に、補助政策を確立すべきである。

四、同感です。安く見る以外に気持ちよく見終つた時には人間が一段上のクラスの人となつた様な気持ちの域に達せしめる、様御努力願います。

## 自由党 川野芳満

一、文化政策の一環として映画政策は興業価値より文化価値を重視すべきである

二、(イ) 現在割当は米に偏重する感あり。仏・英・伊物を増加したし

(ロ) 入場料は確かに高い、入場料撤廃若しくは減額を考ゆべきである。

三、良心的独立プロは大いに助成・発展さすべきである。

四、大いに賛成です。貴方方の様なサークルが一般大衆の中に広くもり上ることを望みます。

### ★アンケート★

一、日本映画に対する基本政策

二、(イ) 外国映画の割当について――（二十七年下半期米七四本・英七本、佛四本・伊二本）

(ロ) 入場料が高いという声が市民各層にあるが・これについて

三、良心的作品・良心的独立プロに対する貴方の見解（天然色映画・原爆の子）

四、私達のサークルは「良い映画を安くみる」という主旨で集っていますが・これについてどう思はれますか？

（発表は先着順）

## 短評

### 「慾望という名の電車」

随分大膽に人間をえぐつたものである。人はあの中に夫々の自分を見せつけられて嫌になる。大した迫力である。脇役がうまい。ヴィヴィアン・リーは猛演だが後半はダレ気味、野性的な妹の方に一番共感を覚える。（X）

### 丹下左膳

―弱い円下。浮づいた言葉で長屋大衆に対する告界観をのべる。

活劇の見せ場がない。昔の円下を期待して行つた人はがつかり。そえもの、「父帰る」がまだ真面目。（M）

日本共産党 **沢重徳**

一、吾が党は、戦争に反対し、平和を守り、アメリカの日本植民地従属化に反対して民族の完全独立を斗い取るために日本国民の自由と繁栄のために、アメリカと吉田反動政府の戦争宣伝映画、ファシズム映画、反民族的映画の上映と輸入を禁止し、日本国民の映画産業、民族映画の擁護と育成発展のために努力し、平和と独立を促進する、国際映画交流自由の運動を強化するために斗うものである。

二、(イ) アメリカ映画の独占支配を文化の面で一番ロコツにあらわしたものがこの輸入割当である。割当制度に対する斗いは外画輸入上映の自由、映画の国際交流の自由を要求する運動。この運動の中心は労仂者、農民を中心としてソヴェト映画上映の斗いである。

(ロ) アメリカと日本の反動勢力は一番大衆のある映画を通じて国民を収奪している。そして戦争と再軍備に使はれている。のみならずアメリカ映画は国民からとことんまで收奪している。外国映画の支払は一九五一年度は総配給収入の三七.八%、約一〇〇億円であり、フイルム原料等もアメリカから不利な條件で買わされている。これらの中に入場料金の高い原因がある。

三、「箱根」「山びこ」「母なれば」等の自主映画が製作されたことは民族解放運動の発展強化、民族文化ヨーゴと発展を示すものである。全映画関係勤労者と国民の強い団結と協力によってのみ良心的独立プロを維持し発展させることができる。

四、非常に結構です。ただ「よい映画を安くみる」活動は割引運動のみでは発展しません。割引活動はそれぞれの映画と個々の映画館に対する活動であるが入場料引下げ運動は米日反動に対する攻撃であり平和と自由と独立を斗いとる行動でありその一環である。良い映画を安くみせる運動は当然「よい映画を作らせる(輸入させる)」活動に、さらに「よい映画を選ぶ権利」に発展させられることが重要である。——(沢候補の回答は非常に長文のものでありましたが紙面の都合で要約致しましたことをおわび致します)—

市内各労組青年部共催
**青年婦人平和大会!**
9・27 ゴ6 教育会館

職場の声

# 映画と風景

私は昨年、小津安二郎の「麦秋」を見てその清澄な感触もさることながら、ラストシーンに展開された大和の風景に強く心を魅かれた。麦の穂の豊かに揺れる田園風景と、どこへ嫁ぐのであろう花嫁の姿、そして白い壁の家…。今だに忘れることができない。

日本の田舎のどこにでも見出される風景もカメラに捉えられることによってはかくも詩を発散するのかと思った。

近年は色彩映画技術も長足の進歩を遂げて白黒映画を圧倒し去ったかに見えるが、題材によっては色彩が邪魔になる場合もあることなどその将来に危惧の念を抱かせるものがある。今私はフイと虹を思い出したがこれはカメラに捉え得るものかどうか。素人の私にはすぐに判断がつかない。

とも角、色彩映画の風景も素晴らしいが、(例えばシベリア物語)白黒映画の風景にもより以上の美しさがあることは否定できない、色のない光と影の映画に色彩を感じるのは不思議な脳の働きである。

木下恵介の「少年期」での校庭の櫻吹雪のシーンがそれであった。

しかし、余りにも風景が美しすぎるとそれに魅きつけられて主題を忘れさせられる。

癩患者を扱った「小島の春」は、主題が深刻な社会問題を含みながらも瀬戸内海の風景に隠されていつしか癩問題を忘れてしまうという記事をある雑誌で興味深く読んだ。悲痛な人生問題を提出しながらそれとは別の抒情の世界に入ってしまっているというのである。

映画「破戒」は四民平等のヒューマニズムを歌いあげたというよりも信州小諸の風景美にこそすがすがしい魅力があった。微妙な変化に富む風土に恵まれているためにそうなるのだというよりむしろこれは映画の特質にも関係していよう。

ともあれそう云う鋭い眼を持った作家達が未知の風景を掴み出して私を堪能させる。私はそんな度に日本の季節と風土と映画について考えるのである。

—電報局サークル 髙井

ロード・ショー。前の椅子に腰をおろした二人の女性がスクリーンをながめながら話すのが耳にとびこんでくる。「乙羽信子はいゝわね。可愛い、えくぼだわ」「〇〇さん一寸似てるじゃないの」そして彼女達はやけくずれたケロイドには眼をそむけてしまう。

何故君等はあのケロイドを直視しないのだ。君等は女優の品定めにやってきたのか。娯楽のためにやってきたのか。君等にとっては原爆の子も恋愛や母物映画と同じものだというのか。ケロイドの一片すらなくはなやかなドレスと甘づゝぱい香水に身をつゝんだ美しい君等は原爆の子と無縁だとでも考えているのか。

君等は今頃どんな夢を結んでいるのだろう。私は夜ふけ深いかなしみと激しいいきどおりを感じながらこの文を綴っている。（県庁 M）

# 原爆の子

×　×　×

九月十二日、「原爆の子」の試写会で同映画を観賞した図書館映画研究部のM、U、Nの三女性に同映画の感想をきいた。

Mさんの話――「原爆の子」という題名にあの米人宣教師の書いた「ノーモア、ヒロシマ」的なものを連想していましたので、ちょっと意外でした。あのような映画が生れることは必要なんでしょうけど、私はもっと美しく香りを持たせて描いてほしかった。

Uさんの話――原爆の悲惨さを訴えようとする意慾は認めるんですけれど、映画的構成の拙さが新藤兼人の初稚さにはく車をかけて映画そのものを浮ついた底力のないものにしていたことは残念でした。特に子供の扱い方は馬鹿にしていると思います。もっと真正面から原爆の子供たちと取組んだ映画が生れることを希望します。（Uさんえ、「子供の扱い方が馬鹿にしている」とありますが具体的に編集委員にお知らせ下さい）

Nさんの話――アメリカの占領下ではとても駄目だったでしょうけどこの様な映画は、もっともっと早く作るべきだったと思います。広島の町に無数にあふれた孤児たちも、この様な映画を作り全世界の人達に訴えることによって、もっと幸福にしてやれたのではないかと思うと苦しい気持がします。

死んだ人達は何も訴えることが出来ないのですから現在生きている私たちは出来るだけのことしなくてはいけないと思います。

×　×　×

## 「原爆の子」によせて

朝日　吉村 正一郎

我れ/\日本人は世界のだれよりも原爆の何たるかを知っている。この無比の体験について日本人がもし意気地なく沈黙するならわれ/\は人類に対する重大な責任を果さないことになる。「原爆を忘れるな」と叫ぶことは「真珠湾を忘れるな」と叫ぶことよりも今日においてははるかに有用である。

立命館大学　末川 博

「原爆の子」は広島だけのものでもなければ日本だけのものでもなくて、全世界のものである。地上のすべての人間が「原爆の子」を「自分の子」として見るとき、強い反省がなされ再びあのようなことをくり返すおろかな行為が防止されるであろう。

## 県庁美術サークル展

会場に入ったとたん、云い知れぬ戸まどいを感じた。そこにはたゞ、ベタ/\絵具をぬりたくった額が、てんでんばら/\にあった。

技巧の拙劣さだけではない、仂く者の作品には、専門画家のものとは違った仂く者特有のもの、職場や生活が反映されて来なければならない筈である。未熟でも何か訴えて来るものがなければならない。これは成作する意慾、製作態度に基本的な問題があると思う。

小さいながらも職場の中に美術サークルが生れたことは大したことであるし、これは卵としてゞも自分達の手で育て、行きたい。

その前提として、もっとしゆん烈な自己批判と相互批評の中で本ものに近づいて行く努力がサークル自身の手でなされるべきであろう。（図書館X）

# 佳作ぞろい

## 10月第1週

帝国館の『原爆の子』を筆頭に日劇の『暴力』は最初『追いつめられた女』という題名で大映が作る筈のところ、内容が大映向でないとの反対に合い、今度〃暴力〃の名前で東映がとり上げた注目作。

宮劇の『現代人』は黒沢の「生きる」の戦前派ぶりくの役人根性に対し、名の如く戦后派青年官吏の性格を立入って描こうとしている作品、池部良、山田五十鈴の演技力と快調の渋谷実のメガホンに大いに期待出来る。

## 〃暴力〃の吉村公三郎 北京平和会議へ

九月二十八日から北京で開かれる平和会議え日本の映画界代表として吉村公三郎が推された。

尚外務局では理由にならない理由をもちだし、代表の参加を防害し、暴力団までかつぎ出し平和を熱望する国民の要求をふみにじっている。

## 社共統一について 岡田英次語る

「フランスのレジスタンスで共産主義者と社会主義者が手をにぎったように、日本でも戦争反対と再軍備反対の大目的のためにはたとえ主義、主張がくいちがっていてもお互いにぎりあうべきだ。主義、主張の相違はその目的が実現されたのち正しく解決すればよいとおもう、こんどの選挙は非常に重大だし、共産党は何べんことわられても、再軍備、戦争反対のための国民の団結をつくりあげるためねばりずよく努力すべきだ、それでも拒否するような社左幹部は反国民的といわれても仕方があるまいし。

# 上映促進したい映画

## 〃姿なき軍隊〃 デンマーク作品

無声映画時代のオールド・ファンなら、白熊のトレイド・マークでお馴染みの、デンマーク映画に懐しさを感ずるだろう。

この、〃姿なき軍隊〃はわが国では昭和十一年いらい三本目の公開である。

第二次大戦の独軍占領下のある国で、レジスタンスの指導者が常にゲシュタポに命を狙われながら、仲間とゝもに秘密兵器工場の破壊を計画するという緊迫した空気の盛りあげは、記録映画の伝統をよく発揮している。

イタリヤ映画の「無防備都市」には及ばないが北欧特有の落ちついた画調と、堅実さ、そして憂愁を秘めたシーン、激烈な迫力は、いちおう期待していい。

監督は「都会の旋律」のヨハン・ヤコブセンが当り、俳優はモーゲンス・ウィッテが悲愴な主人公を演じて好評をはくしている。

★　★

## 『原爆の子』 〃ものがたり〃

あの日、幼稚園ではオルガンをひく石川先生(乙羽信子)を中心に、子供たちは「お山の杉の子」を歌っているのでした。

その時です——ピカドンは。石川先生と三人の子供だけが奇蹟的に助かりました。いま、この三人がどうなっているか、親類に身を寄せ、今は小学校の教官となっている石川孝子は、三人の安否をたずねてヒロシマを訪れました。

## 10月上旬スケジュール

| | 1 | 2 | 3 | 4 | 5 | 6 | 7 | 8 | 9 | 10 | 11 | 12 | 13 | 14 | 15 |
|---|---|---|---|---|---|---|---|---|---|---|---|---|---|---|---|
| | 水 | 木 | 金 | 土 | 日 | 月 | 火 | 水 | 木 | 金 | 土 | 日 | 月 | 火 | 水 |
| 若草 | | 美 | 女 | と | 盗 | 賊 | | 、 | | 勤肉 | 太体 | 郎の | 月幻 | 夜想 | 歌 |
| 大成座 | | | | 思 | 春 | 期 | | 昔話虎造 | ホルの | モン荒神 | 物語山 | 地 | 中 | 海の | 富 |
| 帝国館 | | 原 | 爆 | の | 子 | | 魔庵の弁華 / ターザンランペウトの冒険 | | | | ア | ン | バ | | |
| 日劇 | 二岳三 | 部銃 | 隊士 | | 暴 | 力 | | 遊 | | 侠 | | 一 | | 代 | |
| ロマン | | 未望 | 完 | 成 | 交 | 響郷 | 楽 | 欧〃 | 込み | 一 | 家 | 第三 | の | 男 | |
| 宮劇 | | 現 | | 代 | | 人 | | | 彼 | を | 殺 | す | な | | |
| センター | 幌 | 馬 | 車 | 、 | 駅 | 馬 | 車 | ホ | フ | マ | ン | 物 | 語 | 落日斗 | の決也 |

No. 24 1952・10・15

# 映画サークル

宮崎市高松通一丁目 宮崎映画サークル 発行

## 班会議組織え
### ―常任委員会で決まる―

十日六日の常任委員会において、サークル活動をより活溌にするため、従来集りのよくなかった委員会の外に、市内を四地区に分け、地域毎に班会議をもち、サークルの運営や経験の交換、映画の合評等行うことが決められた。

左の表がその班の区分、尚従来不定期であった常任委員会を月二回に定期化し、推薦映画の決定等を組織的に決める事や、役員の構成の再検討がなされ、次の委員会で確認されることになる。

## 宮大学芸の「山びこ」トップ ベスト5

学芸学部映研では日本映画上半期ベスト5を次の通り決めた。

1、山びこ学校（今井正）
2、本日休診（渋谷実）
3、おかあさん（成瀬己喜男）
4、波（中村哲）
5、息子の青春
次点 安宅家の人々

★ ★

## ルネ・クレマン
### ヴェニス国際映画祭八賞

八月廿日から開幕した映画祭の結果は左の通り。

＊グラン・プリ（大賞）
佛 ルネ・クレマン「禁じられた遊戯」

＊監督賞 三名
日 溝口健二「西鶴一代女」
米 ジョン・フォード「静かなる男」
伊 ロッセリーニ「ヨーロッパ一九五一年」

＊国際シネマプレス賞
佛 ルネクレール「夜の女たち」

★ ★

## 合唱コンクール

さき頃催された県下合唱コンクールでは、職場では県庁が旭化成二チームを抜いて一位に、一般の部では発足一ケ月の「中央合唱団」が「放送合唱団」に肉迫して審査員八名の内六名まで差をつけ得なかったと云はれる。

## 編集委員の高井さん
### ＝九州大会で1位

先に熊本で行はれた電報技術競技会に於いて高井さんは一位をとり本月末名古屋で行はれる全日本大会に九州代表として出場することになった。

| 中部 A | |
|---|---|
| 農林中金 | 22名 |
| トヨタ | 28 |
| 電報局 | 71 |
| 保健所 | 7 |
| 日通 | 79 |
| 印刷局 | 4 |
| 第一生命 | 5 |
| 朝日生命 | 5 |
| 日産自動車 | 16 |
| 東郷堂 | 8 |
| 郵便局 | 32 |
| 穀類KK | 14 |
| 国鉄 | 13 |
| 電気管理所 | 31 |
| 安田火災 | 10 |
| 大正火災 | 7 |
| 県パン組合 | 8 |
| 鉄道構内 | 3 |
| 米商連 | 14 |
| 国鉄通信区 | 10 |
| 電気通信部 | 8 |
| 建設省 | 17 |
| | 412 |

| 中部 B | |
|---|---|
| 図書館 | 23名 |
| 鹿興銀 | 17 |
| 九電工 | 5 |
| 県庁 | 140 |
| 勧銀 | 31 |
| 米商連 | 10 |
| 宮崎無尽 | 26 |
| 教育会館 | 23 |
| 日向興銀 | 18 |
| 食糧事務所 | 65 |
| 日本生命 | 13 |
| 裁判所 | 34 |
| 教育委員会 | 14 |
| 安進堂 | 6 |
| 山形屋 | 20 |
| 信田農協 | 40 |
| 森林組合 | 10名 |
| 松田石炭 | 13 |
| 旭通局 | 7 |
| 社会保険 | 9 |
| 町村印刷 | 3 |
| 町村会館 | 10 |
| 日赤 | 7 |
| 電話中継所 | 5 |
| 市庁 | 12 |
| 宮崎ホテル | 3 |
| 県電気部 | 6 |
| 販売農協 | 19 |
| 同和火災 | 5 |
| 稲倉事務所 | 2 |
| 市土木課 | 13 |
| 商工中金 | 14 |
| 県社会課 | 11 |
| 市税務課 | 5 |
| 県授産場 | 6 |
| 九配 | 22 |
| | 665 |

| 北部 | |
|---|---|
| 宮大工学部 | 29 |
| 大宮中学校 | 17 |
| 農学部 | 17 |
| 工業試験場 | 20 |
| 檍小学校 | 12 |
| 蚕糸試験場 | 10 |
| 宮大学芸学部 | 40 |
| | 145 |

| 南部 | |
|---|---|
| 作報 | 54 |
| 南宮崎駅 | 5 |
| 赤江中学校 | 14 |
| 東京火災 | 5 |
| 蚕業試験場 | 8 |
| 大淀小学校 | 15 |
| 農業試験場 | 28 |
| 宮交 | 29 |
| | 158 |
| 合計 | 1380 |

# 『暴力』と『現代人』

何れも、現代社会とぢかにとり組んだ点で期待された作品。暴力では大阪の日の出横丁を場としてとりあげたが、それはあくまで日の出横丁そのもので、探訪的興味は出せても普遍的な都会の沼地一般としては浮んで来ない。主題も伏線もバラバラではっきりしてないし、はじめと終りに出て来る女流作家や狂える詩人は無意味で、劇的構成の面でも破綻を来している。風俗描写や殺しの場面に、吉村独特のうまみはあっても、一体何を云おうとしているのか。

それに較べると現代人は、時代と場所を越えたサンズイ事件と云う興味ある問題をテーマとしているだけに面白い。技術的には、日本映画としては画期的とも云えるスピード感と、個性のあるカメラアングルで新生面をみせる。一体に、この渋谷実と云う監督は自由学校（松竹）本日休診と次々に実力を示して来ている。現代人では惜しいかな主人公小田切（池部）に甘いセンチメンタリズムがくっ、いているので印象が弱い。もっと俗っぽい酒や女への物慾やガード下の貧しい家族を〝エゴイズム〟前面に押し出した方が、犯行への必然性がはっきりして、より強く現代人を画き出せたと思う。

ともあれ、現代人とは、決して特殊な人間個人ではない。現代の社会のしくみが、次から次へ小田切を生んでいくのだ。その必然性と社会への抗議が『現代人』を貫く主題となっている。

〝暴力〟と〝現代人〟との優劣はもはやはっきりしている。

―図書館X・

# 視覚的、聴覚的な素晴しさ

## 〝第三の男〟をみて

チターの不思議な妖しいまでの音が観終った後もまだどこかで鳴り続けているような気がする。闇の中にひそむ男の顔が一瞬照らし出され再び闇に包まれる。にぶく光る夜の舗道。明と闇との対照が実に鮮かである。一体に此の映画ではそういう表現技巧の卓抜さが観客を魅了し去る。

変転の水際立った面白さとでも云おうか。橋の上で男達が密談している。それを思い切った角度から眺め下す。小さく見える男達が歩いている。他に犬の子一匹見当らない橋上。不気味な静けさである。大観覧車を背景にした構図の美事を例とするように、キャロル・リードは「第三の男」で視覚の魅力をあます所なく発揮した。これが映画の真髄だとは云はないが、映画製作の行き方としてはいろ〳〵あるのだが、とも角く目と耳で鑑賞する芸術である以上、これは一つの傑作なのである。或は君の云うのは思想を無視した遊びの趣味論にすぎないと非難されるかも知れない。しかし私は秀れた絵画や音楽に接したときの美の感動と同じく映画にもまた同じことが云えると考えるので、何よりもフォトジェニイの美しさをあげたい。単に思想の深浅の問題で片づけられないものを映画は持つからだ。

「邪魔者は殺せ」もそうであったが（おはなし）全体から生ずる感動というより、一つ一つの場面が精彩を放っているのが「第三の男」の特色といってよかろう。しかしリードは才能を駆使し過ぎたのではないか。

―高井―

撮影開始

# 〝女一人大地を行く〟

今までの「どっこい」「箱根」「山びこ」と違って企画の初めから労組が参加し、その希望や意見をもとに作られる正真正明の自主映画「女一人大地を行く」が北海道ロケにより開始された。

★素晴しい製作陣

「戦争と平和」の亀井文夫監督
「原爆の子」の新藤兼人脚本
「箱根」の山田五十鈴主演

★五十鈴さん

「このような働き甲斐のある仕事は映画女優としての最大の誇りと思う」といゝ、撮影にかゝる前一週間ぐらい鉱山の長屋生活をしたいとハリ切っている。

★新藤兼人氏

「原爆」をとり終りこの企画をきいてそのような有意義な作品には是非協力させてほしいとキヌタ.プロに申入れた。

★岸　旗江さん

「私は職場でも座談会でも、美しい芸の中を作るために、炭鉱映画を成功させるために、皆の力を一つに集めることを精一杯の力で訴えた。」

## 職場から

# 『題名のある映画』

　我々は色々な方法で映画を選択し観賞するのであるが、時にはしみじみとした感にうたれて館を出るか、又よく失望して街頭にさまよっていくこともある。それは自分でそんなくだらぬものを見たからだと云えばそれまでだがそこには又題名のいたづらも含まれているのである。と云うのは、映画の専問家ならまだしも、**貴重**な土曜の半ドンの寸暇をさいて行こうとするとき、選択に大きく動かされてくるのはその題名である。勿論俳優、監督、ストーリ等が解っていれば良いのだが〜あまり映画の知識のない人に上映中の映画を紹介すると「……」は良さそうだなアとその題名から判断してしまう。又昔の名画などの名を聞くとその名にふさはしい忘れ難いシーンが浮んで来るのである。それだけに題名の持つ魅力は大きいのである。それにつけこんでくるのが映画の商業主義でもある。

　最近の映画のそれをみていると実にふざけ半分のが多い。「花嫁花聟ヤチンバラ節」「音話ホルモン物語」等その他どれも内容のみえすいた愚作が多いのである、これらを堂々封切と大見えを切るのだからその心臓に驚く。しかし一寸常識のある人ならこんなものにだまされないのだがこゝに今一つのインチキがある。いかにももっともらしい名をつけておいて我々に肩すかしをくわせる奴がそれである。よく用心はしているのだがついやられるのである。母物やスリラーものはよくこの手でやってくる。

　それに又、我々をまいらすのが洋画の題名である。アボット、コステロの喜劇ならいざ知らず、大ていの映画は一流の作品並の顔をしてやってくる。洋画必ずしも名画でないことは如何なる洋画ファンも認めるだろう。原名と並べてどうしてこんな邦名をつけたのかと思うことがしばしばある。これらに宣伝が拍車をかけるのだからたまらない。こんな時こそ金が惜しくなる。どこまでもぬけ目ない商業主義の頭のよさにあきれるばかりである。何故名実共にすぐれたものをつくろうとしないのか？　スターシステムによる名だけの映画、巧言令色少にと云うことは我々は今や悟りの、ある。

　名前だけ良いものをもらっても、その内容が伴はなければ駄目だ。テーマがいゝ加減にとらえられているからこそ名前と内容がぴったり来ないのである。評論家Q氏は最近の佳作「働界」でさえ題名が少し大げさであるといっているのである。昨年度のナンバーワン「めし」すらも題名とぴったり来てない様に思う。そこに立派なテーマを持ちそれを如何なく発揮した芸術味豊かなものであれば自ら立派な題名が生れてくるのである。テーマの追求を待たずしてつけるから無理がある。

　そう考えてくると日本にも「題名のない映画」が多いのではなかろうか――？

―赤江中　ひ　う　が―

**※サツエイ所は青物市場？**

　小津監督大船サツエイ所の玄関先に並んだスターの高級車を眺めて曰く「サツエイ所は青物市場か？大根を乗せる自動車がごろ〳〵している」と

## 短評 ていだん

**X**　先のグランプリをねらうと云うフレコミの**美女と盗賊**は

**Y**　セットがよかった。が、見ながらつねに「羅生門」が頭に浮んで来た。

**X**　結局、羅生門の亜流ということになるのか？

**Y**　なるネ。最近その傾向が強くなっている。**暴力**が「偽れる盛装」のヤキ直しと云った具合サ。

**A**　「暴力」はそれほどひどくはないが、作者の製作態度がアイマイで、期待した程でない

**Y**　といっても、僕自身は暴力はかうね。好きだナ、題材が。二回続けて見たよ。

**A**　もっと庶民に近い、まともな社会の中での問題をとりあげるべきだと思う。「お母さん」などのようにネ。特殊な社会が実在すると云うことは分るけれど―

**X**　その点**原爆の子**はいろいろ云はれるけれど、**意味深い**し、事実ウタレたナ。

**A**　**未完成**、これは古いんだが、女性にはすごい人気がある。

**X**　見たい映画がたくさん来る。忙しくて金がなくてだやあ全くアジ気ないからね（笑）

## 紹介

### 続三等重役 大成

前回の〃三等重役〃が思いがけぬ大当りで続が作られたと思はれる。南博氏指導の社会調査研究所がしらべた大当りの原因をのべて解説に代える。第一に取扱っている事件が多くのサラリーマンにとって多かれ少かれ、日頃身近におこる事柄であるから「共感」が強い。第二、重役や社長が見苦しい醜体を演ずるのを見て起る優越感」

### お茶づけの味 若草

女中を二人おき、広大な邸宅に住み、金と暇間をもてあます有閑夫人（木暮）と大会社の部長であるその夫（佐分利）が深夜お茶づけを食べながら、夫婦生活とはお茶づけの味なんだと悟りあうはなし。

小津はこのたいくつでこつけいな夫婦の感情をブル生活の予盾としてえがいていない。小津は戦前希望のない小市民や学生の生活にカメラを向け「東京の合唱」「生れてはみたけれど」以下傑作を生んだが、小津の目が再びこゝにもどることを期待している人は多い。

・お詫び・前号「第三の男」の紹介が抜けたことをおわびします。

### 虹を掴む男 ロマン

東京封切以后一年以上たっているダンイケイの映画ではあるが喜劇映画の部門で話題になった作品。

瓜生氏の評によれば、この映画がうけたのはケイの多芸な狂人ぶりと、喜劇プラス「スリラー」、ともう一つ大きな原因としてアメリカの小市民としてのケイの役柄が日本の観客の大部分を占める小市民層に共鳴を呼んだことにあると言っている。この点よく味わって観賞する作品。

### チャップリンの殺人狂時代 センター

待望の問題作。

以下東京映サの座談会より｜

チャップリンはとっても心のやさしい人だ。どんな性格の人間でもやってのける。あらゆる人間を知りつくしたすばらしさだ。チャップリンの映画をみてると映画をはなれて現実の生活を考えさせられる。この映画をみてるときつとどこかで、じたばた苦しんでいる人がいるということを思わせる。チャップリンは貧乏人の仲間だ。製作も主演も監督も音楽もみんな一人でやっている。この映画は第二次大戦後の戦争挑発者にぶつけてつくられたすごい反戦映画だ。

### サムソンとデリラ ロマン

サムソンは旧約聖書に出て来る剛勇無比の男でその代り愚直で女の膝にねて髪の毛を剪られたりする。製作セシルBデミルと云えば華やかなスペクタルを直ちに連想するがこれ又大がゝりな天然色スペクタル。平凡な女デリラに迷って力を失うサムソンの愚直さが現代感覚を通じて表現される。

### 慟哭 若草

猪俣勝人の脚本を佐分利信が監督、主演。新東宝作品としては久しぶりの力作。

現代人で渋谷実と組み好調猪俣の脚本だから低俗な映画でないことは確実。堅実な佐分利が「劇作家と演劇界」をどこまでつきつめて表現するかに期待。この期待が女性との三角関係にそらされそーな予感もする。

### 10月下旬スケジュール

| | 15 水 | 16 木 | 17 金 | 18 土 | 19 日 | 20 月 | 21 火 | 22 水 | 23 木 | 24 金 | 25 土 | 26 日 | 27 月 | 28 火 | 29 水 | 30 木 | 31 金 |
|---|---|---|---|---|---|---|---|---|---|---|---|---|---|---|---|---|---|
| センター | 落日の | 決斗 | トム | ソー冒 | ヤの | 険 | 南 | 海ゴ | の一 | カ | 荒 | 野の | 三 | 悪 | 人 | チャッ ドイツ | プリン 〇年 |
| ロマン | 虹 | を | 扣 | む | 男 | 四羽の | 枚根 | 西部の怒り 〃の無法者 | | サ | ム | ソ | ンと | デ | リ | ラ | |
| 日劇 | 四 | 枚羽 | の根 | クイズ時 | 狂代 | 西部〃 | の怒り の無法者 | | サム | ソンデリ | とラ | 鞍馬 | 天狗 | | | | |
| 大成 | | | トン | チン | カン捕 | 物 | 帖 | | 続 | 三 | 等 | 重 | 役 | | | | |
| 帝口 | | 黒 | バ | ラ | | | 掠 | 奪 | の | 町 | | 砂 | 漠 | の | 鬼 | 将 | 軍 |
| 宮劇 | ある | 娘5 | さ代 | ん自 | 社の | 長親 | と分 | | 牛 | | 若 | | | | お | 茶の | 漬味 |
| 若草 | | 慟 | | | | 哭 | | 大 | 暴佐 | れ渡 | 孫島 | 悟悲 | 空歌 | | 晩春 | 抜流 | け島 |

NO.25

映画サークル

1952・11・1

宮崎市高松通り一丁目　宮崎映画サークル発行

# 良心的な製作を続けるために

## 独立プロ、六社ていけい

大会社に依存せず、独自の製作活動をつづけている近代映画協会、八木プロ、キヌタプロ、現代俳優協会、新星プロおよびオープロの六独立プロでは、このほど映画界の革新運動にのり出すことになり、十五日北星映画で第一回の会合をひらいた。

来年度における各プロの製作方針および製作資金のねん出等について協議、さらに松竹、東宝、大映、東映、新東宝らがいずれも全プロ方針による製作体制をとり、独立プロとめていけい、配給はますます困難になる見通しであるから良心的な製作をつずける独立プロとしては早急に相互扶助的な連絡機関をつくることをきめ、技術者の交流をはじめ、カメラなども融通しあって良心的な製作をつずけることを申合せた。

## 期待される布陣

年末から来年にかけて独立プロの企画は大会社の低調な空気を破り次の如く多彩

『真空地帯』　演出山本薩男

『女ひとり大地を行く』　演出亀井文夫　新藤兼人

（撮影中）

『村八分事件』

（脚本執筆中）　朝日でとりあげた村八分事件のフーシ映画。

『小河内村』　演出山村聡

以下未定

『縮図』　徳川秋声原作・新藤兼人脚本

わだつみの声に答へる

『日本の息子達』　八木保太郎脚本

『夜明け前』　島崎藤村原作

## 都城で映サ結成

### ・会長に図書館長

都城では十月十五日、映画サークルの発会式を挙行、会員二百名で正式に発足した。会長は都城図書館長の宮里氏。主な職場は市役所、国鉄、図書館、郵便局等で宮崎と緊密な連絡を望んでいる。

## 野間宏『真空地帯』

### ―毎日出版文化賞受賞―

出版文化賞文化部門で日本小説に新生面をひらいた力作として圧倒的に支持され入賞した。

尚、新生プロによる映画化は着々と進んでおり都内大学生二千名が無料でエキストラに参加し、山本薩男監督も猛演出中。

今井正演出

## 原爆の図

全二巻

・かいせつ・

赤松俊子、丸木位里夫妻合作の「原爆の図」の全容を解説（赤木蘭子）と音楽（大木正夫）と写真で補いながら記録し、映画独得の方法で原図の平和に貢献する芸術作品としての理解を深めようとしている。

十二月五日―十一日

帝国館にて劇映画と併映。

## チャップリン合評会

とき・十一月八日（土）午后一時から

ところ・図書館　二階会議室

みんなで固苦しくない、なんでも云える合評会にしましょう。

## 十一月すいせん映画決定

十月二十三日の常任委員会に於て十一月すいせん映画を次のように決めた。

Aクラス

『チャップリン』　米、センター

『ドイツ零年』　伊、〃

『巴里のアメリカ人』　米、ロマン

『巴里の空の下セーヌは流れる』　仏、ロマン

『生きる』　日、大成

『令嬢ジュリー』　瑞、〃

Bクラス

『稲妻』　日、若草

『お茶漬の味』　日、宮劇

日、江平

『バンビ』漫画　米、日劇

『人生劇場』　日、〃

『激流』　日、大成

かいせつ

# 入場料のカラクリ

日本の入場税は世界一高い。百%である。

かりに観客が窓口で払う料金が百円とすれば五十円が税金で、残りの五十円が映画のために払う金だ。その残りの五十円がどんな風に配分されるかといえば、一番多いのは映画料金といって映画館から配給会社に払う金だ。いまの常識だとこの金が、残りの五十円の五〇—六〇%だから、つまり二五円—三十円になる。すると残りの二十五円か二十円が映画館に入る勘定になるが、一寸待った、それは一本立の話で、二本立になると、映画料金は二本分だから二十五円から三十円の二倍の五、六十円ということになる。おかしいじゃないか、税金が五十円で映画料金が五〇—六〇円だったら、入場料百円とっても一銭ものこらないどころかまずくすると一〇円の赤字になってしまう。まことにヘンな話だ！これでは映画館がやって行ける筈はない。まさにない。だからやって行けるようにするわけでこゝに映画館のやりくり算段がでゝくる。

まず映画料金をまけてもらう。だがこれはとゞこおると映画のフイルムが来なくなって営業に支障を来すから、限度がある。次に税金の滞納だ。それとゴマカシだ。いま平均して税の納入率は二五%というから、あとの分はみんな滞納かゴマカシになっている。そのほかの分は一切合財映画館の従業員の肩におぶさってくる。毎日毎日大へんな労働強化だのに、浅草某封切館のチケットガールの月給が三千円というのもこゝからくる。

さて実情はこうである。苦しまぎれに奈良県の映画館主はいっせいにストライキをやった。

こんなに業者を苦しめ、労働者を苦しめ、入場料をつりあげて観客を苦しめている入場税がこんど五割になるという——それは私たち観客にとって喜ばしいことだろうか？

結論から先にいうとピカデリー（東京）の支配人もいうとおり、税率がさがっても入場料は安くならない。どころか高くなる。なぜか？

税率が下ると映画の興収がふえる。すると配給会社に払う映画料金はふえてくる。税金はもと〳〵二五%しか払っていないのだし、こんどでも払える見込はない、いくら下ったって、それを十五%ですませるわけには行かなかろう。いや税率引下げとひきかえに取立てがきびしくなる。五割にしてやったんだからキチンと払えというわけだ。税金の取立てがはげしくなり、映画料金がふえれば座館は苦しさのあまり、どうしても入場料をあげなければならなくなる——とこういう仕掛けだ。

もち論あんまり高くなればお客は来ない。そこで映画館は自滅するか、大資本にレイ属するか、ゴマかして法律の網を破るしかない。

いやもう一つ、たった一つ生き残る手段がある。それは「原爆の子」の動員成績にみるように、自主的な観客団体、サークルなどゝしっかり結びつくことだ。そして大衆の力で、この不合理な取立て制度をうちこわして行こう。（下）

# ミラノの奇蹟

## デ・シーカの飛躍

近く中央で封切られる「ミラノの奇蹟」はイタリアのデ・シーカの作品である。彼の作品は「靴みがき」「自転車泥棒」などいつも貧しい人たちの姿を描いている。——現実を正しく見て行こうとすれば、私は貧乏人の立場に立たざるを得ないのだ——とデ・シーカはフランスの新聞に書いている。だが彼の作品がこれまで資本主義社会からおちこぼれた、いわばルンペン・プロをとりあげていた限り、貧しい人たちの立場に立ってこの世の悪をうちこわして行くことはむずかしかった。しかし「ミラノの奇蹟」では貧乏人の団結を描き出した。これは明るく楽しい、偶意にみちた社会主義への暗示である——。

## 詩

詩の好きな方——但し、むつかしい詩のきらいな方に限る——は左記へご連絡下さいませんか、

毎日の生活の
よろこびを、
かなしみを、
かたり合える詩を、
つくったり
よんだりしたいと思います。

れんらく先・サークル事ム所
十一月中旬で一応締切ります。

# 『サムソンとデリラ』

映画を見つゝ感じたことは、非常に大仕掛なトリックが使はれ、天然色であることが、一層この映画を身じかなものとして感じさせなかつた事。たいていの映画なら、主人公になりすましているが、この映画では画面の外で、驚きの面持ちで傍観している自分を発見してしまつた。ビクター・マーチュアーのサムソン、グラマー女優のヘーディ・ラマーのデリラ、共に好感がもてた。観終つて外に出た瞬間、今の映画は本当だろうか？ と云う単純なるクエッションにぶつかり、噓ばかりの間合ず物語りだと片づけ〝大地は怒る〟の地震のトリックより驚きの眼を見張つた。この映画のトリックも興味半減してしまつた。しかし、一つだけの収穫を記したい。

デリラがサムソンに復讐の念を燃し、その成果を果した時、いや果そうとした過程から、女心のあるパートでの真実さ、恐しい迄の心理だけが、ずつと浮び上つている事に気がつき、トリックより、サムソンの偉大な力？より画面の雄大さ、美しさよりこの女心の真実の姿に感銘を與えられて、男の心理では到底追いつけない一つの空間を、この映画により押しつけられていた事を収穫とし嬉しく思つた。（農中M・T）

# 蛇足一束

DASOKU ISSOKU

★〝第三の男〟の終近く親友マーチンから射たれる前にハリイ（O・ウエルズ）がとても印象的な顔を見せる。あれは一体「射つてい〻」と云うのか「射たないで呉れ」と云うのか、作者に解した〻め後味が悪かつた。この解釈如何？

★小津监督はこんな構図も好きらしい。それは走る列車と路傍の電柱との間にキャメラを構えて一緒に走る撮り方である。〝お茶漬の味〟で出てきたので〝晩春〟にも全く同じ様な構図があつたことを思い出した。どうかお見落しなく。

★独逸の軍神ロメル元帥を扱つた〝砂漠の鬼将軍〟を見ていたら一緒にあつたニュースに米大統領候補アイゼンハウアー元帥が丹念に紹介されていた。皮肉な偶然である。この二将軍は北アフリカ戦線で真正面から干戈を交えた両軍の司令官である。

★〝醉いどれ天使〟で肺結核、〝静かなる決斗〟で黴毒、〝生きる〟では胃癌と黒沢明は仲々病気好き（？）である。〝白痴〟も病気の一種だろうか、ーーこの次ぎが楽しみである。（本）

## 宮大秋の映画祭

# 「雲の中の散歩」伊

宮大映研では十一月十五日（土）午前十時から江平映劇で「雲の中の散歩」を上映する。前売券二十円・サークルで扱います。

尚この作品は一度センターのナイトショーで上映されたが会員の中で見逃した人も多く期待されている佳作。

レイテス著「チャーリチャップリン」（新刊）市内書店にある。日本には珍しい科学的な映画評伝。

# 一斉にチャップリンを擁護（英）

## 『再入国問題』

十九日マックグラニー米司法長官が「チャップリンの米国への再入国は厳重な調査の上でなければ許可は与へないだろう」と声明したことは大きな世界の問題となつている。英国各紙は早速これを取り上げデイリー・ミラー紙は「チャップリン程米国映画産業に貢献した人はない。もし本当に再入国を許さないならば自由の女神も評判を落すだろう」

又マンチェスター・ガーディアン紙も同様の非難をあびせ更にレイノルズ・ニューズは「英映画界の名士やスター達はチャップリン大観迎の手はずを整えており、もし入国許可を与へないならば英国に留つて映画製作を続けるよう要請するだろう」と一せいにチャップリンの立場を擁護している。

## 最近作『ライムライト』

チャップリンの最近作「ライムライト」封切りのため渡英したが封切当日はチャップリンの挨拶もあり多数の市民が劇場におしかけ騎馬警官二百が整理のために出場するほどの熱狂ぶりであつた。

# ドイツ零年

（梗概）「無防備都市」のロベルト・ロッセリーニが「戦火」についでベルリン、ロケした一九四八年の作品　同年ロカルノ映画祭に入賞。

（評の一つ）ロッセリーニの「ドイツ〇年」は戦争に対する真剣な反省から来ていると思う。作家精神というか、命を賭けた人間のたましいがこもっている。それが「ドイツ〇年」では非常に澄んできているのですっかり感心させられた。

# 稲妻

「放浪記」の林芙美子が彼女の文筆成熟時代の作品で、市井のありふれた、めだゝない女の生活に取材し、もろく果敢ない女の命の変転の世に生き抜く、勝気で美しい、若い女の姿を描いた長篇小説の映画化である。

監督は昨年度監督賞に輝く成瀬巳喜男が大映第一回のメガフォン。脚本は「めし」の田中澄江、出演者は本原作の映画化に異常な情熱を燃していた高峰秀子が念願かなって出演する。

# 批評　生きる

「羅生門」で世界に名を売った黒沢明脚本、監督になるもの、小国英雄の協力をえて作製した脚本は世界の水準をぬく名作といわれている。

ふとしたことから自分の死が数ヶ月後に迫っていることをしった男（志村喬）が勤続三十年の無意味な役人生活をふりかえり、あわてゝ「生きがい」を求めるべく、バー、キャバレー、ダンスホール、ストリップ劇場などを転々とする。そのあげく生命をかけて町のボスや政治的迫害と斗い、彼の町に子供のあそぶ公園の建設に全力を集中し、完成させる。華々しい開園式の夜、彼は静かに降る粉雪のなかで公園のブランコにのりながら昇天する。

彼の通夜にあつまった役所の上司や同僚たちは死の数ヶ月前から突然かわった彼の行動について同情と批判の論議をたたかわせ、自分達の生活に一時反省と疑問をもつが、翌日からは相かわらず安易で惰性的な仕事ぶりをくりかえす。

黒沢明独特のレアリズムはこの人間の軽薄からうまれた悲劇をしみじみとした情感をたゝえて克明にえがく。

この作品が毎日をたゞ惰性でおくっている多くの人々に「生きがい」とはどういうことかをつゝこんで考えさせ、その面で豊富な話題を提供するにはちがいないが、役所とボスのつながりと腐敗などの問題が異常な環境におかれた一人の男の個人的な努力によって解決されるということによって、役所の腐敗にむけられた批判を正しく成長させることができずにおわっている。この点で黒沢明のレアリズムの欠陥をこの映画でもはっきりとよみとることができる。ともあれ芸界全般から演技力とキャラクターを中心に厳密に編成された配役陣と撮影中井朝一、美術松山崇、照明森茂、音楽早坂文雄などのスタッフによって作りあげられたこの映画が日本映画には珍らしい重量感をたゝえていることは当然だろう。

# 前進座　12月

河原崎国太郎　一行　☆

『美女カンテメ』

舞踊「あやめのり三番叟」

| | 1 | 2 | 3 | 4 | 5 | 6 | 7 | 8 | 9 | 10 | 11 | 12 | 13 | 14 | 15 | 16 | 17 | 18 | 19 |
|---|---|---|---|---|---|---|---|---|---|---|---|---|---|---|---|---|---|---|---|
| センター | チャップリン | | | | ドイツ〇年 | | | | ショーボート | | | | シエラ | | | 暗黒の命令・暗黒の恐怖 | | | |
| 若草 | 腰抜け巌流島 | | | 弥太郎笠 | 稲妻 | | | | | | | 巣鴨の母・ドナルドの海洋団 | | | | | | | |
| 宮劇 | お茶漬の味 | | | | 母は呼び泣く・鳩 | | | | | | | 武蔵と小次郎 | | | | | | | |
| ロマン | サムソンとデリラ | | | 暁の討伐隊・三馬鹿大将 | | | | | 乙女の湖・かりそめの幸福 | | | 巴里のアメリカ人 | | | | | | | |
| 日劇 | バンビ・三馬鹿大将 | | | | 泣虫記者 | | | | | | | 銭なし平次捕物帖 | | | | Uボート・荒鷲戦隊 | | | |
| 大成座 | | | | 蘇州夜曲・その夜の誘惑 | | 我が心の呼ぶ声 | | | | | | 生きる | | | | | | | |
| 帝国 | 黄色いリボン | | | | 脱獄者の秘密・原爆の図 | | | | | | | ウィンチェスター銃73・メーデー | | | | | | | |
| 江本 | お茶漬の味 | | 呼子星 | | 母は呼び泣く・鳩 | | | | 小さ歌劇 | | | 武蔵と小次郎 | | | 霧の中の少女 | お田さん・母は嘆かず | | | |

NO.26 1951・11・20

# 映画サークル

宮崎市高松通1 宮崎映画サークル（T3659）

## 二本立復活

### 座館協定変更さる

先に本紙二〇号でも問題になりアンケートの号外も出た「一本立最低料金制」が十一月初旬に開かれた市内支配人会議においてご破覚となり、再び座館独自の「二本立・料金自由」の興行が復活し、今后の動きが注目されている。

**A支配人談** 「高率税と高額フイルム料金になやまされ現在座館として運営出来ない所までおいつめられているのだが、今度の協定変更も興行が誰からも保証されない限り、各館が独自の圣営方針でやりよい様にした訳です。

**B支配人談** 今度孔雀座が二番館として出発し、料金の点で先の協定ではやつて行けないと言う意見から直接には協定が変更になつたので、フイルム配給会社に対する市内各館の団結がみだれたのは残念です。

**サークル会員談** 一本立で最低七〇円もとられるのは安サラリーにはこたえますネ、何しろ映画館も商売ですから同じ料金なら二本立の方が客がよるわけで、商売人同士の協定など仲々うまくゆかぬでしよう。しかし時間は長くなるしみたくない映画までみせられたりしますから私の希望としては、一本立で安くして貰えると助かるんですが—。

**・・かいせつ・・**

今度の協定変更は直接には孔雀座と言う今迄の料金ケースに合はない二番館の出現にあるようだが、その底には宮崎市内観客尺の経済的な問題が深く影響している。

サークル会員に例をとつてみても昨年月四回位見ていた人が今年はサイフの軽いために、せいぜい二回位しか行けないと云つている。新南社主催の拾円〜弐拾円の映画や江平映劇の二〇円ナイトショーが土曜など行列をつくる程見い事等から推しても、映画を見たい慾望が強いこと、高額料金が観客層の動員をせばめていることがはつきりしている。

この様にして座館協定が出来た事は、配給会社や税金に対する座館の結束を強める点でサークルとしても大いにやつてもらいたい。しかし入場料金を引上げることで不当課税、高額フイルム料の負担を観客にふり向けるやり方には大きな欠陥がある。

**★拡大委員会★**

二十五日午后五時半から図書館会議室で拡大委員会を開きます。今度の委員会はサークル創立一周年を記念して大々的な記念行事を決める大事な会議です。会員の方が一人でも多く参加して決めて下さい。予定される行事としては映画〝河〟、〝自由を我等に〟（佛・センター）〝白毛女〟（新中口）と前進座の公演です。

**★25日・図書館★**

### 佛くもの、映画物語

応募四七〇篇の審査の結果

一等〃該当作品なし

二等〃「戦列の歌」 堀沢栄吾

〃「道 程」 小泉良子

## 『原爆の子』を知らない大臣

○映画「原爆の子」は余り悲惨だから輸出を禁止しようとの申し合せが十月十七日の閣議で決つたが、その禁止説の急先ほうがヒロシマ出身の池田蔵相だつたとのこと。

○ところが池田さん、閣議が終つてからの大蔵省の記者会見で「たしかあの原爆の子というのは外国で実験した時撮つたのを輸入したものじやなかつたかな。それにしては〝子〟というのは変だね」と妙なことをいゝ出したので記者連もびつくり

○どうやら池田さん「原爆の子」が日本映画か外口映画かも御存じなく禁止を主張していたらしいが、これでは勿論内容も知らない筈。（東京新聞十・十八附）

## 映画評 東さん一等入選

先に市内の今日新聞社主催による東映作品「泣虫記者」映画評募集に当サークル常任委員東さんは一等に入選し宮崎映サの健任振りを発揮した。

# 劣悪作品の不買

## 秋田興組で決議

秋田県興行組合では映画購入の交渉機関部会を十月十五日開き、「ホルモン物語」「その夜の誘惑」等劣悪作品は東宝映画及び上映館の威信を失するため、この様な製作を存続する場合は不買することを決議した。

# 真空地帯ニュース

## はる〴〵京都から

=軍帽五〇〇個=

京都映画サークル協議会から「真空地帯」への声援と協力のあらはれとして軍隊略帽五〇〇個がこのほど製作本部へ送られてきた。尚当地では大阪ロケを楽しみにして待っている。

○

**木下順二** は十月二十二日製作者側と歓談、最后に一言「独立プロも仲々大変な道を歩いている事を今夜は痛感しました。独立プロが如何に困難と斗っているかと云う事が切実に判りました。私にとって、これは本当にいい勉強になりました」と感想を述べられた。

# 英俳優組合

## 米スターを排斥

英口俳優組合は労仂省がアメリカ俳優に対して、英国での労仂許可証を与えていることに厳重抗議を申込んだ。

俳優組合がこの抗議をしたのは、製作会社がアメリカのスターを使っての映画製作がだん〳〵と多くなりつゝある傾向を心配した、めで「この傾向が強まれば英口のスターは育たなくなる」といっている。

# "生きる"を推す

=編集委員座談会=

H—先づ全体の感じとしてとても感動的だと云えるネ

一同—確かにそうだ

X—やるぞ！と云う気持が湧いて来るからね

S—生きると云う事と同時に官庁の実態をこれだけ描き得た点でも立派だよ

A—同感だナ、だけどその為に生きると官庁機構への批判とテーマが二つに分裂してる様に感じたが

Y—僕もそう思ったんだ

X—いやそうは思わんネ、むしろ死んだ役所の実態がバックになって主人公の生きる事を強調してるし統一されてると思う

Y—それにしても問題がある役所をあそこ迄描き乍ら結局最後には現実に妥協してる。希望が欲しいネ

X—併し現実はそうなんだろ下手に希望なんか持たせるとウソになってしまうよ。

A—「自転車泥棒」ですら何かのぞみが感じられたがあんなものが欲しいネ

X—役所に押しかけたおかみさん達、一寸わざとらしかったナ

A—その前の説明が足りないせいなんだろう。

H—だけど霊前で泣くだけで帰るのは良かったネ

○

X—小田切ミキは断然良かった、演技も旨いし

S—若々しくて健康的だネ

Y—生きるの象徴だからネ

X—志村の口ごもりはひどすぎはしないか、もっと喋れそうだが

Y—せりふの聞き取れぬ処があったよ

H—だけど歌は良かったろう「命短かし恋せよ乙女」か

一同—良かった、確かによかった（感嘆ひとしきり）

H—あの歌に合せてダンスとのれんがリズミカルに動くとこ旨いネ、黒沢的だよ

A—いつも乍ら全篇に重量感がみなぎってるネ

○

S—いきなり葬式が出て回想になるんだが…どうもときれ〳〵が気になった

H—実の処一寸退屈した

Y—僕はそれ程気にはならなかったんだが…

A—新しい試みだろうが意識させた事はやはりまづいネ

S—とに角問題作だネ、論ずべき多くの問題を持ってる

X—一見の価値大いにありだネ、ベストスリーに入るよ

A—ではこの辺で・・

# ベルリン陥落

## 公開決定

ソ連映画「ベルリン陥落」はこのほど関係各方面の手続を終り十一月二十日から東京でロードショウ公開。

全巻十六巻、二時間四十分の大作で、当事ム局えもポスターがすでに配給会社より到着し、宣伝が初められている。

★配給・欧米映画社・★

# "原爆の図"を観て　R

我々が一応の概念は持っていながらも現在迄もあまりにも関知せず、また知り得なかった原爆被害状況の真相――

その中で人々はどの様な状態においやられ、息づいていたか。映画「原爆の図」は図の作者丸木・赤松夫妻の言葉を赤木蘭子の解説として折込まれている。

第一部幽霊――幽霊などという非科学的な非文明的な画題、この世にもあるまじき超現実的な悲惨な現実がもっとも近代的な二十世紀の今日この世に出現したのでありました。

二十世紀の科学の驚異原子爆弾。その炸裂がハンドルであったかボタン一つであったか知らない。だがちょうど隣人の部屋のベルでも押すようにその手は美しい近代文明の手であり、自由・平等・博愛の精神にやしなわれた手でありました。その何気ない単純な動作のうちに出現した生地獄、血みどろの生地獄これが二十世紀の文明の姿でありました。

この図は現在の国際情勢下最大の課題である「平和」の問題、我々はいかにして平和を守ることが出来るかの問題が真剣に考へられている時、この図は、国内ばかりでなく全世界的な規模を以て平和勢力の結集にはたした、又現在はたしつゝある社会的意義は無限大に大きく、いかに悲惨極まるものであるか、平和はどの様なことがあっても守り抜かねばならないことを力強く訴えていると共に、真の芸術の在り方がどの様なものでなければならないかを暗示している。

各地で開かれた図展における観覧者の表情もキャメラは鋭くとらえている。幽霊、火・水・虹・少年少女、と見てはいられない悽惨な悲惨な情景八思はず目をそむけるおかみさん、そしてそれがこの様な戦争へのはげしい憎しみ、いきどおりとなって変っていく学生、労働者の喰い入る様な眼。内田巌氏はこの図の批評でかく言っている。

「画家にとって美しい人生を描くことは楽しいことである。が、人間の不幸を描くことはそれ自体むしろ苦痛である。しかしより美しい人生への目的のためには、われわれはやはりみにくさや人間の不幸をあえて描かねばならない。これは常に現実の位置がヒューマニズムに向って要請するからである。芸術に高められる為に絵画は虚偽の美しい単なる装飾品たることを許し得ないからである。芸術はブルジョアの装身具ではない。わたしは丸木・赤松両氏の作品がブルジョア的諸形式に対して一歩前進していることをみとめたい。

造型とは生命の形成である。生命の形成とは現実の生活のうえに打立てられねばならない。それを発展的に方向づけるものは、作家のイデオロギーの問題であると。

## 雑記帖

☆チャップリンの"殺人狂時代"殺人場面のないことに注意、リアリズムばやりの昨今珍重に値しよう

☆"わが心の呼ぶ声"アメリカの我田引水的平和論。保安隊出陣の口実にでも使われてはかなわんネ。

☆"パリのアメリカ人"先づとても着想がいゝ、とてもとても美しい、とても賑かである。そして、とても騒々しい。

☆ニュース五本と予告篇六本、刺身のつまなんだぜ!!

## 短評

**砂漠の鬼将軍**　導入部は実に面白く効果的、ロメル将軍の人間的苦悩をよく表現してメースンは好演。

**泣虫記者**　メカニックな新聞社内の許される範囲での人間的つながりはよいと思う。ホロッとするところもあって新聞記者になりたくなる(天)

日本映画の水準もせいぜいこの辺で喰止めてほしい(A)

**ドイツ〇年**　荒々しい中にも詩情がある。戦后の混とんと時代に見たかった。冷酷なリアリズムは何時も作らすばらしい迫力を持つ。(本)

**稲妻**　庶民えの愛情がにじみ出ている。佳作。渡辺の母植村の義兄、三浦の姉は特に好演(本)

**バンビ**　乳幼児向きのビスケット

**チャップリンの殺人狂時代**　訴えは高く評価するが、説得力が足りない。ラストでラム酒をのむところはよかった。

**お茶づけの味**　銀飯のお茶漬はうまいかも知れぬが、外米と麦の入ったお茶漬はこんなものではありません。馬鹿にするなといゝたい。

# 巴里の空の下セーヌは流れる

佛レジナ一九五一作品

脚本　ジュリアン・デュヴィヴエ、ルネ・ルフェベル

監督　ジュリアン・デュヴィヴエ

撮影　ニコラス・アイエ

主演　ブリジット・オーベル、ジャン・プロシャール

**略筋**　パリを貫通するセーヌ河区域を中心舞台にさまざまなパリジアンの織りなす人生図をエピソオド風に綴った作品。

その各エピソオドは個々に独立した形式をとらず各々の時間的継起に従って撚り合わされ、全体でパリの二十四時間を描く仕組みになっている。その点これはパリそのものを主人公とした合一主義映画とも云い得るであろう。

**評**　パリ二千年祭を記念する目的でつくられた作品としてその目的をよく果していることに感心した。パリ二千年祭と云ってもその記念のしかたには色々あるであろうが、この映画はパリよいとこという印象を強く観客にうったえる点でストレイトな観光映画の及ばぬ効果をおさめている。

―双葉十三郎―

# 人生劇場　第一部

原作・尾崎士郎、脚色・八木保太郎、監督〃佐分利信

**配役**

青成瓢吉――舟橋元

父瓢太郎――佐分利信

おりん――高峯三枝子

吉良常――月形龍之助

飛車角――片岡千恵蔵

**解説**　今度で三度目の映画化

三州の侠風に育てられた青成瓢吉が、大らかな青春の夢を抱きながら、失はれてゆく任侠の世界と混迷した世相の只中を徘徊する物語。

尾崎の豪快さと脚本家八木の作風は似たものを持ち、一本毎に問題作を放っている匠分利の演出にも期待出来るものがあるが、大きな原作だけに消化不良の点が心配される。

# 令嬢ジュリー

スエデン一九五一年作品

原作　アウグスト・ストリンドベリー

監督　アルフ・ジェーベリィ

撮影　イエーラン・ストリンドベリー

主演　アニタ・ビョルク、ウルフ・パルメ

一九五一年度カンヌ国際映画祭でグランプリを獲得。スエーデン王室演劇出身のアルフ・ジェーベルイが脚色監督し主演はすべて王室演劇場出身である。

**評**　アウグストストリンドベルイが自ら名づけて自然主義的悲劇と称した「令嬢ジュリー」の映画化であるが僕はこの作品に自然主義悲劇以上のもの、いうてみればジュリーの階級の悲劇をかりて表現された自然宗教的なミスティクな詩的なロマンチスムを感じた。

＝飯島正

プリンターの都合で発行が遅れたことをおわびします。

★皆様の投稿をお願いします。

# 各館スケジュール　20/11―10/12

| | 20 木 | 21 金 | 22 土 | 23 日 | 24 月 | 25 火 | 26 水 | 27 木 | 28 金 | 29 土 | 30 日 | 1 月 | 2 火 | 3 水 | 4 木 | 5 金 | 6 土 | 7 日 | 8 月 | 9 火 |
|---|---|---|---|---|---|---|---|---|---|---|---|---|---|---|---|---|---|---|---|---|
| 帝口館 | ◎ | 姿明 | な日 | きな | 軍き | 隊影 | | 女花 | 海嫁 | 賊売 | マリ | ンま | す | | | | | | | |
| 大成座 | ◎足にさわった女 若人の | | 歌 | 令 ◎ジ | 嬢ユリ | ー | 日 | 激下 | 恋 | 流愛 | 中 | | | | | | | | | |
| 江平 | | | | | | | びっくり三銃士 あなたはほんとにすごいわね | | | | | | | | | | | | | |
| センター | ◎オペラの殺人 決斗の断崖 | | | | | | | | | | | | | | | | | | | |
| ロマン | | 美バ | 女グ | あダ | リッ | きド | 巴◎ | 里人 | の生 | 空劇 | の場 | 下 | ‥ | | 凸 | 凹追 | 透 | 明は | 人 | 間ぎ |
| 日劇 | | 流千 | 賊 | 黒石 | 馬 | 隊纏 | 風 | 人に | 生そ | 劇よ | 場ぐ | 葦 | | | 忠 | 治 | 旅 | 日 | 記 | |
| 宮劇 | 若 | 君 | 麗 | リ | 通 | る | び | つ清 | く水 | り次 | 三郎 | 銃長 | 士伝 | うっしを | | 花 | 咲 | く | 家 | 族 |
| 孔雀 | 馬 | 喰一 | 代 | 母の 泉明 | 山 8 | 脈 15 | 大護 | 騒れる | 孫悟影 | 空 | 酔ど みど | れ獣 りの | 手風 | | | | | | | |
| 若草 | デ | 二ズ | 人二 | のイ | 瞳太 | 会 | い | つ弥 | い太 | の郎 | ま笠 | で | も | 明戦 | 日馬 | は天 | 日狗 | 瞳江 | 日戸 | 日記 |

★ NO.27
映画サークル
1952・12・5 ★
宮崎市高松通り一丁目　宮崎映画サークル発行

サークル創立一週年

# 記念行事決る!!

―真剣な拡大委員会―

十一月中旬常任委員に於て記念行事の案を作成したが、この劃期的な行事を進めるためにはどうしても全サークルあげてとりくむ必要があり記念行事の案を検討するため十一月二十五日拡大委員会が開かれた。

この日集まる会員参拾名図書館会議室に真剣な空気がみなぎる中を議事は進行遂に常任委員の案を決定した。

## 記念行事明細は次の通り

「名画鑑賞会」……六日――十日

映画センター米画『カサブランカ』『王様』（佛）他の一本はサークルの選定通り上映するとの館の好意により次の作品を注文「自由を吾等に」「巴里祭」「吾等の仲間」「最后の億万長者」「百万」「旅路の果て」「商船テナシティー」「どんぞこ」「にんじん」早速配給会社に連絡したがいづれもフイルム使用中と使用不可能（最后の億万・百万等）の為再度プリントを送出遂にシユバリエの「王様」に決定

帆足計氏の中国みやげ「白毛女」が中日友好協団貿易促進会議準備会等主催で上映される十二月十日に予定されている

くわしくは行事を報で委員に配りますので委員とよく連絡してください。

記念行事の中で最も大きなもので拡大委に於ても慎重を極めてあらゆる点から検討され長時間にわたり討議された結果サークル主催に決定した。特に各労組・宮崎大学三学部学生・大島町の人達（美女カンテメ・俊寛共取材が郷里である点）の協力が強調された宮大からも是非サークルでとりあげてもらいたい吾々学生もサークル同様公演について真剣に取り組むから宮崎最大の文化団体である映サに主催をおねがいするとの発言もありサークルも広汎な市民の援助の下に公演成功の道をつき進む決心した。

サークルの運命をかけて

# 前進座「単独主催」遂に決定

全会員に訴える

一九五二年度最大の行事として宮崎映画サークルは劇団「前進座」公演を主催することになりました。

「前進座」に限らず映画にもよく出演する「俳優座」「文学座」「民芸」等も唯一の劇場をうばわれ劇団のもつ芸術的良心を商業資本に売り渡すかどうかと云うせとぎはまでおいつめられてゐる時その先頭に立つ「前進座」を宮崎で成功させる事はサークルにとつても民族文化を守る為大きな意義があります。

「前進座」も口先だけの国民劇団ではなく誰からも喜んで見てもらえる劇団たるべく今度の九州公演に取組まれているとのことです。

県労協、大学等サークルに支持は集まりつゝあります。実行委員会は真剣に働いてゐます。

会員の方も一人一枚消化の覚悟で努力して頂くことを切に訴えます。

瀧谷成瀬に次いで、やはり今井正の実力は大したものだった山びこ学校」の野心的演出に次いで「ひめゆりの塔」をいま製作中である。下馬評はこれが追い込みでトップに立ち、ベストワン及び監督賞にならうというところらしい。おなぐさみに、一九五二年の邦画を総決算すれば……

（ベストワン）「稲妻」か「原爆の子」
（呼声ベストワン）「ひめゆりの塔」未封切
（主演賞）山田五十鈴（現代人）
（助演賞）浦辺　子（稲妻）
（呼声優秀賞）「大佛開眼」（衣笠貞之助）
（徒労賞）「いついつまでも」
（馬車馬賞）藤本真澄（何でも作る）
（失業賞）「波」

「いついつまでも」を六ケ月もかかって出来上ったものが全くなっていないと分ると日本の映画人の気持は複雑で見送った一人、「飛行機なんて勿体ない歩いて帰れ」

日向興銀文化祭で

十一月二十九日図書館ホールに於てシユプレヒコール「ひめゆりの塔」を公演、その真面目な企画に　好感をもって観賞した。

## 記年行事 実行委員の記

今回わがサークル創立一周年を記念して画期的な催物を華々しく実施することになったが、中でも注目されているのはサークル単独主催の前進座公演であろう。

このことについては幾度か常任委員会で検討されたが、遂に十一月二十五日図書館会ギ室で拡大委員会で最後的結論を出すことになった。

何しろ多額の費用を要することゝ、前進座が色々問題を投げかけている時だけに会議は慎重を極めた。「かりにも公演が失敗したらサークルの命とりになる」「一般の誤解を招く恐れがある」「見とおしに自信がない」「サークルの行事としては映画を主にしてやるべきだ」等々。一方これに対する積極意見も活発を極めた。だが映画サークルを想い、日本文化を守ろうとなう点では全く一致している全員が納得行く迄討論し合った結果、「もし映画サークルが主催を見送れば結果はどうなるか、観客動員の面で最も有力な市内唯一の文化団体である我々が中心とならなければ成功すべき公演もみすみす不成功に終らされねばならない。沈滞しがちのサークルがこゝで一つの目的に向って立ち上ることは組織をよみがえらせ新しい団結と力を与えることになる。"どっこい"や"風雲録"を作り今又"女一人大地を行く"のような真の民族映画を作っている人々の芝居は、我々が進んで引き受けるべきだ」との結論に達し、公演主催は全員感激の拍手裡にその決定を見た。当に延々三時間の討議の結果であった。尚宮大自治会、自由労組、前進座後援会から全力をあげて後援するとの心強い激励があって、一同を更に勇気づけた。早速実行委員会が結成され、十二月二十九日、労働会館の会ギ室で第一回の実行委員会が開かれた。開会劈頭、"県労評が後援決定"の朗報に力づけられながら具体的な観客動員計画が綿密に立てられ、財政面の検討も行われた。前売券を売り出す迄に最低五万円の金を必要とする事が述べられ一時的に借金して立て替える様決められた。

図書館映研で同早速その事を会員に訴えると給料前の乏しい財布の中から十二百円が集められ委員を心から感激させた。この様な盛り上る力が結集されゝば前進座公演は必ず成功するであろう。これは又創立一周年を迎えた映画サークルの将来の発展を約束するものであり、日本文化を力強く守って行く偉大な力が伸びて行くことでもある。(文・Y)

## 『王様』(佛)

春爛漫、詩と夢の幻想に満ちたフランスを訪れたセルダ――ニュ国の王様は名にし負うドンファン、金モールの礼服よろしく小粋な歌もうたう至極庶民的な王様である、さてこの王様のおめがねに適った女性と云うのがフランス進歩党代議士ブルジエの妻ユウユウ……最後にブルジエ氏は功績により大臣に任ぜられめでたし〱となるわけである、王様になるシュヴァリエは例によって天下一品のシャンソンを三曲うたい達者な処を見せユウユウのソフイ、デマレも好演する外"格子なき牢獄"のアニイ・デュコオが共演している、気の利いたフランス喜劇、マルクジルベールソオヴァジョン監督、一九四九年作品。

## 『カサブランカ』(米)

一九四三年のアカデミー賞三つ(作品監督脚色賞)を獲得したメロドラマの大作である監督は"誰が為に鐘は鳴る"のマイケル・カーティス、主演は"黄金"のハンフリ・ボガード"凱旋門"のイングリット・バークマン、"愛の調べ"のポール・ヘンリイド"汚名"のクロード・レインス等で堂々たるこの顔ぶれは劇の興味と共に大きな魅力である。

物語りは第二次大戦中独逸軍がパリーを陥れ忽ち佛本土の大半を占領した当時の佛領モロッコのカサブランカが背景となっている、当時欧洲からアメリカへ逃れようとする人々の渡航拠点であるためナチの重圧下に置かれていたカサブランカでナチの陰謀と暴力に敢然と立向う男達と一女性の三角関係を描いた興奮とスリルに充ちた作品である。(再輸入新版)

# 二つのパリー他

「パリーのアメリカ人」は面白かつた。特に前から伝み出した後半の幻想バレーは「赤い靴」「ホフマン物語」より数等素晴しかつた。パリー人の自由奔放な幻想を秀逸な音楽と色彩の調和にのせて遺憾なく表現している技術は大したものだ。同じパリーものでも「パリーの空の下セーヌは流れる」は先のアメリカ的闊達さと思い較べてフランス的情緒を感じさせる。ドラマとして時間を無理に一日に限つたことがやはり感銘を単調にしているがシネマとしてはパリーと云う空間の為に生かされている。

「令嬢ジュリー」は北欧の美しい景色を背景に男女貴族召使の関係を十文字に結びつけている構成のうまさに感心する。「人生劇場」は、メロドラマの安易さに溺れ切つていて佐分利ものとしては最もつまらない。それよりもスピーディな「足にさわつた女」の方が餘程面白い。パントマイムを取り入れているのも仲々よい。

「明日なき男」はスリルの迫力をかう。迫力は少いが、レジスタンスを正面から描いたものとして「姿なき軍隊」は注目に価する。（Ｙ）

× × ×

一寸無理だが、十一月後半にみた映画を僕の評価順に並べてみると、先づ**パリーのアメリカ人**が、金に物を云わせた豪華な装置と素晴しい色彩音楽踊りで目をみはらせた。が、同じパリを画いてもデュヴィヴィエの**セーヌは流れる**には、他国人にまねのできないパリジェンヌの体臭がある。殊に渋い解説者の声と画面を流れるシャンソンは、登場人物の一人一人と共に古くて新しい一種の風格を備えている。独軍の占領下にナチと斗う愛国者のレジスタンスを描いた姿なき軍隊は、兵器工場の爆破よりもそれをめぐる指導者とその情婦、妻、友人四人の人間描出に深い共感を覚えた。それは僕等の周囲にもよく見受ける人間像だ。

明日なき男、足にさわつた女の二つは、アカぬけしたテクニックでひきつけるし事実面白かつた。ここで泡くと、令嬢ジュリー、西鶴一代女、人生劇場と云つた文芸ものは近頃どうも最後までついてゆけない。原作におされるからだろうか。**群狼の街**、これはてんでお話にならない。西陣の姉妹をみるつもりが裏切られて腹がたつた。（Ｘ）

## 短評 ロータリー

巴里の空の下＝〝裡の町〟巴里旅、新しくて古い巴里の巷に渦巻く幸運と悲運描かれた巴里の全てに興趣は盡きない。滋味溢れる解説、演出の旨さは云わずもがな。傑作！

人生劇場＝今迄の佐分利作品では最もつまらぬ、原作を読まぬ人にはスジも良く呑込めまい。今頃映画化する意図は那辺にありや。

姿なき軍隊＝レジスタンスの壮挙は立派だが説明不足が多く感動を起すに至らない。

明日なき男＝トンマなギャングなのに科学警察の手間どること、最后は残酷極まるがこうせねば否定にならぬのは此の種映画の宿命か。

令嬢ジュリー＝男女と階級の二つの斗いを扱つた悲劇らしいが微妙な心理かつとうは難解、北欧の風物は素晴しい。

足にさわつた女＝スマートな都会喜劇、気の利いたセりふと演出の斬新さ、古相諷刺も匂つて仲々面白い。

ウィンチェスター銃'73＝写眞効果の素晴しさ、スピーディな前の運び、アクションの痛快さ、映画的な西部劇の逸品（本）

悪い癖で秀作だの力作だのと評判を聞かされてここで自分が見たときにそんなにでもないと思つても見方が足らなかつたのだと片づけてしまつたり、自分ではとても好きだつたくせに他の人がみな、つまらないと言えば見方が甘いのかななどと思つたりすることが多い。自分がその場で感じとつたものが大切なのだが……。こ

て今月は巴里を舞台にした映画を二つみた。云はずと知れた巴里のアメリカ人、全く陽気で美しい映画だ。見ていて楽しいのが嬉しい。デュヴィヴィエのセーヌは流れるは大都市の生態が浮かび上つてくる点でアメリカ映画裸の町に似た所があるが、こちらの方はパリらしいところと云つた気分がある。しかし宣伝された割にぼくの心に喰い入るものがなかつたのは個的だろう。何だか物足りない気持だつた。芸術祭参加作品の人生劇場だが日本映画は何故こんな題材に目をつけるだろう。文芸作品を映画化して事足れりとするのか。弁一初語がちんぷんかんぷんである。（下）

# 大佛開眼（若草）

王朝ものはやりの昨今「源氏物語」を出した大映が莫大な製作費をかけて威張っているご自慢のもの。

千二百年前、奈良の大仏建立をめぐる波らん万丈の物語。

聖武天皇が国土平安、万民幸福を祈って大盧舎那仏造営を発願するのに対し宮廷の二大勢力藤原氏と橘氏が相争う。

藤原氏は事の成就を期し橘氏はこれを妨げる。これに入りみだれる聖僧、彫刻家、美女などと言う宣伝文句を見ると大たい見たようは気にもなる。

監督の衣笠が何かの誌上に野心ある製作意図を発表しているのを見て、日本映画に乏しいスケールの雄大さを期待したくもあるが、新聞評は余り香ばしくない。

# 『青いヴェール』大成

アメリカ版田舎映画と言っても日本映画のそれとは異ってこれは又上品な甘い佳作だそうだから羨ましい。監督カーティス、バンソンハート、主演ジエーン、ワイマンとなっている。スター中心に見る方には興味がないかも知れぬが時にこうした、いわゆる心あたたまる小品も又良き哉であろう。

# カルメン純情す　宮劇

フランスから帰国した木下恵介の第一回作品だけにどんな映画を作り出しているか興味がある。「故郷に帰る」の姉妹篇と見ていいだろうが、彼一流の鮮麗なタッチによる風俗喜劇の中にピリリとした世相への風刺を期待したい。

カルメンとその友を高峰秀子、小林トシ子の御両人が演じるほか、若原雅夫、淡島千景、斉藤達雄などが出演している。今月上旬の映画では一番の期待作。

# 血は花ざかり（大成）

原作はご存じ石坂洋次郎の朝日新聞連載もの。このごろの新聞小説は殆んど映画化されるがそれの是非は別として美しいヒロインの姉妹に木暮実千代、杉葉子を配し、その相手に清水将夫、池部良、山村聰、上原謙、脇役陣に高杉、志村とにぎやかなキャストでスタッフが石坂ものに馴れた監督千葉泰樹以下のメンバーだから大した破綻は見せまい。古い型を代表する姉と新しい型を代表する妹との対照に戦後の女性気質をどの程度しいているかに興味がある。

# —私の抱負—

『真空地帯』に出演して

木村功

役者として自信がないせいかどの仕事も、いつも、駄目だ駄目だと思いながら終ってしまうそのくせ、どんな仕事が、どんな役がやりたいかということになれば、これはひと一倍慾ばりに思いを持っているのだが……。

「真空地帯」はそのうちでも、私の非常に魅力を感じていた作品であり、不谷一等兵は是非演ってみたいと思っていた。だから、山本薩夫さんの演出がきまり、木谷を私が演ることになったと伝えられたとき、実は夢ではないかと思った程だ。私が秘かに描いていた不谷のイメージが、幸いにも山本さんのイメージにあてはまったのだ。役者にとって、こんな機会はめったにないことだろう。木谷こそは歪められたその社会の中で犠牲を強いられた人民の姿だと思う。映画「真空地帯」を観終った人々に、この歪められた醜い社会を、そこに生きる兵隊達のあわれむべき姿を真実に心の底から自覚してもらえるだろうか。私の今度の仕事の希望はほとんどそこにかかっているのだが。

| | 1 | 2 | 3 | 4 | 5 | 6 | 7 | 8 | 9 | 10 | 11 | 12 | 13 | 14 | 15 |
|---|---|---|---|---|---|---|---|---|---|---|---|---|---|---|---|
| 宮劇 | | | うず潮 / 浅草四人姉妹 | | | | | | | カルメン純情す / アチャコ青春手帖大阪篇 | | | | | |
| 若草 | | | 明日は日曜日 / 鞍馬天狗江戸日記・野獣大陸 | | | | | | | 大仏開眼 / 三太と千代の山 | | | | | |
| 大成座 | 浮雲日記 / 三等重役 | | | 恐妻時代 / 令嬢ジェリー | | | | | | 血は花ざかり / 血の[illegible]縄 | | | | | |
| 帝国館 | 女海賊アン / 花嫁売ります | | 凸凹宮中の巻 / 凸凹殺人ホテル | | | | | 青いヴェール / ママは大学一年生 | | | | | 勇者のみ / カンサス騎兵隊 | | |
| 日劇 | 三味線やくざ | | | 逢初道中 / 江戸の竜虎 | | | | | | ひよどり草紙・[illegible] / 上海帰りのリル | | | | | |
| ロマン座 | | | 凸凹西明人向 / 追はぎ | | | | | | | 拳銃無情 / 第三の男 | | | | | |
| センター | 改装 | 中 | | | | カサブランカ / 王杯 | | | | | | | | | |
| 江平 | | | うず潮 / 花咲く我が家 | | | | 大城塞 / 南支那海 | | | カルメン純情す / さゝやきの小径 | | | | [illegible] / テキサス決死隊 | |

No.28
映画サークル
1952.12・25
宮崎市高松通一丁目（T3659）宮崎映画サークル

多大の成果を残して

# 一九五二年の記念行事幕とず

秋のシーズンに入り、各劇場から「記念行事をやろう」との声がつよく数回の会合で検討され、遂にあの画期的な記念行事が決められた。本年度の最后を飾るにふさはしいこの行事も十六日の前進座公演を最后に幕をとじた。

『カサブランカ』と『王様』は最初の『自由を吾等に』がはづれたゝめ、いさゝか貧弱な感じもあつたが、館の好意による安い料金と地味ではあるが『王様』のシユバリエの好演が意外に好評で、非会員の中からもこれを期に入会希望者が出た程であつた。

この行事で大きな収穫は実行委員が数回にわたり館え良い映画を見る為めに熱意ある要請に行つた事であり館でも改めてサークルの良い映画を観る熱意を認識し来年から自発的に「巴里祭」や「自由を吾等に」を予約している。

今后の問題としては良い映画に多くの人を動員することでサークルが力を示すことだ。

来年はこの点で全サークル活動を今度の経験を生かして集中さるべきであろう。

中日友好協会主催による『白毛女』は初の中国映画であるだけに観たい人は多数いたが色々な條件のため数が制限されたことは残念であつた。

この成果は見た人の中からイデオロギーの如何を向わずすべての国の映画を平等にみるべきだとの声が昂り、文化の国際的交流運動の芽が南の果・宮崎に於ても出た事であつた。

最后の**前進座**は、各劇場の多忙や年末の悪條件をのりこえ宮崎最良の宮劇で公演し、何とか成功に近こぎつけたことは特筆さるべきである。

たゞ最初の一千名の動員目標が四六〇までしか出来なかつたところに、日常のサークル活動の弱さが口出され、劇場でこの事が討議され得なかつた事が反省される。単位サークルで積極的にニュースを出したり、組合費で一部を負擔したり、多忙中数回班会議を開いたりした活動が、サークルを正しく発展させる力強い基礎になり、来年えの発展え明るい見通しを与える。

本年度県文化賞受賞に

## 塩月（芸術）瀬ノ口（学術）氏を推す

一昨年より本県では「宮崎県文化賞」を制定し文化昂揚の一助としているが宮崎映画サークルにも県教育委員会より候補者推せんの依頼がとゞき、十二月十九日の常任委員会で慎重に討議した結果、芸術部門に画家塩月桃甫氏、学術部門に瀬ノ口伝九郎氏を推すことに決つた。

＝推せん理由＝

**瀬ノ口伝九郎氏**・県の史蹟名勝、天然記念物、国宝、重要美術品の調査係として数十年にわたり研究、調査を続けその金石文の研究、調査等学術上誠に貴重なものである。かゝる官庁機構の中で礎石としてこつ〳〵として目立たぬ活動を続け、しかも恵まれざる人物こそ表彰に値する。

**塩月桃甫氏**・かつて台湾美展の審査員として創立以来十八年の長きにわたり台湾美術界の啓蒙と育成に盡力して来た。

昭和二十一年引揚后は二十六、二十七年の二ケ年間本県美展の審査員として本県美術界の向上に寄与してきた。特に本年度出品作〝猫〟と〝静物〟は本県美術界における大きな収穫であり、本年だけの制作点数は三〇点の多数にのぼつている。

老令にしてなお若々じい制作意慾は、新しい人々にとつてもはげましになり、本県美術向上の為の盡力は大きく表彰に値する。

★　★

**旭**化成青年部では文化運動の一つとして独自にフイルムを選定し、組合にふさわしい映画を毎月やることになつた。

**大**牟田映サは結成以来毎月無料映画をやつているが九月〝題名のない映画〟十一月〝人生劇場〟と封切映画の無料観賞をやつている。

**原**爆展は延岡では市や労組の動員で大成功。

# 我がサークル 一九五二の歩み・・

一九五二年を送るに際して、わが宮崎映画サークルがどうしう道を歩いて来たか過ぎし一年をふり省つてみよう。

先ず正月早々、割引券発行の問題が起つて可なり難色を示したが、会長以下各劇場代表の努力で二月にはその復活をみた。ここ、ではサークルが単なる割引団体と誤解され、館側から「主旨と実際とが違つている」と指摘されて我々は大いに反省させられたのであつた。一方、県下各地に文化的欲求が高まり、紙屋村をはじめ高鍋、高岡、清武に相次いで自主的な映画サークルが生れて、新しい文化活動の目ばえを示した。二十七日には「母なれば」の俳優神田隆氏を図書館集会室に迎えて会員と大いに語り合つた。

二月二日、本紙編集委員会は五一年度宮崎上映分の邦画、洋画のベストテンを夫々選定、各紙に掲載されている。

三月に入ると九州に散在するサークルを統一した全九州映画サークル連絡協議会を造ろうと八日福岡で開かれた準備会に事務局の安達氏を派遣、その報告にもとずいて正式に加入を決定したのはずつと後れて五月初めに開かれた第七回委員会であつた。三月二十二日になると箱根風雲録の山本薩夫監督と岸旗江さんが来宮、同映画上映館大成座の協力で商工会議所に座談会を開き、種々刺戟されるところが多かつた。次いで箱根完成を記念する六月八日の前進座来演に際しては、五月廿二日の委員会で後援することを決定、活発な前売活動を行つた。ところが此処で一つの問題がもち上つた。六月末、市内の映画協同組合が経営難を理由に、七月から一本立、最低七〇円の協定を結んだことであつた。我々は早速市内知名士数氏にアンケートを求め、号外として会員を始めひろく一般市民に訴えた。これは以外な反響を呼び、座館側と協力しての入場税引下げ運動は、中央誌紙へキネマ旬報）・三頁下段へ

※映画祭と銘うつには些か物足りぬ企画ではあつたが、サークルの財政的な事情も考え合せてみると、比較的良心的な映画だと云う点で最低の要求は充してくれたと思う。※

# カサブランカと王様

「カサブランカ」は監督マイケル・カーティスにとつてもアメリカ映画界にとつても重要な意義を有している作品。カーティスは通俗作家として有名だつたが「カサブランカ」に於ては芸術的な個性をみせ見事一九四三年度のアカデミー監督賞を獲得した。

劇中の圧巻は「マルセイユ」の歌声がナチスの合唱を押しつぶして行くシーンであろう。名も知れぬ一女性の瞼から涙があふれ、一心に「マルセイユ」を歌うあの顔は特に印象的だつた。ボガードの個性的な演技は異郷カサブランカのエキゾチズムに溶けこみ、哀愁の中にヒユーマニズムを表示し得て好演。バーグマンも漂泊の女性を美しく描き出している。唯、難を云えば、劇の終末が余りにもあつけなく、如何にもアメリカ的ハッピー・エンドに終つているのは食い足りない。この映画を最后として、アメリカ映画界がファッシズムへの抵抗にそつぽを向きだしたと云われているのは注目すべきことである。

「王様」はシユバリエの一人舞台の映画。貴族大臣諸公を諷刺して至る処に喜劇をばらまいて行くが、裏面には王様の淋しさがかくされている。併し時代感覚の相違は争われない。良き時代の愉しい映画も現代感覚にはピンとこない。と云うよりも敗戦日本の冷酷な現実に生きている我々にはほのかな夢としか受けとれない。どこかの国の大臣諸公か見れば、大臣家業は昔も今も大しこ変らぬものと、又別の感興をもよおしやがるかも知れないが。フランスのチヤツプリンと云われているシユバリエが最近冷飯を食わされていると聞くが、彼のシヤンソンを聞きたいと思う人々が居ることをお忘れなく御健斗を祈る（Y）

# 可能性を信ずると云う事
## ＝美女カンテメを観て

土方与志はこれを演出するに当り「この上演では一美女を中心に、島の解放の斗の姿を画き出す事を期し、更にそれを発展させるに役立つようにすることこそ今度の演出者の任務だ」と云った。

「美女カンテメ」を観終って私は、私の周囲を取りまく幾多の問題がある事を認めざるを得なかった。そして問題が大きければ大きい程、カンテメの生き方に引かれて行く。前進座は劇団である。だが私には彼等の演ずる劇よりも、彼等が苦しい世相の中で可能性を信じ、凡ゆる碍害を克服して行く姿に打たれた。

人間は未来を創造して行く任務がある。創造的活動は可能性を信ずる事以外には、なし得ない。一面周囲はどうだろうか。職場においても、家庭においても一つの事をなすには勇気と決断が要る。それは、周囲とのマサツなしには出来得ない事だ。このマサツを予想し、且つ可能性を信ずることは如何に難かしいか。

カンテメはそれをなし得た。カンテメがそのため払った代価は死という傷ましい高価なものではあったが――。カンテメの生き方は現代にも通ずる。私達に勇気と決断を迫ってくる。

カンテメは一人で生きられたのではない。カンテメを支持し、助けてくれる農民大衆がいたからだ。だからカンテメも可能性を信ずる事が出来たのだと思う。苦しい農民がお互いを信じ彼等が何に抵抗していったかゞサネトウの性格描写に比し余り描かれていなかったのはどうしてだろうか。私は〝美女カンテメ〟の生命はそこにあると思うのだが？　農民が立ち上る処の唐手踊は雄々しく私達の共感を呼んだ。

**K・N**

# 中国映画 白毛女 を観る

外国映画を鑑賞する場合、映画芸術そのもの、鑑賞という外にその国の風俗なり社会なりそこに住む人々の生活ぶりを知ることが大きな興味であるが、ぼくが『白毛女』を見る前にもった期待はそれであった。ことに最近の中国事情などはよく解らないまゝである。映画『白毛女』一本ですべてを推しはかることはできないが、こゝには中国農民の悲惨な生活が出ている。

広く伝えられている伝説を映画化したものだと聞いたが一人の強欲な地主に搾取されたる農民の反抗を徹底してうたっている。最后には地主をやっつける場面があり、平和な田園の労働が写されて終っている。搾取者を除かねば平和は来ないという説法であるが一人の悪地主に対する――個人的な――反抗に終っている感があるのはどうだろう。ラストシーンで幸福そうに働く二人の姿が写るのが作りものめいている。八路軍がきて良政をしいたから平和になったというのだろうがそこは出ていない。真白だった髪が染めたのか黒い髪になって変な気がするのは、あくびの出る程長々と撮った山中での彷徨場面で喜児が一種の仙人的怪物として描かれたからで、史実の映画かと思うと日本軍なでて来たり調子がちぐはぐである。

しかし変な例え方だが人斬り映画やトンコ映画よりはるかにましなのは固い骨があるからだ。（**T**）

・　・　・　・

※二頁より（映画タイムス等）にまでとり上げられる程であった。又十月の総選挙前には各候補者に映画政策のアンケートを発した。

夏枯れをのり越えてサークル活動をより活溌にせんものと、シーズンに入ろうとする十月六日の常任委員会では市内を四地区に分ける班会議組織を決め、委員会もこれを確認、新しく再出発することになった。

さきに問題になった一本立最低七〇円の協定も遂に十一月初めくずれ、再び自由興業が復活したが、種々問題になったゞけに今後の成行きは注目されるところであろう。

尚、編集委員の高井氏（電報局）が技術競技会において九州で一位をカク得、又同じく東和武氏（図書館）が十一月宮崎今日新聞の映画評懸賞募集で一等をとり、わがサークルの気を吐いたことを附記しておく。（**X**）

眞空地帯　1月中旬　大成座

# 新春映画展望

★ 1953・1月上 ★

やはり師走である。街頭にも歳末らしい気分が漂い、映画館の正月映画のでかい広告が目につく。とかく正月の映画は良いものが少いのだが、スケジュール表に列んだ玉石こんこうの中から、めぼしい玉を拾ってみよう。

まづ目につくのが「アパッチ砦」「真昼の決斗」、次いで「アフリカの女王」「誰がために鐘は鳴る」の四本は新春の映画として不足のない所。

少しくわしく紹介するとJ・フォードの西部兵隊ものとして「黄色いリボン」「リオグランデの砦」と三部作をなす「**アパッチ砦**」はおなじみジョン・ウェイン、ヘンリイフォンダ以下のスター陣でひところ市内でよく聞いた「黄色いリボン」の曲が使はれており、製作年代としては三作の中一番早いのが後れて公開されたもの。Jフォードの作品が只の射ち合い映画でない所は温かい人間味と西部の詩情があるからなのだがともかく純粋西部劇ファンには見逃がせない一篇。

「**アフリカの女王**」は「黄金」のジョン・ヒューストン監督というのが魅力である。一九一四年、欧洲で戦乱が起ったころのはなしで内容はと云へばむしろ下らないこの色彩映画を引き立たせているのはヒューストンの巧みなユーモアたっぷりな演出だそうである。ハンフリー・ボカードはこれでアカデミー演技賞を得ている。相手役のK・ヘッパーンも良い演技を認められている。

「**誰が為に鐘は鳴る**」はわが国でも知られたアーネスト・ヘミングウェイの同名の小説の映画化。主演は大スターG・クーパーとI・バーグマンの顔合せで監督はサム・ウッド：筋をかいつまんで書くとスペインの内乱に当ってファシストの支配から祖国を救おうと奮斗するゲリラ隊に一人のアメリカ人〈クーパー〉が加わる。彼は山中にひそむゲリラの一隊へ赴く。首領のかくれ家には敵に暴行のかぎりをつくされた上、髪を切られたマリア〈バーグマン〉が同居している。G・クーパーの使命は敵の進撃を妨害するため鉄橋を爆破するにある。が、敵は計画を悟り一同を猛烈に爆撃する。ここがクライマックスであるが、撮影はシェラネヴァダ山脈にロケされ、絶大な効果をあげている。

☆以上紹介したものを大体上の部とすると後は「**黒騎子**」〈有名な小説「アイヴァンホー」色彩映画化のいわゆるスペクタルもの〉それに「**赤い灯**」ぐらいがまあ中の部という所である。

こゝに沐じいのは鑑賞するに足る日本映画は川端康成原作の「**千羽鶴**」一本とは情ない。あとの日本映画は皆、瓦や石ころのたぐいである。が、その瓦石が案外歓迎される所に問題がある。

★「真空地帯」中旬・大成★

★「ひめゆり」下旬・ロマン

★「ベルリン陥落」3月下旬・ロマン

| | 1 木 | 2 金 | 3 土 | 4 日 | 5 月 | 6 火 | 7 水 | 8 木 | 9 金 | 10 土 | 11 日 | 12 月 | 13 火 | 14 水 |
|---|---|---|---|---|---|---|---|---|---|---|---|---|---|---|
| 大成座 | 水戸黄門<br>港に来た男 | | 風<br>マ | 雲<br>ン | 千<br>か | 雨<br>大 | 船<br>会 | <br>び | 一<br>つ | 等<br>くり | 社<br>六 | 員<br>兵 | <br>衛 | |
| 帝国館 | 荒くれ男<br>暁前の決斗 | | 艦 | 長<br>赤 | ホ | レ<br>い | ーシ<br>灯 | ヨ | 剣 | 豪<br>コ | タル<br>ルト | タン<br>4 | アン<br>5 | |
| 若草 | 街の小天狗<br>あの手この手 | | 鞍<br>の | 馬<br>瞳 | 天<br>ミッキー | 狗<br>とあざ | 田<br>らし | <br>モ | 千<br>ンテ | <br>ン | 狗<br>ルパ | 鶴<br>の | <br>夜 | |
| 宮劇 | 夕焼富士<br>学生社長 | | ひばり姫<br>底抜け | | 初<br>青 | 夢<br>春 | 道中<br>音頭 | ほ<br>わ | んと<br>ね | にあ | なた | はす | ごい | |
| ロマン | バレリーナ<br>アパッチ砦 | | | な<br>裸 | ら<br>と | ず<br>太 | 者<br>陽 | | 誰 | が | 為に | 鐘は | 鳴る | |
| 日劇 | ひばり、ター<br>ザン、男祭 | | 退屈男八百八丁罷通る<br>少年ターザン、アフリカの女王 | | | | | 二人の母、上海帰りの<br>リル、高原の駅よ、、 | | | | | | |
| センター | 極楽スパイ作<br>黒騎士 | | 愛 | 怒の<br>バ | 十字<br>ン | 路<br>ビ | 銃 | 弾 | 荒 | 野 | の | 決 | 斗 | |
| 江平 | 学生社長<br>本陣[illegible] | | ひばり姫初夢道中<br>ほえろ百獣 | | | | | 若奥様 番手<br>柄、丹下左膳 | | | | ラ<br>さん | | |
| 孔雀 | 恋風五<br>十三次 | 少 | 女 | | 剣 | 紅涙草<br>折鶴笠 | | 牛<br>霧 | 若<br>の夜 | 丸<br>の恐怖 | | 月から来た男<br>雪崩 | | |

《あとがき》

前号のニュースがプリンター事故のため読みづらかった事をお詫びします。編集委員会で新年から活版にする案が具体化されています。

会員の方達の原稿でどしどし充実したものに作り上げて下さい。来る年もサークルの一層の発展を祈りつゝ——。

(1)　シネフレンド　1953年1月15日　第29号

事務局　宮崎市高松通り1の45　TEL3659
印刷所　日向日日新聞社出版局

# 希望の一九五三年

本年を本当に私達の映画サークルを強固なものに育て上げる為に皆さんで今しばらく考えてみましよう。

(1)『よい映画を安く見たい』という希望はどなたにもある事なのです。所謂映画ファンの方にも、西部劇のお好きな方にも進歩的映画がお好きな方の中にもある事なのです。ところが現実の問題として昨年我々が体験した様に一本の映画を見るのにも一々財布と相談をし、今迄五回みていた人は二回にというようになつています。割引券を使つてすらこんな状態があるのですがこれはどう云うわけでしよう。この事を考えます時私達は自分の月給がいかに安いかなぜこんなに安い月給でピイピイ暮し乍ら好きな映画が見られないのかと考え出さずにはいられないでしよう。私達の祖国日本は今六〇三ヵ所の軍事基地の網の目の中におかれ、保安隊三十五万人建設は米軍より強行に申し渡され、吉田は必死になつて一大国民弾圧を破防法その他鹿地事件に見られる様に、やつきになつてあらゆる手を打つて来て居ります。この他我々の所でも都井岬の軍事基地化が進められて居りこの様なものに使う金を捻出する為に、私達の月給は生活して行けない位安いものになつて居るのです。これが好きな映画が多く見られないという結果になつているのです。私達はこれを考える時割引をする交渉は勿論ですが、更に一歩進めて入場料引下げ運動を行わなくてはならないと思います。これは映画館側でも先の協定を変え二本建てにして料金を少しでも安くしなければお客が入らないという事になり、協定を変えざるを得ない様になつて来ましたし、先に行われた県税公聴会でサークル常任の発言に館側が共鳴した様に映画館にとつても我々にとつても、共同して斗える基礎があると思います。

(2) **良心的作品を作らす運動**

『女一人』の如く(自分達のありのまゝの姿を映画にしてほしいという希望と結びついて製作された)私達は恋愛にしても悩み苦しみにしても私達の遙か彼方の夢物語りみたいなものでなく、私達が毎日暮らしているそのありのまゝの現状から出発した映画が出来る様お互いの声を出し合い、独立プロに又良心的製作者に『こんな映画を作つてほしい』という希望をどし〳〵出してみましようその希望通りの映画が出来た時は喜びの声が全国にわき上るでしよう。

(3) **良心的外画の輸入運動**

昨年『夜明』『白毛女』『井戸』『ミラノの奇蹟』等良心的外画は米画の割当をむしした一方的輸入にまけて、イタリヤ、フランス、英国の映画にしても、わづかしか輸入されませんでした。だが、最近の例として『ベルリン陥落』の公開が実現された事は、全国の映画を愛する人々及び働く人々の要求によつたものなのです。同じ米画にしても『怒りの葡萄』の様な良い作品の輸入を実現させたいものです。以上の様な点で私達が固く団結して斗うならばサークルにとつて本年は希望の年となるでしよう。先ずその年初めに『女一人大地を行く』『真空地帯』『ひめゆりの塔』『ベルリン陥落』の上映に際し全面的に動員することと今起つている『入場税』問題で館側と一しよになつて入場税引下げ、入場料引下げ運動を展開しましよう。

## 明けましておめでとう

**上野裕久**

サークルの皆さん、よい正月をお迎えになつたでしようか。新年といつても、どうもこゝ数年間手放しでお目出たい気持にはなれないのですが、兎に角戦争にならないで、一家揃つてお雑煮が食えたことは矢張り嬉しいことです。

あれ程第三次大戦開戦の年と案ぜられた一九五二年を、しかも水豊ダム爆撃や満州銃撃などの刺戟的な事件があつたに拘らず、中国の隠忍自重と全世界の平和勢力のもり上りが遂に平和の中に送らせたことは、一九五三年にいかに戦雲がたゞようとも、平和を愛する世界の人民が団結さえすれば、死の商人達の陰謀を破壊して戦争を防ぐことができる確信を与えました。

映画と芝居を観ることが好きな私達サークルの『よい映画を安く』というさゝやかな努力も平和を守ることに貢献していることは嬉しいことです。戦争になれば、楽しく映画など観れなくなります。私達の小さな努力が、戦争え駆り立てようとする愚劣な宣伝映画をボイコットし、平和な美しい民族映画を守つているのです。又ソ連や中国のほんの僅かの映画でも観ることによつて真実を知り、世界中が仲良くして行けることを信じることができます。私達の安く映画を観るという自分の利益のための運動が、実は世界の平和を守る大理想に役立つていることを知る時私達には無限の力が湧き出て来ます。

平和勢力が強くなれば、戦争屋ども焦つて気違いじみて来るでしよう。良い映画を無くし、悪い映画を高く観せるようになるでしよう。サークルの割引券も難しくなるかも知れません。そうなればなる程私達は団結を固くして、割引券をかちとり邪魔になる本源を明るみに出すことに努力せねばなりません。

サークルがたゞ単なる割引団体にとまらず、重要な文化運動の団体にならなければならない契機がこゝにあるようです。

サークルの皆さん、今年は益々スクラムを固く組んで元気に進もうではありませんか。(宮大助教授)

▲思えば『割引券はまだか』とか『たつた拾円しか引かねエのか』などと云つたり云われたりしているうちに吾等のサークルも二度目の正月を迎えた。早いものである。▲会員もこの間増えたり減つたり、どうやらこの処増減も少くなつて一応組織は安定した感がある。文化組織としての映画サークルの本当の活動はこれからである。単なる入場料ねぎり機関に終始してはなるまい。▲だからと云つて良い映画を安く見ると云う趣旨を忘れる訳ではない。この正月から世界一の悪税たる入場税十割が五割に下つた。米価や交通費やその他もろ〳〵の物価が上る御時世に何と有難い事か。あとはたゞ吾々の入場料が幾ら安くなるかを見守るのみ。▲入場料もさることと乍ら今年の映画界がどう動いて行くかも見守らねばならぬ。▲フタを開けて見ぬことには鬼が出るか蛇が出るかは判らぬが、今年は巳年である。色んな蛇が出るかも知れぬ。お互い心して長いものに巻かれぬ用心が肝腎。

ダニー・ケイの
天国と地獄
驚異の豪華2本立
河
24日31日
独占大公開
総天然色
映画センター

## ☆生々しいロケーション効果☆ 『暁前の決断』評

☆期待していた『アパッチ砦』には些か失望させられたが思いがけなくアナトール・リトヴアクの『暁前の決断』を元日の夜みることになつてそれが意外にも見応えのある映画だつたことに驚き、やはり映画はみるものだと思つたことだつた。

☆ぼくはこの映画をみながら張赫宙の『鳴呼朝鮮』を思い出していた。個人の意志の抹殺される時代……。そういう恐怖に似た感情をフト覚えた。米軍捕虜となつたドイツ兵青年が志願してスパイ訓練を受けて故国へ潜入する。

青年の感情と行動を通して映画は複雑な問題を投げかける。

☆第二次大戦末期の実話をもとにして書かれたものを現地にロケーションして撮影されているが、これが異様な効果を生んでいる。

作戦によつて独軍後方に落下傘で降下した青年が機密を探るために目的の師団を追つて行く。見馴れた故国の街々は無残な被爆の跡をさらけ出し、どこもみな戦争の空気が慌たゞしい。未だくすぶり続ける廃きよの街をこぼれるように軍人や市民を乗せた電車が動いている。

走り回る独軍兵、軍用列車の鋭い汽笛（このあたり緊張した画面の迫真力は生々しい）。

☆戦つて捕虜となり今は故国の機密をかつての敵軍に通報しなければならぬこの青年の立場と『鳴呼朝鮮』の青年の場合とを較べてみた。後にはドイツ秘密警察の手の回つている彼。故国を売ることの苦痛と信念に挾まれる彼の表情（オスカー・ワーナー巧演）ここに相争う二つの世界に捲きこまれ宙ぶらりんになつた誠実な若い男の苦悩が痛々しい。映画の言うようにこうしたスパイの存在など忘却の彼方にいつか押しやられてしまうとしても、ぼくにはあのドイツ青年の辿らざるを得なかつた運命を現代にあり得ることの実感として痛いほど感じられるのである。

寺島雄吉

## 『千羽鶴』について

山中卓郎

川端康成の『千羽鶴』は私の好きな小説の一つである。作品としては『山の音』の方が秀れているだろうが、連作『千羽鶴』の中の『森の夕日』を先きに読んでいたせいか、私には妙に『千羽鶴』の方が親まれるのである。

川端は人生のニュアンスというか人間の孤独な魂をそつとだき温めていくような作家だが、現代作家中、女性の言葉をもつとも美しく表現するひとで、それは音楽的なと評してもいいようである。私は『森の夕日』を三度ばかり読みかえしているそのたびに理想化された女性を瞼に描いてひとりでに酔つた。実在の女性の美しさではなく、夢幻的な美しさであり、しきりと久遠の女性の姿を追つたのである。

大映で吉村公三郎が『千羽鶴』を映画化するというニュースを読んだ時、はたと私は当惑した気持にとらわれた。原作者でもない私が眉をひそめるのもおかしな話だが、およそ映画化することの至難なこの小説が映画化されることによつて文学のもつ本来の美しさを失われるだろうとおそれたのである。

私は『千羽鶴』を観て、やはりなかば失望を禁じ得なかつた。失望したのは、永らく抱いていた私のイメージをこわされ、原作にない不必要な箇所がのさばり出て、見たくもない女性の嫉妬心をあらわに覗かされたからであろう。嵐の晩の狂態にはまつたくヘキエキしたのである。いつたいに、無駄なお喋りが多すぎるようである。

たとえば、私達が踊場にいる場合でも、口をとぢた若い女の横顔に言い知れぬ美しさを感じるものだが、どちらかといえば映画美というものも、会話のないサイレントの場面に発見されることが多いような気がする。『ドイツ零年』のときもそうだつたが特に日本映画の場合、『晩春』にしても、或いは『幸福への招待』『小原庄助さん』『命美わし』にしても、私の胸に訴えてくるのは、無常感に貫かれた人生の哀しさであつた。その哀しさは、ニュアンスのない人間の会話とはおよそほど遠いところにある。この映画から、人生の影の美しさをひき出し得なかつたのは、私にとつて大きな不満であつた。私はもう一度『千羽鶴』を読み返してみたいと思つている。（映画評論家）

## 『シネ・フレンド』と決まるまで

本誌の新名称については会員全員から募つてはと云う案が強かつたが何分思い立ちが遅かつた為時間的に余裕がなく止むなく四日の編集委員会で標題の通り決定した。最初『エクラン』と云うのが有力だつたが、やゝ平凡の感があり『みるなかま』と云う一寸風変りな案が出て、これで行こうかと決まりかけたが、どうも変だネで崩れてしまつた。編集委員の面々慾張りばかりでやれ新しさがない、やれ真似はいかんだの地方色を出せだのとケン〳〵ガク〳〵の果最後にTさんが出した『シネ・フレンド』にやつと落着いたものの名前を着けると云うことは何に依らずむづかしいもので何時の編集委員会でも新しい欄の名前を着ける時には相当揉みに揉むが結局元の処へ来てしまうことが多い。本号から新しい欄が増えたが小さな題一つでもケン〳〵ガク〳〵の所産である。俺ならもつといゝ名前を着けるなどと云わずに今年も愛読していたゞきたい。

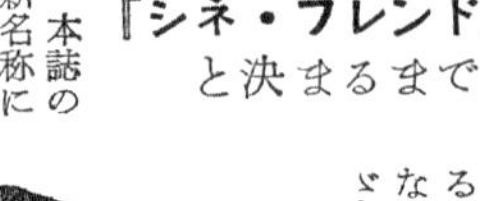


会員聲の欄です
投稿歓迎

良い映画を見ると云うことは非常に楽しいものである。日常の苦労もよい映画を見ることによつて慰められ、鼓舞される。然し反対にそれが母物、お涙丁戴物の様なくだらない映画によつては決して吾々は満足出来ない。一般観賞眼は昔より昂まつたと思われるのに、未だこんな下らない映画が出来てくるというのは一寸と不思議な事である。

よく人がいうような『教養を得る為の映画』観よりもむつかしい事はぬきにして『心よい一刻を楽しむ映画』観であつてもよいと思う。だが心よい一刻を楽しむ中にも『考える』と云う事は忘れてはならない。この『考える』と云う態度を吾々仲間の中に作り育てて行き、又考えるに耐える映画がより多く作り出される事を祈つてやまない。

こんな事を考える時、下らない映画では決して満足する事も出来ないし、話し合いをする事すら出来ない『考える』ことの中に楽しみを見出すのは僕一人だけだろうか。（図書館O生）

☆

# 新春座談會

明けましておめでとう。本年度初の編集委員の顔合わせと云うところですが、まず**昨年度邦画界の特徴**とでも云うべきものを考えてみたら……。

**矢野** プロデューサーの本木荘二郎がこんなことを云つている。昭和廿七年は秋に大作・力作がくつわを並べて登場した。興行面からみると普段は洋画との比率は四分六分だつたがこの時期はそれが逆になつた。個々バラバラではとてもかなわぬが大作をシーズンにまとめて出すことにより、洋画に堂々対抗出来る。そこに日本映画の可能性が見出されると云つた意味のことをね。

**安達** 一つのシーズンだけを考えても、事実は年間を通して洋画の攻勢に圧倒されているのだから、それを一年中に拡げねばだめだろう。

**本條** それにわれわれサークルと云うみる立場からすれば、見たい作品が一ときにでるので、全部をみることは難しいから余り便利ではないね。

**安達** 矢張り年間を通じて平均してどれだけ傑作を出したかが重要だよ。

**矢野** でも今まで低調だつた邦画の実力を示したということは嬉しいし邦画に対する**観客**の認識を新たにさせたことは意味があるよ。

**本條** ある一時期に集中した場合と年間を平均した場合との外画に対する力の関連が、僕にはどうもピンと来ないんだが。

**矢野** 今までは邦画におされていたのが、ある期間だけでもそれを逆に押し返したことは、今後に一つの方向と希望をもたせるものだ。しかも秋だけでなく、全体的なレベルが上つていることも指摘できると思う。

**本條** **映画の興行性と藝術性**が歩みよつたと云う訳だな。

**安達** それは、みるものの意識がたかまつてきたため、その足並みに製作者側が歩調を合わせざるを得なかつたとみるべきだろう。そこで**サークル等の積極的な活動**が高く評価されて来る。未だほんの芽ばえではあるけれどね……。

**司会** 対外画の問題はそれくらいにして、ここで**日本映画自体の問題**に入りたいと思います。昨年は大資本に対抗して**獨立プロ**が良心的な野心作を手がけて映画界に新風を吹き込んだことは注目すべきことだと思うのですが……。

**安達** そうだ。スタジオ8の『わかれ雲』新星の『箱根』八木と日教組共同で作つた『山びこ学校』キヌタの『母なれば女なれば』近代映画協会の『原爆の子』と何れも問題をなげかけた力作揃いだ。更に近くは新星の『真空地帯』があるが、これは未だ一般公開されてないから……。

**高井** その何れもが、興行的にも成功したため、それが映画界に少なからず刺戟を与えたことは高く評価されるべきだ。

**安達** そこから、木下、黒沢級の優秀な監督達が、独立プロで作ろうという傾向がみられることも、新年を迎えての新しい希望といえる。

**矢野** ところで、**文藝作品**が多いというのは今年だけの特徴としてあげられるだろうか？

**本條** 特徴というより旧態依然だといいたいね。そうならざるを得ない原因は、矢張り**シナリオの貧困**ということになるのではないだろうか。

一同（同感だな）

**高井** いわゆる挿画化が今の映画界ではまだまだ支配的だ。

**本條** 映画のための独得なシナリオがもつともつと欲しいよ。『生きる』みたいなものがね。

**安達** 作品の共通性というか、作品に**一貫して**みられるものに社会性の問題があると思う。社会に眼が向けられて来たことは喜ぶべき現象だ。

**本條** ぼくは思うんだが、特にとりたてて大作はないけれども、全体的にレベルが上つているということこれは昨年度の特徴と云つていいだろうね。いうなれば巨匠の影がだんだんうすれて来ているよ。

**矢野** 時代が変つて来たんだ。

**安達** 小津の『お茶漬の味』案外あれが彼の本質ではないかという気がして来たね。（そうそうという声）

**司会** **監督**の方はどうですか？

**高井** 成瀬巳喜雄が今年はめざましかつた。

**矢野** それは同感だ。それから、うまくはないけれども、あのごういんで荒々しいタッチの関川秀雄ね、ぼくは彼からは何ものかが生まれるかも知れないと、ひそかに期待しているのだけれども、とうとう昨年は出さなかつたな。

**安達** 独立プロでは、今井正が断然トップだね。

**本條** 成瀬はまだまだうまくはなるだろうが、それ以上の期待は持てぬような気がする。

**安達** その点、黒沢明は底力をもつていて、まだまだ伸びる可能性を感じさせる。山本薩夫もそうだ。『箱根風雲録』から、更に『真空地帯』に来るとすごいものね。頼もしい限りだ。

**佐々木** イデオロギー的なものは多少あるとしても、独立プロが意欲的な作品を作つて、いろいろ問題をなげかけたわけなんだが、作風としては次の二つのタイプが見られると思うんだ。一つは社会の古いカラをつき破つて、その中から新しいものを描きだそうというもので、もう一つの方は、小市民の生活の中で社会ととり組んでいるものなんだ。『稲妻』や『おかあさん』『別れ雲』などは前者に入るし後者の例は、『生きる』『現代人』『カルメン純情す』などだね。

**矢野** ぼくたちが、せめてこのへんに最低線をひきたいと思う**中級の作品**がふえて来たことも云えるね。例えば『泣虫記者』『三等重役』『足にさわつた女』といつた軽いものや『戦国無頼』『若い人』『安宅家の人々』のような作品ね。

**本條** その反面、俗うけをねらつた**下品な題名**がハンランしたことも見逃すべからざる特徴だ。『こんな私じやなかつたに』『娘十九は未だ純情よ』『あなたホントにすごいわね』まだあるよ『ちよいと姐さんおもいで柳』どいつも長いね。（笑）

**佐々木** 切つたりはつたりが影をひそめて、形を変えてあらわれて来たわけだね。

**本條** やはりこれも一つの**復古調**と云えると思う。それもアプレゲール的なものを含んだ復古調が多分に出て来つつあるんだね。

**高井** サラリーマンものが、出版界からうけついで相当進出したのも特徴と云えるかね。

**矢野** 俳優では田中絹代がもり返して来たね。パイプレヤーの進出も目立つが、河村黎吉がいなくなつたのは淋しい。

**司会** 舌足らずになりましたが、紙面の都合で一応打切り、洋画は次号へ廻すことにしたいと思います。御苦労さんでした。

右座談会終了後、編集委員出席者六名の投票の結果、一九五二年度宮崎市封切邦画の**ベスト・テン**を次の通り決定した。

①稲妻（成瀬巳喜雄）
②山びこ学校（今井正）
③生きる（黒沢明）
④わかれ雲（五所平之助）
⑤箱根風雲録（山本薩夫）
⑥現代人（渋谷実）
⑦西陣の姉妹（吉村公三郎）
⑧本日休診（渋谷実）
⑨おかあさん（成瀬巳喜雄）
⑩原爆の子（新藤兼人）
次、母なれば女なれば（亀井文雄）

**お知らせとお願い**

先の常任委員会で色々な事情を検討の上サークル**会費・入会費は二十円**に決定されました。

今後の活動を活潑にして行く上の止むを得ぬ値上げですのでよろしく御了承下さい。

# 1月下旬各館スケジュール

14 15 16 17 18 19 20 21 22 23 24 25 26 27 28 29 30 31
水 木 金 土 日 月 火 水 木 金 土 日 月 火 水 木 金 土

| | | | | | | |
|---|---|---|---|---|---|---|
| 大成座 | 七色の街<br>君去りし後 | 次郎長売出す<br>愛憎七変化<br>浪曲大会 | 春のささやき<br>センチメンタル・ジャーニ | | | |
| 帝國館 | | 海賊船長<br>情無用の街 | 五本の指<br>アリゾナの決斗 | 地獄の英雄<br>オクラハマ無宿 | | |
| 日劇 | 飛びつきよ判がん<br>栄光の星の下に<br>ジエロニモ | ケンカ笠<br>デコちゃんの千一夜<br>緋がの子異変 | 怒りの河 | | | |
| ロマン座 | 9日 誰が為に鐘は鳴る | 哀愁<br>帰郷 | 怒りの河 | ひめゆりの塔 2/3<br>若草物語 | | |
| 若草 | 芸者ワルツ<br>銭形平次<br>からくり屋敷 | 秘密<br>二つの処女線 | | | | |
| 宮劇 | 珍説忠臣藏<br>春の鼓笛<br>東京ヤンチヤ娘 | ハワイの夜<br>吾が母に罪ありや | 情火<br>坊ちゃん重役<br>31 | | | |
| 江平 | 春の鼓笛<br>三等重役<br>東京ヤンチヤ娘 | 拳銃の嵐<br>野性の叫び<br>東京ヤンチヤ娘 | 吾が母に罪ありや<br>山びこ学校 | 苦い米<br>駅馬車 | 浮雲日記<br>情火 | 原爆の子<br>硫黄島の砂 |
| センター | アパッチ族の最後<br>暁の討伐隊 | 黒バラ<br>巌窟の野獣 | 河<br>天国と地獄 | | | |
| 孔雀 | 修羅城秘文<br>お嬢さん社長 | 大当り<br>黄金狂時代<br>女王蜂 | お茶漬の味<br>コロンビヤ<br>歌謡音楽まつり | 歌舞伎<br>歌次 | | |

**映画紹介**

## 期待される『河』と『ひめゆりの塔』

○寒さにかまけて映画を見に行かないでいると、つい良い映画を見逃がすことが多い。これと思う映画は、先ずみに行くことだ。感激と興奮にほてつた頰を冷たい風に吹かれながら歩くのもいいものだ。

○さて本欄のトップに『山びこ学校』の今井監督作品『ひめゆりの塔』を紹介しよう。一作毎に堅実な歩みを続ける今井正と脚本の水木洋子の組合せは『また逢ふ日まで』以来であるが、この脚本は実話をもとにして書き上げられたオリジナルものである。かなりの量のある、そして作者の苦心の跡のうかがえる脚本で、話は昭和二十年三月二十四日から始る。既に沖縄が米艦船に包囲されて日本の死命を制する沖縄攻略戦の火ぶたが切られたときのことだ。夢多い蕾の春を軍国主義の犠牲となつて無残にも散つて行く姫百合達の姿は観客の心を動かすことであろう。この映画に出演したい女優が多かつたことも考えて日本映画前進の一作と思われる。

○その他の邦画では大庭秀雄監督（いのち美し）の『情火』が幕末時代を背景に巧みに描いた時代劇として、また『秘密』は『安宅家の人々』で好調だつた久松静児の作品でかなりよくできたホーム・ドラマとしてそれぞれ注目される。

○洋画陣の筆頭にはまずJ・ルノアール（大いなる幻影）の色彩映画『河』があげられる。昨年度の外国映画中ベスト、10の内に入るものだが、ベニスの映画祭では『羅生門』についで一等賞をとつている。インドのガンジス流域で撮影された。『黒水仙』の原作者ルーマー・ゴッデンの半自叙伝的な同名小説から、ゴッデンとルノアルが協同脚色した。

○『五本の指』は『イヴの総て』のJ・マンキウイッツの一九五二年作品でスパイ実話を映画化したもの。此の映画の魅力の一つは主演のジェームス・メイスンにある。『邪魔者は殺せ』あたりで彼の演技に惹かれた人も多いが、『五本の指』がたゞのスパイ映画でなく、性格ものになつているというのもうなづける。

○好評だつた『ウインチエスター銃73』と同じスタッフで製作された色彩映画『怒りの河』は主演ジェームス・スチュアートでちよつと変つた西部劇である。

○その他、新しいものではないが再映の『苦い米』『駅馬車』の二本立『山びこ学校』『原爆の子』をまだみない人のために紹介しておこう。

## 編集後記

新しき一九五三年を迎えて本誌も粧いを新にしてお目見得した。御覧の通り読みやすい活版になり、紙面も広くなつた。どうかよろしく御利用、御愛読の程お願い致します。

がり版から活版になつて勝手がちがい、編集委員もてんてこまいで発行が遅れ、皆様に御迷惑をおかけしたことを深くおわび致します。

正月のおいそがしい中を山中卓郎さん、上野先生が寄稿して下さつたのは有難いことです。皆様と共に感謝致します。

今後の問題は内容の充実です。映画評、サークえの声、職場内の文化トピック等どし〳〵事務局の方へ御寄せ下さい。それのみが本誌を充実させ発展させる道です。全会員で本誌を盛り立てゝ行きましょう。

映 シネフレンド
宮崎映画サークル発行
事務局　宮崎市高松通り1の45　TEL3659
印刷所　日向日日新聞社出版局

# 新企画・いろいろ

## 第十五回常任委員會開かる

一月二十一日本年最初の常任委員会が開催された。主な議題は役員、予算、映画会等であつた。

☆役員

前会長武井氏が辞任されて空席となつていた会長に此度宮崎大学工学部部長の宮崎氏が承諾され、副会長の宮崎県庁職員労働組合副委員長の河野氏と共に今後のサークル発展の為大きな力を加えた。

☆豫算

本年からニュースが活版になつた事や他県の映サや県内の文化団体との交流等を考慮の上二頁に掲示された予算が組まれた。この予算も会員を増加さす事によりサークルの活動を円滑にする事が要望される。

☆推薦映画

各館のスケジエールが全部分つていないので『二百万人還る』一本がとりあえず二月上旬の推薦映画として決定された。尚今後の推薦映画は編集委員会で決められることになつた。

☆映画会『巴里祭』『自由を吾等に』

昨年秋から会員の中でも要望の強かつた映画会が二月二四・五日にセンターで開催されることになつた。

☆『ひめゆりの塔』感想文募集

現在上映中の『ひめゆりの塔』の感想文を会員非会員を問はず広く市民の間から募集することになつた。明細は二頁に掲載。

## 醫師会で映画友の会結成

### 会員三五〇名

延岡医師会では昨年から良い映画を観る組織を作ることになり準備中であつたが此度正式に発足した。会員は三五〇名で医師、看護婦が中心であり単位サークルとしては宮崎にも例をみない大きな会である。会長は共立病院長吉村武文氏

## 映画三本立廢止を呼びかけ

一月二十日の日向日々新聞、八面鏡欄に一公務員より『映画三本立に反対』の投書がありましたが宮崎商工会議所の文化委員会でも、映画の三本立は時間の浪費が多く、見たい映画が見れないので各映画館に二本立興行をするよう呼びかける。（日向日々新聞一月二十三日掲載）

## 民科でスターリン論文研究会

民科宮崎支部ではスターリン論文研究会を図会館会議室で二月七日・一四日・二一日・二八日の土曜午後一時半から五時まで講師宮大吉野教授により開催する。尚一般の参加も歓迎。

## カチンコ

▲さる夜の某館でのこと。切々たるメロデイと共に画面は愈々佳境に入ろうとしていたとき、どうしたのかトーキーが出なくなつた。▲よくあることで、すぐ直るだろうと思つていたが映写技師が気がつかないのか、そのまゝ無声映画状態がしばらく続いた。サテこゝなのだが、おとなしい観客ばかりと見えて拍手も口笛も起らなかつた。▲外国人、ことにフランス人などはこういう時には観衆総立ちで床板を踏みならすとか……。その中に誰かがオラぶじやろうと、みな黙つて見ていた。▲情けないといえば情けない群衆心理で、かく言う筆者もその中の一人だつたが、あに映画のみならず、すべてに共通するわれわれの欠点ではないか。▲映画館には、音が出なくなつたときのために、カチン！と冴えた音の出る拍子木でも備えつけて置かねばなるまい。

## 会長就任に當つて

宮崎兄一

昨年夏何気なくサークルに入会致しましたが、もともと割引券とニュースだけが目当ての、誠に情ないハシクレ会員だつたにも拘らず、この度ははからずも会長に祭り上げられると云う一大異変を生じました。勿論御断りしたのですが、再三の御依頼の真意はどうやら祭つてやるのではなく、税金を払えと云う事の様に心得ましたので、その儀ならば又存ずる仔細もある。昔、普通選挙以前には税金を払わねば選挙権もなかつたのですし、転んでも只は起きぬと云う格言も昔習つた理想主義の教える所ですし、ではこの機会に正式に税金を納めて、会員たるに恥じぬだけの勉強をして見るのもよかろうかと云う様な訳で承知致しました次第でした。

しかしこんな理屈つぽい表向きの理由の裏に、実は映画に関する一つの古い思い出がひそんでいたらしいのです。と云うのは、私は九才の時、大正七年の世界的インフルエンザで母を亡くしましたが、その母がその頃封切された『名金』と云う泰西連続大活劇にすつかり熱をあげていたのです。日頃は姑の権力の強い家の中で小さくなつていたらしい母が早夕飯で子供三人、私と妹二人をつれて、どうも子供はダシに使われたらしいのですが、活動見に行く時のいそいそとした顔は、同じ人と思えぬ位でした。一度などは、切符売場迄来て財布を忘れた事がわかり、又すごすごと帰つた事もありました。元来私と映画そのものとの関係は、盆と正月にだけ見ると言うお婆さんと同程度だつたので、映画を語るのもおこがましい位ですが、若くて死んだ母にあんな喜びを与えた映画と思えば、以前から何だか特別の感情があつたのです。

そんな事は別としましても、映画の見方にも色々と難かしい理屈もある事と思われますが、何と云つてもよい映画を見て楽しむ事が第一だろうと思われますし、之に就てサークルが今後も大いにお役に立つであろう事を希望する者であります。（宮大工学部部長）

# 「ひめゆりの塔」

## 感想文募集

早くも本年度ベストワンの呼声が高い『ひめゆりの塔』が愈々封切られた。

『沖繩に散つた清純な乙女達がどの様に清純であつたかを描こうと思います。そして無惨に散つた乙女達の靈が安らかに眠つて呉れる為めに私はあらん限りの力を尽して彼女達がどの様に考え、振舞い、そして死んで行つたかを日本の、また世界の人々に間違いなく伝えなければならないと思つています。』と演出に当つた今井正は語つているがその念願は見事に実を結んだ。一たび封切られるや全国各地に大いなる感動を呼び起しつつある。

吾がサークルでもこの記念すべき反戦映画の封切を期に会員は勿論広く市民の一人でも多くに見ていたゞく様に勧めると同時にその感想文を左記により募集することにした。会員諸氏の活発なる御投稿を期待している。

**感想文應募規定**

一、原稿 四〇〇字詰二枚以内
一、締切 二月十日
一、送り先宮崎映画サークル事務局
一、審査シネフレンド編集委員会
一、賞 一等一名映画招待券五枚
　　二等一名 〃 三枚
　　三等二名 〃 一枚

(写真は看板に見入る人々)

## 嘘と誠

或る映画館の支配人が雑談の席上で面白いことを話しました。

百人の人々に嘘を話したとして、その内の五十人はそれを本当の事と信じて呉れる。だから嘘や作り話を云つて、うまく生活の基礎を立てることが悧巧な人間ではないだろうか。

そして、その人はそのような態度で生活の源を作つておられるように私共には感じられる点が多いようです。

ところで、私共の社会の中に誠の生活は成り立たないものでしょうか。百人の人に誠をもつて話したとしても、その誠を信じて呉れる人は五十人は居る、と云うことが云えないでしようか。個人の『誠と嘘』と云うものは、どこ迄ッキつめても矢張り個人の『嘘と誠』でしかない、と云えます。だが実際に誠の生活、嘘のない、儀礼のない、裸の生活がしてみたいと思うのは私ばかりではない、と思います。

映画興行の生活も、嘘のない生活で有りたいもの、と考えます。観客に対しても誠実を以つて接し、喜んで満足して戴けると同時に、少しでも幸福なる設計に役立つものを上映する、これが私の願いであり日向人(地ゴロ)の誠であると考えています。

一月二十八日
映画センター支配人 **湯淺弘**

## トピックス

**圖書館映研部合評会開かる**

一月十二日午後六時から映研部は『**真空地帯**』の合評会を同館会議室で開いた。

拾数名の熱心な意見感想がのべられ、特に女性の中から活潑な発言があり、有意義な合評会であつた。

**『女一人大地を行く』上映館決る**

北星配給道炭労、キヌタ、プロ『女一人大地を行く』は二月の下旬**大成座**において封切が決つた。

**『ひめゆりの塔』三週ロング**

東映関東支社では二週に入つて依然快調を続けている『ひめゆり』を邦画最初の三週間ロングに決定した。尚今までの邦画で最高の収入をあげた『源氏物語』を越すものと思われる。

**次回作は**

**今井正**は『ひめゆり』に続いて『目撃者の証言』『日本の息子達』『ヒロシマ』と演出を予定され引つぱりダコ。

**黒澤明**は『生きる』に続き『武士道物語』を東宝でとる、尚時代劇最初の天然色予定。

**小津安二郎**は前作『お茶漬の味』でファンを失望させたが次は新作『東京物語』で彼のかつての人なつこい下町の庶民ものが復活しそうで楽しめる。

**五所平之助**は庶民の生活を喜劇的に描く野心作として『煙突の見える場所』を製作中。健康な喜劇の少ない邦画界にこの作品は期待される。

**若草て毎週『デイズニー漫画』**

若草映劇では三月から毎週『デイズニー漫画』を上映することになつた。

**サイパン秘話『玉砕』を映画化**

東京発声映画プロでは終戦時におけるサイパン島の玉砕物語を企画し撮影中。

キャストは神田隆、岸旗江と予定している。

**1953年上半期(1月〜6月)豫算**

| 收入 | | 支出 | |
|---|---|---|---|
| 会費 | 156,000.00 | 事務用品 | 12,000.00 |
| 入会費 | 2,000.00 | 人件費 | 60,000.00 |
| 未納費 | 990.00 | 印刷費 | 36,000.00 |
| 前期繰越 | 1,423.50 | 行動費 | 18,000.00 |
| | | 借料 | 4,800.00 |
| | | 通信費 | 7,200.00 |
| | | 資料費 | 6,000.00 |
| | | 会議費 | 3,000.00 |
| | | 光熱費 | 1,200.00 |
| | | 旅費 | 6,000.00 |
| | | 雑費 | 2,000.00 |
| | | 予備費 | 4,213.50 |
| 計 | 160,413.50 | 計 | 160,413.50 |

## メガホン

**会員聲の欄てす 投稿歓迎**

日本映画のドタバタ喜劇に眉をひそめる人が多くなつて来ている事はこれら映画の興行成績の示すところで、陳腐な筋の立廻りだけでは最早観客を動員することは出来ない。確に観客の眼は洗練されてきた。

喜劇映画にしても終戦後直ちに封切られたソ連映画『陽気な連中』の面白さ、又最近ではボッブ・ホープの『腰抜け二挺拳銃』ダニー・ケイの『夫は偽者』を観た人はその秀れた表現、音楽、色彩、テンポに引きこまれ時間のたつのを忘れたことであろう。日本映画の遥かに及ばない所である。映画のバックに気をつけて、その美術的、文化的、歴史的なけ何ものかを学ぶ心構になるまでは程遠い存在だつた私が昭和二十四年だつたか、かつて『話の泉』のレギュラー・メンバーだつた春山行夫氏の話を聞いてから映画を観る心構えの難しさをつくゞ知り、映画について少しく勉強してより幾分余裕を以て映画に接する事が出来る様になつた事をうれしく思つています。

(縣畜業試験場IM生)

**おことわり** 紙面の都合で勝手にカットしました事をおわびします。

## ブック・レビュー

### 『映画の世界』　今村太平著

今村太平氏は雑誌『映画文化』の主宰者であり日本映画評論家中最も前進的に映画の未来の可能性を主張している人でもある。この本でもその事が至る所に述べられている。

内容は映画の本質から説き始め、映画を芸術たらしめたモンタージュ理論の解明をなし、アメリカ、フランス、イタリー、ソビエト、日本と各国の映画の特色を理解しやすく説明している。特にアメリカ映画に於てはその機械性について述べ、喜劇と活劇をその象徴として述べ、フランス映画では、フエデエ、クレール、デユヴイヴイエと三人の特徴ある作家を比較しながらフランス映画の観念性について述べている。

最も秀れている部分と思われるのはイタリー映画論で、その本質を賤民性に見出して、イタリアン・リアリズムとヒューマニズムを歴史的、社会的裏づけを以て明快に論じている。ソビエト映画の記録性についてはやはり戦後のソビエト映画が日本では何だか舌足らずの感を受けたが、充分公開されていない為の禍だと思われた。日本映画については封建性を特色としてあげ、自然主義の功罪を論じ、最後に『もはや自然主義では現代日本を描くことは出来ない。』と論破して新しいリアリズムの発生を呼びかけ、それを『暴力の街』、『山びこ学校』と一連のセミ・ドキュメンタリー映画に期待している。むすびは映画の未来について語り洋々たる前途を祝福している。

以上が大体の内容であるが、総じて非常に理解し易いと云う反面、劃一的解釈になり勝ちな危さを感ずる。併し中級的な映画入門書としては最適と思われ、併せて同人著『映画芸術の形式』（県立図書館在庫）を読めば尚一層明確に理解出来ると思う。

## 一九五二年度 洋画ベスト・テン決る

編集委員会では一月二十四日投票により一九五二年度宮崎市封切洋画のベスト・テンを次の通り決定した

①『黒の中の散歩』（伊）一〇・四
②『第三の男』（英）一〇〇
③『邪魔者は殺せ』（英）一〇〇
④『ヨーロッパの何処かで』（ハンガリー）一〇〇
⑤『殺人狂時代』（米）九・三
⑥『肉体の悪魔』（仏）八・七
⑦『夜明け』（ソ）八・七
⑧『サンセット大通』（米）七・六
⑨『ドイツ零年』（伊）七・五
⑩『姿なき軍隊』（スエーデン）七・四
次『吾が谷は緑なりき』（米）六・七・七一

## 映画用語解説（1）

△シヨツト　Shot

日本ではカットと呼ばれ、中絶しないで撮影された一連のフイルムを云う。映画構成の最小単位で現実の時間と一致する時間をもつ。

△シーン　Scene　場面

シヨットをつないだものでシークエンスの単位でもある。初期の映画は一シーンから成つていた。

例・リユミエール工場の出口

△シークエンス　Sequence

シーンをつないだもので映画全体のストーリーの最大の単位でもある。

それ自身の物語をもつていて、それは別に挿話 Episode とも呼ばれる。

△ストーリー　Story　物語

シークエンスをつないだもので所謂映画の筋である。

△カツト・バツク　Cut-back

『切りかえし』と呼ばれ映画表現技術史上、最初の革命的発明である。

## 短評 ロータリー

### 誰が爲に鐘はなる

映画芸術として最も肝腎な問題であるのに、やゝもすれば忘れられ勝ちな問題は『社会的背景』である。この映画の不満として最も強く感ずるのは、スペイン内乱という社会的バックが劇の裏付けとして十分生かされていないことである。それ故社会の自由の為に死すという人間の雄々しい美しさが強く描出されていない。クーパーの死もあたら惜しい名誉の戦死としての深い感銘を残さないで、それは美男美女の悲恋メロドラマとして安つぽい感傷に終つている。

小さい事で感心したのは、山頂に立てこもつて空爆に倒れて行くパルチザンの最後の劇的効果と、パルチザンの老頭領の人間的苦悩が好演技によつて綿密に描かれていたことである。最も重要な鉄橋爆破のシーンが案外迫力を欠いでいたのは、クーパーの拙劣な演技のせいである。

（南十次）

### 千羽鶴

鎌倉の茶会での帰途、太田夫人と菊治はどちらから誘うともなく宿を共にしてしまう―のが原作で、映画では信州にある太田夫人の別荘へ菊治が訪ねて行つて、という風に改変してある。文字による叙述ではごく自然な所が映画では無理なのだ。ラスト・シーンの海岸で文子が菊治に、『もうお会い致しません……』と、逃れるように去る。その小走りに去る文子の後姿を、ぼくはぼくなりに美しいと思つたが、実の所わけが分らなかつたのである。原作を読んではじめて合点したことであつた。読みながら、木暮実千代や森雅之などの俳優の顔がチラついてしようがなかつた。

ハツキリとイメージの出てしまうゆえに映画『千羽鶴』は損をしていると思つた。

（寺島雄吉）

### 真空地帯

之れは平和を愛し、求めている国民への一大賜物である。『軍隊』と云うコップの中であらゆる人間性を奪われ、天皇の名の下に侵略へとかり立てられた集団が描かれ、『二度とあんな軍隊生活はいやだ』『戦争はいやだ』『あの様に人間性を奪つた奴等を再び登場させないぞ』と叫ばしめると私は確心する。

今日、保安隊というアメリカの傭兵集団としてこのコップ（真空地帯）は再登場し、青年層の一大反対をあびている。我々は再び天皇制復活の波にのつて、強固に作られつゝある『コップ』を断呼としてぶちこわし、平和な生活、真の人間性を守り抜かねばならない。

『増田』に現われた様に考えるインテリから真空を打ち破つて行くインテリえと変つて行く過程を深く考えさせられる。我々は行動の面で真実を守つて行くのだと……　志郎

### 河

ヴエニスの映画祭で一等賞獲得とか、評論家、舞踊家の激賞とか見終つた後でこの作品に絶大な讃辞が浴せられていることが分つたしかに、ルノアールの秀れたフランス的演出に、インドの風物をバックとした素地の中に、少女ハリエットを中心とした三人の個性ある少女の思春期の情感の流れというか、異国調のロマンチシズムが評価されていることはうなづける。が、独立したとはいえ、英国の植民地であるインドに内包する種々の矛盾にフタをしたような夢幻の世界のロマンチシズムは我々勤労者にとつては程遠い存在。同じルノアールでも『大いなる幻影』の方を評価したい。

たゞとても素晴しいと思つたのは、ラダラムの古典民族舞踊を踊るシーン。こゝは全篇中の圧巻で何かメロデイも日本の民謡と通ずるものがあり興趣深く、地方色豊かな春の祭りと共に観でよかつたと思う理由の一つ。　芝岡

# 2月上旬各館スケジュール

1 日 / 2 月 / 3 火 / 4 水 / 5 木 / 6 金 / 7 土 / 8 日 / 9 月 / 10 火 / 11 水 / 12 木 / 13 金 / 14 土 / 15 日

|  | | | | |
|---|---|---|---|---|
| 大成座 | 200万人かえる<br>情婦マノン | ベンガルの槍騎兵<br>幌馬車 | トンチンカン三つの歌<br>続三等重役 | あゝ青春に涙あり<br>吹けよ春風<br>親分の青春 |
| 帝國館 | 地獄の英雄<br>オクラホマ無宿 | ターザン魔法の泉<br>征服されざる人々 | 遠い太鼓<br>インデアンの砦 | |
| 日劇 | ひめゆりの塔<br>バクダットの盗賊<br>渡洋爆撃隊 | 新天地<br>一条寺決斗<br>落日の決斗 | ターザンの復讐<br>はだか大名<br>紺屋高尾 | |
| ロマン座 | ひめゆりの塔<br>若草物語 | 別離<br>世紀の女王 | インデイアン征路<br>激戦地 | |
| 若草 | 乾杯東京娘<br>風のうわさのリル | 神州天馬峡<br>サラリーマン喧嘩三代記 | 彼女の特種<br>初笑ひ二刀流<br>デズニー漫画 | |
| 宮劇 | 彌太郎笠前后編大会<br>情火 | 女という城（マリ子の巻）<br>唄祭り清水港<br>坊ちやん重役 | | |
| 江平 | 原爆の子<br>硫黄島の砂 | 未定 | 夏子の冒険　18日まで<br>他一本 | |
| センター | 歌劇王カルソー<br>黄金の龍 | 死の接吻<br>パンドラ | ハゲタカは飛ばず<br>反逆児 | 失われた世界<br>ミヅリー横断 |
| 孔雀 | いとし子と耐えてゆかむ<br>宮城広場 | 若君罷通る<br>情炎の波止場 | 逢魔の辻の決斗<br>遊侠一代 | 現代人<br>暗黒街の鬼 |

## 映画あんない

○興業界にはニッパチガッと云う言葉があるそうである。寒暑にかまけて客足の減る興業不振の月として二月、八月は定評があると云う訳だが、成程スケジユールもお寒い様である。旧正月を控えて活劇趣味の目立つ中から例によつて目ぼしいものを拾つて見よう。

△先ず邦画では小品乍ら谷口千吉の『**吹けよ春風**』が好評の様である。流しタクシーの運ちやんが街で拾つた悲喜交々の人生断片のあれこれ、それらを八つのエピソードに綴つたもので三船敏郎の好演で心暖まる好ましい一篇である様だが、黒沢の共同脚本の力によるものが大きいのではあるまいか。

△この他邦画ではこれと云つたものはないが、松竹の色彩第二作として『**夏子の冒険**』が色彩に於て前作『カルメン故郷に帰る』を凌ぎ、北海道の風物の美しさが良く把えられている点色彩映画への希望が感じられる。

△外国映画では、先ず『**二百万人還る**』を挙げたい。題は一九四五年に約二百万人のフランス捕虜や政治犯が帰国したことを指して居るが、此の作品ではその中の五人が夫々主人公となつて五つの短篇に登場する。生きていた英霊ならずとも帰る者と迎えるものの間に起る悲劇は何処も同じらしく身につまされよう。五つの短篇は夫々にスタッフ、キャストを異にして居り、演出はH・G・クルウゾを始め中堅どころが当り、L・ジュウヴエ、S・レジアニ、N・ノエル等の主演も期待出来る。（四九年作品）

△『**地獄の英雄**』は特ダネを取るためには手段を選ばぬと云う弊に陥り勝ちなジャーナリズムの世界へ鋭い批判の眼を向けた異色作として吾国でも色んな反響を呼んだ作品である。監督は巧妙な演出で知られるビリー・ウイルダーである。特ダネを独占するの余り救い得る人命をも犠牲にし、遂には自らも悲惨な死を遂げる冷血記者を演ずるカーク・ダグラスの好演が見ものである。（五一年作品）

△この他では往年『西部戦線異常なし』を作つたL・マイルストンによる『**激戦地**』が戦斗より苦戦下の戦場心理を描いた戦争物として、『**歌劇王カルーソ**』は伝記物としては甘いがマリオ・ランザの美声と音楽が聞けると云う点に於て、更に『**禿鷹は飛ばず**』のセミ・ドキュメンタリによるアフリカ原野の動物の生態が見られると云う点に於て、夫々違つた興味を覚えるのであるが、あとはカネとヒマの問題であろう。

## 編集後記

今日この頃大寒に入つて南国日向も相当寒い。その上インフルエンザのまん延で私達の意気も消沈しがちだ。併し山びこ学校の子供達が雪の中で元気に働き、学んでいることを思えば私達日向つ子は寒い等とは申されまい。お互い頑張りませう。

さて本紙も発刊以来ようやく三十号を数え、皆様の力で益々発展の一途をたどつていますが今号から新に短評ロータリー欄を設けて皆様からの投稿をおまちしています。三百四十字程度にまとめて振つて御投稿下さい。其他サークルえの声、映画研究、何でも結構ですから御投稿下されば紙面の許す限り掲載させて頂きたいと思います。本紙は飽く迄全会員のものです。最後に二頁掲載の『ひめゆりの塔』感想文もお忘れなく御応募下さることをお願い致します。

（1） シネフレンド 1953年2月18日 第31号

事務局 宮崎市高松通り1の45 TEL 3659
1部5円（会員無料）

# なつかしの名画祭
## 春にさきがけサークルで主催

**昨年来サークル会員熱望の一つ名画祭が遂に決つた。フエーデ、デユヴイヴイエと並んでフランス三大巨匠といわれるルネ、クレールの『巴里祭』『自由を吾等に』。通俗喜劇と諷刺映画のクレールの両面**

昨年の十二月サークル創立一週年記念の時実行委員の中から見たい映画として色々な作品が候補に挙げられたが時期が遅かつた為その時の第一候補作品は一本も上映する事が出来なかつた。然しこの時サークル会員の再三、再四の館訪問は館側もその熱意を認めサークルとしては一本づゝしか見れないと思つていた名画が二本見られる事になつた。

フイルムが古くて見るに耐えるかという点は二本共新しくプリントした新版であり『巴里祭』は昨年福岡でサークル常任委員が見て保証付である。

料金も館と提携していつもより安く見れる予定でありサークルとして強く要望した番組であるだけ館をして失望さすことのない様に動員に力を入れることが各職場の会員に要望される。

二本共二十年前作られた映画であるが今のフランス映画と比べ第二次大戦以前のフランスを思い資本主義生産の矛盾をも痛切に諷刺している。『自由を吾等に』を見て職場で家庭で色々と語り会う機会を是非もつて欲しい。尚若草における『稲妻』『わかれ雲』の再映もサークルの昨年来の要望にこたえて上映されたものであり今后もサークルと館の協力による映画の上映運動に明るい希望を与えている。

## 『女一人大地を行く』座談會開かる
### 若月氏（照明）を囲んで

十二日午后六時労働会館に於てキヌタ・プロダクションの技術者で『女一人』の照明を担当した若月荒夫氏を囲んで座談会がひらかれた。要旨……北海道の炭礦組合とキヌタで作られたこの作品は全世界にもその列をみない自主製作で脚本から職場作家と新藤兼人さん等の協力を得て作られたエキストラ等もサークルの協力を得て一行八拾名にのぼる北海道ロケも会社側の悪質な妨害の中を遂行して生々しい効果を挙げた。

すでに福岡での試写会は大きな反響を巻起し県総評を中心とする上映対策委員会が組織され大動員に万全を期している。

## 竹村小枝さん（農林中金サークル）一等入選
### 『ひめゆりの塔』感想文入選發表

先に募集した『ひめゆりの塔』感想文はシネ・フレンド編集委員の審査により次の通り決定した。

一等 **竹村小枝** 農林中金
二等 **清水正路** 高岡町仲町
三等 **濱島健郎** 市内城ヶ崎町
同 **日高篤盛** 宮大学芸学部
**選外佳作** 七篇

真鍋岩次郎（県蚕試）・苫久嗣（溝口林業）・石永（図書館）・西村重義（橘通二）・佐藤・永山（農試）・赤坂久昭（市内南町）・鬼塚和彦（電報局）以上全部が平和を願い反戦の意志のあふれる文で審査に当つた者も苦心したが要点をついて好感のもてる竹村さんの感想文に皆の意見が一致した。

## 主張
# 良心の問題

一本立七十円の線がもろく崩れて市内各映画館は二本立三本立で押しまくり、希望する映画一本を見るために半日もつぶすことが多くなつてきたが、裏をめくればこれは決して観客へのサービスではない。試みに毎月の各館スケジュールを検討して見給え。封切物と再映物との抱き合わせが多いことに気付くであろう。愚にもつかぬ再映物につきあわせられて弁当が必要な程、長時間窮屈な座席にしばりつけられるのは全くやり切れない。芸術或いは娯楽は明日の活動のために衣食住についで心要なものだがかんじんの目的から逸脱させがちなこの頃の傾向は全く危険である。

入場税率は既に引下げられている。しかし当然これに伴つて実施させると思われた安い入場料への期待はむざんにくだけた。製作業者、配給業者、上映館側はかつて入場税が高いから入場料が高くなるのはやむを得ぬといつていた事を忘れたのだろうか。入場税の引下げは観せる側の運動よりも観る大衆の力のためであつたことを知らないのだろうか。知りつゝもあえて入場料を釘付けにし再映物を併映して実質的なサービスを怠つているとすれば、それは良心の缺除であり文化をくいものにする余りにも資本家的な態度である。

日本映画には良心作が少ない因もこゝにある。映画の質を向上させるためには観る側のわれ〳〵が映画を選択する能力を養う必要があるのはいうまでもないが、同時に映画を作る人々の或いは観せる人々の反省が切に望まれる。映画は文、的所産であることを認識して欲しい。大会社の利潤が不当に多い事は株の四割、五割の配当をみても分るし、高額フイルム料金等館側の悪条件も考えられるが大衆を忘れた映画は映画からます〳〵大衆を遠ざけてしまうことを忘れてはならない。（縣廳森山博）

## カチンコ

▲座館に入つて観心地よいところはやはりそれなりに魅力あるものだ。最近S館を最後に一応どこの座館も当初の大ザッパの建築から改装化粧変えしてこの所落着いた形。

▲ミーハー映画の最も少い良心的営業で創立当時より市内の人気を湊つたS館も座席の点で往時は、狭いやら堅い、で最も悪評だつたものだ。

▲極端な人は座席の好悪で多少面白くないと思つたものでもそちらを選ぶ人がいる。

▲座席照明の点ではT座が一番と思うが休憩時のレコードがやり切れぬ。少くともブギ、ひばり類のミーハー物は上映映画とマッチさせてかけたらどうか。良心的な水準の高い作品には少くとも今少し音楽も考えてほしい。

▲これは又、特に誰でも思うことであるが、例えば真空地帯、ひめゆり、のような作品に軍艦マーチをかけてみたりするに至つては作品を冒瀆するも甚だしい。

▲とまれすべては観客の観賞レベルが経営者側をつゝいて行くのだから観客の問題でもある。

# ルネ・クレールの舊作について

## 『自由を我等に』『巴里祭』を中心に

☆映画は、文学などの場合と違つて往年の名作を鑑賞する機会は先ずないと言つてよい。

よく昔の映画を引き合いに出されて困るのであるが、こんど上映される『自由を我等に』『巴里祭』はフランス映画を語るとき必ず話題に上る作品であり、前者は昭和七年のキネマ旬報ベスト1、後者は昭和八年の同ベスト2という肩書のつく以上、映画ファンとして見逃がせないではないか。★限られた紙数で多くを語れないがルネ・クレール作品は、有名な『巴里の屋根の下』以下何れも、無声映画からトーキー映画になつた当時の劃期的な傑作であつた。この時期の彼の作品をならべると

『巴里の屋根の下』（一九三〇）
『ル・ミリオン』（一九三一）
『自由を我等に』（一九三一）
『巴里祭』（一九三三）
『最後の億万長者』（一九三四）
――の五作である。

☆クレールの映画の一つの特徴は何よりも庶民的な、ということにあつた。登場人物も『巴里祭』では巴里の裏街に住んでいるタクシーの運転手と花売娘であり『自由を我等に』では刑務所から逃げ出したルンペン――行先のない労働者であつたりする。

たかい石の階段が続いているその上にまた町の屋根が見える――ような場所を舞台として、アルベール・プレジャンの青年やアンナベラの扮する娘に托して――シャンペンの泡のような――パリ情緒をクレールは歌つたのである。その一つが『巴里祭』であつた。

☆『巴里祭』や『巴里の屋根の下』をホロ苦いパリ情緒の世界とすると『自由を我等に』の方（ル・ミリオン、最後の億万長者を同系とする）は鋭い諷刺と冷笑を内包した喜劇である。そしてめちやくちやに愉快な映画であることは勿論である。もともとクレールの映画作家としての天分はとぎすまされた理知と豊かな詩情にあつて、それがこの二作にそれぞれ異つた傾向の作品として現れていると言える。

☆簡単な紹介で不充分であるが、あえて略筋をここで述べるのを省いたのはまず見て貰いたいからである。

## 雑誌と映畫と

関屋邦廣

雑誌のありがたいことは、面白くない物は、読まなくてもすむことである。一つの雑誌のうちの面白いものだけ、或は参考になつて、自分の身につけたいと思うものだけ、何時でも開いてひろい読みができることである。ラジオにしてもそうである。聞きたくないと思えば、スイッチを切ればよい。しかし映画はそうはいかない。二本立、三本立になると、大てい傑作物は、最後になるので、全く面白くもないものを、二時間も三時間も見て、くたくたになつたところで、ようやく、目的の映画を見ることができるような仕組になつている。超傑作二本建などと、宣伝はなされるのであるが、一本は必ず駄作のおまけがついている。文化映画一本位の添えなら辛抱できるが、見たくもない駄作を、長々と上映されてはやりきれない。

二本、三本をやらなければならないのなら、何とか技術的に操作して、各フイルム毎に、代金をとるようにしたらよいと思う。それが技術的にできないなら、映画条令でも定めるか、映画館組合の申合せでも作つて、上映は、何巻以上は一本建とすることにするのである。そういうことにでもしないかぎり、映画館での、今の苦痛から は救われることはできない。

一本建となると、料金も安くなるだろうし、一日でも、ひまのあるときは、好きなように好きな映画を、各映画館を廻り廻つて観ていけばよい。小さい町に、相当数の映画館があつても、やつていけるのではないだろうか。観る人の鑑賞力も次第にレベルが上り、観せる側でも、選ぶように なり、製作者も駄作は作れなくなるのではないか。時間的にも救われる。旅先でも、いゝ映画を、短時間のうちに簡単に見られる便利も生じて、映画芸術のためにも、これはうれしいことではないだろうか。

縣廳職組・文化部長

## 映畫用語解説（2）

△**カツト・バツク** Cut・back 『切りかえし』と呼ばれ映画表現技術史上、最初の革命的発明である。或る一シーンの中で空間的に異つた場面での事件や動作を対照的に接合して効果を上げる表現技術である。例・『美女と野獣』の巻末で野獣が王子に変身する時、これが巧く使われている。

グリフイス（米）のこの発明で映画は次第に複雑になり、大写（クローズ・アップ）の発明も導き出された。

△**フラツシユ・バツク** Flash-Back カット・バックが瞬間的に連続して行われる手法。

△**パノラミツク** Panoramic（パンPan）撮影機の台を固定させてカメラを水平に動かして撮影する手法。

△**パン・アツプ** Pan・up 上向けてパンする手法。

△**パン・ダウン** Pan・Dawn 下向けてパンする手法。

△**フエイド・イン** Fade In 溶明（F・I）暗い画面を次第に明るくして行く撮影法。

△**フエイド・アウト** Fade Out 溶暗（F・O）溶明の反対で明るい画面を次第に暗くして行く撮影法。

△**オーバー・ラツプ** Overlap（O・L）デイゾルブ Dissolve 又はダブル Dauble とも云う。一つの画面に他の一つの画面が重なつて前の画面が消えるに従つて後の画面が表れて来る手法。柔かな画面転換に屢々用いられる。

## トピックス

**中国と合作映画**

邦人の引揚をめぐり、中共に対する関心が急速に高まつている折柄、今度の邦人引揚には有名な演出家、内田吐夢、木村荘十二両監督らの帰国も予想されているので、これら映画人を迎えて日中友好協会が主体となり、日中合作映画の構想が練られているが、その手はじめとして、日映作家集団、新映画作家集団の協力を得て、邦人引揚と日中友好をテーマとした記録映画の製作がすでに開始されている。（二月三日付社会タイムスより）

# ひめゆりの悲劇を繰返してはならない

一等入選 感想文 竹村小枝

この映画が実際にあつた事の再現であると言う真実感と共に心の底まで揺り動かさせる様な気がして涙なしには観られませんでした。戦争が一切の人間性に背いた破壊と滅亡をのみもたらすものである事を、身をえぐる様に見せつけられます。国を挙げて無謀な戦争へと駆り立てられた当時にあつて真実の、必死の誠意を抱いて、精一杯の苦痛の道を辿つて空しく死んで行つた女学生達の悲愴な純情さは、一切の批判を越えて観る者を感動させずにはおかないでしよう。再び相見る事も期せられない父母の許を、家を後に黙々と修羅の戦場に出掛けた彼女達。次々と発表される戦果とは反対に、日毎に烈しさを増す空襲を、避難民の壕まで奪う軍の目に余る振舞を目のあたりに見た彼女達は、恐らく信ずべきものを失い彼女達の使命について迷つたのではなかつたでしようか。戦うべからざる身を以て命ぜられる儘に爆弾と、銃声と、泥雨と、飢餓のあらゆる生命の危険の真只中に身を挺しながら尚、友の担架を運ぶ乙女らしい純情さと、人間的な温かさと誠意を失う事を知らなかつた少女達の悲しい運命を、私達はそのまゝ見逃がして良いものでしようか。太陽の光を喜び、空襲の合間には水と戯れ、一株のキャベツに小躍りし、思いがけないお汁粉の甘さに歓喜する彼女達の美しさは、汚ない大人達の生き方のさ中に最後迄悲しい抵抗を続ける外なかつたのでしよう。生きる事の否定さえはつきり掴む事もないまゝに死んで行く外なかつたひめゆり隊の悲劇を、私達は再び繰返してはならないと固く心に誓わないではいられません。

## 絶對に戦争は厭

二等入選 清水正路

私は『ひめゆりの塔』を見て非常に戦争に対しての憎悪を覚えた。私達と同じ位の若い女生徒の生命が戦争の為に華と散つていつたのです。

父母兄弟と最後の別れを告げて元気よく学校の門を出て行く所等みじめな気持がしました。なれない手付きで兵隊の看護に務め、危険を冒しての水汲、爆撃のひまを見ては食事の支度、と必死に戦争と戦つたのです。小さいにぎりを見て自分達は食べなくて一つでも多く傷付いた兵隊に食べさせたのです。そんな間にも爆撃機銃のために若い純真な生命が戦争のぎせいのために死んで行つたのです。追われ〳〵て傷付いて残してゆく先生の気持、又雨の中を傷付いた友達をたんかに乗せ連れて行く姿、救命具の重さに不平を云う生徒こんな姿を見た時本当に哀れな気持がした。

しかしある部落で平和な朝を迎えた時の彼女達の嬉しそうな顔、キャベツをボールの様にしてはしやぎ廻る姿、何の楽しみもなく毎日不安な日々を過している彼女達にとつて最良の日であつたろう。しかしそんな平和な日も束の間、空爆は彼女達の頭上に競いかゝつて来たのです。

兵隊が持つている青酸カリを喜んでジャンケンで奪う姿など涙が出た。最後で生徒、先生も皆死んで行く所など僕の頭に何時迄も離れなかつた。どうして若い純真な命が戦争のためにぎせいにならねばならなかつたか。

この世から戦争がなくなればよいのです。戦争さえなくなれば尊い生命が失われずに済むのです。絶対に戦争は厭です。

## 美しい思想の流れ

三等入選 濱島健郎

爆破に続く機銃掃射、僕には戦争時のあの逃げまどう人々の悲惨な姿を再び見せつけられた様な気がしてならなかつた。

一部の人々の無謀な行動が可憐な乙女等を苦しさと共に死へと引きずつていつたのだ。

祖国防衛の名の下に相抱いて死んでいつた彼女等の悲壮な叫び、そして絶望的な老婆の表情、リュック一つを背に戦火の中を逃げまどう人々すべて無謀な戦争がもたらした結果なのだ。あの異様な金属性の爆音の通り過ぎた後には破壊された家屋の残がいと打ち捨てられた様な死体が横たわつているだけだ。

この目をおゝいたくなる様な事実の中に永遠の平和を熱望する美しい思想が流れていることを知つた。

悪夢から覚めて七年余、我々は又新しい試錬の前に立たされている。戦争か平和か。人類が生存し得る道は平和への道をおいて他にない。

多くの犠牲の結果得られた尊い平和が破れて目的のない流血が地球上を襲う日がくるならば、これこそ人類にとつて最大の不幸な日であろう。戦争が人間の心の中で創造されるものであることを考えるとき我々は戦争を排撃し、平和を念願する気持を一層新たにしたいものである。

若くして南海の孤島に散つた乙女等の清純で崇高な同胞愛を互いに抱き、第二のひめゆり部隊の出現が永遠に地球上の人間的行動を停止せしめるものであることを我々は深く心に決めなければならないと思つたのである。

## 抵抗の欠如

四等入選 日高篤盛

ファスト・シーンから迫つてくる、急降下のうなりに、とつさに首をすくめる。あの悪夢にふたたび、うなされたかのように。

全編を貫ぬく反戦の叫びは、画面の随所から聞えてくる。そして、『どつこい』にあらわれた救いのない暗さはこゝでは克服されている。

一シーン毎の良さはたとえば沖縄の踊りや、制服をきた乙女達のように数えればきりがない。『戦争はもうたくさんだ』これが見終つたときの感想である。戦争への憎悪は一本のくもの糸のように編みこまれている。

だが、開き直つて考えると何かが抜けている。それは一体何であろうか。ほゞ一ト月前にみた『真空地帯』をぼくは思い出す。

『ちく生』というのがあの映画をみたときの感じである。中央公論の木下順二の『ロケ訪問』によれば、それこそギリギリの製作費でつくられたという。だのにあの迫力はすばらしい。

東映で相当金をつかつた筈の『ひめゆり』の迫力が『真空地帯』に及ばないというのはなぜだろうか。今井正のセンチメンタリズムはかなり克服されたとはいえ、やはりその残り粕はまだとりさられていない。

このことを抜きにして、あれとこれとを、くらべて、その迫力のちがいはどこからくるか。それは一言でいうなら、抵抗の欠如ではなかろうか。木谷の抵抗は直ちに天皇制への、そして帝国主義への——戦争の根源である帝国主義への抗議であり、抵抗である。

何も知らぬ乙女達を殺し、戦争を起したものが、暗示としてでも描かれて良かつたのではなかろうか。そして、同時に抵抗が。『ひめゆり』には抵抗がない。木谷の抵抗はぼくらに共感を呼びおこし、『畜生!!よしやるぞ!!』という力づけを与えた。ファシズムの足音が間近に迫つているとき、これは大きなことではなかろうか。抵抗なくして、平和は守れない。戦争はいやだと思うだけでは、戦争は防げない。

（写真は上映館前の行列）

## 事務局より

▲此度サークルの**会員章**が出来ましたので職場の責任者を通じて配布します。映画鑑賞の時は必ずお忘れなく。

▲先日の『ひめゆり』の時サークル会員でない人がサークルで入場した事で館の方からも会員・非会員の別を明らかにしてもらいたいとの申入れがあり又サークルの会則にも会員章の事はありますのでその旨御承知下さい。

▲いつも乍ら前売券・会費未納の方は早くおさめて下さい。借出図書も同様、読んだら直ぐ返納のこと。

## 2月下旬各館スケジュール

※ゴチツクは推薦映画

（16　17　18　19　20　21　22　23　24　25　26　27　28）

|  | | | | |
|---|---|---|---|---|
| 大成座 | あゝ青春に涙あり<br>吹けよ春風<br>親分の青春 | 次郎長初旅<br>**夫婦** | 千姫<br>暖風 | |
| 帝國館 | 遠い太鼓<br>インデイアンの砦 | 征服者<br>静かなる対決 | カナダ平原<br>烙印 | |
| 日劇 | ジャングル・ブック<br>ターザンの復讐<br>はだか大名　前后篇 | お母さん<br>ちよびひげ漫遊記 | 魚河岸の石松<br>満月三十石船 | |
| ロマン | 世界を彼の腕に<br>暗黒街の天使 | 白熱<br>激戦地 | 砂漠の鷹<br>砂漠の悪魔 | |
| 若草 | 彼女の特種<br>初笑い二刀流<br>デイズニー漫画 | 社長秘書<br>新納鶴千代<br>〔24・25日7時から **稲妻・わかれ雲**〕 | 10代の性典<br>凸凹太閤記 | |
| 宮劇 | 夏子の冒険<br>女という城<br>東京ヤンチヤ娘 | 女という城（ユキ子の巻）<br>江戸イロハ祭り<br>夢みる人 | **まごころ**<br>緑園の天使 | |
| センター | 失はれた世界<br>ミヅリー横断 | 心の旅路<br>不時着結婚 | **自由を吾等に**<br>**巴里祭** | 花嫁の父<br>ヒット・パレード<br>5日まで |
| 江平 | 夏子の冒険<br>息子の花嫁<br>唄くらべ荒神山 | 江戸イロハ祭り<br>花嫁花婿寝言合戦 | 情炎の新天地<br>拳銃無宿 | **まごころ**<br>他一本 |
| 孔雀 | 雪割草<br>東京悲歌 | うず潮<br>花咲く我家 | 湯の街情話 | |

## 映画おんぷい

★名画祭の『自由を我等に』『巴里祭』は別欄でとりあげたから省くとして、今号でおすゝめできるのは『夫婦』『まごころ』とそれに『激戦地』の三本である。後は取り立てゝいう程のものではないが『激戦地』併映の白熱（J・キャグニイ主演の戦前型ギャング映画）ぐらいのもので再映に『現代人』『稲妻』『わかれ雲』『おかあさん』『心の旅路』がある。

### 夫婦　（東宝映画）

○主な出演者は上原謙、杉葉子、三国連太郎、小林桂樹などである。一昨年以来『おかあさん』『稲妻』と得意の題材に手馴れた腕を揮つている成瀬己喜男演出である。結婚後数年のサラリーマン夫婦の生活感情を描こうとする、『めし』と同じ様な環境設定で、格別新鮮味は無かつたろうが好調だけに『めし』の再演奏以外のものが期待される。

### まごころ　（松竹映画）

○木下恵介の助監督をしていた小林正樹の監督昇進第一作であるが、この前にシスター映画（短篇もの）で『息子の青春』をつくつている。脚本は師の木下が筆をとつている。好作『少年期』でデビューした石浜朗を主人公にした、思春望にある高校生の心情を描いたもので、新進監督の第一作としてなかなかに評判がよろしい。佳作見るべしか。千田是也、田中絹代、東山千栄子、津島恵子などが出演。

### 激戦地　（アメリカ映画）

★戦争を描いた往年の秀作『西部戦線異状なし』のL・マイルストンの、これもやはり戦争もの。題名から想像して激烈な戦闘場面を期待しては宣伝に釣られた事になる。むしろ地味な、記録風な描写の中にこの映画の良さがあると言える。アメリカ映画としては珍とするに足る作。

★他に、邦画時代劇『満月三十石舟』（脚本吉村公三郎、演出丸根賛太郎、主演山田五十鈴）がある。付記ー締切直前に若草で『**稲妻**』『**わかれ雲**』がある事がきまつた。二本共見てない人にはおすゝめする。

## 編集後記

▲今号は『ひめゆりの塔』感想文、入選作四篇を特集した為、短評は掲載出来なかつた。多数応募された事を成謝します。▲どんな映画でも御覧になつて何か書けましたらどしどし事務局の方え御寄稿下さる様御願い致します。▲皆様待望の『自由を我等に』『巴里祭』が愈々見られます。もう一寸見れそうもない映画ですから御見逃しなく。

映 シネフレンド
宮崎映画サークル会行
事務局 宮崎市高松通り1の45 TEL 3659
1部 5円（会員無料）

# 多大の成果を収めて
# 名画祭終る

二十六日『なつかしの名画祭』の幕はとじた。

全九州的に**往年の名画上映**は最近特に盛んで福岡でも『にんじん』『舞踏会の手帖』等のヨーロッパ映画や昨年度ベスト・テン映画を三拾円の低料金で上映する事が流行している。福岡映サはこの事を**米画にあきた観衆**が、古くても昔の名画に飛付くのだと言つている。双葉十三郎が朝日にも書いているが米画の質の低下は昨年度など特にひどく福岡に於けるこの様な傾向は宮崎に於いても早晩現われてくる事と思われる。

今回サークルの名画祭はその先鞭をつけた催しであり意義深いものであつた。**宣傳、動員活動の不足**の為充分の動員は出来なかつたが、三頁の評にもある様観賞した人達は皆この催しに満足し再びこの様な行事がもたれる事を望んでいる。

**湯浅センター支配人談**

料金を三拾円位にしてもつと多くの人に見てもらいたかつた。

## 映畫アンケート

総数四一名で少数ではあるが結果は次のようである。

**見たい映画**では（二名以上のみ）

風と共に去りぬ 四
ライム・ライト 二
ソビエト映画 八
音楽映画 二

久しく公開されていないソビエト映画を要望する声が強い。

この様な**催しについて**は全部やつた方がよいで、**映画について**は、

非常によかつた 二三名
よかつた 一四名
普通 二名
わからない 二名

**職業** 学生 一〇名、商人 二名
会社員 八名、教員 三名
公務員 一二名

## 九州映畫サークル連絡會議開かる

二月二十八日大分市町村会館会議室に於て第三回九映サ連絡会議が開かれた。

宮崎・鹿児島・福岡の代表、地元の常任委員、編集委員多数参加し各地サークル活動についての討論が交され福岡から県労評が中心になり**勞農記錄映画の自主製作**が決定された事が報告され、九州各県でこの運動を労組を中心として推進する事が決められた。

## 主張

最近上映された『真空地帯』や『ひめゆりの塔』で良い映画はあたらないという危ぐは一掃された。それは映画自体が感銘深く、ひろく訴えるものをもつていた、という事が原因かも知れない。ここではそれらを作る製作者側の態度よりも、そのよき意志をついで、より以上にひろく観客の動員が出来るようにするための、サークルの今後の問題を取り上げて見たいと思う。

では私共の望む良心的な優れた映画を数多く作り、且つ興行的に成功させるにはどうしたらよいだろうか。それは吾々の映画に接する態度を改めねばならないと思う。つまり映画に『映画独特の美しさと面白さの中に、人生の真実や美を発見する』という興味や、感じ、その発見された価値を、自分の生活の中に折り込んでいく態度が必要だと思う。

### 今後の問題
### 量と共に質を

それは必然的に『人間や社会の真実に、全く縁遠いような』低劣、俗悪な映画を拒否して、良い映画を興行的にも成功させ、更に良い映画を作る運動にもなる。ではこのように、映画に接する態度を作るには、映画愛好者の集まりであるサークルを充実させねばならない。つまり量的に発展するだけでなく、各職場に於けるサークル活動——レコードコンサートや感想発表会を通じて、会員の相互のサークルに対する率直な意見を交換し、その過程に於いて、会員全部が『良い映画とは？』『それを作るにはどうすればよいか』等を絶えず研究する様な雰囲気を作ることだと思う。そして、それはサークル内だけでなく、広く一般大衆にまで呼びかけ拡げていつた時、『良い映画』は、数多く作られ、興行的にも成功し、日本の新しい文化の向上も得られると思う。（図書館・中島）

## カチンコ

予告篇と称するものは戦前からあつたものかどうか知らないが仲々効果的な宣伝法である。あれを見ていると世の中の映画はどれもこれも名作、傑作、大作、力作でメガホンをとる監督がこれ又巨匠、名匠、鬼才、鋭才と来るので、気の弱い者は来週のやつを見逃すと肩身がせまくなると思つて無理算段することになる。罪な話である。▲時たま以前に見た映画の予告篇にぶつかることがあるが、これはタネとシカケが判つているから一寸楽しめる。ラストシーンが最初に来ていたり、あつさりクライマックスを披露したり、中にはラヴシーンとアクションの場面を丹念につないで一つの劇の様に仕立てた手のこんだものもある。要するに愚作、凡作を如何にして名作、傑作に仕立てるかに編集の妙味がありそうだ。▲製作のことはさておき予告篇も一、二本なら面白いが四、五本も一度に見ると、時にはうなぎと梅干の様な取合せがあつたりして頭の調子が変になる。この点映画館へよろしくお願いしたいものだ。（風）

# 館と観客

◎**映画館と観客を結ぶ座談会**

宮崎県映画興行組合常任理事遠藤氏は三月中に宮崎市内の映画館と観客六十名位で座談会を開催する企劃があることを発表され、サークルの協力を依頼された。

当日の主な議題は①二本立三本立に対する意見②入場料金の事について③館の設備、従業員の印象等である。

◎**映画館経営状態の一つ**

映画興行が所謂『水もの』であり、その経営状態は、なか〱つかめない、次の%は佐賀県の映画興行組合が県税務課へ提出した支出の%である。

健全経営の時の興行収入を一〇〇%とすれば支出は次の如くなる、

| | |
|---|---|
| フイルム料 | 四〇%—五〇% |
| 宣伝費 | 五%—六% |
| 経常費 | 七% |
| 人件費 | 一〇%—一五% |
| 其他 | 二〇% |

館側では右の表より結局三〇%近くの入場税を喰い込む事になると県当局へ入場税を下げる様申出ている。

◎**海南市興行界に料金ダンピング**
**〃二本建て三拾圓〃の館出現**

海南市の海南大映では、新春早々から三拾円興行を始め他の五館も平均七拾円を五拾円に切替えるという応急策をとるにいたつた。

## 監督と女優

★**ウイリイ・フオルスト**（Willi Forst）

芸術の都、ウイーンの生れ。彼が音楽映画や情緒ものを得意とするのは、自分の故郷にもつ深い愛着に起因するといえる。

はじめての映画はサイレント末期の『アスファルト』は俳優として（端役であつたが）初出演、トーキー初期のオペレッタ映画の流行とともに歌とピアノがこなせる器用な二枚目として売り出した（代表作モナリザの失踪）。

一九三三年、監督に転向、処女作『未完成交響楽』を発表、絶讃を博し一躍全世界の注目を惹いた。続いて『たそがれの維納』『ブルク劇場』『マヅルカ』等で多くの欧州映画ファンをつくつた。そして監督兼俳優としてその名高く、第二次大戦中もウイーンにあつて、ナチの統制下も自己の作風を守りぬき、戦後は自らプロダクシヨンを主宰してオーストリイ映画界の復興に力をつくし、最近ドイツで監督として帰り咲いた。

★**ヒルデガルド・クネーフ**（Hildegard Knef）

ドイツのウリム市に生れた。十七才のときウファーの研究生として入社したが、その渋い、しかし魅惑的な容貌と、控え目な、演技によつて人々の心を捉え、遂にはハリウッドに招かれて、最近では20世紀フオックス映画『暁前の決断』『キリマンジヤロの雪』『題名のない映画』等と次ぎ〱に出演している。彼女は人の心を刺戟するようなブロンドの持主で、一種の風格がある。W・フオルストは『罪ある女』の製作に当つて、其の主演女優を長い間探し求めたて見付からなかつたが、『題名なき映画』を見て彼女を起用することに決めた。

## トピックス

★**山本薩夫監督、次回作『冬の旅』て萩市へ**

新星プロ次回作『冬の旅』製作準備のため山口県萩市を訪れた山本氏は左の通り語つた。

次回作品は萩市を中心とした女医さんの物語りで、**山田五十鈴**さんに主演して貰うつもりだ。東映から『山下奏文』の製作を言つてこられたが、お断りした。何か他にいい題材を探したいと思つている。

★**松竹『雲流るる果に』に積極的協力**

松竹では重宗プロ『雲流るー』の製作、配給両面にわたつて積極的に協力する方針を決定した。

製作面では**鶴田浩二**の出演を諒解した、**津島恵子**についてもさしあたり発表は控えるが『雲ー』側とくに同作品の製作、営業面で主導権を握つている新星プロ、北星映画との協力に関する具体策が本決まりになり次第出演を発表する事になつている。

★**松竹でも戦記映画**

『ひめゆり』『真空』が県行面で大きな成果をあげた事等から今迄戦記映画は敬遠していた松竹が戦記物製作を始める事になり梅崎春生の『日の果て』を企画した。

★**五月一週はゴールデン・ウイーク**

来る五月一週は三日、五日と休日が続くる為各社ではこの週間で観客動員をねらい夫々祕策をねらつている。今の所東宝が成瀬の『**情怨**』、新東宝、山田五十鈴主演『**辨天小僧**』等である。

★**N・H・Kテレビて『山彦学校』**

テレビ放送をこの程開始したN・H・Kでは北星配給の『山彦学校』を三日にわたり放送した。

★**山村聰『蟹工船』を製作**

『村八分』に自費八百万円を出し積極的に参加した山村総は、次に自分で演出をして小林多喜二の『蟹工船』をとる事にした。本人はオシヤカになつてもいいから、思いきつてやつてみるつもりですと張切つている。

## ポスト

『ひめゆりの塔』感想文の賞品ありがとうございました。僕の作品が二等に入選し又機関紙に掲載された事を非常に光栄に思つてます。

サークルの発展をお祈り申し上げ皆様の御健闘をお祈り申上げます。

（高岡　清水正路）

## メガホン

会員聲の欄てす
投稿歡迎

### 鑑賞雑感

何事も理解することは六ケしい、映画鑑賞に当つて観なければならないという考えは最も危険ではないかと思う、映画らしい映画を一番楽しく面白く観るには、映画の背景、具体的な準備（映画評を探るとか）は必要でないと考える。唯洋画上映の数多い今日各国の映画に表われる国民性を理解する上に他国の代表的な文学書を読み文学の研究をする事は重要である。要は鑑賞後の漠然とした感情（良かつたとか、悪かつたとか、まあ〱だという）を整理することにあると思う。音楽担当者の長所や短所或は俳優の演技、撮影の技術というたものを頭の中に入れていたのでは一向その映画が面白くなく楽しめもしない。映画批評家の論ずる解説的な批評を相談相手として鑑賞後に批評を下せばそこに反省という大きな収かくがもたらされ再び鑑賞に向う自分を豊かにしてくれる。

宮崎電報局　K・O生

### 〃良い映画見るために〃

『巴里祭』と『自由を吾等に』を見て、パリジエンヌの庶民生活の哀歓と痛烈なる社会諷刺の底抜けの面白さに、私はすつかり魅了されたのですが只一つ物足りないことがあつたのです、それは観客が割に少かつたことです。こんな良い映画が観客を動員出来ないことは悲しいことです。皆さん良い映画を見た時は大いに宣伝活動をやろうではありませんか、それが良い映画を見る為の大きな力となるのです。

縣廳　A生

# なつかしの名畫を観て

食糧事務所K・Y生

## パリ祭

『何がパリだ』と一種の反撥めいたものをさえ抱いていた自分だつたが『パリ祭』を見て、この都にもこんなアケスケな面があつたのかとすつかり嬉しくなつた様な始末である。それ程に、この映画は親しみ易い庶民的なものだつた。

運ちやんと花売娘と、そのあどけないと云い度い様な恋物語にも好感が持てたが、一番興味を持ったのは、あの大らかに成長した小市民の生活だつた。幾度か革命の嵐を乗り越えた輝かしい伝統の所産とも云うべきものだろうが、いかにも一人一人の小市民が人間の自覚に立つて、力強く生活している姿を画面の到る所に見出すことが出来たからだ。

人が見ようと、雨が降ろうと、到る処に活潑な論争が展開する。『水でもぶつかけて頭を冷したらいゝだろう』と云つた男が矢庭に雨の中に飛び出して又もや口論を始める。レストラントでは泥酔の紳士がピストルを取出す、やつとの事で何とか貰い受ける事が出来た。やれ〳〵と思つた途端、紳士は第二のピストルを左のポケットから……こうなるとそれこそ奇想天外の面白さ、と同時にピシャッと手痛い諷刺である。恋愛にしてもがそんな調子だ。雨と稲光と軒下、アンナが一寸いぶかる様なむづかしい顔をした、ほお笑んだ、そしてそれから…見ていて感じがいい。大金を貰つたアンナは元通りさゝやかな花屋を始めた。ジャンの友人の運転手は体はゴツイが善良な男だ。アパートの二人のおばさんも口数は多いが仲々に分りがいい。不必要な尊大さや見栄はすつかり行き場を見失つてしまつた。

しと〳〵と降る雨が印象的だつた。あんな雰囲気の中からシャンソンは生れたのだろう。

## 自由を我等に

刑務所と工場と、すぐに軍隊を連想した。新工場落成の日、盗難の札たばが風に舞始め、愈々募る風の強さに人々は右往左往して札たばをかき集める。風のままに漂う人間のはかなさ……それも金故に追いつめられた社会の縮図である。単なる諷刺ではない、何か解明を求めての諷刺だと思つた。

曾ての脱獄囚一一九が今は工場長の自画像にコップを、ピンを投げつける。同僚一五五が手を叩いて喜ぶ。囚人の写真がそして紙幣がすげなく燃え上る。重役連との晩餐なんか愚の骨頂だ。そんなしかつめらしい生活よりは、大空の下でのび〳〵と働き度い。二人して工場から逃れ出るのだ。工場と野外慰安所の壁がいやに高い。男同志のウインク……『これでよし！』腰の辺りをどやし合い乍ら遠ざかつて行く二人の姿が何時迄もこびりついている。

この感じはむしろ現代人の共感である。『パリ祭』がその成長の姿を写し出したものとすれば、『自由を我等に』はその将来を暗示したものと見る事は出来ないだろうか。



# 短評 ROTARY ロータリー

## 夏子の冒険

はじめて見る日本の色彩映画（カルメンのときは病気で見れなかつた。）トップ・タイトルのキレイな題字をみたとき、日本映画がんばれと心で呟いた。やはり嬉しかつた。設備と環境に恵まれた外国映画の優れた色調をみている目には、ヒイキ目にみてもまだ距離のあるのを感じる（殊に人間の皮膚の色など）が部分的な美しさもあり（汽船の場面）数作後の作品がたのしみだ。一本一本の作に充分な研究と努力を積みかさねていつてもらいたいと思う。

サテ、『夏子の冒険』の内容であるが、色彩映画製作の枠（商業政策の）にしばられたことも考えられるが、どうも安つぺらである。

ぼくは大体、未知の風景の出てくる場面が好きで、函館港を眺め下した写真や、札幌市街や、山、湖など面白かつたが、夏子（角梨枝子芳しからず）の行動は喜劇としてはうつらない。母、祖母、叔母の三人がチヨクチヨク顔を出しては喜劇的動作をするが、馬鹿馬鹿しく見えるのは全体の調子がスッキリしてないからである。淡路恵子が一人、印象に残る。高井

## 花嫁の父

先ず冒頭がとてもいゝ。娘を花嫁として送り出し、宴席の客も去つてしまつたあとのひつそりした、そして先程迄の宴の名残りを留めて食器や椅子や花飾り等が散乱した広間の一隅で疲れ果てた花嫁の父（S・トレイシー）がむつくりと身を起す、そして『結婚と云うものは……』と過去三カ月間の苦労をおぞおぞと喋り出す。『兎も角も、これですんだ、するだけのことはしてやつたつもりだが何と手のかゝるものか』ほつとした安堵と満足感の中にそつと忍び寄る一抹の淋しさ、それは世代の移りかわりの淋しさでもあるのだ。併しこの作品の面白さは、頑固の様であり乍ら眼の中へ入れても痛くない娘には結局負けてしまう父親の親馬鹿心理が見事に描かれた事にある。娘の晴姿を見たいといそ〳〵と買物に出かける母親と古い礼服を何とか着れぬだろうかと無理をする父親とのユーモラスな対比、新婚旅行で釣がしたいと云う花ムコが又同じ様な父親になりそうな気がする。

演技では云う迄もなく父親をユーモラスに演じたスペンサー・トレイシーがいゝ、彼を得なければこれ程面白くはならなかつただろう。風三郎

## 夫婦

結論を先に述べる。『めし』と比べると力弱い感じである。小津安二郎が『晩春』から『麦秋』を発表したとき、作品の価値は別として、又かというやゝ＝飽き＝を感じさせたと同様に、意欲の低徊さを覚える。同じ狙いの作品を続けて作るのは作家の自由であるが、成瀬の映画にいつも登場するお祭り風景やチンドン屋に、庶民生活の＝くつろぎ＝を感じ、サンマを焼く匂いの流れる長屋の夕ぐれ時をすぐ連想させ、それが彼の映画の一つの魅力であることも承知しているが、そこはソレ、いくら旨い御馳走でも続けて出されると些か怨めしくなるのと同様である。

不満めいたことを書いたが最も好きなシーンを挙げよう。大晦日の日、ムツツリとした夫に菊子（杉葉子好演技）が胸につもつたヤリ切れなさを訴えて実家に帰つてくる。夫、伊作（上原）は武村（三国連太郎）とつきたての餅を食べながら妻に済まないという気持になつてきている。帰つてきた菊子と伊作の、互にいたわり合う心が、どちらからともなくポツポツと会話になつて出る。折しもラジオからの除夜の鐘が流れくる。日本人が誰しも味わう、何か聖なるものを感じるすなおな気持である。除夜のアナウンスの流れる場面で観客はほつとする。ここは映画『夫婦』のヤマであろう。そしてその後、新たに居をみつけた夫婦が、生れてくる子供のことで迷うシークエンスで終りとなるが、この終りの方はやゝ感銘がうすい。

野心的な力作といつたものではないが、どこにでもいる平凡な夫婦の生活とその環境としての庶民生活風俗を巧まず描いたことに此の映画の価値がある。

就中、赤松夫人（中北千技子）が菊子を訪ねてきて夫婦間の不満をしやべつた後『こんなこと誰にも云わないでね』などという会話や前半で菊子の実家に伊作たちの荷物がとどいて、急に入れる所もなくて困つているのを、来ていた仲人が複雑な顔色でのぞいている、という所は成瀬映画の一コマとして面白い。高井

## 3月上旬各館スケジュール

ゴチツクは推せん映画

| 館名 | 5(木) 6(金) 7(土) 8(日) 9(月) 10(火) 11(水) 12(木) 13(金) 14(土) 15(日) 16(月) 17(火) 18(水) 19(木) 20(金) | | | |
|---|---|---|---|---|
| ロマン座 | 血斗<br>奇襲作戦命令 | ボウ・ジエスト<br>老兵は死なず | 間諜エルナ<br>**人生劇場**(后)<br>17日のみ前后篇上映 | |
| センター | **女狐**<br>**罪ある女** | **眞晝の決斗**<br>嵐を呼ぶ太鼓 | 最後の無法者<br>マレーゲリラ戦 | |
| 宮劇 | 関白マダム<br>親馬鹿花合戦 | 花吹く風に<br>若き日のあやまち | 夢みる人々<br>坊つちやん重役 | |
| 若草 | 浅間の鴉<br>山猫令嬢<br>デイズニー漫画『岡の風車』 | 妖精は花の匂いがする<br>お馬は七十七万石<br>デイズニー漫画『ハワイ旅行』 | 決斗五分前<br>鞍馬天狗<br>漫画『モスの消防隊』 | |
| 大成座 | 上海の女<br>江戸ッ子判官 | 思春期<br>女房なんか恐くない<br>午前0時 | 恋人のいる街<br>**女一人大地を行く**<br>伊那の勘太郎 | |
| 帝國館 | 13号桟橋<br>マニラ | サムソンとデリラ<br>**五本の指** | なぐり込み一家<br>絶海の嵐 | |
| 日劇 | **加賀騒動**<br>地球最后の日<br>進め幌馬車 | 母子鳩<br>人生劇場(前) | 名月赤城山<br>**人生劇場**(後) | |
| 江平 | 関白マダム<br>妻の青春<br>陽気な幽れい | 青春会議<br>水色のワルツ | 花吹く風<br>大学の龍虎<br>死せる恋人に<br>捧げる悲歌 | 霧笛<br>嵐の中の母 | 我が心は君に<br>夢見る人々 |
| 孔雀 | 裸大名(後)<br>ひばり姫<br>初夢道中 | 稲妻<br>暴力 | 学生社長<br>赤い鍵 | クイズ狂時代<br>上州鴉 | 春の鼓笛<br>牝犬 |

### 映画★あんない

★先号で紹介しなければならなかつたアメリカ映画『**花嫁の父**』は、締切の関係で番組が分つていなかつたため取り上げられなかつたが、恐らくこのシネ・フレンドが出る頃はすんでいると思うので、お詫びだけしておきます。

★邦画には、これといつたものもないが、時代劇『**加賀騒動**』（シナリオの狙いが面白い）『思春期』『妖精は花の匂いがする』（久我美子の演技）『十代の性典』がある。邦画の低調に比べると洋画陣は『罪ある女』『女狐』『真昼の決斗』『五本の指』と食欲をそゝるのがそろつている。

★**罪ある女**（ドイツ映画）むかし『未完成交響楽』『たそがれの維納』で欧州映画ファンに知られたウイリ・フォルスト監督作品。

その美しさの故に呪われた運命に陥り、死の極印を押された哀れな男とめぐり合うまでは、一歩一歩と堕落していく女の物語。今号で紹介する映画中の筆頭である。ドイツ映画の秀作として是非一見をお薦めしたい。主演はヒルデガルト・クネーフ（暁前の決断に出ていた）。

★**女狐**（色彩・ロンドン・フイルム映画）『第三の男』と同じくアレクサンダー・コルダとデヴイド・O・セルズニックの共同提供作品で、『老兵は死なず』『ホフマン物語』などのチーム、マイケル・パウエル、エメリック・プレスバーガーが一九五〇年に製作・脚色・監督に当つたテクニカラー映画。原作は英国の女流詩人メテリ・ウエッブで、ジプシーの血を享けた野性の娘をめぐる精神愛と肉慾の葛藤を描いたもの。撮影のクリストファー・チャリス、装置のハイン・ヘックロスは『ホフマン物語』と同じ。音楽の作曲と指揮は『黒水仙』のブライアン・イースデールの担当。主演はJ・ジョーンズ、デヴイツド・ファラー、シリル・クサックの三人。

★**眞晝の決斗**（アメリカU・A）一九五二年作の異色西部劇。監督は『暴力行為』のフレッド・ジンネマン。ジョン・W・カニンガムの短篇小説に基いてカール・フオアマンが脚色した。音楽の作曲と指揮はデイミトリ・テイオムキン（井戸）で主題のバラード『ハイ・ヌーン』はテイオムキン作曲。主演はゲーリー・クーパーで助演としてトマス・ミッチエル、ロイド・ブリジスなど。

緊迫したサスペンス（不安）が異常であるとの評判だが、これと、映画音楽として『第三の男』のチター演奏による＝ハリイ・ライム・シーム＝と共に注目されたのは、この映画の＝ハイ・ヌーン＝である。

★**五本の指**（アメリカ20フオックス）『イヴの総て』のジョセフ・L・マンキウイッツ監督の最新作。スパイ実話を映画化したもの。ジエイムス・メイスン（邪魔者は殺せ、パンドラ）主演と書けば、とたんに見に行きたくなる方もあろうか。（真昼）とこの『五本の指』は一月上映のところ遅れて、今月上映となつたもの。

――附記――

★締切後、番組の一部変更があり、『**女ひとり大地を行く**』と『**人生劇場**』（第二部）が封切られることになつたのでお知らせします。

★**女ひとり大地を行く**（独立プロ）昨年あたりから活潑な動きを示しはじめた独立プロ作品で、炭労北海道地方本部とキヌタプロの共同製作になるもの。女坑夫として炭鉱に生きる女（山田五十鈴）を主人公にして亀井文夫監督（女の一生）新藤兼人脚色というスタッフである。既成会社作品に見られぬマジメさと主題の切実さに着目されたい。

★**人生劇場**（第二部）ー東映ー昨秋未完のまま封切られた第一部に続くもので、移りゆく時代に流される人間の運命が多彩な登場人物の中に描かれる。片岡千恵藏、笠智衆ほか賑やかな配役。監督は佐分利信。

（た）

(1) シネフレンド 1953年3月31日 第33号

映 シネフレンド
宮崎映画サークル発行
事務局 宮崎市高松通り1の45 TEL 3659
1部5円（会員無料）

日本興行組合連合會で

# 入場税撤廢運動を決定

興連では、十六日の常任委員会で入場税撤廃運動展開を決定し、左のごとき基本綱領を採択した。

(一) **主体**―入場税撤廃運動本部とする。

(二) **組織**―興行組合連合会、映画連合会、報道関係団体、芸能関係団体、**映画鑑賞グループ**、その他の有識者をもつて組織する代表者を興連会長とし事務所を興連事務局におく。

(三) **運動目標**―入場税を撤廃し、これが一般大衆の利益となる点を強調し、啓蒙宣伝を主眼点とする。

(四) **運動要領**―(1)運動目標を世論の喚起と政府政党並びに国会関係とする。(2)運動の方法は(イ)政府、政党、国会方面に対する陳情、懇談会などの開催 (ロ)報道関係に対し趣旨をとりあげるよう運動する (ハ)パンフレット、ポスター、スライドなどにより一般大衆に周知せしめる

(五) **運動經費**―映連、興連の二団体がそれぞれ別途予算に計上する。

**※日本興行組合連合会（興連）**※東京に事務所をおき全国興行者間の連絡、興行の刷新と国民文化の向上、業者の福祉を図る組織、宮崎市内の常設館も県興行組合を通じて日本興連に加盟している。

## サークルでも積極的協力

映画サークルでも世界にその類をみない悪税である入場税に対して最早値下げ等では生ぬるい事で興連の決定した撤廃これが一番すつきりした基本的な態度であるとし、早速東京の興連本部に連絡をとり職場の映画演劇愛好者を中心にこの運動に取組む態度を決めた。

苦言

## 配給会社の良心何處にありや

最近各所で問題になつているが、二本立、三本立興行の全国的傾向のために映画製作がそれに追いつかなくなつた。

その穴埋めに窮した配給会社は映画文化に害あつて益のない安物作品どころか、戦時中に作られた映画を一部改訂、または題名を変えて新作品の如く見せかけて上映するという全く横暴という外ない商魂を発揮している。

ここで我々の我慢できないのは昔の作品を新作と見せかける、その狡猾さもさることながら、戦時中の排外思想、国粋主義、安価な英雄主義の露骨に表われた映画を今日上映する所から生れる逆コース的傾向である。宮崎市で上映された『女ひとり』と併映の『伊奈節仁義』と『鞍馬天狗黄金地獄』がそれである。

配給会社としては苦肉の策で穴埋めしたのだとしても、映画が国民に与える影響を知るならば単に悪どい商策として見逃がせない問題を含むこの再上映について配給会社の反省を望みたい。同じ再映するならば戦後のベスト・テン級の作品を上映するというのであれば話はまた別である。

（高井）

### 図書館映研で『セールスマンの死』合評会

図書館映研では三月三十日午後七時から二階会議室で『セールスー』の合評会を開催。

### 『村八分』公明選擧に一役

近代映協・現代プロ製作・北星配給の『村八分』が宮崎の二日封切を始め県下で上映されるが各地で公明選挙運動に大きく貢献する動きがみられる。**小林**では市庁が八拾円の入場料金のうち三拾円を負担し有権者を広く動員する事が決められた。**宮崎**、**都城**でも目下『村八分』を公明選挙運動に役立たせ東海の一女生徒の良心を全国民のものにすべく運動中

第二回国際平和賞受賞作品
赤松俊子・丸木位里
**原爆の圖展**
4月7日→9日教育会館ホール

## 「村八分」を觀て

宮大助教授 上野裕久

近頃邦画にも続々と良心的なよい映画ができ始めたのは本当に嬉しい『村八分』も日本の農村社会の実態を捉えて居り、面白く観た。

村を牛耳つているボスの県会議員彼は立派な道路を作つて村のために大いに貢献したことを宣伝しているが、その実、彼は道路工事を請負つて儲け、その道路で自分の山の木材を出すことで儲け、二重三重に儲けているのである。彼は田畑地主、山林地主として村民を支配し、村の経済を握り、政治権力を掌握し、恐らくはPTA会長として教育にも力を及ぼしているのであろう。しかも反対者を圧迫するために暴力団までかかえている。純朴な農民は彼に対する不満を持つていても彼に対抗する勇気が出ない。不正投票がばれて警察につかまる恨みも彼には向けずに投書をした娘一家に向けてしまう。この場合『村の平和を乱した』とか『村の名誉を傷つけた』とか言つて村八分にもつて行くボスの策動がある筈だがその点描写不足だ。法務府人権擁護局の調査が全く形式的で真に人民の権利を護る熱意のないことも現実の姿である。これ程の事件に教組の立上りがほんの少ししか描かれていないのは残念だが、現実も弱い様だから仕方があるまい。

警察の出頭命令を持つて村長につめよる村民達や、田を鋤く応援にかけつける生徒達の大衆行動の描写はなか〳〵よいが、現実の問題はこの大衆に斗う方向を与える事なのだが

## 4月上旬各館スケジュール

ゴチツクは推せん映画

1水 2木 3金 4土 5日 6月 7火 8水 9木 10金 11土 12日 13月 14火 15水

|  | | | | | |
|---|---|---|---|---|---|
| ロマン座 | 水滸の女王<br>赤きダニューブ | キスメット<br>地獄の鉄火 | 戦艦バウンテエンの反乱<br>すべての旗にそむいて | | |
| センター | 激情の断崖<br>復讐の二連銃<br>三馬鹿大将 | ダニーケイの牛乳屋<br>**あいびき** | ガンガデイン<br>凸凹猛獣狩 | | |
| 宮劇 | やつさもつさ<br>嫁ぐ今宵に | 斗魂<br>猿飛佐助 | **煙突の見える場所**<br>女性の声 | | |
| 若草 | 新婚のろけ節<br>花嫁一本刀<br>漫画 | 現代処女<br>静かなる決斗 | とこ春じやもの<br>剣雲三十六騎<br>漫画 | | |
| 大成座 | ラブレター<br>天狗の源内 | **村八分**<br>悲剣五女桜<br>珍説国定忠次 | 抱擁<br>平原児 | | |
| 帝國館 | 三馬鹿<br>廃墟の守備隊 | **革命児サパタ**<br>白昼の決斗 | 黒鷲<br>**愛人ジュリエツト** | | |
| 日劇 | ピノキオ<br>三太頑張れ<br>鞍馬天狗疾風雲母坂 | モンタナ<br>天下の副将軍<br>**母のない子と子のない母** | 朝やけ富士（前）<br>硫黄島の砂<br>リオグランデの砦 | | |
| 江平 | やつさもつさ<br>生きる | 斗魂<br>ハワイの夜<br>二人の瞳 | 女性の声<br>面影の歌<br>千羽鶴 | | |
| 孔雀 | 泣虫記者<br>飛龍の剣 | 情火<br>あの丘こえて | いついつまでも<br>南蛮頭布 | 母子舟<br>若奥様 | 鞍馬天狗<br>街の小天狗 |

★柔い春の日ざしが降りそゝぐ街を歩くと映画の看板が目につく。四月から五月にかけて優秀映画が控えているが四月上旬のめぼしい作品は、

★**村八分**（近代映協、現代プロ）も多くを述べる必要のない程、全国の話題となつた、選挙にからむ村八分事件を映画化したもの。新藤兼人が脚本を書き今泉善珠が監督した（吉村公三郎の演出補導）。出演は乙羽信子、山村聡、藤原釜足に新人の中原早苗。近く衆参議員の選挙を控えているだけに意義深いものがある。

★**煙突の見える場所**（新東宝）椎名麟三原作の『無邪気な人々』を五所平之助（朝の波紋）が監督に当り〝現代の世相の一断面を通して善意の庶民の姿を描いて喜劇風にこの時代を捉えてみたいと思う〟と語つているように、生活から生れる笑いと哀しみを表現しようとする彼の意図に期待したい。スターとの組合せは田中絹代、上原謙、高峰秀子という顔ぶれ。

★邦画にはこの外、壺井栄原作（文部大臣賞）の教育映画『**母のない子と子のない母と**』があり、再映に『**情火**』と『**静かなる決斗**』があるのを附記する。

★外国映画を紹介するとまずエリア・カザン（欲望という名の電車）の『**革命児サパタ**』がある。一九一一年メキシコ革命に活躍したエミリアノ・サパタの半生記。脚本はジョン・スタインベック（怒りの葡萄）。ダリル・ザナック製作になる一九五一年作品。主演は（欲望）のマーロン・ブランド、（失われた地平線）のマーゴ、（征服への道）のジーン・ピータース。エリア・カザンごひいきの方には見応えのある一篇である。

★**逢いびき**（英・シネギルド作品）もつと早く上映して欲しかつた英国映画の秀作。昭和23年度の外画ベスト3に入つている。（大いなる遺産、情熱の友、それに近く上映される超音ジェット機）のデヴィッド・リーン監督になるもの。典型的な英国映画と言うにふさわしく英国人のモラルがよく出ている。中年の男女のめぐり合いをつかんで質実な描き方をしている。演ずるはシリア・ジョンスンにトレヴァ・ハワード（第三の男）である。これと併映の『**ダニー・ケイの牛乳屋**』もケイの珍芸が見もの。共演はヴァージニア・メイヨ。

★外にマルセル・カルネ（天井棧敷の人々）の『**愛人ジュリエット**』と戦前公開間際に上映禁止となつたジョージ・スチーブンス（陽の当る場所）監督の『ガンガディン』がある。（た）

### 編集後記

○記事の都合で今号は2頁になりました。批評欄に載せる筈の原稿を割愛しましたので悪しからず。

○来号からまた4頁になります。近く拡大編集委員会を開きますので多数御出席下さい。

○職場の映画評など、どしどしお寄せ下さい。

# 前進座公演決定

## 県労評後援で

前進座が来演することは前号のニユースでもお知らせしたが、今度の公演について座の方から主催の申し入れがあつた。

サークルとしては昨月末の『カンテン』を主催した時今一息の動員不足で赤字を出した事と衆参両院の選挙中である事が大きな障害となる事を考慮し慎重に検討した結果夜一回にして出演料も下げ予算を昨年の経験からより具体的に組み最低動員目標を千二百名に置いて拡大委員会にかけ遂に主催が決定した。

前進座も昨年度文部省芸術祭に参加して以来座員全体の批判が保められ芸術家として如何に国民に奉仕すべきかが明らかにされ、すでに各職場にまわしたアンケートにもある様幕間のカンパやアカハタ売り等一切やめてひたすら国民演劇の発展に国民と共に生きる方針が出された。

### 有馬商工会議所會頭

#### サークルの主旨に賛同捺印

今回の中国帰国観迎公演として帰国した人を無料招待する主旨を伝え賛同を求め乍ら『商工会議所としても中国帰国に対して未だ何もしていないし映画サークルが演劇に招待されれば帰国者も喜ばれるでしよう。』とこころよく芳名簿に捺印された。

映 シネフレンド
宮崎映画サークル発行
事務局　宮崎市高松通り１の45　TEL　3659
１部５円（会員無料）

### 各職場の動き活潑化!!

**統計労組**　では前進座後援について組合執行委で正式に話題にかけ後援するかどうかを討議した結果たとえ後援団体が他に一つもない時でも後援をし県労評を通じて他単産にも後援を呼びかける事が決定された。

**図書館**　映サ員の一人はアンケートを見るや、『これこそ前進座の進むべき途だ』と早速会員券の他一般券二〇枚を申し込んだ。

**農林中金**　ではサークル券一八〇円の内八〇円を事務所が出すことになり、会員は百円で観劇することが出来るようになつた。

**川上工業所**　では朝の集りで、専務さんが全員にはかり希望者で現金のない人は会社で一時立替をやることになつた。

**商工中金**　では職場の互助会で全員観賞の希望があり近く決定する見込。

### 全サークルの皆さんへ

今度前進座公演の準備活動として職場にアンケートを流し職場への意見を広く集めた事は大へん有意義であつた。会場内のカンパをやめ、真に大衆に奉仕する立場で全国民の劇団に成長しつゝある前進座に職場の人達は大きな期待を持ち関心を示している。図書館では『今度こそ自信をもつて二十枚売つてみせる』と一会員は張切り、印刷工場の中年会員は『カンテメまでは私一人で行きましたが、今度そう言う芝居だつたら妻も子供も引きつれて観に行きます。』と事務局の説明を聞いて券をあずかつている。

会社員の川辺さんは―時代の云々を問わず現在の混とんたる世情に於いて生きる喜びを心から味わえる様な劇を上演して欲しい―と希望をのべられ、大学からは―色々の困難をのりこえ屈せず前進して下さい―と力強い声援を寄せられた。

私も初めて知名士と云われる人達へ挨拶に廻つたが、野村さん（県教育長）は今まで一度も来た事がない前進座が来たので最初意外に思われたらしいが、話して行く内に座の方針に賛意を表せられ今度の観劇を約束され、後藤さん（市教育長）も学校長がよく来ますから『屈原』を見る様すゝめると言われ教員組合でも青年部を中心に文化活動の一つとして取りあげる事が決つた。

以上の事から私は困難の中を生きぬいて二十数年日本の民族文化を守り続けてきた前進座の公演を、演劇と観客とがしつかり結びついた型で成功に導くことが出来ると確信しています。どうか全サークルの会員一人一人が主催するつもりで一人一枚必ず売りお隣りの大分映サに負けない様協力されん事を心から訴えます。（事務局―安達）

### 大分でも映サ主催

#### 千名の会員で三千の動員

大分公演は宮崎に先立つ十五日中央映画劇場でサークル創立一周年記念公演として映サ主催でやられるが、会員一名一枚を必ず売ることを決定し、あらゆる層に動員がなされている。事務局長の羽田野さんは、『私達の大分に未来を目指す文化の花を咲かせたいものです。』と公演準備に懸命である。

### 田野町にも映画サークル結成

四月を期して田野町に映画サークルが結成された。会員四〇〇名、会長、町役場の野崎代副会長浜田、大浦両氏、事務所は町公民館に置き手初めに宮崎で封切られたばかりの『村八分』を無料で町民に見せる様町当局と相談し実現することに成功、今後宮崎映サと緊密な連絡をとり、できたら田野町支部の形にしてもらいたいと会長の野崎氏は語つた。

尚田野には他に読書サークル、合唱団、演劇サークルがあり断続することなく活動が続けられている。

### カチンコ

▼中国から多数の同胞が帰つてきてラジオに新聞にその模様が報道された。ここで思い浮べるのは諸外国映画に描かれた〃帰還〃のシーンである。▼『二百万人還る』『我等の生涯の最良の年』『ジープの四人』のそれと比べて日本映画の場合はどうか。日本人を描いて感動させる映画があつたか。▼かつて留守家族の集りに上映されていたのが『異国の丘』であつたが、あんなマヤカシもので、と思つたことだつた。▼日本映画の軽兆浮薄な一面を形成するのが流行歌的風俗であり、浪曲的人情であり、現代日本の雑草的文化でもあるのだが、映画製作者の企劃の貧困も挙げられよう。▼『ひめゆりの塔』が記録的な観客動員数を示すとみるやいわゆる戦記ものがどつと氾濫する現象は、母もの映画が次々に作られたのと何等変りがない。▼元来、日本映画には創造性が乏しいのだが、ある一つの作品が興行的に良いとなると、すぐそれにならうのは製作方針に定見がないからである。あるのは、〃右へならえ〃の附和雷同性だけであるのか。（た）

# 各黨に映畫政策をきく

① 日本映画の發展を阻害しているものは何ですか？

② どんな映画が作られることを望まれますか？

## 共産

**戦爭宣傳文化の禁止**
**外国映画から民族映画を守れ**

① 日本の経済、政治、文化がアメリカの支配のもとにあることが原因になつています。映画の発展が阻害されているのもここから出発します戦争をけしかけたり、『いついつまでも』日本を支配下におこうとしている大きな力の下で日本人の自由な芸術的な表現ができるものではないのです。『ひめゆり』を作る時、国際関係（実は御主人アメリカ）に悪い影響を与えるといつて、変なタイトルを入れなくてはならなかつたのを見てもわかります。

映画資本が完全にアメリカの支配下にあつては、正しい健康な、民族映画は作らせないのです。

② ①でも述べたように、正しい、民族的な映画がほしいのです。前に『圧迫』のことを申しましたが、この悪条件をけつて『どつこい』が生まれ、『箱根』が出来たのをきつかけにして、所謂『独立プロ』がたくましい成長を見せました。『女一人』『村八分』『ひめゆり』こうしたものがどんどん出てほしいと思います。

平和を愛し、戦争に反対し、労働者の生活、意識を昂める映画、それがかつての『傾向映画』のようにナマのものではなく、生活、感情からにじみ出して、芸術的に表現されたものがほしいのです。

『女一人』でけが人が出るのも、入坑拒否がおきたのも、五万頓から七万頓に増したことにある、この本質的な把握の高さ、それが宇野さんの名技を通じて表現されているのは今申したことの具体例として挙げますこんな映画の出来ることを力強く感じると共に国民の生長をありがたいと思います。

（県委員　河野通孝）

**第一區立候補者　澤　重　德**

## 左社

**戦爭宣傳の排除。平和思想の普及。俗惡頽廢文化の一掃、健康な文化。公民館の普及による農村の文化向上。國産映画奬勵。植民地的向米一邊倒映画製作反對。平和な生活と明るい文化。**

① 資本主義社会における営利主義が文化としての発展を阻害している。

党としても独自で平和と大衆生活にマッチした映画を作りたいが、今の所手が出ない。

入場税の問題では現在の五割は不当で、東京と宮崎の如く地方差を認めるのが本当で、現在県業者の撤廃はその裏付けの財源で問題があり党として半減が適当と思う。

党は映画政策として国家が力を大きくそゝぐべきだと考える。

ソビエトなど良い映画が出来ている。国家が芸術、文化、平和の分野で無策であるのが現状でこれではお話しにならない。

国民の教養を高め世論の中でエロ・グロ映画を浮び上らせなければならぬ『ひめゆりの塔』が日本映画の最大の動員を示したことからも国民の中に良い映画が受け入れられる素地があることがはつきりした。

② テーマーは何でもよいが勤労大衆の生活そのまゝ取扱つた映画で、生活にマッチした物が作られる事が望ましい。大衆の血となり肉となる映画、又国民の科学的な教養を高める為にも文化映画の良いのが製作さるべきだ。昨年から『女一人』『原爆の子』等労組の自主製が進められているが大変良いことで、党としても精神的、物質的な援助を与えてゆきます。

（県支部連合会副会長疋田茂）

**第一區立候補者　片　島　港**

## 右社

① 映画企業の資本家が独善的である事、連中はもうける事以外に考えていない、具体的にいえばシナリオに対して金をかけていない、この事は良い映画が出来ない大きな原因である。

又企業として経済界が少しはみとめて来たが立派な企業としてはつきりと認め援助する必要がある。

社会党の計画経済でも映画界だけは簡単に向上は望めない。

シナリオに金をかければ優秀な人はたくさんいるのだから脚本家の生活条件をまつとのえる事が、企業家の良識をまつて切望される。

現在脚本家は金が欲しさにいいかげんな物を書いている。

又党の政策とは矛盾するかもしれないが、映画の国家管理は反対です。

② 映画は娯楽性を無くしてはいけないけど、エロ・グロ一辺倒もいけない、ある程度の指導性と高度の芸術性ある映画が必要。

例をあげれば時代劇では『源氏物語』現代物では竹松の『本日休診』又成瀬の『稲妻』五所の『煙突』等『ひめゆり』『生きる』の様な社会性のあるのも年に一、二本あつてもよい。

労組の自主映画は文化映画であればよいが、劇映画として木戸銭をとつてやるのはよくない。

（県執行委員　松本常男）

**第一區立候補者　甲　斐　政　治**

## 改進

**一、教育行政の刷新**
**二、学制の再編と教育内容の改善**
**三、私学の振興と科學教育研究の助成擴大**
**四、教育者の生活保障**
**五、教育者の政治的偏向是正**
**六、青年子女の社会教育の普及**
**七、地方自治を尊重する義務教育費全額国庫負擔**

① 映画企業家の単なるもうけんかな主義が邦画の発展を阻害する一番の原因。

自由党の様に大資本と結びつき戦争をしてでももうけると言うやり方では映画の発展は望めぬ。

大体我が党を世間で保主党と云うが我々は甚だ心外であり、ゆきづまつたに資本主義を修正しようとする進歩的政党である。

映画は大衆にあたえる影響が大きいから企画性がなければならない。

ただ戦時中の様な官僚統制では人間性を認めないやり方だから駄目、解決策として専門業者、有識者、教育家等の協議により民主的に経営する。

エロ・グロ映画の氾濫は民衆が安定していないからで良い映画を作るには、今のところ業者の良心にまつより外みちはない。

又地方の業者は低級な映画は上映しないといつた態度が望ましい。

② コクのある映画を作つてもらいたい。古典物では『滝口入道』『源氏物語』とかシエークスピヤ等。

現代物でも国民の生活にプラスになるもの。

（県連支部事務局長　水野藤吉）

**第一區立候補者—黒　木　勇　吉**

## 自由

長友と名のられる中老の方がおられ映画サークルからの主旨をつたえると幹事がいないから何も云えないとのこと、締切期日にあせりながら次の日もう一度連絡をとつたら『御要求にそいかねるから、むずかしいことをいわずに……』記者として相手の役柄だけでもきいておかないと責任が果せないと役柄を伺がつたら県本部の大番頭とのこと。

**第一區立候補者　川　野　芳　滿**
**相　川　勝　六**

## 『原爆の子』を公開拒否

**カンヌ映画祭　て番組から除外**

四月十五日からのカンヌ国際映画祭で日本から参加した『原爆の子』と『原爆の図』が公開を危ぶまれている。最近になつて主催者側から突然この二つの原爆映画の参加を撤回せよと日本側に求めてきたからで、パリ滞在中の共同坂田特派員は『理由は明らかでないが消息筋は政治的干渉があつたものと推測している。この事実が公になる場合は当地でもかなり問題になるもよう』と現地の第一信を伝えてきたが、その後フランスの批評家サドゥル氏から次のような手紙が北星映画社岩淵正嘉氏に寄せられ事実が確認された。

三月十六日付けのあなたのお手紙は非常に重要で危険な問題を含んでいるので至急ご返事いたします。

お問合せのとおり『原爆の子』はカンヌの映画委員会が発表した四月十五日以降から上映を予定される作品のリストから除外されております。日本からは三作品が参加するというコミュニケが先に発表されていますから、この映画はその三本目に予定されておりそれが除外されたものと思われます。『原爆の図』の方は短篇についての何等の発表がなくわかりません。

ご存知でしょうが、先に映画祭の運営について今年からは選抜上映制をとろうとの話がありました。上映の前に予選を行い提出された映画は必ずしも上映しないでいいという方法ですがこれは外国において一致した反対を受けました。従つて今年は映画祭に出品されたすべての映画は何らの除外もなく公開されるべきであります。

（以下略）

## 屈原（鐘鬼）と鯉のぼり

楚の国のまわし者、張儀の悪たくみを打ち破ろうとした屈原は、愚昧な懐王の怒にふれ、地位を奪われ、宮廷を追われ、そしてベキラの湖に投身してしまわれました。

屈原が清い愛国者だつた事を知つていた民衆は泣く泣く、ゴハンを湖に投げ入れ死を悼み悲しみましたが、たまたまお百姓さんの夢まくらにたつた屈原が『せつかく投げてくれるゴハンを中の鯉がみんな食べてしまう……』と云うので、今度は鯉に食べられないように笹の葉にくるんで投げ入れました。これが今、私達が食べている柏餅と云われます。又こうして死んだ屈原の死体を、中に住む大きな鯉が上流に住む大変仲の良かつた、たつた一人の姉さんの所まで運んで行つたといわれ、それで鯉のぼりは大きな口をあけて風をはらんでいると伝えられています。

そして屈原が入水した日は丁度五月五日だつたので、その日になると民衆は鯉のぼりを立て、柏餅をつくり、ヒナ壇に屈原の人形を飾つて亡き屈原をしのぶと共に、男の子が生れたなら屈原のように強い正義をもち、気高い人格をもつた男児にしたいと云う希いがこめられていると云われます。又、屈原は日本では鐘鬼さまとして、古くから親しまれてきている事は余りにも有名な話です。

## 「總評」新聞劇評

**今日の日本そのまゝ**

『屈原』の祖国楚の国に中国全土を狙う秦国スパイ張儀が侵入。欺計に乗つた宮廷の美姫、重臣の計いで、じやま者とする愛国者『屈原』を遂におとし入れ官職を奪う。『私をおとし入れたのではない。楚の国全体がおとし入れられたのだ』と繰返し絶叫しつゝ。牢に鎖される『屈原』の、**余り悲痛な響きが余いんに残る。唯一人の門弟『嬋娟』も赤牢に鎖され**、ゴーモンに打ちのめされるが、正義の衛士はこれをみかね、遂に牢を破り二人して屈原のもとへゆく、これで疲労をいやすべくフト飲んだ毒酒で『嬋娟』は従容として死につく。

やがて太子ビョウの炎上する中で『屈原』は厳そかに『嬋娟』を火葬にとむらい、二人は漢水へのがれる。これは中国古代の出来事というよりも、今の日本そのままだ、力演。

## 寸話

『なんこ〳〵いくつ』の語原について酒席や年のわからない人を〃なんこなんこいくつ〃といいます。これは南后が絶世の美人でとしの見当がつかなかつたことから〃南后南后幾才〃がいつのまにか伝えられた。

**『ちよきちよきあわわわ』**

スパイの張儀に聞かれると必ずよくないことがあるので彼がくると人は口を抑えておしやべりを止めたので、このことから後世に伝えられたとか。

## 屈原の役

屈原という、今から二千三百年前、中国の生んだ大詩人であり、政治家であり、愛国の士であつた人物を、現中華人民共和国の副総理郭沫若氏の革命的な瞳を通じて描いたこのドラマは、今までにない劇的要素を私たちの前に投げだして、どうこの戯曲、役々を創造して行くかという極めて困難な、また極めて希望にみちた問題を提出しています。

屈原の役について私が一番感じたことは、何よりも純真な屈原の人間性、けがれのない彼の魂と生き方を基礎に、彼の政治家としてまた詩人としての素養が、社会の悪によつて悲劇に落ち込んで行くその中から憤怒となつて立ち上る彼の愛国心にもえた不屈の精神がいかに演技的に形象化されるかということが極めて困難な課題であることです。現在の日本でもこうした純真な人間性が悪によつてしいたげられ、さいなまれているという状態が、日本をくさらせ、日本の進歩を阻害し、逆に戦争という人類最大の罪悪への道へ追いこもうとしているのです。

もしこの屈原という役や、この芝居の成果によつて、日本国民の幸福に寄与することができたら私たちはどんなに感激にたえないことでありましよう。

**河原崎長十郎**

## 「革命児サパタ」

この映画に登場するエミリアーノ・サパタという革命家は、一八二一年メキシコがスペインの圧制より脱し、独立して以来、血で血を洗う内乱の頃の実在の革命家だつたそうである。

T・スタインベックの書き下しシナリオであるが、彼はメキシコ物には異常な関心を持つていて、リアリステイックでヒューマンな目を虐げられた民の上に注いで彼等の生きた生活と人間性を描いた。

農民陳情のシーンで、不遜な言動（大統領から見れば）を弄したため、サパタは危険人物として名前に丸印がつけられるが、これが後への伏線となつて展開される。この点が実にあざやかなさばき方で、後年同じ場所で立場をかえ、大統領となつたサパタが農民の陳情を聞く中で、はからずも『百姓は待てない』と鋭く叫ぶ若い農夫の中にかつての自分の姿を発見し、自分がこの地位をか**ちとる為にどれだけ多くの犠牲が払われたか、大勢の同志がそのために**斗いそして死んだか、それもこれも貧しい人々の味方になるための斗いではなかつたか。顎然として自分の使命を反省するのであるが、反省となしに、人間サパタの成長と苦悩の描破してある所がぐつとこの映画の重みをつけている。革命家として、さまざまの分裂策動を排してかくあるべきという一身の貫き方も、これ程具体的に示されている外画は少かろう。

サパタは無学文盲な男である。しかし彼の正義漢は一身を賭して農民を権力者より守らんとする。このことに忠実な彼は、鋭敏なカンで、いかなるものが、革命の完全なる成功をさまたげるかを感知し、これをつき破つて進む。自ずと民衆は彼を守り団結する。絞首刑場に引き立てられていくサパタを彼等が救う場面は、これが最も力強く描かれ、一人一人が手にした石をカチ〳〵と鳴らして、声なき反抗も示す図となつて拡がつていくところ、その高潮ぶりが、無気味な迫力が、まつたく見る者を興奮と感激に包んでしまう。

又、サパタが策謀にかゝり、全身蜂の巣のように銃弾を浴びて悲壮極まる最後をとげる所は兵隊の表情、町の老人の無感動な顔。サパタの愛馬の不幸を感知した目の色とこの三つのコントラストがかもし出す異様な迫力（こゝが一番うまいと思つた）と共に、この映画のヤマとなつている。場面の変化の多いことが或程度一貫性をこわした様にもあつたが。すぐれた映画だと思つた。

（統計　芝岡）

### 會員の皆様へ

みなさんは職場への割当て券が少いのにびつくりしておられることと思いますがこれは事務局再度の懇請にも拘らず税務所でサークル券を七〇〇枚しか出さないからなのです。良心的な演劇公演に税務所の協力を呼びかけると共に手元にある券を是が非でも消化されるようおねがいします。

**指定席について**

今回夜一回しか公演しないことゝ中国帰国者の方を招待することになつたので忙しいフアンの為に指定席をもうけましたので紙上を通じて御諒解おねがいします

## 4月下旬各館スケジュール

| | 16 17 18 19 20 21 22 23 24 25 26 27 28 29 30 5/1 | | |
|---|---|---|---|
| ロマン座 | 戦艦バウンテエン号の反乱 | **陽のあたる場所**<br>O号作戦 | **風と共にさりぬ** |
| センター | ガンガデン<br>凸凹猛獣狩 | **超音ジエツト機**　熱砂の戦い | |
| 宮劇 | 権九郎旅日記<br>次男坊 | 青春手帳<br>疾風鴉隊 | |
| 若草 | **雨月語物**<br>美女剣光録 | 怒れ三平<br>宮本武藏決斗ハンニヤ坂 | |
| 大成 | キリマンジエロの雪（FOX）<br>逃亡地帯 | 月下の若武者<br>ひまわり娘 | |
| 帝國 | 荒野の三悪人（RKO）<br>流弾都市（映配） | 挙銃の判決（ユニバーサル）<br>ネブラスカ魂（パラウマント） | |
| 日劇 | 剣豪ダルタニアン<br>朝焼け富士（后） | 韋駄天記者<br>ひめゆりの塔<br>原爆の子 | |
| 江平 | 次男坊<br>初恋オボコ娘 | 疾風鴉隊<br>丘は花ざかり | |
| 孔雀 | 銭形平次<br>びつくり三銃士 | 巣鴨の母<br>天狗の安 | 吾母に罪ありや<br>天狗廻状 |

選挙の真最中、『村八分』の上映はタイムリーヒットだつた。選挙は依然として低調。これと対象的に興行界は、四月に入り活気づいて来た。後半、前進座の公演と共に期待されるのは先ず、

☆五一年に六つのアカデミイ賞をとつた米画**陽のあたる場所**であろう。原作はドライサーの『アメリカの悲劇』である事は御承知の通り。これの描き方に三つあると云う。一つは原作に忠実に（三〇年エイゼンシユテインが試みたが映画化されなかつた）とジョオジ（モンゴメリイクリフト）とアリス（シエリイウインタアズ）の交渉を重視し、男女の性愛の問題を追求する態度（三一年、スタンバアグが作つたアメリカの悲劇はこれに近い。）今一つは社会的悲劇や性の悲劇ではなく恋愛の悲劇として描いたもの。今度のは三番目のにあてはまりそうだ。勿論原作の社会的悲劇の点を全然捨てているわけではないが、原作だけを念頭において見ると失望するかも知れない。だが原作の主人公まで変えて、別なタイプの映画を作つている点は―それが非常に成功している―それはそれなりに興味を覚えさせる。先に『ママの思い出』を作りフランスのドラノアに比されるデヴインズがどんな演出を見せるか、モンゴメリイの好演と共に期待される。

☆**超音ジエツト機**の直訳は『音の障壁』である。航空機の発達は、人類に果てしない夢を抱かせ時速一二〇〇キロという音以上の速度化を計つている。それの征服欲の強い老人と家庭や、パイロットをめぐつての物語。生命を尊重しないヒロイーズムに駆られ、科学の力で解決出来ないものを命を賭して実験する人間、成功の暁うまい汁を吸うエゴイスト達、文明の利器としてよりも破壊力としてのジエット機、敗戦前の吾々なら素直について行けるかも知れないが、今日の吾々にとつてはどうだろうか。もつとも時速一〇〇〇キロ級のヴアンパイアや先般訪日したコメットなど最初の飛行機の活躍は航空ファンを魅了するだろう。そしてキメの細かいデヴイツトリーンが悩みの多い各人の立場を如何に演出するか、又『女相続人』に出演したリチヤードの好演には期待出来よう。

☆輸出映画での外貨の獲得が八十万ドルだと言う。その中五十万ドルが羅生門だと云えば誰しもそのようなものを作りたいに違いない。

**雨月物語**も明らかにそうである。西鶴一代女の溝口を監督に主要役者に森、田中、水戸、小沢、の四人で何れも好演、戦国時代、野心に燃える二人の男とその妻を描いたもの。この映画は何かを物語ろうとしている映画ではない。怪奇映画とも云うべき時代劇だろう。古典の『雨月物語』に現代性を加味して、今日の日本の観客と外国の観客に、特異な興味ある映画として観賞させようとしているようだ。映画には持つてこいの原作ではあり、映画的魅力では吉村の源氏物語よりも強い。（中島）

(1)　シ ネ フ レ ン ド　1953年5月15日　第35号

映 シネ フレンド
宮崎映画サークル発行
事務局　宮崎市高松通り1の45　TEL 3659
1部5円（会員無料）

# 入場税を撤廢せよ

## メーデー大會で決議

宮崎市における第二十四回メーデーは、三十日の公会堂における前夜祭の後をうけて五月一日、今迄にない巾と広さで県庁前広場の大会場に続々と赤旗をおし立てゝ結集、定刻午前九時には三十三団体、二千百名（主催者側発表）が勢ぞろいした。今年初めて参加した全銀連のハチマキ姿や日向日日労組の『中小企業を守れ』のスローガン、鐘紡労組の女工さんのお揃いのユニホームが目立つていた。

大会は地協副議長水谷氏の司会で開会、社・共両党のメッセージ、中国帰国者加藤重子さんが日中友好協会を代表して挨拶、民戦等の祝詞の後で議事に入つた。

『入場税の撤廃』ではサークル事務局河野炳氏より『今日私達は憲法に云われているような文化的生活を行つているでしようか、最も大衆的な映画でさえ料金が高くてなか〲見ることが出来ない。入場料が高いのはその大部分を占める入場税のためで、この悪税を撤廃しない限り映画も楽しめない、しかも政府はその金を再軍備のために使つているのである。』と主旨を説明、満場の拍手をあびて入場税テッパイが決議された。

大会後デモの波は橘通りから市役所の前を通り宮崎駅前の蛇行デモを最後に十二時、盛会裡に解散した。

## 全國的なテツパイ運動へ

入場税テッパイ運動は全国的なもり上りを示しているが、これより先、日興連では、入場税テッパイ運動の展開と基本綱領を採択し、興行組合や報道関係、映画芸能団体と協力し大々的なテッパイ運動を展開して来た。

入場税が十割から五割になると共に徴税が強化され、大阪では『団体割引は百名以上引率入場の場合に限り割引料金は二割以内』と団体割引を禁止しようとする動きも表面化しているが、このような動きは一つの官僚統制の復活であり、優秀な日本映画に対して新しい観客層を獲得することを妨げるものとして反対し、これら一切のいざこざの原因である入場税テッパイ要求に発展している。県下においても入場税不払のため入場券の交付を拒否して来ているが、今後遊飲税などの不当な地方税等と結びついたテッパイ運動を館側と推進して行かねばならない。これも映画を我々のためにする運動の一つである。

## アイモで記録映画

サークルの安達常任はメーデー実行委員会の依頼でアイモを駆つて大会の模様とデモ行進を十六ミリにおさめた。県庁前広場の大会、市庁前の蛇行デモ、駅前での解散デモ等労農記録映画の第一回目の試みとして試写が期待される。

## 安達常任辭任

### 北星映画へ

映サ常任委員安達清則氏は宮崎映サ生みの親として今日まで献身的に働いて来られたが、この度北星映画九州支社からの強いての招きにより会員からおしまれながら映サを辞任された。同氏は『民主的な配給会社としての北星を通じて今後共一層日本映画と進歩的な映画のためにつくして行くつもりです。今日まで二年にわたりいろ〲の指導や御協力を心からお礼申します。割引券の問題や最低料金、前進座公演とサークルも苦難の道を歩いて来ましたが、今後益々発展することを確信して心からの声援を送ります』と語つた。

尚、同氏の後任として拡大常任委員会では元県労書記局の田原稔氏を決定した。

## カチンコ

▼いつか、この欄でトーキーの出なくなつたときの映画観客の拍手について書いたが、今日はラスト・シーンと観客について大方の感想を求めたい ▼ソロソロ映画が終りに近づいて一段と伴奏音楽が高まると、およそ観客の三分の二以上が途端に立ち上る。終の字幕が出るまで座つている人は僅かである。▼これは映画館での常識的風景である。名作『自転車泥棒』や『第三の男』はラスト・シーンの余韻が素晴しかつた。仏『乙女の星』や日『小原庄助さん』は終のタイトルが消えてもしばらくは別れを惜しむかのように音楽は止まなかつたものだ。▼なぜあんなに慌てゝ立上るのだろう。もう習慣になつてしまつているのか。すべてにセッカチな国民性か？これは観客一人一人の心持ひとつで改められることなのだ。▼映画館の方にも言い分がある。まだ終らないうちに電燈をつけたり、幕をしめ始めるのは観客に親切ではない▼映画がまだ終らないうちに立上る人は、ハハンこの人はセッカチだなと思われても仕方なかろう。（た）

（前進座收支明細）

| 收入 | | 支出 | |
|---|---|---|---|
| 会員券 | 65,240.00（377枚） | 税金 | 20,000.00 |
| 一般券 | 81,640.00（459枚） | 会場費 | 25,000.00 |
| 指定券 | 17,000.00（61枚） | ギヤランテイ | 60,500.00 |
| 広告料 | 3,500.00 | 宿泊食費 | 25,500.00 |
| 雑收 | 220.00 | 宣伝費 | 28,415.00 |
| | | 雑費 | 8,355.00 |
| 合計 | 176,600.00 | 合計 | 167,770.00 |

差引残高　¥8,830.00（残高はギヤラ91,000の未払を含む）

**★新星映画**　今井正監督で群馬交響楽団を主題にした音楽映画**『一粒の麥』**（仮題）準備中。脚本は小国英雄が四月中に書き上げ五月クランク、六月完成予定。製作は岩崎昶、市川喜一。群馬交響楽団は戦災の廃墟の中から、土地のアマチュアや疎開音楽家たちが作つた楽団で、この楽団が町から村へ音楽を普及しバッハやベートーヴェンなどの古典が働く人々に親しまれ理解されている特異な題材。

**★八木プロ・俳優座**の**『日本の息子たち』**は野間宏、木下順二の書卸しによる脚本がこの程完成、更に八木保太郎が筆を入れることになつている。秋の大作として準備に入つた。

**★全遞信勞組・第一プロ**の**『赤い自轉車』**は監督山本薩夫が決定、岩佐氏寿の脚本を書き直している。新星と平行して製作、公開は六七月になる見込。以上は北星配給が決定しているが、このほか

**★日教組『ヒロシマ』**が伊藤武郎八木保太郎脚本で準備されていたが関川秀雄監督の『混血児』完成を待つて撮影が開始され、原爆映画第二弾として八月六日公開を期している。既に美術スタッフが現地ロケハンに出発した。製作伊藤武郎は『雲ながるる……』『赤い自転車』『ヒロシマ』の三本を担当する。

**★現代ぷろ『蟹工船』**小林多喜二の原作から山村聰脚本、監督、主演第一回作品として慎重準備中。山本薩夫作品は**現俳・靑俳の『冬の旅』**（松本西三、本田延三郎製作、八住利雄脚本、山形雄策構成）と**新星映画『分水嶺』**（諸井条次原作）が準備され、**近代映協、民藝の藤村原作『夜明け前』**（吉村公三郎製作、監督新藤兼人、滝沢、乙羽等出演）が秋の大作として既に撮影を開始した。

**★第一映画『米（冬篇）』**記録映画では長野県川上村で日中貿易問題、北牧村の炭焼きの場面を撮影したが、各方面からの批判や意見をとりいれて脚本を改訂、三月末から撮影を再開した。演出は京極高英

**★記錄映画協議会**は京浜地帯の労働者と提携して**『京濱労働者』**をとりあげ、軍需工場、PD工場にとりまかれている京浜地帯労働者の斗いの記録としてメーデーを期して完成されようとしている。

# 中國歸國の映畫人
☆
## 木村荘十二監督

現在中国では内田吐夢監督をはじめ約二千人の日本人が映画工作に従事しているが、三月二十七日中国から第一船で帰つた映画人に木村荘十二監督がいる。

木村荘十二の名が日本映画にクローズ・アップされたのは昭和五年、帝国キネマでつくられた左翼的イデオロギー映画**『何が彼女をそうさせたか？』**に助監督としてついたときである。鈴木重吉が監督として名を出したが、実さい上の監督をつとめたのは木村荘十二だつたといわれる。やがて帝国キネマの後身新興キネマのストライキを指導して追われ、一時プロキノに加盟、昭和八年P・C・Lに入社していらい日本を離れるまで『河向うの青春』『放浪記』『兄いもうと』『彦六大いに笑う』『からゆきさん』『新撰組』を発表、感傷性のない日本の暗黒面をしつように追求するリアリストとしての独自の地位をきづいた。

彼は『私はこれから、中国のすがたを正しくつたえる仕事にとりかゝります』と帰国最初の確信を述べている。（日本映画）

## 『日本映画を守る夕べ』
東海地方映画サークル協議会

東海地方映画サークル協議会では四月十五日、映画功労賞の贈呈式をかねて『日本映画を守る夕べ』をCNC劇場でひらいた。

映画観客団体として日本ではじめて行われた功労賞贈呈は、日本映画の製作に大きな刺戟とゲキレイを送つた。『日本映画を守る夕べ』の内容はつぎのとおり。

第一回　功労賞贈呈並びに挨拶

作品賞　新星映画社
脚本賞　水木洋子氏
監督賞　山本薩夫氏
男優演技賞　木村　功氏
女優演技賞　山田五十鈴氏

第二回　功労賞受賞者記念講演
『混血児』映写

## 職場の中から脚本生る
―鹿児島―

鹿児島地評青年部と映画サークルでは、かねてから文学サークルの結成を計画していたが、時を同じくして職場の中から脚本〃お浅さん〃が生れた。サークルでは、これが多くの人に読まれ、検討され、充実され、上演されることを期待し、プリントして配布している。なお、文学サークルとして近く作品集第一号発行の予定。

## 文化センターを建設
―大牟田―

大牟田市では多くの文化団体、文化人、愛好者が胸襟を開いて語り合える〃われらの家〃文化センターの建設を四月完成をめざして準備を急いでいる。

なお同文化センターには映画演劇サークル協議会はじめ各種文化団体が事務所を借りる予定で、資金一口十円以上を公募し文化運動を今後一層もり上げようとはりきつている。

### 節句
今年は公然と武装するぞ！
―武者人形―
（大牟田文化タイムス）

### 在北京
『どつこい生きている』
―中村翫右衛門―
（新読書新聞）

## 『鐵路の斗い』
（佛）を申請

北星映画では、このほどフランス映画『鉄路の斗い』（監督ルネ・クレマン）およびソヴエイト映画『クバンのコサック』の二作品を二十八年度外画輸入割当作品として申請を行つた。

なおソヴエイト映画は『村の女教師』『スターリングラード戦』『最後のあがき』『解放された中国』をあげている。

## 雑記帳

▼…**静かなる男**の妻**混血児**を生みぬ そは人すべて快楽を追う世相の**縮圖**にして、**文化果つるところ**と云うもむべなり、あゝ乱世を如何せん、**ミラノの奇蹟**出でよ！ゴヂックは今月の推薦映画。

▼…まつ先に出て来る筈の字幕が出ずにいきなり劇が始つて、一段らくついてからタイトルが現われる映画がある。この前の『超音ジェット機』や『砂漠の鬼将軍』など此の手だが字幕が出て始めて、おやまだだつたのかと気付かせる辺り仲々呼吸がいゝ。ラジオでも放送劇などでこれに似たことをやつているが一寸面白い。

▼…この間『超音ジェット機』を見て飛行機もおつそろしく速くなつたもんだとおどろいたが、最近のニュースではアメリカに『マック・2』と云う奴が出現したそうだ。音速の二倍と云うのだが全くソラ恐ろしい

▼…『零号作戦』の中で、北鮮機が飛行場を攻撃するところがあるが、今しも飛び立つたばかりの大型輸送機には目もくれずに、大して重要でもない建物を爆撃してジープの機銃でアッケなく撃墜される、ヒロインが乗つた輸送機を落されたのでは映画にならぬと云う訳だろう。まさか北鮮の飛行士は皆トンマなんだと云う意味じやあるまい。

▼…映画には良くごちそうを喰べる場面があるが、こつちが空腹の時などと腹がグー〳〵言つて困る、午前十時開館の三本立などと云うことになるとヒルメシ抜きだが運悪く七面鳥の丸焼などパクつく処に出くわそうものなら哀れだ。…ナニ弁当持つて来いだつて…それより館の食堂で同じものをつくるんだナ、出がけに繁じようすること間違いなし。（風）

★投稿歓迎
★千字以内
★締切日ナシ

## 逢びき

率直に言つてこの映画の秀れた点に感心すると同時に、こういう作品を生みだす英国文化の土壤の高さにも羨望を覚える。戦後のイタリアから生れた、あのむき出しの生々しい力強い諸作品とはまた異つて古い伝統と格式の中に培われた英国の国民性、いかにも英国映画らしいと思う。

登場人物としては中年の男女二人が主役で、女の夫、友人などが顔を出す。週に一度、町に買物に出て映画をみたりするのがたのしみの平凡な妻にしか過ぎなかつた女が、ふとした事から医師と知り合いになる。何でもない知り合いからだんだん離れられなくなる間の交渉を描いて、ごく自然な感情の移りを描いて実に巧みであり美しい。いわばこの主人公の彼との交渉は誰も知らない。ただ二人の間だけの喜びであり苦痛であるのだが、その世界はまた何と苦しい事であろう。どういう結末になるのかと思つたが、男の友人の突然の帰宅という偶然がまた二人を元に戻す。

最後の別れの場面では（ここでその巧みな回想形式の話術が効いてくる）実に悲痛な感情が流れる。女の肩に手をそつと置かせた演出は心憎い程の計算が見られる。ふんい気を構成する、ミルフオド駅構内（ここが主な舞台）のものわびしい情景も物語の内容にふさわしく、急行列車の通過や、信号ベルの使用など劇的効果をあげている。（寺島）

## ハリケーン

この映画には作者の狙つた描写の力点が三つに分れているように思われます。まず前段では南海の小島に住む人々の生活と風俗です。こんな写真を映画詩と呼ぶのだろうかと思わせられる。それはみずみずしい風景なのです。結婚したギランテは航海途中タヒチの港で不当の罪に問われ牢獄に呻吟する。この中段の描写では、メラメラと燃え上る作者の正義感を感じます。J・フォードの作品にうかがわれる人間的な正義感の爆発（『わが谷は緑なりき』にも見られた）ですが、ギランテが脱走後は描写の対象が、一夜にして荒凉の島と化する大颱風の襲来という自然の猛威を描くことに置き換えられて、壮絶ないわゆる映画の見せ場が続きます。作者得意の雄大な描写です。この間、フランス官憲の頑固な人間の内面をその妻、親友、牧師を通じてのぞいていますがこれは成功してないと思います。殊にラスト・シーンのアマさは気になりました。

思うにこの映画は地上のあらゆるものを根こそぎ吹き飛ばす大颱風が主役のようです。が私のもつとも感銘を受けた点は、前段の、あの緑滴るような描写の美しさだつたのです。

（寺島）

## 煙突の見える場所
### ものの見方・考え方

所謂〃お化け煙突（実は四本立つているのであるが、これが見る場所によつてかさなり合つて三本、二本に又、一本にすら見える。）この現象に着目して市井の一事件をからませ、物の見方考え方を対比させ、事件そのものを煙突になぞらえた表現作家五所の匂いの強い野心作である。

煙突はこの場合事件の最も抽象化されたものとしてあつかわれる。

この作品の意図するものは、現代の社会不安を最も敏感に呼吸する。東京下町の庶民生活を、感傷的でもなく、諦観的でもなく、又積極的建設的に描くのでもなく、実在の不条理をそのまゝとして見つめるところから、その哀歓（ペーソス）と、ユーモアをねらつたものであろう。

ものゝ見方考え方というものが、経過的には積極的な健三、仙子のこゝろみ、若い世代の純粋な考え方が描かれ、これがもつともらしい。いろ〳〵の条件で四角定規には物事は運ばないのだ、むりもないのだ、というようなことを諦観でなく、そのまゝとしてあらわそうとしている。とに角彼自身の結論や理想は出さずにみつめていこうというのである。

## 零號作戰

此の映画を見ていて、腹が立つたり、ひどくバカ〳〵しく感じたりしたので、筆をとつては見たものゝ、あれこれと書いているうちに、筋書が甘いとか、どの部分が嘘だとか云う様な批評が、この映画にとつて如何に無意味なものであるかと云うことが、痛感されて来て書くことを止めにした。

所詮、戦意昂揚映画に人間性は求むべくもないのだ。

板付基地に夫を待つ若い妻が、夫の戦死を知らされて泣き崩れる場面など、本来ならば同情の念が湧くのだが、先ず反撥を感じている自分を見出した。『戦争ならば当り前のことだ、戦死するのは敵だつて同じなんだ』と。

（風三郎）

## 超音ジェット機

激しいスリルと強い迫力のある航空映画である。

超音ジェット機の夢がいかに実現されたか、息詰るような情景が巧みに描かれている。

しかし正直に言つて私はこの映画を観てかなしくなつた。それはこの映画が超音ジェット機を完成するために死をおかして『音の障壁』にいどまなければならないということが是認され、生命を尊重しないヒロイズムに駆られているということである。

科学的発明の実験に命までなげ出す一種の理想主義的冒険心、それは幸か不幸かいままで文明をつくり出す原動力となり多数の人々がその恩恵に浴してきたのであるが、はたしてそのようにしなければ、文明はつくられないものかどうか？

よし、それが完成され文明の利器として使われる場合はいいが、それが破壊の武器としてつかわれるに至つては逆に文明に対する破壊であり平和の破壊でもある。

『零号作戦』でもそうだが現在朝鮮戦線で繰返されているジェット戦斗機のもつすさまじい殺りく性とあわせて考えてもおそろしくなる。

私自身航空の理論や技術についてはこの映画の科学性を云々するにはあまりにも無智であり、その資格はないが、この映画から受ける緊張と興奮には我々でも科学的なものを感じることが出来る。

それが今迄の航空映画に見られない点ではないだろうか。

『逢びき』や『陽氣な幽靈』のような佳作を出したデヴィット・リーンの演出だけあつて超音速テスト描写や、人生の問題には興味を持たせる演出であり、航空映画としての作品の出来はすばらしい映画であると思う。

（県庁W生）

### 『文化…』モーニングショー

宮大映研では新入学生の歓迎として『文化果つるところ』のモーニングショーを十七日朝センターで行う。

## 日本文化を守るために

宮崎唯一の文化団体〃映画サークル〃が、ともすれば割引券交付所としての役目しか果さず、月二回発行の機関紙〃シネフレンド〃も大衆とまつたく遊離し、一部会員の執筆活動により辛うじて、その運営を保つているとすれば、これは由々しき大事である。何故なら真の日本文化を守り育てる運動は大衆との密接な提携と信頼なくしては行なわれないからである。映画サークルに入り割引券貰つて機関紙読んで会費を納める丈では駄目なのである。大切なことは、〃私は日本文化を守り育てる会員なんだ〃という高い誇を持つた人々が一人でも二人でも多くなり、その人々によつてサークル全体が支えられる運動が事務局側から職場内からなされることである。もちろん、そういう〃サークル〃が一朝一夕にして出来上るものではない。それには不断のたゆまざる努力が絶対に必要である。映画を観たら友達同志でも感想会を、機関紙がきたら、その批評会をたゆまざる努力で行つていきたい。〃宮崎映画サークル〃の組織力の強さを示す時は決して遠い日ではない。

（図書館Ｉ生）

★文化果つるところ
★混　血　児

合評会

23日1時 図書館

## ５月下旬各館スケジュール

※ゴチツクは推薦映画

| 館 | 14 15 16 17 18 | 19 20 21 22 23 24 25 26 | 27 28 29 30 31 |
|---|---|---|---|
| ロマン | | **静かなる男**<br>お尋ね者 | 底抜け艦隊 |
| センター | **文化はつるところ**<br>デパリイは貴婦人 | **ミラノの奇蹟**<br>征服への道 | |
| 宮劇 | お役者小僧<br>姫君と浪人 | 岸壁<br>**縮図** | 姉妹<br>憲兵 |
| 若草 | 地獄太鼓<br>鬼あざみ | チヤタレー夫人は日本にも居た<br>決斗般若坂 | |
| 大成 | **混血児**<br>ブーサン　恋の風雲児 | ダニー・ケイの検察官<br>安五郎出世 | 旅愁<br>**妻** |
| 帝国 | 荒野の襲撃<br>サラトガ本線 | 独裁者の最後<br>砂漠の奥将軍 | 原爆下のアメリカ<br>幌馬車西へ行く |
| 日劇 | コルト45.<br>若き日のあやまち | 駆潜艇K225.<br>熊女人喰虎<br>蛇と鳩 | |
| 江平 | 喧嘩安兵衛、親馬鹿花合戦、　清水港は鬼よりこわい | ひめゆりの塔 | |
| 孔雀 | 日本少女歌劇　アトラクション | | |

早や初夏の季節に入り、上天気の日は昼も夜も人々の外出は足どりも軽く繁やかになつて来た。さて、今下旬の各館の目ぼしいものと云われると、いやはやあるわ〳〵うじやうじやと出て来た。

まず外画では、

**1、ミラノの奇蹟**が何といつてもヴオリウムがあり、おなじみのヴイツトリオ・デシーカのリアリズム手法と原作小説『善人トト』の童話風なファンタジーの味とが渾然と融和した所にあるといわれる。監督ヴイツトリオ・デ・シーカ、原作、チエザーレサヴアツチーニ、主演エンマ・グラマーテイカ・フランチエスコ・ゴリサーノ。

**2、静かなる男**　『リオグランデの砦』と同じくフオードとメリアン・C・クーパーの主宰するアーゴシイ・プロの第七作、フオードの故郷アイルランドにロケした天然色一九五二年作品、監督はフオード、主演はジヨンウエインとモーリン・オハラ。プロ拳斗家より引退した男の恋愛をめぐつてのドラマ（リパブリツク映画）

**3、文化果つるところ**　『第三の男』のキヤロル・リードが一九五一年に製作監督したもの。海洋小説家ジヨセフ・コンラツド原作の映画化、主演は『超音ジエツト機』のラルフリチヤードスン、『第三の男』のトレヴア・ハワードでリードがこの作品のため発見したといわれる混血娘クラマ等が出演。

邦画では

**1、混血児**（蟻プロ第一回作品）最近ガ然クローズアップされて来た。このテーマは八木保太郎のシナリオに関川秀雄が監督し主演の豆俳優たちは日本全国より公募した素人ばかりで映画を地で行くものという。

**2、縮図**　『村八分』に次ぐ近代映画協会の作品。『暴力』の監督吉村公三郎が製作担当、『村八分』の糸屋寿雄と山田典吾及び能登節雄等がこれに協力。出演者も村八分のメンバーがほとんどで、明治時代東京下町女性の哀歓を下層階級の縮図として描かれている。乙羽、山村、日高、菅井それに宇野、五十鈴が出演独立プロの異色作。

**3、妻**　好調成瀬三喜男の『夫婦』に次ぐ作品。彼の最も得意とする夫婦物の一つで『めし』『稲妻』と同じく、故林芙美子作『茶色の目』（婦人朝日連載）生活につかれたサラリーマンの家庭のそれ〴〵苦しみを持つた夫婦や独身者のどうにもならない男女関係を描く。めしと同様なもので又かと思うが手堅いB級程度のもの。（芝）

**…新刊…**
**…紹介…**

### 『日本映画』創刊号

『ソヴエト映画』を発行していたソヴエト映画社が世界映画社と改めて創刊したもの。内容は特集、独立プロを叱る、日本映画を叱るとそれぞれ独立プロの作品に期待するが故の苦言が述べられ、作家対談の渋谷、山本（薩）の顔合せが異色の記事である。他にシナリオ〃雲流るゝ…〃『蟹工船』訪問記、瓜生忠夫ーアメリカ映画の手帖、東独映画小史（岩崎昶）等独得の編集方針がうかゞわれる。つまり日本映画を育て激励しようとする牽引力がにじみでている（八〇頁、定価八〇円）

事務局　宮崎市高松通り1の45　TEL 3659
1部5円（会員無料）

## 映画祭や記念集會スチール展
## 二周年行事のラインアップ

宮崎映画サークル二週年を迎えて多彩な記念行事が強く会員から要望されていましたが、六月中あげてこれにあて、映画祭や記念集会、スチール展などもりたくさんの行事が次のように決りました。サークル発展のため積極的な協力をお願いします。（事務局より）

**★映画祭**

**『街は自衛する』**（一九五一年ヴエニス国際映画祭〃最優秀伊映画賞受賞作品）ナイトショー、六、七日の土曜、日曜の夜、会場センター、会員に限り一〇円

**『苦い米』**（再映、日劇）七日の日曜、モーニングショー、会員三〇円

この他**『真空地帯』**（再映、大成座、ナイトショー）があります。尚優秀外国映画の宮崎で未公開作品（失はれた週末、旅路の果等）の上映を交渉中、

**★スチール展**

十二、三、四日の金、土、日曜、優秀映画の〃スチール展を橘百貨店で各映画館とタイアップして開催。

**★記念集会**

六月十九日（土曜）よる、図書館ホール合唱、映画、（今年のメーデー）クイズなど

**★シネフレンド特集号發行**

廿日に八ページ建で発行の予定。

## 映画〃村八分〃その後
### 先生が強制轉勤

昨年五月の静岡県参議院補欠選挙の不正投票を摘発した石川皐月さんのことは映画〃村八分〃で既に周知のことであるが、終始石川さんを支持、激励し、ロケに際しても協力を拒否した校長に対して生徒会とゝもに最后まで協力してくれた山香、本田教官等が新学期の人事異動にさいして政治的意図による強制転勤させられていると思われるふしが多分にある。

すでに静岡県教組では抗議を発し九〇パーセントの生徒は留任署名に参加し全国的にひろがり東京大学内には〃富士宮東高校教員異動反対運動委員会〃がつくられ、清水幾太郎上原専禄、務台理作らの知名士、教育者が提唱し全国的な署名運動を展開している。

## 都市と農村の映画運動

今日日本映画を守る良心のともしびとして独立プロ作品は広く真面目な人々の共感と激励をうけ、又逆に独立プロはこれらの人々を力づけ、日本映画の進む方向をさし示して来ています

日本映画における最近の良心的作品が今や都市だけでなく田野を初め紙屋、八代、北方の農村にも『良い映画を見る』ための動きとして、移動映画への要望として強く出て来ました。

いま農村では労働強化と低米価、高い肥料代に苦しめられています。その中で『映画の真空地帯』から『良い映画を見る』運動への変化を都市サークルは積極的に援助し協力して行き、良い映画を農村のすみぐゝまで広め、そだてることが今日の課題ではないでしようか。その役割をサークルが果さなければ農村はいつまでも『真空地帯』をぬけ切ることは出来ないと思います。

## 遂に撮影完了！

〃雲ながるゝ果てに〃は八日市飛行場のロケを最後に遂に撮影完了！
封切は六月初旬　（**獨立プロ**）

## 〃ミラノ鑑賞会〃
### 田野映画サークル

田野映画サークルでは五月廿四日朝サークル会員のみで映画鑑賞会を開き約百名が〃ミラノ奇蹟〃を鑑賞新会員が増加し今後このような優秀映画の催しが要望され盛会だつた。

## 顔より作品内容
### 五月一週封切邦画の成績

かき入れの五月第一週、いわゆるゴールデンウイークに公開された邦画は松竹が『姉妹』『ひばりの玉手箱』大映が『花の講堂館』『歌う女剣戟』東宝が『妻』『あぶない年頃』東映が『山下奉文』『大菩薩峠』新東宝が『池田屋騒動』『憲兵』と何れも二本立であつたが、綜合してみるとスタアの顔で売つた松竹、大映に対し作品内容の優秀さを売つた東宝の佳作『妻』が平均した入りを見せて断然第一位に立つたのは注目された。

## ニュース映畫所感

▼朝日ニュース四〇四号を観た。英国訪問中の皇太子の写真や南米に登山行した早大チームの姿などが編集してあつたが、中でも目をひいたのは学制八〇周年を迎えて全国各地の学校の様子を撮つた写真であつた。

▼まず記念行事風景を写した後、不便な学舍生活を紹介する。これが現実の日本を象徴するように、いまだ恵まれない環境の下に勉学を続ける学生達の不安な姿には痛ましいものを覚える。盛んな祝賀行事とはまた対照的である。

▼〃時の話題〃の中の白井対カンポの激闘場面。最終ラウンドが写るが見ていてどちらの勝か分らないような勝ち方に思はれた。ニュース映画の面白いのは実際に現場に自分が居るように目で見れるからだ。

▼下らない劇映画を見ると、ニュース映画の方がよほど面白いとつくづく思う。

▼以前某館でやつていた十円也のニュース映画、あれは有難かつた。どうして止めたのだろう。復活して頂きたい。各社のニュースを全部見れるような仕組にしてやれないものだろうか。（た）

# ★★★ 〃混血児〃合評會 ★★★

サークルでは五月廿三日午後一時から県庁職員寮で〃混血児〃〃文化果つるところ〃の合評会を開いた。会場の変更や呼びかけの不足で出席は県庁W氏、食糧事務所H氏、K氏、写真屋のY氏、A新聞の文化記者それに事務局TとK。さびしかつたが、主として混血児（関川秀雄監督）についてしやべりまくつた。廿八日の朝日新聞『郷土文化』欄に既に紹介されていますが、以下その要旨。

H　理窟はともかく本能的（日本人として）に憤りを感じたよ。

Y　日本だろうか、外国だろうかと疑惑を感じた。パンパンの描き方がもう少しつき込んで欲しかつたな。

H　戦争は嫌だ。外国兵やパンパンに憤りをもつた。外国兵とパンパンの〃盗みどり〃で十分とれなかつたかもしれないがもう少しほしかつた

W　混血児があちこちとびまわつているが通行人が一人としてふりむかない、珍らしくないのだろうな。彼等と戦後の悲惨さを物語つているようだ。

T　黒ん坊と白ん坊の子供達の劣等感と、その差別を扱つていた様だつたが、子供が果して劣等感を感じたかどうか疑問だね。

W　境遇は同じでそれの結びつきを描いていたが、子供達は黒色に対してやはり劣等感をいだいていたのだと思うよ。

T　保母達や保育園の生活は特別待遇の様だつたがあんなものだろうかね。

H　保育園内の混血児の生態を描いているが、その児に対してもあわれさを感じたね。

T　保育園にいつてない一般の混血児（花売の女の子や浮浪児）が描かれてなく特殊なものに感じたな。

H　ヘンリーが空カンを蹴る場面は〃ドイツ零年〃の子供を想い出し何か虚無的な感じで、素直な表現にうたれたね。

Y　写真もよくなれている様で、彼等だけが特別な混血児の様に見える

H　基地附近の描き方が混血児と、外国兵とそして農家のパンパン宿、戦車、砲弾、ジープ等が何が原因でと云う暗示がある様だつた。

W　最後にマ、さんが訴えた〃戦争が原因なのだ〃は戦争反対の力では弱いが、全般に流れるものが何であるかはわかるね。

T　保育園だけでなく街頭にだした方が混血児に対する理解もよくわかると思うな。全体的にまのびと云う感じだつた。

H　生でだされたより考えさせられる点が非常によかつた。

T　結論は出てない様だが混血児の運命が今後どの様になつてゆくかを考え、特に基地における外国兵の暴行、強姦等が強く考えさせられる。

W　混血児の四、五歳から学齢期の子供達だけ扱つて今生れつゝある子供や、これから生れてくる子供の悩みを考えずに、これで『混血児は終りだ』と云う感じで物足りなかつた。

Y　パンパンを憎んでいたが、やはり色々のケースからそうなつた事〃日本の貞操〃を読んでつくづくパンパンにも同じ日本人として同情心がわいたな。

T　デモクラシイと云つているが、黒人の大尉がのべた様に白人と黒人の平等性がないこと、やはりこれが真実であろう。今後も基地接収問題が起つてくるが現在都井岬が米軍の基地になろうとしているけれど、風紀上から云つても大変だ、混血児が余計増加する現在の混血児の苦悩だけで結構だ再び混血児をつくらない様にしなければならない。

Y　女一人大地をゆく、真空地帯、と独立プロは前進していると思う。基地の問題でも今迄より真剣にとりあげている事が嬉しく、商業画では決して作れない事だ。自分達で独立プロを育てよう。

## 基地の子をつくるな

県労評では各単産地区労を通じ都井岬米軍基地接収反対の署名運動を展開広くよびかけている。

もし混血児がぞくぞく生まれ，アメリカ文化を深い考えもなく多量に取りいれるならば，祖先から伝わつた日本独得の文化というものは消えてなくなるだろう。一作文集　『基地の子』より一

## メガホン　割引について

五月十五日付『シネフレンド』に『日本文化を守るために』と題して割引なくして入会する者はいないと思いますが、同感するものゝ、割引なくして入会する者はいないと思います。又割引なくして映画ファンを提携して行く事は出来ないと思います。今頃新聞には割引券が多く付いていますが、良い事だと思います。それにつけても映サの割引は同等であります。それでは会費の意味もありません。又感想、批評会を催すのも良い事ですが、良い映画を安く見せると云う事も忘れてはなりません。それなくして映サの組織も意味も愚か今後進退の問題です。映サの割引について研究して戴きたい。

（県庁）

## 随想　ナイト・ショウ

寺島雄吉

妹―これから楽しい夏の夜が続くわけだけどお祭りや花火など夏の風物の中で映画のナイト・ショウも如何にも夏らしい気分ね。

兄―そう。僕などフラッと散歩に出て、ナイト・ショウに入るのは好きだよ。第一、料金が安いのが魅力サ。

妹―みんな若い人が多くて、ちよつと映画鑑賞会みたいな気分もあるわね。それにいつも思うんだけど、一回限りだから普通のように途中から見るということもなくて映画鑑賞の条件としては一番良いんじやない？

兄―ニュース映画なども見れるしね文化映画なんかもやつてくれるとありがたいんだがナ。

妹―でも、このごろのは大てい再映ものでしよう。見逃がしてたのを見れたり、良かつた作品をもう一度鑑賞する位のものよ。

兄―三、四年前どこかでやつてたように新着のパリツとした外国映画なんかは良かつたね。一種のロードショウだ。勿論料金は高かつたけどね。

妹―フランス映画なんか良かつたわね。

兄―やはりナイト・ショウにかけるやつて良い映画をやつてもらいたいね。なんでも映画の形をしていればどんな下らぬのでも良いというのでは困る。

妹―これはナイト・ショウと言えるのかどうか此の頃二本立で後の一本を開放して割引きで見せる所が多いわね。

兄―あれは助かるよ。無理に二本見る必要がないからね。ただ時間のおそいのが難だ。しかしああして映画館の方で番組をうまく操作して二本立の悪い所をなおしてくれるといいね。

妹―古い写真でね、今までに宮崎にきていないのがあるでしよう。随分有名な傑作で未上映のがあるわ。ビリー・ウイルダーの『失なわれた週末』なんか。あんなのナイト・ショウ向きだと思う。

兄―デュヴイヴイエの『旅路の果て』もだ。その他たくさんある知られざる傑作が……。

妹―そんなのを上映するときは大いに宣伝することね。知らない人が多いんだから。

兄―映画館と映画サークルで協力して一つの映画鑑賞会形式でやるのも面白いと思うんだ。それも観客の希望投票ね。どんなものをやつてくれという……。

妹―再映やるならベスト・テンの再映がいいわ。

兄―要するにね。ナイト・ショウというのは映画館の頭の使い方一つで随分楽しいものになりお客もふえるんだよ、そういうお客を楽しませる細かい神経をのぞみたいナ。

## ミラノの奇蹟

見ていて気持の良い映画だった。人間の〈善意〉の象徴のような青年トト（三国連太郎と生方功をつきまぜたようなマスク）の行動や表情を眺めていると、そのやさしさやら大らかさにほほえみが浮んでくるのを押さえられなかった。キャベツから生れた主人公が孤児院を出て乞食部落へ行くまでの発端の描写や太陽の光りの中に寄り集まる幻想的な場面では、ごく自然に私の気持が映画の中にとけこんで行くのを感じた。

特に魅かれたのはこの中頃までの無邪気さである。この作の中心主題と思われる地主と部落民の対立が諷刺的に喜劇的にさばいてある所も面白かつたが、ハトによつて数多の奇蹟の起る所はやゝ興覚めであつた。思われる人間の欲望のあさましさを見せつけられたからかも知れない。この幻想的な所の多い物語がビルの立ち並んだ、列車の通過する近代的風景の中で展開されていて少しも変でないのも面白かつた。（寺島）

## 縮図

前半、東京は佃島のある貧しい靴職人（宇野重吉好演）の長女として芸者に売られてゆくある朝のあたりその貧苦生活がよく描かれているが全体を通じて芸者屋の裏面とか、遊興描写とか、男女の情痴場面とかは芳しくなく拙劣だ、特に二度もケンの遊びを永々と出しているのや、朋輩と大ゲンカをするあたり、やはりやり過ぎている。

それでも、ひとたび銀子の実家の生活が出てくると、活き活きとしてくる（北林谷榮の母親も好演）後段で朝早く帰つてメシをかきこむ場面は特にニュアンスが深い、

置屋の女主人（山田五十鈴）が登場するが、五十鈴が案外見えすいた演技で面白くない。

肺炎で重態となり、実家に帰ると、あたかも妹が肺病で死んでゆくのに会うが、悲痛感がわかない。

回復した銀子が、再び芳町に出てゆくのだが、同じ生活が続いてゆくことを暗示して終るけれど、この結びもサエない、要するに（祇園の姉妹）や（偽れる盛装）には及ばない

（県庁・真砂岳）

## 静かなる男

こんなことを書くと君は映画の良さを解さないのかと言われるかも知れないが、観客席で周囲の哄笑、爆笑の渦の中で、私は余り腹を抱えて笑えなかつた。J・フォードの作品は好きな私である。だのに何故か、ひとのように笑えなかつた。一つは風俗習慣の異なるせいもあつて持参金にこだわる主人公たちのおかしみなど直線で理解できないのかも知れない。人も好きずきということもある、強いてそう解釈した。だが腹を抱えて笑いはしなかつたが、色彩撮影によるアイルランド田園風景の抒情にはじゆうぶん堪能させられたし酒場の中に入つてきたジョン・ウェインと村の人々の交す言葉や態度に屈託のない明るい人々の生活態度に羨しいものを感じたのであつた。そういう田園生活の味わいは理解されても劇的なもつれとなると、どうも受けとりにくくて、はがゆさを覚えた。

（寺島）

## 「縮圖」というかなしい女性を描いた映画をみて

農林中金　**いしかわ・としお**

『縮図』の中の人々は生きるためには、かなしさに泣かずに、かなしみの時にも笑い興じていなければならないのでした。同じ人間と生れながら人間として扱はれないで売られ買われ、愛情も信頼も押し殺してしまはなければならなかつたのでした。ぼくたちは、この映画でみるときには、銀子（乙羽信子熱演）というこの女性のこれまでのかなしい歴史を知らされているので、銀子が飲み笑い、興じている姿の中にも、その中に人間のとくに女性のかなしい負い目を感じながらみていることができます。

しかしぼくたち自身が同じような場所で、（銀子と）同じような女性にぶつかつたときには恐らく、その女性が背負つてきたかなしい歴史をすつかり感じとることはできないでしょう。しかし吉村公三郎がこうしてぼくたちの前に描いてみせてくれると、ぼくたちは銀子という女性の中にも（押しつぶされてはいるけれど）〃人間〃をみることができます。

映画のタイトルでは昔あつた事柄とかゝれていました。だがそれは生々しい記憶をよびさまされる丈ではなくして今も行はれている事柄です。人間が金によつて売買されるのはふつう親がのんだくれであるとかだらしないとかのせいにされています。でものどもとまで出る怒りやかなしみをこらえている父親銀平（宇野重吉）の表情をみた上で親を責めたてることができるでしようか。売る人間がいれば買う人間がいます。買う人間がいれば売る人間がいます。それはかなしいことです。親たちも妹も、銀子も泣いています。それだのに親の不甲斐なさのせいだ、親がわるいのだと責めるような人がいたら、ぼくはそのような人を軽蔑する丈でなくて憎みます。今も多くの銀子が売られています。女性だけではありません。東北でも南九州でも男たちも同じように売られています。売る人間と買う人間とはいづれも人間を侮辱しています。そんなにしてしか世の中を生きてゆけないとしたら百、千の銀子たちは一体どうすればいゝのだろうか。そうしてぼくたちはどうすればいゝのだろうか。きつと銀子をなくすることが、女だけではなくて男をも解放し、ぼくたちが人間をとりかえすことだと思います。今は売淫が消えさつたという新中国の姿の中からも新しいぼくたちの方向があるのだと思えないでしようか。

なお銀子になつた乙羽信子は非常な熱演だつたと思いますし、銀子の家庭の一人一人――あのような貧困な家庭の父、母、子供をよく描けていると思いました。特に殆どしやべらない苦しみに身もだえしながらたえている父親に興味をもちました。』

## 雑記帳

☆『恋の風雲児』と云う映画、原節子がまるまげで出たりしてどうも変だと思つたら何と昭和二十年作の追放解除もの、何でも再上映ものは改題した時だけその旨を広告すれば良いと映画会社同志できまつたらしい、戦記ものバヤリの昨今、何が出るやらわからん、御用心

☆スクリーンの端に出る洋画のセリフ、あのほん訳は短くしかも判り易くと云うので仲々難しいらしいが、この前のディズニイの『南部の唄』では成程簡潔ではあつたが何と漢字の多いこと、子供向の映画ですョ、『毫碌』だの『喧嘩』だのと云う字が読めますか、ホントニ、

☆『混血児』のラストシーン、行くあてもないヘンリー（黒人の混血児）が砲弾の炸裂する立入禁止区域（演習地）へ入つて行つて見えなくなる、あれは一体どう受けとればいゝのだろう。暗い混血児の運命を暗示するのか、演習地の現実を訴えたのか……どう考えるべきでしよう。

☆皆様毎度御来場下さいまして有難うございます』はいゝのだが次週上映映画の紹介と称するアナウンス、アレはどうかな、アレをやる代りに予告篇と云うものがあると思うんだが……『べんけいがな・ぎなた式』でアレやをられると寒気がして健康上よくない。（風）

## 6月上旬各館スケジュール

※ゴチツクは推薦映画

| 館 | 1 2 3 4 5 6 7 8 9 10 11 12 13 14 15 | | | |
|---|---|---|---|---|
| ロマン | 底抜艦隊　剣俠ロビン | **探偵物語**　西部の顔役 | **ライムライト** インデアン征路 | |
| センター | 恐怖時代 狙れた駅馬車 | **街は自衛する**　平原児・女海賊アン | 硝煙カンサス 脱獄者の祕密・カルメン | ハズは贋者 怪船 シーネホツト |
| 若草 | 関の彌太ペ 独眼正宗 | 慾　望 | 続十代の性典 | |
| 宮劇 | アジヤパー天国 | 愛慾の裁き　憲　兵 | あつぱれ五人男　池田屋騒動 | |
| 大成 | **妻**、旅　愁 | 浮雲日記（続）　山下奉文　柔道の王者 | **愛情について**、元祿あばれ傘 むぎめし学園 | |
| 帝國 | 原爆下の アメリカ | 午后のラツパ　ボーリンの冒険 | 八人の男を殺した女 ネバタ決死隊 | |
| 日劇 | アジヤパー天国 駅馬車 | 憲　兵、苦い米 | 池田屋騒動　彌太郎傘（前后） | |
| 江平 | | 浮雲日記（続）　真昼の決斗 | 愛情について、**井戸** 元祿あばれ傘 | |
| 孔雀 | 神州天馬峡 ひばり七変化 | 花咲く風 大学の龍虎 | 人生劇場（前） 花嫁一本刀 | 母待草 夢みる人々 | 日本Gメン 黄金蟻地獄 |

### 映画案内

い〻映画が見たいとは云つても一ぺんにどつと来るとそう毎日映画も見れず、結局一、二本は見送りと云うことになり勝ち、先週などその一例である。此の上半月はその点邦画が一寸淋しいが、分布状態は先づ可なりと云うところ、そこで先づ洋画から

**◎ライムライト**（米）

今更紹介でもあるまいが一応……昨年の『殺人狂時代』に次いで封切られたチヤツプリンの最新作で世界各地で好評を浴びている、物語りはおちぶれたミユージツクホールの道化師と踊子の愛情を描いた悲喜劇と云うから久々にチヤツプリンの本領泣き笑いの芸術が楽しめそうである踊子を演ずるクレアブルームも好評である、例によつて製作から主演に至るまで総てチヤツプリンが担当している。

**◎探偵物語**（米）

ニユーヨークのある警察署の一日を描いたS・キングスレイのヒツト舞台劇の映画化である。職務に忠実で妥協を知らぬ鬼刑事カークダグラスがその潑烈な性格ゆえに我れと我身を破局に導き、遂に兇弾にたおれると云うスヂ、正にK・ダグラスうつてつけの役どころだが舞台劇の構成を生かしたW・ワイラーの演出が素晴らしく秀作の呼声が高い。

**◎街は自衛する**（伊）

既に『無法者の掟』で紹介されたイタリアの新進監督P、ジエルミの一九五一年作品、しろうとの四人組が強盗を働いて逃走するが逃げおゝせず夫々捕えられ或は殺され、或は自殺してしまうまでを描いたもの、演出の鮮かさとサスペンスを含んだ内容、ゆがんだ社会の種々相が興味深く感動的と云われる。

**◎愛情について**（日）

『夫婦』『妻』など成瀬ものでおなじみの井手俊郎、水木洋子の脚本を千葉泰樹が演出する未亡人をめぐつてのホームドラマ、このメンバーなら期待出来そうである。製作藤本真澄と云うのもい〻、主演山根、二本柳、杉、三国他

○この他『**妻**』があるが前号で紹介済、再映もので『**眞空地帶**』と『**苦い米**』があるのでまだの方はお見落しなく、（風）

締切后アメリカ独立プロの『**井戸**』（監督レオ・ポプキン）上映が決りました

## 編集委員になりませんか

○毎号みなさんの手許にお送りしております私達の機関紙シネフレンドもようやく編集が軌道に乗りはじめこれからの活潑な意見の交換が期待されるのですが、現在の編集委員五、六名ではや〻手が足りません。毎度の編集会議も寂しさを感じます

○より良い、より面白い活潑な紙面にするためにどうすれば良いか、シネ、フレンドに興味をお待ちの方は編集委員会に出席して下さい

○特に映画の知識などなくても映画に熱情を抱き、文筆活動をしたい方は共にシネ、フレンドに拠つて書きまくろうぢやありませんか。

○編集委員会ではそのまま延長されて映画研究の場ともなるのです。映画について語りたい方はいらつしやい。歓迎致します。コーヒーはなくともお茶ぐらいは出します。

（編集委員一同）

# 盛會だつた記念行事
## ―さらに一層の活動を―

宮崎映画サークル二周年記念行事は映画祭、スチール展、サークルの夕ともりたくさんに計画されたが、非常な盛況のうちに終つた。

★映画祭は『街は自衛する』のナイトショウをさらに割引して六、七日開いたが、良い映画の一本建と低料金で好評。

★スチール展は十二、三、四日橘百貨店で開催、延一万名の会員、非会員を動員し新しくサークル会員もふえた。

★サークルの夕は十九日図書館ホールで土曜、木曜合唱団、日向興銀バンド、図書館演劇部出演で今年の東京、宮崎メーデーを上映、二階ギヤラリーまで超満員の盛況だつた。

今後サークルにはお互の質を高め合い、サークル会員をふやし、名実ともに宮崎における文化センターの役割を果すため一層の活動が内外から期待されている。

寫眞上はサークルの夕

寫眞下はスチール展

シネフレンド
宮崎映画サークル発行
事務局　宮崎市高松通り1の45　TEL　3659
1部5円（会員無料）

## 宮崎縣映サ協結成

六月十四日午後一時、橘百貨店四階ホールで宮崎映サを初め延岡、田野、都城、小林各映サ、宮大農学部工学部映研、八代青年団代表が集り宮崎県映画サークル協議会を結成した。

席上都城映サより『都城映サは昨年十月発足したが、組織的な経験がなく、他の映サと経験を交換しなやみを打明けるためにぜひ協議会を結成したい』と提案があり、映画館の認識を深め、国民運動の一環として他の文化団体と提携を行う。そのためには映研も進んで参加することがきめられ、会長に宮崎兄一氏（宮崎映サ会長）事務局を宮崎で持つことが決り今後の全県的な活動が期待される。次回会合は七月五日の予定。

（写真は協議会スナツプ）

## ☆アンケート

アンケートの大半が館とサークルへの要望と改善で反省する点大きい

**1**、月に何本見るかについて平均して6本（月二回位）三本立だから。

**2**、主にどの館にそして理由はR館S館が肩を並べ次位にT館M館Y館で、理由は良心的粒よりの作品で後は衛生的と雰囲気がよい等の原因。

**3**、館に希む事は三本立反対良心的作品一本で料金を安くして戴きたい

**4**、印象の深かつた映画は風と共に去りぬ、ライムライトが多く真空地帯、ミラノの奇蹟縮図が次位。

**5**、サークルへの批判忠告希望について、職場単位で一般性がない、割引だけでなく優秀作品の紹介と導入を強力に実施して欲しい事が出たが、全体的に会員1/8非会員2/8の回答

### ☆クイズ正解者

毎日出題をかえ難問だつた様に思われたが、次の正解者は映画の招待券をさし上げますので事務局まで御寄り下さい。（敬称略）

商工中金　佐藤千鶴美、河野　薫
九電力　田丸康正、佐藤和義
県職組　中原みち子
農林中金　落合
溝口林業　森久嗣
職場住所不明
横山省一、矢野一、田中ミヤ子

## 〃虹〃主役を公募
### 大淀高校宮崎君を推選

内外映画社と第一協団映画社が提携して映画〃虹〃（仮称）を製作するがこの映画は阿蘇山系の大森林地帯を背景とし、そこに働く牛山師の生態と人間と牛の愛情を描いたもので、七月上旬から二カ月に亘つて椎葉で長期ロケを敢行するが、この映画の主人公の牛使いの少年を九州各地から募集しているが、宮崎からは日向日日新聞の推選で大淀高校普通科三年宮崎剛直君（演劇部）が県代表として二十八日の福岡の決戦に出ることになつた。

## 基地問題映画化
### 獨立プロでぞくぞく企画

日本の軍事基地問題がジヤーナリズムなどでとりあげられ、表面化してきた折から、『混血児』などいわゆる『基地もの』の映画化企画がぞく〳〵とすすめられている。

★『基地日本』（和光社刊）は春秋プロでの映画化が決定した。スタツフは八木プロ、蟻プロのメンバーから構成され総評情宣部その他労組組織が協力する予定で現在脚本執筆のため調査中。

★『基地九十九里』（東和社刊）新劇団連合体で集団自主作品という形式で製作される予定。

★『基地富士』は神崎清氏の監修のもとに、記録映画として製作中。

## サークル割引禁止
### ＝大阪、大分、大牟田等で＝

神奈川県税の割引禁止についてはサークルで反対署名を行つているがすでに東京、大阪、大宮、大牟田、大分、高崎、札幌などで強制的に実施の運びに入つている。全大阪映サは〃役人は業者と観客の自主的協約に干渉するな〃と抗議に立上つているが、明らかに民主的観客組織をつぶそうとしていることが明らかになつて憤激をかつている。

## カチンコ

わが映画サークルが発足した頃はたしか市内には映画館は七ツしかなかつたが、その後二年を出でずして十館になつた。映画館が多いと云うことは市の文化水準の高さを現わす一つの指標ともなるもので御同慶の至りだ。▲文芸春秋の宣伝よろしく宮崎はヘキ地の代表として有名になつたが、『そうバカにしなさんな、映画館は十もあるんですぜ』と云えば大てい眼を丸くするだろう。僅か十三万位の人口、しかも市街地には十万も居ないわが宮崎市が十の映画館を有することは驚異に値する▲そこでいゝたいのは、これだけ映画館があればそれは相応する観客があろうと云うことだ。考えて見ると一昨年の十一月に行つた記念行事は千五百名突破記念だつた。その後映画館も増えた、サークルの会員は僅か二、三百人しか増えていない、仮に館が減つて会員が増しても不思議はないのだ。▲そこでわれ〳〵のサークルをより大きく育てあげるためにお互い会員獲得に努めようではないかと云う次第。（風）

☆　☆　☆

ハガキ アンケート

# 私のベスト・スリー

**1、今まで御覧になつて良かつたと思う映画を三つ**
**2、サークルへの要望**

音楽協会理事長 **園山民平**（67）
1、街の灯（チヤツプリン）
ライムライト（〃）
ウフアーのものにすばらしいのがありました。題は忘れました。大連時代の事なので。
2、別にありません。

宮大農学部教授 **寺尾 新**（65）
1、ライムライト
ホフマン物語
風と共に去りぬ

MGアナウンサー **神谷種徳**（26）
1、ライムライト
肉体の悪魔
自転車泥棒
まだ〳〵沢山ありますが思いつくまゝ……
2、今後共よろしくおねがいします。

衆議院議員社左派 **片島 港**
1、土
ひめゆりの塔
風と共に去りぬ

全電通宮崎電報局支部長 **津江昌武**（32）
1、路傍の石（社会悪に対する反抗への共感）
情婦マノン（恋愛の強さ、美しさ、かなしさ）
邪魔者は殺せ（映画としての面白さ、楽しさ）
2、民科支部と連携して文学や一広く社会科学一般に対するサークル活動の支点として発展すること。

朝日新聞記者 **上田朝一**（27）
1、望郷
大いなる幻影
天井棧敷の人々

宮崎市長 **荒川岩吉**（78）
1、妻
村八分
混血児
2、映画より受ける社会えの影響が非常に大であるに鑑み、社会性のある良質映画の上映を希望す。

日本共産党 **澤 重徳**（32）
1、女ひとり大地をゆく
シベリヤ物語
自転車泥棒
2、良い映画を安くみれるように

県労評書記長 **田中 茂**（32）
1、パリの屋根の下セーヌは流れる 商船テナシチー
風と共に去りぬ。

ロマン座日劇経営者 **吉田智彦**（41）
1、サイレント後期
野鴨・砂漠の生霊、最後の中隊
トーキー初期
〃パーセルメスク暁の偵察〃
ドロレス・デルリオ、ジョエル・マツクリー〃南海の劫火〃ジヨージ・ラフト、キヤロル・ロムバート〃ボレロ〃
終戦後
にがい米、戦火のかなた、巴里のアメリカ人
2、映画は万人のもの、観賞指導推薦等に際し不偏不倒、傾向的に走らず常に名作を推されることを希望いたします。

新聞社 **岡田悼一郎**（48）
1、村八分
風と共に去りぬ
箱根風雲録

画家 **外山 弾**（48）
1、サルベーション・ハンタース『救いを求むる人々』JKアサー作品自演
『三文オペラ』ルドルフ・フオルスター主演、GWパブスト作品、ドイツ初期トーキー作品
『自由を我等に』ルネ・クレール初期のトーキー作品
2、特に古い映画ばかり選びました。二十六・七年度のものばかりです。

宮崎市会議員 **仲矢重寛**（32）
1、望郷
ライムライト
生きる
2、いろ〳〵ありますが

田野映サ会長 **野崎徳福**（28）
1、自転車泥棒
村八分
ミラノの奇蹟
2、良心的な邦画並に良心的な洋画がより多く上映されるように運動されたい。

平和を守る会 **日高 魁**（41）
1、ベルリン陥落
賭はなされた
チヤツプリン『殺人狂時代』

第三次帰国者 **渡邊義孝**（35）
1、花街一筋路（ポーランド）
忘雛一九一九年（ソ連）
白毛女（中国）
2、吉林で見たもので題名は全部中国語でしたので。

**メガホン**

## シネフレンドを叱る

〃シネフレンド〃第36号を手にし『職場の会員諸子に機関紙の批判を乞い次の回答を得た。

※こゝ、二、三号の編集が特に粗雑なように見うけられる。例えば一面記事等の記事の性格づけが全然出来ていない。

※宮崎映サの性格が出ていない。良い意味での独自性がほしい。

※〃カチンコ〃〃メガホン〃〃雑記帳〃等の位置を固定化し、現在の映画批評欄の雑文的傾向を短評ロータリー風なもので統師する。

※映画批評中（36号）某雑誌の映画評をそつくり失敬したのがあつたが、編集局の御一考を乞う。私達は私達なりの素直な表現こそ大切。

※〃シネフレンド〃中ユーモラスな中にも釘を打つことを忘れない〃雑記帳〃はほんとに面白い。こういう柔軟性のある記事が望ましい。

以上が回答の要点であるが、此の他映画のスケジュールだけ見て後はポイとすててしまう人もいることが判り親しみのある愛される機関紙の必要性を痛感した。

これを機に全職場から卒直な批判が出されることを祈つて。（**圖書館サークル**）

# 年齢を超越した演技

縣映画協同組合　遠藤生

最近映画興行の成績が芳しくなく、この状態が続けば閉館のうき目を見る館も出るのではなかろうかとの世評を耳にしている。事実他県に於ては既に現実の問題として館を閉じたものも出ている。この原因としては、映画料金の高額なのに反して総ゆる努力にもかゝわらず観客が漸減の状況で、業者はなんとかして局面の打開をせんものと日夜腐心している。この打開策の根本問題として映画料金の適正化が全国的に話題になつているが、このことは急速に解決のつくものとは考えられず、只ここで考えられることは如何にしたら観客が増えるかということである。

観客の減じつゝある原因としては金づまり、他の娯楽機関の進出、酒類の自由販売、館の乱立等種々あると思うが、特に邦画の観客が減じたことは、この責は製作者にあるのであるが、製作技術の劣つている点、ストーリーの貧弱さがまずあげられ、次に出演俳優が十年一率で優秀新人の登用が殆んど見られず、其の俳優も日本人の弱点とも見られる年齢から来る弱さが場面に強くあらわれ、最近観賞力の増倍した客を誘引することは単に宣伝と低料金政策では不可能と見るのは筆者ばかりではあるまい。其の点洋画の俳優が映画の上で年をとらず益々円熟した好演技を見せてくれることは実に頼もしい。

その為か最近洋画の客層が著しく拡大し、料理店の仲居がゲーリー・クーパーを語り、農村の主婦がモーリンオハラを愛好するあたり色彩豊かなスクリーンにもよろうが、邦画の今後の行き方について製作会社も自己批判をして如何にして邦画ファンの要望に応ずべきかを篤と検討すべきではないかと思う。真の映画ファンの望むものは一部の客層は別として優秀作品の上映、所謂あと口の良いものを渇望して敢て入場料金は問題にしていない。無論映画料金の問題、番線の関係等に支配されて単に観客のことのみにはよれぬことも一難点ではあろうが、嘗て山中晋平氏の東京行進曲中に唄われた東都武蔵野館が優秀作品の上映に終始し、遠くは浅草辺りのファンまで吸収した事例は其の当時の東京を知つている人なら何人も認めるところで他山の石ともなろう。筆者は特に邦画のファンであるがために一日も早く年齢を超越した俳優諸氏の好演技に接したいと念願している。

（昭和二八・五・三〇）

## サークルの皆様へ

北星映画　安達清則

今度のシネ・フレンド特集号に『二年の足跡をふりかえつて』と云う題で原稿依頼を受け筆をとりましたが、二ヵ年の足跡といつても仲々簡単にまとまらないので最近あれやこれや感じたり見たりした事を書きます。

今『北星映画』では『雲流るる果てに』の配給で大童です。今井正の『どっこい』以来日本映画の良心をつらぬき、全国の労組やサークルの協力の下、地道な活動を続けて来た一つの成果が今迄『戦争物』は作らない方針だつた松竹と共同配給するところまで発展し、各地で『ひめゆり』をしのぐ大動員を示しているのです。又山村聰初演出の『蟹工船』も着々進行しラッシュ（撮影されたネガの各断片）を見た人の話によれば物凄い迫力の写真だそうです。

宮崎のメーデーも現像が揚るまで不安でしたが試写を見て安心しました。参加した人は是非『撮影・構成・宮映サ』の『宮崎メーデー』に絶大なる期待をもち『記念集会』に参加して下さい。福岡でも製作されましたが地元の人達も『宮崎のメーデー映画の方が良い』と言っています。

最後に『記念集会』が盛大にもたれる事を心から期待し皆様への第一信を終ります。

## 若者の歌

今日はアコが来ていない。みんな気のぬけたビールのように活気がない。

『皆で唄つてみましようや！』前唄つた若者の曲を上と下にわかれて、何んとかかんとか、くるいながらもやつて行く。

みんなの顔は真剣だ。からくもささえられる若者の声。

アコがなくても唄えるぞ！　私達でもやれば出来る意気。

何とも云えない美い顔、顔、みんなで力を合わせれば

何事も出来るのだ。（みこ）

―木曜合唱團『なかま』より

## ある日曜日

梅雨にはいり雨ばかり続くこの頃。全く気がふさがつてしまいますが、映画館へ出入りする人人はおとろえぬようです。

よくもあんなに数多くの映画が出来るものだと驚きながら、最近『ミラノの奇蹟』をみました。実に素晴らしい。ミラノの奇蹟ともいうべき箒にまたがり、空の彼方へ飛んで行くこの映画の最高の狙いに、崇高な敬虔の念を抱いてしまいました。リアルな描写というより、どこまでもリアリテを追究したと思われるデ・シーカのこの作品に、いいしれぬ感動をおぼえました。

およそ人間の五官は、極めて限られているようで、物をみたり感じたりする仕方は、我我の神経体系の特殊性の結果だといわれています。人の体の病気にはすぐ気づいても、精神的な或欠陥にはなかなか気づきそうもなく、神経体系の特殊性の結果を気にしないわけにはまいりません。

盲目の人達が、象の各部分に触れてみて、夫夫、象とはこんなものかと判断した有名なオハナシを、よく思い出します。その人がそれなりにしか感ずることが出来ないものなのでしよう。ですから、常に自分の体の病気に気をくばるように、精神的或種の病気へも、少なからず注意を払い、狙いといいますか、ピントをはずさない方向へ進むよう自分で努力を払うこと（価値判断）は、映画をみる上においても勿論、我々が生活して行く上に、最も大切なことのように思えてなりません。

『ミラノの奇蹟』にみられたフアンタスティックな、つまり神秘性の如く、人人は、みせつけ、生々しい現実、ありのまゝ、華やかさ、等といつたものより、淋しさ、苦しさ、にひたり、それをたのしもうとする或種の魔力に心を惹かれ、ひたすら崇高な、荘厳な祈りの気持を求めているのではなかろうか、というような気がします。

『肉体と悪魔』の最後のシーン、教会と美しい空、の如く。『第三の男』のツイターの音と落葉道の淋しさ、の如く。オータン・ララ、リード、といつた監督者の狙いは、ここにあつたろうと考えます。

或人と、こんなお話をした楽しい日曜日でした。　（食糧事務所　安藤）

# 特集 今年度上半期の映画を顧みて

**出席者**

上野 裕久（宮大学芸学部）
渡辺 勝（県 庁）
古川 加代子（県 庁）
石永 正保（県立図書館）
田原 稔（サークル事務局）
河野 炳（サークル事務局）
司会 高井 肇（宮崎電報局）
（紙上参加）
本条 敦己（宮崎食糧事務所）
柴岡 昇（統計調査事務所）
竹村 小枝（宮崎農林中金）

〇六月六日縣廳職員寮にて〇

## ☆現代社會の反映☆

**司会** 皆さん今年になつて御覧になつた映画の中から、今日はいろいろお話し願いたいのですが、まず映画に表われた著しい特徴、製作の傾向、そういつたものからだんだんふれていきましよう。一月に『ひめゆりの塔』が上映されてこれが圧倒的な観客動員数を示し、全国でも記録的な人気だつたという、その原因は何でしよう……。

**U** 今みんなが感じている戦争の危機から過去の戦争を顧みて、ひめゆりの学生達がただ純粋な気持から祖国のために生命を、青春をぎせいにして散つていつたといういたましい記録ですね。下手をすると祖国のためにまた死んでいくという宣伝の危険性もある訳だけれども――。真正面からの反戦というより、ぎせいになつて死んでいつた客観的な印象だネ。現代人の関心を反映したとも言える。

**T** その興行面での成功ということによつて、これからの自主映画の製作の方向に一つの自信というか、その経済的な裏付け――これは今まで独立プロが興行的に不成功に終つていたことから立派にこの種の良心的な映画が興行的にも成功する自信を製作者が持つてきたと考えられるが、あの作品が東映の製作だつたため一つの限界ができたんじやないかと思いますね。

**H** 充分宣伝も効いていたこともあるし、内容が広く国民に訴えるだけのものをもつていて、今井監督の着実な演出やスタッフの真けんな熱意が画面に滲み出ていた。それが観客の心を打つたのだと思う。

**司会** 〃ひめゆり〃の大ヒットに味をしめたというと失礼ですが、その後実にいろんないわゆる戦記ものの企劃が流行みたいになつてますが、これについて――

**T** それは映画会社の儲けん哉主義から生れたので、決して過去の戦争をふり返つて反省しようとか反戦へ持つて行こうとかいうものでなくて、それにマジメに取組んだとは思えませんね。

**U** 製作意図の奥の方にネ、何か不純な逆コース的、戦争懐旧的なものがあるような気がする。戦争肯定へ持つて行こうとする……。

**S** これは大きな問題を含んでいると思う。時局的バック・ボーンなしには考えられない。大別して二つの色色に分けられるのではないか。旧軍国日本を懐旧的にみたものと独立プロのハッキリ反戦をうたつたものと……。

**K** 一つは映画会社の企劃の貧困ということもある。〃ひめゆり〃にあやかろうとする、独創性のない附和雷同的な企劃だ。日本映画界の頭脳の低さを端的に物語つているよ。ヤナギの下のドジョウばかり追いかけている。

**T** いつまでも発展性がみられない。

**U** 『憲兵』の内容はどんなものですか。

**K** 先日見たんですが白痴的な下らなさですネ。憲兵の人間性にふれているが結局ウソなんです。

**T** それが鳴物入りで宣伝されると誰しもチョッとのぞいてみようという気になる。より軍国主義の亡霊が歩いてるようだ。（笑）

**K** アジャパー映画は世相を反映してますね。パチンコものやクイズ映画と同様に……。

**U** ああいうグレッツな映画でも客が来るのはパチンコが流行るように人人の間に虚無的な感情があるんじやないかナ。

**H** 観客の鑑賞水準のズレということも言える。高級な映画しか見ない人達とそうでない人達とがある。オカしいよ。結構あれで観客は笑いこけてるんだから。

**司会** 現代社会の問題を衝いた映画にはどんなものが――

**T** 関川秀雄『混血児』今泉善珠『村八分』それから亀井文夫の『女ひとり』などみな独立プロ作品だ。

**K** 社会諷刺的な『カルメン純情す』も今年だろう。

**U** レジスタンスを感じたのは『女ひとり』『混血児』『真空地帯』だネ。その点〃ひめゆり〃より〃真空〃の方が上だ。いろんな意味で山本薩夫の『真空地帯』は日本映画の大きな収穫だと思う。

**W** そう、感銘が痛烈ですね。

**司会** 〃女ひとり〃は北海道炭労と独立プロのていけい作品として一つのテスト・ケース的な意味もあつたのだが、作品の良し悪しは別として興行成績は各地共良くなかつたようですね。

**U** 映画は非常によかつた。圧迫と斗う団結の意識の盛り上り、などよく出ていた。

**K** 興行成績が良くなかつたというのは宣伝が足りないのか、面白くないのか。

**T** 今労組ではあちこちでそういう自主作品が作られようとしている。日教組の『ヒロシマ』全逓の『赤い自転車』なんかそうだ。

**H** これからの独立プロ作品に望みたいのは広汎な観客層を動かすだけの説得力を持つた内容と、やはり映画は娯楽的性格が強いのだから、観客を笑わせる趣向をこらして欲しいということだ。

## ☆優秀映画は文學から生れた☆

**司会** これは今年に限つたことではないが、顧みて良い映画と目されるものは大体文芸作品を映画化したのが多いですね。

**K** 商業政策と関係がある。原作のネーム・ヴァリュウを計算に入れて安定性を狙う訳だ。

**H** どこでもそうだね。アメリカにしろイギリスにしろフランスにしろみなそれが多いんだ。文学だけでなく大当りをとつた舞台劇の映画化などアメリカ映画を見給え。

**S** 良いオリジナル脚本が少いんですね。シナリオ・ライターがいいものを書けるように優遇すべきだと思う。

**U** 日本の文学者は映画を一段低いものと見ているんじやないか。

**K** 五所平之助の『煙突の見える場所』なんかね、原作から良いもの――映画的なものを引き出して立派な作品になつている。

**T** 良い意味の映画化だネ。

**U** 文学者は戯曲などには手を出すけれども、シナリオには関心がうすいようだ。

**H** 日本映画の視野を拡げるためにも文学者の参加がほしいですね。

U　日本映画は或る型ができまつていてね。どうも類型的なものが多いんだが、よく家庭の描写が出てくるが、今までのは上流家庭の話ばかりでネ、登場人物達はぜいたくな生活をしている。観客は貧しい人達が殆んどなんだけれども自分達も、うまくいつたらあんな暮しができるようになるかも知れない（笑）そういう気持があつたからそれに憧れる、理想というか逃避というか、見てきたが、だんだん資本主義というものが行き詰つてきてそこにムジュンがでてきた、あんなのはウソなんだと観客の考え方が変つてきている。

T　最近の日本映画はだんだん大衆の生活を描きはじめてますね。

K　例えば〝煙突の見える〟など身近な庶民生活を描きながら、現実描写の中に新しいスタイルの笑いを織り込もうとしている。

T　その身近かな生活が描かれている点、共感を覚え、映画の中の人物達といつしよに生活してるような親しさを感じます。

**司会**　『夫婦』は、たしかオリジナルシナリオだと思いますが『妻』は林芙美子の原作で何れも成瀬己喜男監督のものなんですが御覧になりましたか。

F　その前の『めし』より『夫婦』の方が良いと思つた。

H　『夫婦』の作調はどちらかというと小市民生活の中での夫婦の感情を描いて庶民生活の哀歓だネ。一種のぬくもりがあつたが、『妻』の方は一歩進んで夫と妻の考え方を冷静に眺めようとする作家の目を感じるね。

K　高峰三枝子の妻の演技、感心したネ。実に生き生きとした人間像だ。生活の匂いありだ。

**司会**　上田秋成原作、溝口監督の『雨月物語』はどうですか。

H　原作の情調をよく生かし得たという点じゃないかな。

**司会**　ぼくには好きな映画なんだ。見た後の感じがネ、一場の夢から覚めた時のようで、つまりソレが幻怪味なんだ。どちらかと言えば情調を尊ぶ映画だよ。新藤兼人が徳田秋声の作を映画にした『縮図』如何でした？

T　『縮図』は良い作品だ。そのまゝ現代にも通じる話で銀子という乙羽信子の演じた女性、ぼくは無限の悲しみと怒りを覚えたネ。

W　父親になつた宇野重吉の演技、実に感心させられた。

**司会**　それから大庭秀雄の『情火』。見た人は少ないと思うけど近来唯一の好時代劇だつた。

H　映画館はああいういい映画は大いに宣伝すべきだナ。

## ☆今後への希望☆

**司会**　三、四年前『青い山脈』という明るいのびのびとした青春ものが出ましたが、その後ああいう風の溌溂とした映画は出てないようですね。

T　無条件に溌溂とできないのではないでしょうか。

U　やはり現在の社会にある暗さ、生活の苦しさだとか戦争の不安などが映画に出るんじやない？『青い山脈』が出来た当時と現在ではまた社会情勢が違うもの……。ぼく等ソヴエト映画見てると吾々の周囲と違つた明るい健康なものを持つてるように感じるんだけどね。

I　今年の映画をふり返つてみると、独立プロ作品の進出が大きな足跡を残したと思う。数々の秀れた作品が立証しているように、その熱意と日本映画の水準を上げようとする努力、それに応える観客鑑賞水準の向上に日本映画前進の足どりを見たいと思う。

T　昨年の日本映画と比較して、ぼくは左程進歩したと思わないが、ただ映画の個々の質はたしかに良くなりつゝあると考える。粒よりの秀れたものがだんだん生れてきそうにも信ぜられる。

**司会**　そして徐々にでも、いけない映画の数が減つていくようにしなければね。

H　悪画が良画を駆逐するのじやなくて良画が悪画を駆逐するんだ。そこに映画サークルの使命と意義がある。

**司会**　それではこの辺で邦画ベスト・5の選出をやつて終りましよう。

（**編集者注**　時間と紙面の関係で外国映画に触れることが出来ませんでした。お詫び致します）

**出席者の投票により選出した邦画ベスト・5**

（※今年上半期宮崎で上映されたものを対象）

| | | |
|---|---|---|
| ① | 真空地帯 | 山本薩夫 |
| ② | ひめゆりの塔 | 今井正 |
| ③ | 煙突の見える場所 | 五所平之助 |
| ④ | 女ひとり大地を行く | 亀井文夫 |
| ⑤ | 雨月物語 | 溝口健二 |
| 次 | 情火 | 大庭秀雄 |
| | 縮図 | 新藤兼人 |

## スクリーンより

上野裕久

とんぼとる幼児のねらい定まりし時あはれ原爆は焼き殺したり
七年経て残るケロイド年長けて讃美歌唱ふ原爆乙女
かの日一瞬の閃光は焼き殺したり十万人赭土原にいまだ家建たず
原爆の炎の中に泣き叫ぶ幼き瞳よわが怒り燃ゆ
壕より出て久しぶりにあたる陽光にはしやぐもあはれひめゆりの娘ら
断崖に追ひつめられし乙女らを一人残らず機銃は倒す
お化け煙突の見ゆる下町東京のサラリーマンはゴミ〳〵と暮す

## 前進座九州公演

―八月二十日より国太郎班―

前進座では河原崎国太郎の第二班を八月二十日より九州公演を計画。演し物は『**姉の言葉**』・・原爆症状に苦しむ娘を中心にまざ〳〵した戦争の悲惨さを明るい雰囲気の描写で対蹠させる現代世相図です。『**矢口の渡し**』・・恋のためには命も惜しまぬ純情可憐さと主人公頓兵衛の強欲非道の歌舞伎狂言です。『**らくだ物語**』・・気の弱い善人が酔う程に日頃の鬱憤を吐露し始め、人をいじめる遊人をやつゝける諷刺に満ちた時代世話狂言でエノケンにより一般化しました。

## 雑記帳

先ごろ、中共から帰国した木村荘十二監督はワクのある夢、つまりスクリーンの大きさの夢を見るそうだ、職業柄とは云え夢まで映画式とはおどろいた話、序でに色のついた夢を見る人は色彩感覚がすぐれていると云うが、貴方の夢はどうです？

○

『チャンピオン』のボクサー、『地獄の英雄』の新聞記者、『探偵物語』の刑事と、カーク、ダグラスは、いつも冷血漢ばかりやつて、おまけに死にざまの良かつたためしがない。ピッタリしたタイプではあるが、変なところを見込まれたものだ。

○

『西部の顔役』と云うのを見たが、バックがスクリーンプロセスと絵ばかりなのには閉口した。西部劇は射ちまくるばかりが能ではなく、あの雄大な風景が大きな役割を持つている筈だ。リパブリック作品はG・Iも敬遠すると云うが、さもありなん。

○

活動写真がサイレントからトーキーにかわるとき『なーに、トーキーなんて一時のハヤリさ』、色彩映画が出来たときは『映画芸術は黒白でなくてはネ』とは今迄のものを至上と思い込む人間の愚かさを証明している。私も『立体映画なんて見世物だよ』と云いたいところだが……。

○

映画館の中へ時計を備えてもらいたいですネ（但しチヤンと動くのを）、時間を気にしながら映画を見るくらい味気ないものはないですからネ。もう十時だろうと思つて後髪引かれる思いで館を出たら、バスはもうなかつたなんて、悲劇ですョ。

（風）

# 今週の映画評

## 〃その男を逃がすな〃

### 實質的な描写

★ギャング映画の後ばかり追いかけているようで少々気がひけるが、時には良い映画にお目にかゝることもある。これは多くの作品に有り勝ちな犯行↓逃走↓追跡↓犯罪者の末路というストーリイを単なるアクションで埋めただけの内容と異つてその中に人間心理の描写が見られ興味をそゝるものがある。描写の対象となつているのは人間性であつて犯罪行為そのものではない。それだけに地味ではあるが商業映画の枠の中でこれだけの仕事をした作者の意図に好意が持てた。

★この映画の印象を整理すると、追われる者の心理表現に費やされた部分と後半の犯罪者と娘の愛情の問題とが一体となつていないのでバラバラな印象を受ける（尤も後半では犯人への愛と憎しみが交錯していて興味を覚えるが、遂に不消化のまゝ終つた感じである）

★ただ気になつたのはこういう軽薄な兇悪犯人に惹かれる娘の心理で、いかにも解せないが描写の方をまたのさばらせ過ぎたと思う（早く捕まつちまえ！である）

★むし暑い町のプール内で警官の追跡を怖れてビクビクしている犯人の心理は神経過度に見えるほど丹念に描かれ、その他現実音を巧みに使用しての音響効果による表現（音楽担当はスリラア映画音楽に定評あるフランツ・ワクスマン）も面白かつた。

★このような題材にもアメリカ市民の生活の様相がうかがわれて興味深いが、アメリカに於ける男女交際の一端がのぞかれて（プールから帰る場面）いささか驚いて見ていた。

（寺島雄吉）

## 〃妻〃

### 高峰の妻は好演

成瀬の演出は繊細で、前半好調に展開したが、後半惜しくも崩れたといつた感じ。全体的に散漫で、妻の追究が弱い。

中川の妻美穂子、夜具一組と亭主をおきざりにする妻、夫の浮気を気に病んで自殺する妻、と三人の類型的な妻が登場するが、少々投げやりな描き方で物足りない。勿論、二人の妻は美穂子を中心とした出来ごとの中の人物に過ぎないけれど、この二人をもつとシナリオの方で生かしておけば、映画〃妻〃というものから滲み出るものはぐつと強くなつたに違いない。それに中川夫婦の子供に対する気持に全然タッチしていないのもシナリオの欠陥と言える。未亡人タイピスト相良房子の子と縁側で遊んでいた中川が、『いつまでもこうしていたいナア』と言うところで僅かに気持が暗示されているだけでは映画としては描写不足である。〃子供〃という言葉は中川夫婦にとつて禁断のものであつたのかも知れぬ。

いつもながら、日本映画には不要なシーンや、冗慢といつてよいほど長いシーンなどが多い。音響効果も同様で、例えば、房子の子と中川が縁側で玩具の自動車と遊ぶシーンがある。あの時のジーンという自動車の音は、二人の心の動きを表わす巧みな音で効果的ではあつたが、くどすぎた為、折角の効果が半減した。

演技陣。房子は、柔かい人柄の中に案外強い意志を秘めた女性なのだが、丹阿彌は演技もセリフも柔かすぎて不自然。舞台では適当な演技やセリフ廻しも映画では変つてくることを知つているはずなのだが。

高峰の妻は好演、所々、例の美貌が気になるが上原の庶民ぶりとともに、板についてきたようである。夫と差し向いでの夕食後、箸で歯のつまりものをとつたり、食台の片附け物をしながらツケモノをつまむシーン、塩センベイをポリ〳〵噛つたりするシーンなど観衆を微笑させた。結婚十年ともなると気取るなどという気持は失せてしまうのだろう。（上品とか下品とかを超越して身近さを感じさせる、成瀬のうまさであろう。）

画学生の三国は演技過多でひようひようたる変人の味は出なかつた。ユーモアとかギャグはもう少し垢抜けしたもので欲しい。

上原は〃めし〃〃煙突の見える場所〃等を経て彼の演技の新境地を拓きつゝあるようである。

（電報局　黒木義澄）

## 街は自衛する

### 好感のもてる澁味

ギャング映画と命名してある。然しアメリカのギャング物とはおよそ趣を異にする。安価なヒロイズムの片鱗すら覗けない。

タイトルは疾駆する車から見た道路に表われる。〃追つかけ〃を意味する思わせ振りである。競技場から売上金を強盗して逃走する導入部はキビ〳〵した手法で緊張裡に見れる。処が後半に至るやスピード感に欠け迫力もなく、僅かにホーカムな手法を見せるに止まる。

とまれ！サスペンスがいくらあろうとそれは枝葉末節にすぎず、モテーフとして彼等が何故ギャングを働かねばならなかつたかに興味が湧く。貧窮した社会の悲劇とでも云える。かゝる現実味の陰影に一種の魅力を感じる。それがネオ・リアリズムたる所以である。

P・ジェルミが言いたいのは、世相が如何に歪められ、生活が苦しかろうと、集団生活を営む為には秩序があり、法律化されていて、何人も犯す事の出来ないモラルである。それを犯す事の惨さはかくありと。

サンテイスの〃荒野の抱擁〃と比較するに、これは多分に様式化された恨みがなきにしも非ず、民衆の憤慨を犯罪者の焦躁をもつて表わし、虚無的な行動に終らせている。

リアリズム的表現に欠く事の出来ない、キャメラ・アイの良さが俯瞰撮影に、視角的構図に冴えを見せる。冷徹なものゝ中に見られる美感である。

演技者は個性の浮き彫りや雰囲気構成に努めていて好感のもてる渋みで嫌味がない。

多くの社会的問題をテーマにして逞しき生活意欲を描いて〃イタリアン・リアリズム〃なるものを形作した一連の映画監督の努力は賞嘆して尽きせず。（丸島町　横山章一）

## 欲望

### 創作意欲に疑問

吉村公三郎の作品は、旨いナと感心するところが少くないが、見たあとの感銘の乏しさをいつも感じる。この作品も市井の風俗を描き乍ら、たゞ賑かだつたと云う散漫な印象しか受けない。

しゆうと二人暮しの戦争未亡人（水戸）が、妾になれとすゝめられて一寸考えるが、結局は思い止つて以前家に下宿していた青年河田（管原）の居る田舎へ旅立つてゆく、と云うのがアラスジになつて、これをめぐる登場人物が仲々賑かである。水戸をしつこく追いまわす町のボス（小沢）、その妾で水戸と女学校時代の友達しづ江（乙羽）、水戸を二号にと望む歯科医（管井）、水戸の家に下宿している青年河田、これに加えて戦争で発狂して入院している河田の妻、黒人兵の子を孕んだパンパン（日高）、インチキ宗教の祈う師等々世相を象徴する色んな人物が登場するが、たゞそれだけのことで、風俗の底流をなす生活感情も、主人公の心理過程も、よく判らないので、水戸が最後に河田のもとへ旅立つのも、一体どんな気持からなのか、あれだけでは真意がつかめない。軍需工場に働くが故に、自分の主義と職業とのジレンマに陥る河田の苦悩も、お座なりに描いてある様な気がする。

例によつて画面は奥深く密度のある構成で旨く、その限りに於ては結構面白く見れるが——『偽れる盛装』で接吻しながら足で障子をしめると云う処があつたが——あゝいつた下品な趣味が得意気に散見されるのは不快である。演技陣は堂々たる腕達者を揃えながらも、こう屋台骨がゆらいでは、折角の名演も意味をなさない。

要するに失敗作と云うよりも、創作意欲に疑問を感じさせる一篇である。（風三郎）

☆☆☆☆

# 演劇俳優と映畫俳優

☆☆☆☆

近頃の映画を観ると演劇人の映画への進出が目立つて来ています。この傾向は外国映画の場合でも邦画でも変らない様であります。そうして出演している俳優の殆どが現在一流の演劇俳優達であります。思いつくまゝに挙げてみても、ホセフアラー（**シラノ**）フレデリックマーチ（**セールスマンの死**）ジヤン・ルイバロオ（**天井桟敷**）ロデレンスオリヴイエ（**ハムレツト**）故ジウヴエやロゼエ、邦画では田村、杉村、東野、小沢、千田等現在の優れた映画製作に貢けんしているといつて過言でない名優達であります。何故映画がこの様に演劇俳優を必要としているのかそれを考えてみましよう。俳優は映画を生み出す生きた素材であります。又大きな要素言換えれば原動といつてもいゝでしよう。その映画を活かすも殺すもたゞ俳優の演技力にかゝつているのであります。ですから良い映画を作る為には優秀な俳優を必要とします。現在の様に観客の眼が肥え、社会が良い映画を求めていればいる程俳優の選択には頭を悩ますわけです。映画俳優が美しい顔や容姿を売りものにする時代は過ぎ強い個性を求められる時代が来ているのです。この事が前の疑問のキーにならないでしようか。芸術の香り高い映画を生む事が映画製作者の狙いになり〈又その中に充分な娯楽性を加味ーー〉観客の希望になつて来れば自然しつかりした演技力を持つた俳優が必要になつて来ます。とすれば長い間舞台を踏み演技力を培つて来た俳優達に白羽の矢が向けられるのは当前の事でしよう。彼等は長い間の研鑽により役をコナす力、理解する優れた能力を持つています。一応難なく役を勤める事が出来ます。

演技に対する経験が大きな強味でありますから自然他の出演俳優を喰うことになるわけです。例えば〃**欲望という名の電車**〃〃**ガラスの動物園**〃〃**女日屋**〃といつた様に舞台をそのまゝ映画に移した作品が成功しているのも一つは俳優の演技力の素晴しさにあるといえるのです。この様に実際に舞台で活躍している俳優を使う事は演技力を安定させることにはなりますが、果してこれが映画の効果上有利かどうかという事であります。映画俳優としてスタートした俳優の中で立派な演技を見せている人は少なくありません。卑近な例ではクーパーやボガードがそれであります。その人達の演技をみていますと、実に映画的で自然な演技なのです。それに較べて演劇俳優のには一種の臭み〈舞台臭といゝましようか〉が感じられる様です。或は私だけの感じかも知れませんが。舞台に於ける演技は永久に二度と再現する事は出来ません。真険であります。

そうして演技自体が多少ともデイフオルマされています。ところが映画に於ては再現どころか幾分かの訂正も可能ですし、飽くまでも自然な〈ということは映画的と思うのですが〉演技が必要なのであります。条件の異つた世界に生きる俳優達のギヤツプを画面から感じ取る場合が少くないのも原因はこゝらあたりにありそうです。うまくコナしてはいても育ちが被いかくせない欠点を演劇俳優は持つているのではないでしようか。邦画の場合、演技者の欠亡から勢い新劇畠へ目が行くのですが、この現象を我が国だけと見ていゝのか。としても映画俳優の現状〃努力不足〃は情ない事です。演劇人の映画進出をたゞ安閑と見ていていゝのか。私は演劇人は舞台に、映画俳優は映画に自分自身をぶつけていくのが本当ではないかと思っています。その前に映画俳優の質の向上と演技への血の泌む様な研鑽が必要と思われます。邦画の場合特にこれが痛感されるのです。でないと、今に演劇そのものも荒んでいく様な気がするのです。

（図書館）〃**秋原洋司**〃

# 無形の割引

## ―割引論によせて―

最近割引をめぐつて、本紙でもときぐ〜意見が出ている様だが、もともと映画のきらいな人はいない筈のサークルであるから、お互いに一円でも安く見れるように望むのは、あたり前である。

いくら良い映画だからとは言え、人よりよけいに入場料をはらう人はいないだろうし、又反対になんでもいゝから映画を安く見たいと云う人は、わざ〜会費まで納めてサークルに入らなくても、近ごろは新聞やチラシの割引券で、結構こと缺かない位ある。

そこで割引券について言うならば『良い映画を安く見る』と云う映画サークルの趣旨を、良く味わつてみることが必要である。

なるほど新聞のすり込みとサークルの割引券の割引額が同じのこともまゝある。この点は会費をとる以上一応考えるべきことに違いないが、だからと云つて、ソロバンをはじいて、会費の恩典がないと云うことは少し早まつた言い方だと思う。

なけなしの財布をはたいて見た映画がつまらなかつた時は、腹立たしくて損をした様な気持になり、反対に良い映画を見たあとで、金に代えることの出来ない程の感激をおぼえた経験は、誰だつてあるに違いない。

この点を考えなければいけない。

スケヂユールの中から良い映画を選び、その映画を見たあとで批評し合い、お互い気附かなかつたことを知り、より多く自分の心の糧として受とるならば、八〇円の映画は、百円千円はおろか、金で勘定の出来ない恩恵を、吾々に与えてくれると思う。

吾らの機関紙『シネ・フレンド』はそれがためにあると云える。

割引は、なにも割引券に書かれた十円引とか二十円引のことのみではなく、入場料が如何なる映画に支払われるかと云うことによつて、大きく動くことを忘れてはならない。

（食糧事務所・本条）

# 或るガリ切りの話し

さようで御座居ます。私の記憶に間違いが御座居ませんでしたらそれは一九五一年のなんでもえらくむし熱い日のことでございました。友人の安達君が『サークル機関紙第一号を出すからガリを切つてくれ』という話を持ち込まれたのは、下袴一つで昼寝の夢をむさぼつていた午後のことでございました。正直な話は今日までそんな大それたものに手がけたことはございませんでしたが、決して自分ながら愛想がつきる程下手とも思つていなかつたのでございますが、出来上つたのを見まして全く、今日までやつたことのないゴチック体だつたせいかみゝずのはつた様に見られたものではなく冷汗百斗の思いでございました。それから月に二回ずつ廿八号までわれながらよく続いたと思うくらい連続して切つつゞけ少しは上達して来たのでございますが、何ですか途中で顔面が曲る悪疫におかされ一回だけ他に頼んだのは返す〜も残念でございました。僅か半紙両面でございますが傍で見る程楽なものではなく、特に初めからうめて行くガリ版の編集は一行一字を計算しての仕事でございますので発行日に迫られての孔版ー専門家はこう呼んで居る様でございますーには身の不憐さを嘆くことも多かつたのでございます。今年から活版になりましてほつと致したのでございますが、やはりガリ版の味も忘れがたく時には手なぐさみにいろ〜と書いて見ることもございます。以上私が申し上げましたことは特別審査局のお役人様が聞かれても決して嘘いつわりのないことでございます（多）

## 7月上旬各館スケジュール

※ゴチツクは推薦映画

| | 25 26 27 28 29 30 | 1 2 3 4 5 6 7 | 8 9 10 11 12 13 14 |
|---|---|---|---|
| ロマン | **可愛いゝ配當** 花嫁の父 | 盗賊王子 **双頭の鷲** | オクラホマキツト 拳銃魔、都会の牙 |
| センター | **七つの大罪** 世紀の大冠式 | 清宮秘史 征服への道 | 栄光何するものぞ |
| 若草 | 獅子の座 青空天使、マンガ | コショウ息子 アジャパー女房、マンガ | 黒豹、南破崎の決闘、マンガ |
| 宮劇 | 真珠母 陽気な天使 銀二郎の片腕 | その妹 伊豆の佐太郎 | 愚弟、賢兄 残波岬の決闘 |
| 大成 | 母と娘 ちやんばら手張 | 青色革命、暁の市街戦 次郎長と石松 | **雲ながるゝ果てに** 大菩薩峠二部、トンチンカン八犬伝 |
| 帝國 | | 殺人者 ウインチエスター73 | 船長ホーレンショ オクラホマのならず者 |
| 日劇 | 銀二郎の片腕 恋の応援団長 | | |
| 江平 | 母と娘 禿鷹はとばず 離婚 | 青色革命、抱擁、令嬢ジュリー | **河** |
| 孔雀 | リンゴ園の少女 二人の母 | | |
| 大淀 | | | |

何時もお金と時間に追われる月末の悩みも、今月丈は多少なりとも出るボーナスで一寸息がつけそう。さて映画でも楽しもうという時に限って仲々良い物の無いのが皮肉な世の常というもの。今迄と比べて聊か淋しい今週の配列の様ですが、さして惜しくないお金の出せそうな物を二、三御紹介致しましよう。

◎**雲流るゝ果てに**（日）
『きけわだつみの声』に次ぐものとして久しく待望されていたこの作品は、戦没学生の手記『雲流るゝ果てに』の映画化である。人間を一個の消耗品にしか考えなかつた特攻隊員として南海に散華して行つた清らかな学徒隊の人間的苦悩と、その使命観を描いて胸を打つものがある。生き残り隊員直居欽哉と八木保太郎、それにレッドパージにより松竹を追われた家城己代治が久々の監督に当り、独立プロらしい異色作として期待される。主演もこんな作品に珍らしい人気絶頂と言われる鶴田浩二の外に真空地帯の木村功、沼田、山田等手堅い配役陣が頼もしい。

◎**もぐら横丁**（日）
なめくじ横丁、ぼうふら横丁等でお馴染の尾崎一雄の私小説から綴つたもの。貧乏に拘らない底抜けに楽天的な小説家の夫婦生活を描いて我知らず微笑ましくなる様な作品。唯呑気な貧乏生活に幾分時代の撚れを感じなくもないが、清水宏の持前の淡々たる筆致で題材の奇抜な面白さが楽しめそうである。出演は佐野、島崎、宇野、森繁等。

◎**可愛い配當**（米）
『花嫁の父』の構成その儘に彼等の後日物語を描いた一九五一年の作娘に子供が生れる事を聞いた父親がもはや盛りを過ぎた自分の人生に悲哀を感じ乍らも、孫の美顔に他愛なく倖せな気持に満たされる。私達に身近な人情の機微を自然に写してその上品な明るい雰囲気は、誰でも安心して溶け込めそうである。脚本のハケットリグフドリッヂも好評を伝えられ、スペンサートレイシイ。美しいエリザベステイラー共に好演が期待される。

◎**犯罪国境線**（西独）
『ベルリン物語』のロベルト・A・シュテムレの監督になるもの。内容はオランダ、ベルギー、ドイツ三国の国境が相交わる地域を舞台とする密輸の話。歪められた環境の中で無心な子供達が生活の一方便として平気で悪事をやつてのける姿をシュテムレ得意のドキュメンタリイ手法を使つて描いて見せる。相当社会問題的性格を帯びた素材ではあるが、行動性の多いアクションドラマの要素を含んで、むしろギャング映画の感が強いと云うから、まず理窟なしに楽しめそうな映画である。

◎**七つの大罪**（仏、伊合作）
聖書に反する、而も人間誰もが持つ醜い面を、七つのエピソードに区別して描いたもの。映画の価値はともかくとして、伊、仏の代表的監督と、第一線スタアの出演と云う華やかな顔ぶれがこの映画の見所と思われる。個性女優M・モルガンの見栄つぱりの罪。V・ロマンスの色好みの罪。イザミランダの大欲と怒りの罪。J・フイリップの助演等、その魅惑的な演技に俟つ事が多い。全て仏映画らしい諷刺的な人間味を見せるが、中でもロッセリーニの監督する『妬みの罪』は辛辣で見応えあると云われる。

◎前号にて大映映画『**欲望**』の推薦を落しました事をこゝでお詫び申上げます。（**竹村**）

（1）　シ ネ フ レ ン ド　1953年7月20日　第３８号

映 シネフレンド
宮崎映画サークル発行
事務局　宮崎市高松通り1の45　TEL　3659
1部5円（会員無料）

# サークルの宣傳と組織を強める〝定例七月の委員會〟

定例の映サ委員会は大分のびのびになつていたが七月十七日午後六時から労働会館で開かれた。県庁、食糧事務所、農林中金、日本生命、穀類、郵便局、電報局、勧銀、信用農協等が出席、上半期の決算、下半期の予算を決め今後の運営方針を討議したが、重なものは、

★副会長河野重憲氏の後任を県庁サークルから推薦する。

★事務局長田原稔氏（常任委員）を確認する。

★委員会を三月に一回とし常任委員編集委員をそれ〴〵十名程度に拡充して活発な活動をはかる。

★特にシネフレンドについては皆に親しみやすく内容を充実するため編集委員会の中に編集責任者をえらぶ。

★サークルの宣伝と組織を強めるために大きく活動する。

★〃女一人大地を行く〃（十六ミリ）の映写会を二十八日（予定）西日本水害救援の資金募集のため開催する。

席上大分映サ羽田野氏より大分における割引干渉の報告と映サの状況が報告された。

## 新聞割引より　さらに十圓引き

サークルで割引券を発行してから新聞紙上に同額の割引券がついているとがたびたびあつて会員から『新聞と同じ割引しか出来ないのか』という声がありましたが今後この様な割引券が出たときは、さらにサークルは十円割引するということになりました。

## 九州映サ連絡会議開く

七月十八日、九州映画サークル連絡会議は県庁職員寮で福岡、鹿児島大分、宮崎の各サークルが出席して第四回の会合を開き貴重なサークル活動の経験を交流した。

福岡映サが五月三十一日福岡映画友好協議会の発足により各単位サークルに還元して発展的に解消したので今までの九州映サの事務局を大分にうつし、ニュースをけい続して出すこと、機関紙の交流を強めることを決めた。尚、現在参加のサークルは、鹿児島、宮崎、大分の外大牟田久留米、八幡、再春荘（熊本）であるが福岡も次回には加盟する予定。

## 内灘記録を映畫に

米軍軍事基地設置反対の動きは全国に湧き上つているが特に石川県内灘の人々の反対運動に対して調査団や応援隊がぞくぞく行つてゲキレイしているが、大阪市大の学生委員会はアイモを携行、現地の動きをカメラに収め、このほど現象完成した。フイルム（八ミリ）で二巻（約二十分）、各種団体に利用を望んでいる

## 土曜合唱團放送

土曜合唱団では七月二十二日夜六時四十五分からのローカル放送で『若者よ』外四曲を放送した。

『真空地帯』『ひめゆりの塔』の興行成績に刺戟され、映画会社はきそつて戦争映画の製作にのり出した『憲兵』『山下奉文』から今年は〃戦争もの〃がハンランする。

まず、その企画をひろつてみると『日本の貞操』（新映）『叛乱』（新東宝）『広場の孤独』（佐分利プロ）『基地の子』（蟻プロ）『日本の息子たち』（新星）『ひろしま』（日教組）『壁あつき部屋』（重宗プロ）『潜行三千里』（東映）『日の果て』（松竹）『太平洋の鷲』（東宝）『その夜』（松竹）『生きてふたたび』（創映）。そして『雲ながるゝ果てに』（重宗プロ）と『戦艦大和』（新東宝）が世評の注目を浴びている。

こゝで注意しなければならないことは、これらの〃戦争もの〃がいずれも『平和のために』という共通のスローガンをかゝげていることであるが、しかし『平和』のために、実

☆☆☆☆☆

## 戦争ものの二つの立場

☆☆☆☆☆

は極端に対立した考え方があることである。これは一歩あやまてば戦争へ戦争へとけしかける危険なものを含んでいる。『雲ながるゝ果てに』の若山一夫は『青年学徒が生と死の問題になやみ全員が死んでゆくすがたをえがき、この映画が国民の戦争への批判と平和ようごに役立つ作品になることをねがう』と言つているが、これに対して『戦艦大和』の製作意図を製作者新東宝の重役服部知祥氏は次のように語つている。『新東宝は独自の立場で再軍備助長の方針をとるつもりだ。日本が海外から圧迫されるのは再軍備をもたないからだ、この意味から現在起つている再軍備運動を促進するために『憲兵』『戦艦大和』『叛乱』を上映し、軍備もの三部作として軍備熱をあおりたいという意図だ』（新日新聞、三月十二日付夕刊）

単に反戦平和と銘うつからといつてとんでもないしろものが多いということである。

## 友誼サークル短信

◎福岡映画友好協議会では五月三十一日に発足、第一回の映画会〃自由を我等に〃につづいて第二回に〃ジェニイの家〃鑑賞会を行う。会員四千三百

◎全大阪映画サークルでは府税の割引干渉に対して交渉して来たがこの程『雲……』について引換券発行を条件付で認めさせ撤回への第一歩をかちとつた。

◎大分映サでも割引干渉に対しては館と直接に交渉し館では『いくら割引しようとこちらの勝手だ、県税は営業妨害するな』とサークルに同調、前より有利な条件で実施している。

◎鹿児島映サは六月映画の落日に鑑賞会として『ホフマン物語』をうけたが大動員で三万円の黒字を出した。

◎鹿児島県のカセダでは県の移動映写（ナトコ）の負担金を年に三〇万も払わされているのに少しも良い映画が来ないのでこれをボイコット、自分達で映写機を買おうとしている。川ナベ郡の町村長会でも同じようにナトコの反対決議をした。

◎MGでは八日のローカル放送青年のつどいで映画座談会を開いたが映サからは石永君（図書館）竹村さん（農林中金）が出席した。

## カチンコ

▲現在宮崎市在の座館を一べつするに、その経営方針の最も近代的感覚の上に立つているところはR、Sの二館が目を引くであろう。

▲又R館と同経営者のN館は上映ものゝレベルこそ落ちるが、一段下の観客層を摑む点ではそのスケジュールたるやまことに抜け目ない様だ。

▲三本立の盛り沢山のこの館では広汎な娯楽客を最もよくキャッチする。

▲この二系統の館の他は相も変らぬ昔日の商業感覚でサッパリ垢抜けがしない。

▲市内に十館も濫立する当今、よほど市民の観賞心理を検討せねば太刀打ち出来ない気がする。

▲今後のサークルの問題としても出て来たR、S両館のクラブ会員制度の件は観客から見ればリファインされたものとして映画ファンを吸収するだろう。

▲がしかし、割引の便宜のみでサークル活動は立つているものではない故、この種薄利多売の考えにつながる企画とも提携して、観客には『よい映画をより安く、より多くの人に』のモットーを入れて行かねばならぬ。

▲注意すべきは、これら企画の割引でサークルの影は毫もうすくなるのではなく、常に徹底した観客の立場に立つた線で純粋に商業に影響されずに会員の質を高めて行かねばならない。

（芝）

# 映画のエロチシズム

A『ナイアガラのマリリン・モンロウて女優はまつたく凄くセンシュアルだな、ホントに『性優』とはよく云つたものだネ』

B『うん、色彩映画が又一段とそれを強め白黒ものとは違つたどぎついエロチックな感じを与えるが、僕はこんな映画を見ると真先に反撥を感ずるね、誰かの言葉だつたが生理的反撥といつたやつを』

C『君達若い世代は純粋さというか、まじり気のない澄んだ心があゝいうものを見ると不純な頽廃的なダラクしたものを一番強く感ずるんだな』

B『いやそれがどうも僕にはアメリカの映画資本のバラまく帝国主義文化の最も露骨なものを感ずるんです。つまり、意識的に享楽主義的頽廃的な要素を盛り、すぢ道がどうであろうとこの面でのうける大衆の影響力……恐るべき文化政策ですよ』

C『だいぶ君は思想的に見るね。芸術というものはそんな狭いイデーに束縛されるものでもないし、もつとオープンな気持で見ていゝのじやないかな。しかし僕は思うんだ、たしかに『ナイヤガラ』で代表されるアメリカ映画のエロテイシズムと対照的なフランス映画、いやフランスものと限定せずとも欧洲のものならどれでもいゝが『七つの大罪』なんかその恰好のものと思うのだが、この両者の持味は全然違うね。』

A『そうなんですよ。俳優だけに限定して考えてモンロウの前身は何か知りませんが、一つは本人の人格からも発散するものかも知れないと思いますね『七つの大罪（色好みの罪）のヴイヴイアンヌ・ロマンス。フランスの代表的官能女優とされているが何と言つてもあちらのものは上品さがある。そこにスタッフの問題が大きくからまるですが、そのエロテイシズムも芸術的な情感の中に美しく昇華されてしまつて匂うような美的なものなんだ』

B『それはそうだ、フランスものではすべてが美化されてしまうフランス全体の芸術的高さ故かも知れない。これに比べナイヤガラのそれはイヤに下界に頽廃的なラン熟し切つたアメリカ享楽主義の典型的なもので、安易に大衆に飛びつけ本能的な人間の欲望にむすびついているが故に広汎な尽の観覧に供される所が大きく問題となる所ではないか。』

A『C君の帝国主義文化は僕は分らんが槍玉に上つているナイヤガラではスターシステムの売らん哉の商業主義の方が露出して爆布の景観とモンローのセックスアピールだけを強調しすぎた様だ。』

## 映画雑誌はスクリーン 工學部の映画調査

宮大工学部映研ではこの程学生百七十名について映画調査を行い次の様にまとまつた。

**一、月平均何回見ますか**

五回……二五％　四回……一六％
二回……一四％　三回……一三％

**二、どこの国の映画を好みますか**

米国（六〇％）仏国（五〇％）
英国（三六％）日本（三五％）
伊太利（二八％）ソ連（二三％）

**三、どんな映画雑誌を見ますか**

スクリーン（三〇％）キネマ旬報（二〇％）映画の友（一二％）
平凡（四％）

# 雲ながるる果てに を観て

田原森光

先ず全体的に感じた事は、主人公が予備学生である丈に理屈つぽい『インテリーの感傷』が溢れて居る事は否めない。実際の特攻隊員の精神生活と言うものは（予備学生に於ても）『雲』の様な生優しいものではなかつた。出撃の時などは、飛行機に乗る前にもう口の中がカラカラに、機に乗り込む時は同僚から尻押しして貰う位であつた。しかしそんな精神状態（本能）をひたかくしに押し殺し表面を強がつて居た『死』を批判する搭乗員は見受けられなかつた。口にする事が出来なかつたのだ。

それ丈に、殺伐であり、凄惨であつた。鬼気さえ漂つて居た。皆諦めから来た自暴自棄でその言動は、笑えぬ喜劇ですらあつたのだ。『雲』の中には、自暴自棄である隊員の行動はその一カケラも見受けられなかつた。酒乱は自暴自棄ばかりとは云えない。

それと重量感に乏しく、迫力がない。もう一つは、この種の映画にして効果的な面を総ゆる角度からの突込みが足りない。死と言うものを口に叫ぶ丈で『特攻隊の死』と言う恐怖（例えばどんな風に死ぬか）が観て居る人にピンと来ない。

次に、峰島兵曹が敬礼が悪い為になぐられたが、なぐつた士官が大滝中尉の同期であつた為に無視されて仕舞つた……。

これはかえつて予備学生である主人公そのもの〻性格に疑を生じる。敬礼が悪いと言つてなぐる場面を取り上げたのはミスではなかつたろうか？敬礼の良否でなぐるところには職業軍人的においが多分にあるからだ。（事実は予備学生もこう云う型はその殆であつたが……）

何を訴えようとするのか漠然と解らぬでもないが、演出の下手であろう。決定的な特攻隊否定感を与えて呉れない。人間の本能描写も不充分であり、所々見受けられるそれも不自然である。

最後にこの映画の題名は、戦没学生の手記

雲湧きて流るる果ての　青空の
その青の上　我が死にどころ

（と記憶するが）これから生れたものと思う。

或時代に於ては、この歌も又人々が特攻隊員を〃神〃にまつり上げる材料になり、又奮い立たせた事を忘れてはならない

（市内仲町在住）

## 短評 ロータリー

**双頭の鷲**（J・コクトオ）

詩人コクトオの映画はいつも彼の趣味性に満ちている。彼の映画によく出る神秘的な恋愛描写が主な部分だが難解なセリフには閉口する。一流スタッフを揃えているだけに下らないという形容は当らないが、口ざわりは良いが余り栄養分のない食物の如し。E・フユイエールが端麗。（雄）

**殺人者**（R・シオドマク）

余りにも複雑な筋の構成に恐れ入る。

映画とは簡潔を尊ぶもの。発端の何気ない描写は巧みであるが、途中から意味が解らなくなる。（雄）

**ナイアガラ**

景勝の地ナイアガラ瀑布を紹介する観光映画としては蓋し秀逸。金がなくて遊びに行けないアメリカ小市民には目の保養か。がしかし、モンロウ売らん哉のたくましきアメリカ商業主義が生み出す下品な煽情性にはねばつこい不潔さを感ずるのみストーリーはそえものの愚作（芝）

**もぐら横丁**

貧乏を寧ろ楽しんで居る様で、貧しさにめげない明るさに乏しいのが気になる。併し現代離れした楽しさは矢張り目新らしく芥川賞の時計を質に銀座を楽しむ所等微笑ましいラストである。（S）

**ライムライト**

落魄の芸人の悲愴な迄の芸への自信と愛着が織られて居り、蚤の芸にも涙ぐましい笑を感ずる。彼によつて生きる事の尊さを知つた失意の踊り子の物語も非常に美しいと思うしクレアブルームの好演技は忘れ難い（S）

**青色革命**

皮肉とユーモア・アヴアンとアプレ左翼化した長男とちやつかり屋の次男坊、女性的男性と男性的女性いずれ劣らぬ変り者ばかりが描く現代世相劇、観る者に何かを与える。（W）

**愛情について**

庶民的な家庭生活は良く描かれている。あによめとの心理的描写など実感が出ていて好感、但し恋愛場面は平凡。（W）

**七つの大罪**

正直に言つて期待外れ。羨望だけが良かつた。それも猫の演技に感心したのである。演技賞を贈るなら猫にやりたい。（W）

# 職場サークル巡り(1)

編集担当　県庁サークル

## サークルの結成以後

県庁映画サークルは二十六年八月に結成された。当時はまだ宮崎映画サークルが先般北星映画会社に転出された安達氏の尽力によつて結成されたばかりでもあり市内各職場の単位サークルも少く、一部の職場に限られていた。

県庁映画サークルは組合文化部の一単位サークルとして発足し会員の募集を行つて逐次会員の獲得につとめ発足当時は五〇名内外であつたのが現在では一六〇余名を数えるまでに大きく発展した

発足当時の県庁では毎週各映画館が競つて前売券を持込み観客の獲得に大童となり、組合書記局ではその売捌に多忙を極めたことも今思えばうその様である。

良い映画を安く観る、という映画ファンの期待によつて発足した映画サークルも自主的な活動を忘れて唯単に、映画が安く観れる、ということに終始したことは、文化活動という面から考えてもはなはだもの足らない存在となつたきらいがないでもない。

サークル自体の自主活動については全会員の協力なくしては果されないのであるから現在までの過程を充分検討し批判を加えた上で、文化グループとしての映画サークルを盛り立てて行かなければならない。

## ◇◇◇◇サークルの現状◇◇◇◇

現在の県職組文化部は映画、演劇、合唱、写真、美術、俳句、茶の湯の各サークルで構成されている。そうして県職の主体をなすのが本庁支部であり文化活動にしても各サークルの実質的活動の推進力をなすのは本庁の各サークルである。

組合文化部のこれ等七つのサークルの内一番大世帯であるのが映画サークルである。

現在の会員一六五名本庁に勤務する職員一七〇〇名の約一割である。この全職員の一割が映画ファンというのではなく、会員でなくとも映画は観る、又熱心なファンは他にも多く居る。特に会員の人達は多く映画を観るであろうし、現在においては会員でないファンより料金の点では有利である。

県庁サークルでは先月二十六日第三回合評会を開いた。最初の段階としてはなるべくわかり良い映画ということで邦画を取上げることになり『**もぐら横丁**』をテーマにしたが相変らず出席者は少かつた。

それでも回を重ねる度に出席率は良くなりつつあるが、女子会員の出席は相変らずである。

第四回合評会には『**雲流るる果てに**』をテーマにする予定で会員に割引観覧を計画中であるが、その動員についてはせめて三十名位は動員したいものであるが、これは会員の協力と自覚に待つ外はないであろう。

要はサークルの自主的活動を活潑化することであり、その行事に会員一人一人が参加し会員の意志が反映されることである。

## 今後への抱負

サークルの現状を見るとき何とかして自主的活動を盛りたてて行かなければならという声が起つてくる。それが各サークル共通の問題であろう。単なる割引券の配布のみに止ることなく文化活動にふさわしい自主的活動を推し進めて行かなければならない。

それには先ず合評会を多く開くことである。委員会などと云つたところでどうせ一部の人しか集まらないのは必定であるから誰でもが気安く出席するような合評会を数多く持つことである。

それと出来るだけ映写会を開く様につとめること、それには十六ミリの利用によつて各サークルと提携して実施しなければならない。メーデー映画等も合評会と兼ねて上映することによつて効果があがるのではないだろうか。

県庁サークル自体の機関紙発行も懸案中である。この点も今後大いに検討し出来るだけ会員相互の意志の交流を図ることにつとめたいものである。その他いろいろの問題がある、たとえば会員のピクニック等もこの際取り上げてよいことがらであろう。

現在の吾々庶民の生活から映画を除外したことを考えてみるがいい、映画のない庶民生活はどんなにつまらなく味ないものか容易に想像出来ることである。それだけ吾々の生活の中に大きくとけ込んでいる映画について吾々自身もう少し真剣に映画に関する問題と取り組んで良いはずである。

吾々の人生をよりよく楽しく明るく住みよいものにするために良い映画を作ることに意を注ぎ良い映画を観ることにつとめよう。(浜田)

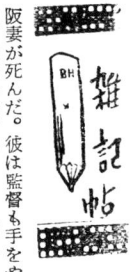

## これだけはどうも

煙草も相当他人に迷惑をかけるが私が嫌いなのは、隣の人の貧乏ゆすりと、子供のさわぐのと、館内を下駄の音高く歩く人、これだけはどうにも我慢が出来ませぬ。(W)

## 日本映畫の助演者たち(上)

★映画には三船敏郎とか木暮実千代という華やかな主役をやる役者も必要であるが、これを助けるバイプレーヤーの演技の良否も作品の良し悪しに大きく響いてくる。フランス映画が良いのは秀れた一流の傍役を並べているからだ。

★先頃物故した**河村黎吉**は『三等重役』で名を売つたが、下町の好々爺的風貌で数々の佳品を思い出させるが第一級の傍役を挙げるなら**宇野重吉**の品格ある演技を挙げたい。戦前『煉瓦女工』に顔を出し、戦後『我が生涯の輝ける日』の新聞記者、『破戒』の土屋に扮し識者の注目を惹いた。最近の『縮図』では黙々と靴屋のおやじの悲憤を表現し得た。

彼の演技を見ていると温かい血の通つた人間の体温がこちらに伝わつてくるようである。『人生劇場』の黒馬先生は名優**笠智衆**を得てまことに逸品であつた。あのひようひようとした人間味は滋味掬すべきものがある。どんな役でもやれるという柄の人ではないが、戦後筆者のみたのでは『晩春』の曾宮周吉の役など忘れ難い。(た)

## ハンつきの辯

ハンつきと申しやしてもあつしのハンはサークルの割引券についてあるちつぽけなサークルのハンをつくことでさあ。月に推薦映画が十本もあつた日にや会員一八〇〇人でしめて一万八千回、こいつを割引券の上にベタ〳〵ついたんじや時にや枠の上や下にはみ出したつて余り文句言つてもらうめえぢやねえか、と言いてえ所だが、今後気をつけやしよう真平ごめんなすつて。

## 雑記帖

阪妻が死んだ。彼は監督も手をやくほど芸熱心で、セリフも人の分まで憶えねば気がすまなかつた。それが最近は高血圧のため、自分のセリフすら満足に憶えられなかつたとは心中察するに余りある。『無法松』や『王将』の名演を思うと惜しい限りだが、撮影中にたおれた事は、せめてもの慰めではなかつたろうか。

○

『チャンピオン』の中で、やはり拳闘映画の佳作『罠』(R・K・O)と全く同様なシーンがあつた(ゴロツキ共に追われた主人公がリングのそばを追げまどう辺り)。何れも四九年作品だが一足早かつたR・K・Oは上映禁止訴訟まで起したそうだ作品としての軍配が『チャンピオン』に揚つたのは如何にも此の作品らしい。

○

リアリズムのつもりか、よく血の流れるシーンを見る。殊に色彩活劇などで、やたらに赤い血が流れるのはイヤなものだ。バレー映画の傑作『赤い靴』でもラストにヒロインが投身した時、こんなロマンチックな作品でも、赤い血が流れねばならないのかと、悲しくなつたものだ。血が流れねば觀客が承知しないとすれば、おそろしいことである。

○

〃寝ていてもウチワの動く親心〃とか云う川柳があるが、映画を見ていると、このウチワの動きが劇に対する觀客心理を反映して妙である。『チャンピオン』の凄じいパンチの応酬の時など、一斉にウチワが止まり、一しきりすむと又一斉に動き出す、中には異端者も居るがこう云う人は天邪鬼か心配事のある人だろう(風)

# ７月下旬各館スケジュール

★ゴチツクは推せん映画

| 館 | 15 16 17 18 19 20 21 22 23 24 25 26 27 28 29 30 31 | | |
|---|---|---|---|
| ロ マ ン | アフリカの女王 炎の町、北大西洋 | モロツコ騒動 黒騎士 | **シンデレラ姫** **雨に唄えば** |
| セ ン タ ー | パラダイン夫人の恋 虹をつかむ男 秘密警察 | **越境者** 怒りの河 | アナタハン |
| 若 草 | 暴力支配 脱獄 マンガ | 丹下左膳 マンガ | |
| 宮 劇 | **日本の悲劇** 戦艦大和 | 景子と雪江 アチヤコの青春手帳（結婚編） | |
| 大 成 | 清水港 母恋道中 続 河岸の石松 | 続 思春期 大菩薩峠 お母さんの結婚 （３部） | |
| 帝 國 | 休 館 | | |
| 日 劇 | 戦艦大和 タルフアー駐屯兵 海賊船長 | アチヤコ青春手帳（めでたく結婚の巻） 浅草四人姉妹 底抜け青春音頭 | シンデレラ姫 通り魔 ターザン ２本 |
| 江 平 | **チヤツプリンの殺人狂時代** | **ミラノの奇蹟** | 都会の横顔 若人の歌 息子の花嫁 |
| 孔 雀 | 喧嘩笠 悲しき口笛 | 清水港は鬼より恐い 浅間の鴉 | 乙女の診察室 ひめゆりの塔 |
| 大 淀 | | | |

映画館がウチワをサービスしてくれる季節になつたが、その割には見るべきものがある様である。

**◎日本の悲劇**（松竹大船）

珍しく木下恵介が時代に真正面から取組んだ作品。終戦とそれに伴う社会の混乱は、いつの間にか日本人の誰の心にも深い悲劇の根を下している。戦争未亡人があらゆる生活の辛酸をなめながら二児を一人前にするが、吾子は親の愛情を裏切つて去つて行く、生甲斐を失つた母は遂に死を選ぶ、と云うのがあら筋だが、木下恵介がこれをどこまで描くかに期待がかけられる。配役は今迄ワキ役の望月優子が母を演じ、桂木洋子上原謙が主演する。

**◎越境者**（伊・一九五〇）

カンヌ・ヴエニスその他の映画祭で八つの賞を得た佳作、シシリイ島の硫黄礦山に働く坑夫たちが職を奪われ、家族と共に安住の地を求めて苦難の旅をつゞけ、遂に希望の土地を発見するまでをリアルに人間愛を以て描いた異色作。監督は『街は自衛する』のピエトロ・ジエルミ、出演者は殆どが素人の島民である。

**◎見知らぬ乗客**（米・一九五一）

殺人を企む男が二人車中で知合い殺す相手を取換えると云う設定から始まるスリラー、監督は斯界の大御所A・ヒツチコックで功妙な還境設定と激しくたゝみ込んで行く動的な描写などアクションスリラーとして出色の出来と云われる、主演はフアリー・グレインヂヤー、ロバート・ウオーカー、ルース・ローマン。

（帝国館休館のため未定）

**◎シンデレラ**（米・一九五〇）

云うまでもなくデイズニイの色彩長篇漫画で、白雪姫（一九三七）以来最も力を注ぎ完成に三カ年を要したと云われる、原作はグリムのものの原型たるシヤルルペロオの童話、白雪姫より十余年後の作品だけに期待される。

**◎雨に唄えば**（米・一九五二）

スタツフは若干違うが、『踊る大紐育』『巴里のアメリカ人』につゞく三部作と云える色彩ミユージカル例によつてジーン・ケリーが活躍しデビー、レイノルズ、シド・チヤリシイが共演する。ミユージカルではA級と云うからフアンには見逃せぬ一作

**◎パラダイン夫人の戀**（米一九四七）

これもヒツチコツクだが心理的要素の濃いスリラーである。殺人容疑の美貌の未亡人にまどわされる若い弁護士とその妻をめぐる物語キヤストはグレゴリイ・ペツク、アン・トツド・ヴアリその他そうそうたる顔ぶれを揃えている。

◎以上の他今期は再映ものが仲々の壮観である。『虹を摑む男』『殺人狂時代』『ミラノの奇蹟』『アフリカの女王』とAクラスが揃つているチヤンスを逃さない様に。（風）

事務局在庫の販売書籍―

★**日本映画**　七月号　八〇円

★シナリオ『**蟹工船**』　二〇円

水害資金カンパ映画会

**女一人大地を行く**　他

★**二十八日ヨル・圖書館ホール**

主催　宮崎映画サークル

後援　日向日日新聞社・県労評

第39号 1953・8・10



シネフレンド
映
宮崎映画サークル発行
事務局　宮崎市高松通り１の45　TEL　3659
１部５円（会員無料）

8ガツ30ニチ

# キャンプファイヤを圍む 夏のリクリエーション

## サークルから廣く呼びかける

四日の常任委員会ではサークルの提唱により広く合唱団、演劇、労働組合に働きかけて夏のリクリエーションを大々的に開くことにしました第一案としては土曜の午後から日曜の午前中にかけて一泊、夜はキャンプファイヤーをかこんで歌と合唱の交歓会を田野映サ、合唱団、演劇研究部と一緒に行います。宿泊場所は田野駅より徒歩で四十分、山と川に囲まれた田野随一の景勝の地、八家寺大谷鉱泉。費用は汽車賃を含めて二百円位の予定。

尚、期日は八月廿九日、卅日の土日曜。その他に名案があれば事務局までお知らせ下さい。既に土曜合唱団では参加を決めていますが、各職場の交歓のためにぜひ多数サークル会員の参加を望みます。

### 映画館主との座談会

サークルでは委員会で決めた〃宣伝と組織を強めるため大きく活動する〃第一歩として市内各映画館主との座談会を六日午後七時から約二時間宮劇二階の休憩室で開いた。サークルからの要望、館側からの希望意見が出され、なごやかなうちにお互の理解を深め合い今後の機会を約して別れた。

### 専門部を決める

常任委員会では今までの活動の欠陥を検討して専門部を当面必要なものだけ次のように決めました。

涉外（宮崎会長、上野裕久、県庁から一名）
編集責任者（高井　肇）
調　査（本条克己）

### ノーモア〃ひろしま〃

映画〃ひろしま〃が日教組の手によつて製作され、十日初めて原爆の地長崎で公開された。

かつての〃原爆の子〃にあきたらず戦争に反対し、戦争をにくむ映画として原爆から八年、朝鮮で休戦が成立しようとしているが、日本では軍事基地がますます増されている時に『再び戦争を許さない』国民の誓いとして製作されたことは意義の深いことである。

しかし〃ひろしま〃製作が当局に圧迫され、上映に際しては九日の平和大会に間に合わず、会場を借りるのに妨害が入るなど映画一本を上映するにも決して生やさしいものでないことを示している。戦争に再びおい込む危険なものが大手を振つて罷り通り、平和を叫ぶ映画が干渉されようとしているが、映画そのものが大衆の生活に結びついている以上、大衆の生活感情を正しく捉えて、発展させるものである限り、幾多の困難のうちにも輝かしい将来は期待することが出来る。

もつともこの様な映画が興行的にも成功出来るよう我々は全力を上げて協力しなければならない。

ともあれ〃ひろしま〃を再び製作しなくともすむ様に努力して平和を守り通すことは生き残つた我々の務めではなかろうか。

### 映画界短信

#### ひろしま
十日にロードシヨウ

日教組製作の『ひろしま』（監督関川秀雄、岡田英次、月丘夢路）は二十七日クランクアップ、八月六日の原爆記念日に東京、広島でロードショウを行う予定であつたが、いろいろの都合で上映が延期され、十日長崎の原爆記念平和大会に初めて公開され異常な感激を与えたが、配給についてはすでに松竹に話がもちこまれている。

#### 淡島千景〃にごりえ〃に出演

淡島千景が新世紀プロ『にごりえ』（監督今井正）に出演することになつた。

#### 〃赤い自轉車〃
十四日撮影開始

脚本　水木洋子　井手俊郎
主演　淡島千景・丹阿彌谷津子、文学座総出演

全逓労組、第一映画の共同作品『赤い自転車』は山形雄策、光佐氏寿の労作第六稿が脱稿、山本薩夫の演出補導、藤原杉雄の第一回監督で十四日江戸川郵便局ロケよりクランクインした。出演者は適役詮衡の結果—高原駿雄（真空地帯、雲—）ニューフェイス淡京子の新人を抜擢することになつた。

## 暑中御見舞
申し上げます

会　長　宮崎　兄一
常任委員　上野　裕久（大　学）
〃　渡辺　久夫（統計事務所）
〃　長友　正巳（農業試験場）
〃　古川加代子（県庁）
〃　生駒　利秀（勧銀）
〃　吉田　次男（郵便局）
〃　佐々木美枝（山形屋）
（〃　中島　一男（図書館）
編集委員　高井　肇（電報局）
〃　本条　克己（食糧事務所）
〃　柴岡　昇（統計事務所）
〃　渡辺　勝（県庁）
〃　竹村　小枝（農林中金）
〃　平林しづえ（（高校教組）
〃　石永　正保（図書館）
〃　山下　光生（日向日日）
事務局　田原　稔・河野　炳

## 力作の出揃う 下半期
北星配給の擴大

北星映画社では『雲ながるる果てに』によつて北星配給網が更に拡大される見透しが出てきたため、九月以降一カ月二本の配給を決定独立プロとの提携を更に強めることになつた。

☆八月〃『君に捧げし命なりせば』（新映プロ作品）
脚本・新藤兼人・若杉光夫
主演・佐野・宮城野・宇野・岸

☆九月以降の作品は
○『蟹工船』（現代ぷろ作品）
山村聰第一回脚本監督作品
主演・山村聰・日高澄子・森雅之・河原崎しづ江
○『赤い自転車』（第一映画・全逓共同作品）
○『虹の谷』（内外映画作品）
脚本・八木保太郎・北村繁監督吉村廉・古賀聖人
主演河津清三郎・左幸子
（小山勝清作『牛使いの少年』より）
○『日本の貞操』（新映プロ作品）
脚本・田中澄江・家城巳代治
監督・家城巳代治
○『伊良子岬』（新星プロ作品）
脚本・山形雄策監督山本薩夫

### カチンコ

お盆の日にちを統一しようと市や商工会議所が呼びかけている、いゝことである、やれ旧正月だ、やれ旧盆だと云つてそのたんびに映画の料金がハネ上るのも困りものだし、だいいち時代遅れである。▲お盆と云えば夏バテのみすぼらしいスケジュールの中に俗うけを狙つた低級な作品が出揃うのが通例だが、これも一寸問題である。元来盆正月に映画を見る人は田舎から出て来た人とか、日ごろ映画を見にゆけない人たちが多い。▲だからこの人達にとつては、こうして年に何回かしか見られぬ映画はかけがえのないものである。それがアジヤパーや、ヒバリものでは気の毒なことである。こう云う人達にこそ本当に良い映画を見てもらいたい。▲農村でも母もの映画反対の声が揚つたのはつい最近のことだがこう云うことは嬉くに当らない、といいものがいゝのは映画に限つたことではない。▲お盆だから、正月だから、いゝ映画は当らないと云う様に頭からきめてかゝる様な興行の考え方は、だんだん通用しなくなるだろうし、一日も早くそうなつて欲しいものである。（鳳）

# 今週の映画評

## 異常な登場人物たち
### ―『日本の悲劇』を観て―

ガラス窓越しに明るく白い湯河原駅ホーム。ポツンと放心したように女が立つている。スピーカーから列車到着を知らせるアナウンスが流れ出る。やがて列車がすべりこむ。二歩、三歩よろめくようにして女はハンドバッグを捨て下駄を脱ぎすてホームから身を投げた……。

このラスト・シーンはギュッと引き緊つた秀れた描写だと思つたが、この母は何故死を選ばねばならなかつたのか、悲劇は何故生れたのか、そこが映画『日本の悲劇』の主眼点であろうと考えた。

頼りとする息子に去られ、今また娘も男と駆落してしまう。哀れ、この母はこれから何を生き甲斐として行くのか。子を育てるためとは言え余りにも無智であつた。戦中、戦後の暗黒時代に生成した姉弟は人間に対する不信と虚無の感情を持つ。彼等には母親の姿がうとましく映る。（お互い姉弟の間でも信じ合うという感情は恐らくなかつたろう）この映画では姉弟の虚無的な物の考え方と、ただ無智な盲目的な子への愛情に頼ろうとする、すべてを託そうとしたことの空しさとの隙間から生れた悲劇として描かれている。

暗い現代の社会を表現しようとしたのか（作者木下恵介はこれを現代日本における悲しい一挿話であるという）わずらわしい程多数に挿入されたニュース映画の断片や過去の忌わしい事件の回想などによつて、こうした社会を背景として親と子とのつながりというものが無惨に崩れていく過程を描いている。観ていて何とも仕様のない悲しさを覚えた。同じ作者の、やはり同じ戦中戦後を通じての母と子を描いた、たとえば『少年期』などと比べて大分ちがう環境の相違はあれ、母と子の感情をほほえましいまでに温かく描いたのとは全然逆である。『少年期』を明るい緑色とすると『日本の悲劇』は薄暗い灰色の世界である。前者の単純味に較べると後者は異様に複雑である。

しかしベスト・セラーズの映画化としての『少年期』と事情は異つて『日本の悲劇』は作者が野心をもつて製作した創作であつた。そこにこの作の意味を考えたい。

登場人物は姉弟にしろ、中年夫婦（上原謙、高杉早苗）にしろ、その幼娘にしろ歪んだ性格の人物である（その点では高橋貞二の板場の青年など平常人であり、佐田啓二青年はもつとも平凡だ）これら歪められた人物群を通しても現代社会を描こうとしたのかどうか。桂木洋子の姉とと中年男との交渉はそれ自体としては極点に行きついた人間、夫婦と若い娘の三角関係は人間性を露呈していて興味ある場面だが、全体からみるとき主題の分裂になつてないとは言えない。

つまりこの映画は鑑賞後の印象がバラバラでまとまつたものがないのは遺憾である。個々を取り上げて言えば美しい場面がたくさんあるのだが（人間描写の鋭さなど、たとえば『戦艦大和』の神経の鈍さとは雲泥の差である）映画一篇の感動としては部分的なのである。（**寺島雄吉**）

## 平和の美名に隠れて再軍備を煽動する『戦艦大和』

『戦艦大和』は、過ぐる軍国主義華やかなりし頃でもそつくりそのまゝ結構大手を振つて罷り通れる映画である。

要するに、平和の美名に隠れた再軍備煽動の一端を担うものでしかない『大和』を見て居ると、その士官の総てがいい人間であり仏様の様な人達ばかりである。従つて、軍記物でも、事実の報道ではなく恐らくは、作者のヒロイズムに馳られた自讃的なものとしか取れない。

その頃の軍記物を書くとすれば、もう少し良心的なものでなければいけない。それが事実を誤らず良心的に書いたものとすればこの副長は余程下情等に通じて居なかつた、ぼんやりの副長であつたろうと思われる少くともその昔艦船勤務をした海軍の下士官兵は全面的に否定するであろう。

少しく印象に残つた場面としては『聖戦』と言う音頭に只盲目的に踊らされた一少年兵が白痴の如く振舞う場面である。この描写は他のこの種の映画に見る事の出来なかつたその憐れさを『ひし』と感じさせられた。

音楽効果としては出撃の際、軍艦マーチなどではなく、何か葬送曲見たいなものでも入れた方が、（作者の意図が『平和』へと言うのであるならば）その作意にふさわしいのではなかつたかと思う。

ラストシーンに於ても（務を果した）と取つてもよかろう、その将兵達が、唯一つの奇蹟と運に恵まれて海中に投げ出されて気息奄々として泳いで居るところを機銃掃射されるあたり戦争そのものゝ惨酷さに身ぶるいの思いがするのであるが、その音楽効果（海行かば）はむづかりつつ睡りかけた子供をゆり起す感がある。

以上全面を通じて作者が元『大和』の副長であつた丈に、『好戦的作品である』と断じては、色眼鏡で観たものであろうか……。（**森光**）

## 短評 ロータリー

**シンデレラ姫**

五分間のおとぎ話を一時間の映画にしているので色々とつけたりが多い、そしてそのつけたりが面白い、ユーモラスな動物に比べて人間どもは影がうすい、魔法使いの婆さんが馬車を仕立てる場面は秀逸。

**雨に唄えば**

ミュージカルとしてよりもサイレントからトーキーへ変るころの風俗や、混乱期の映画界の内幕が面白い、見たあとに何も残らないのも例の如し、やはり『巴里のアメリカ人』『踊る大紐育』にはおとる。（本）

**越境者**

〃大砲とされこうべ〃の歌に始まるファースト・シーンと農場ストの場面はラストの甘さと対照的に秀でているが、ピエトロの感傷のヴエールが、イタリアン・リアリズムのもつ精彩さを欠いていたのは残念!!（石）

**再会**

戦時中から戦後にかけての恋愛メロドラマ。多分に『哀愁』的でもある。一篇の映画劇として、一応見ることができ、二、三の美しい場面もある。所々大仰な表現が目につくが最大の欠点は深味がないこと。（雄）

**都会の横顔**

映画で見る東京銀座風景。みている中にいつしか自分も銀座を歩いているような気分になる。あるかないか分らない単純なストウリイと全くのんびりしたテムポ。淡彩画にしては余りにも色が薄い。商業映画としては通じまい一種の道楽映画。（雄）

**パラダイン夫人の戀**

パラダイン夫人と其の夫人に魅せられながら敗北した夫を自己的にそれでも温く労るキイン夫人、此の二人の女性の心理過程にそれぞれに何ものかを考えさせられる証人台に立つていた夫人が情夫の毒殺を知り物語の最後的な真相の告白を涙を浮べて語るのを見た瞬間に今まで全篇を通して感じていた精神的なスリルと夫人の強い性格と一つの女らしい柔かな甘さと明るさとを感じた。（大路初枝）

# 私達のひろば

## 統計サークル

**職場サークル巡り**改題

## 〃私達のひろば〃新設について

単位サークルを強化するということは宮崎のサークルが強化出来る出発点です。各職場のサークル活動に少しでも役立ち、何でも自由にしやべれる職場の人達のページとして『職場サークル巡り』を新設しましたが、進んで自分達の職場サークルのために投書、編集に参加して頂くためにも『**私達のひろば**』が適当と考えますので改題しました。

尚、本号の編集担当は統計サークル

（編集部）

**統計映画サークル** 二十六年八月宮崎映画サークルの発足と同時に結成された。当初は『よい映画を安くでみる』を中心にして組織され結成当時の一、二カ月というものは会員の増加に意をもちい、割引券は珍らしい頃でもあつてみんなから好評をもつて迎えられた。

会員の変動については現在迄多少の振はあつたが、結成当時四〇名位、最高七〇数名という当事務所に勤務する人の殆んどが会員になつていた頃もあつた。

現在会員数は約六割の五〇名である。**統計サークルの組織範囲は本所約七〇名宮崎出張所一二名計八二名。**

### 現在迄の活動状況

結成後直ちに常任委員一名を送り機関紙編集が強化されるに及んで編集委員一名を送り、結成当初から内と外の組織強化につとめ日劇、江平映劇等の割引券その他の交渉を担当した。

一時市内の全映画館が割引を停止したことがあつたが、会員からの不満は凄くやめるという人も出て来たりしてあわてた時期もあつた。そのとき、各職場から代表が集まつて館側と交渉したこともいまでは懐かしい思い出となつている。

統計サークル独自としては、世話役活動からはじめ、各課（五課）に一名の世話役的委員を設け割引その他で不自由を来さないことにつとめている。また推薦映画のポスターは欠かさず所内に貼り、簡単な鑑賞手引を附して動員につとめたり合評会を計画し、前進座との懇談会を催したりして映画、演劇の正しい鑑賞力、批判力を養う糧とした。

七月卅日に会員約二〇名が集まり一時間に亘つて今後の活動について討議を主にして座談会を催したがその内容は、

(1) **合評会を定期的に開催すること** 毎月最低一回の合評会を推薦映画を主にして行うという意見が圧倒的であつた。そして八月より早速行うことにして第一回を中旬頃パリのアメリカ人、**噴火山の女**でやる予定。また今迄のサークル主催の合評会は出席者が映画通や各職場えりぬきの人達だけに片寄つた傾向があるので今後は各職場から二、三人アマチヤーを集めてどんぐりの背くらべで、それをシネ・フレンドに掲載した方がよいという意見も強かつた。また三文映画やアジヤパー映画についても批判の意味で合評会をやつては如何？の声もある。

(2) **サークルの集い**をどしどしやつて全会員との結びつきを行い全体としてのサークルの活動をみんなのものとしてゆくこと。

(3) **映画雑誌、映画單行本の運用について** 映サ事務局から映画雑誌や単行本を貸出して貰つて会員中心にして定期的に回覧してゆく。本所分会の図書部でも映画関係の雑誌や本を購入して合評会その他の参考に供すること。

(4) **ニュース館**が欲しいのでサークルで交渉して貰いたい、いますぐということは困難だから週に一回位適当な館と交渉して時間を決めてニュースだけ上映しては如何？

(5) **推薦映画で賞めすぎている時があるが**見たあと期待はずれするので慎重に選択して貰いたい。

(6) **三本立には参る**時間が遅くなる疲れる等一本みるのに一番最後とか、真中に上映される場合困るので映画館と交渉したら改善されるのではないだろうか。

『**シネ・フレンド**』に対しての意見を或る会員は『どうも現状を見ると、一部映画通の執筆の広場であるだけで一般会員の感想、意見希望を反映したものになつていない、どんな声でも出来るだけ多くの声を載せて僕達の機関紙だという愛着が湧いて来ないことには真の民主的サークル機関紙としての発展はない』と言つている。

## 日本映画の助演者たち

（中）

★なお、『晩春』といえば笠、原節子の演技と共に忘れ難いのは、紀子の嫁ぎゆく日、一人そわそわ落着かず動き回る叔母に扮した**杉村春子**の達者な芸である。『麦秋』でも『晩春』以上の好演技が印象的だつた。先日『胡椒息子』でお目にかゝつたがやはり彼女一人で場面をさらつている感じであつた。今までの役柄をみると、親しみやすい〃おばさん〃といつた感じの役と魔女的性格をひめた激しい性格の〃おんな〃を表現した場合とあるが私は後者の方に興味を持つ。

★中年女優をついでにあげるなら、**北林谷榮**だ。『日本の悲劇』でもちよつと出ていたが彼女の最近の演技では『縮図』も面白かつたが、『欲望』の役も秀逸であつた。あの独特の声音からシャベリ出すセリフにどん欲なネズミのような生活力をもつたエゲツない老女れる。

★独特の声音というのは**菅井一郎**も同様だ。あのシャガレ声を聞くとすぐ『西陣の姉妹』の高利貸を思い出す。あの映画は冷酷な金貸の**進藤英太郎**（『偽れる盛装』の彼が傑作）や外の傍役陣のツブの揃つた演技が一つの魅力であつた。最近の菅井はもつぱら高利貸的演技に納つているが、やはりそこが彼の役どころであろう。

★黒沢明の力作『野良犬』で驚いたのは環境悪に負けて殺人を犯し、ラストシーンの花畑でのたうち回つた**木村功**に初見参したこと。私には三船敏郎の刑事より木村功の青年の方に心ひかれるのを覚えた。この人の演技では『真空地帯』を忘れることができない。全身でもつて表現した体当り的な迫力であつた『野良犬』に登場した**千秋實**も達者だつたがこの人のは余りみていない（**た**）

★　★　★

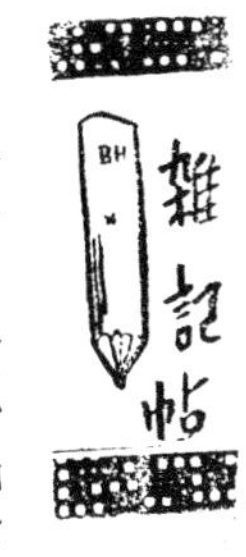


ファンにはおこられるかも知れないが、アメリカのミュージカルは正直な処私には一向に面白くない、ショウ場面のけんらん豪華な舞台や色彩処理などには、あゝキレイだなと思うが、あのハメをはずしてふざけまわる踊りのどこがいゝのだろう、理屈ではないだろうから感覚が鈍いんだと云われゝばそれ迄だが……。

○

『怒りの河』の酒場のシーンで、天井から下つていた提灯に気がつきましたか、『白昼の決闘』でも出ましたが、おでん屋もどきに西部の酒場に提灯が下つているのは、どうも解せない、色と云い形と云い日本のものにそつくりだが、まさか昔からアメリカにあつた訳ではありますまい誰か由来を調べて見ませんか。

○

映画の夜の場面で思うことは夜が明るすぎることだ（殊に邦画の場合）現実の夜では実際には見えぬ人影でも、映画では見せねばならぬことが多い、同じ暗さの中で必要な人物だけ見える様な、昼とも夜ともつかぬ場面にぶつかるたびに、映画の御都合主義を痛感する。色彩映画の夜だつて妙に青いのが気になる。

○

世は正に宣伝時代、街を歩けば映画看板が目立つ。市内で看板のいゝのは先ずR座、字絵ともに手なれた筆致で垢抜けがしている。次はS館だろう、殊に橘通りのやつがいゝ、パチンコ屋になつたT館も巧かつた。映画の看板は彩色上、下手をすると下品になる、一つの商業美術だから美感と上品さが必要。（**風**）

## 8月上旬スケジユール

※ゴチツクは推せん映画

| | 5 6 7 8 9 10 11 | 12 13 14 15 16 17 18 |
|---|---|---|
| ロマン | 底抜け落下傘部隊　百万弗の人魚 | **パリのアメリカ人**　**噴火山の女**<br>**ポーリンの冒険** |
| センター | 壮烈第七騎兵隊　**罪ある女** | アリバイなき男　**G. I. ジヨー** |
| 若草 | | 新江の島悲劇　天狗の安　マンガ |
| 宮劇 | 雪間草　次郎吉娘　いれずみ殺人事件 | きんぴら先生とお嬢さん　白鳥の騎士 |
| 大成座 | 謎の人形師　花嫁の性典　子は誰のもの | 午後のラツパ　亭主の祭典　地雷火組 |
| 日劇 | 征服者・いれずみ殺人事件（9日より）<br>**黄色いリボン**・荒野の三悪人<br>（8日迄）宝島　シンドバツトの冒険 | タイクーン<br>悪名高きテキサス人<br>白鳥の騎士<br>／**踊る海賊**・砂漠の鷹<br>鉄路の弾痕 |
| 江平 | 謎の人形師　花嫁の性典 | 亭主の祭典、続三等重役、虎の尾をふむ男たち |
| 孔雀 | | |
| 大淀 | 雪間草　木曾寺の子守唄 | ひばりの八百八丁 |

**連日うだるような暑さが續きますが会員の皆様、お元氣ですか。暑中お見舞申上げます。さて、お盆を控えての例によつて映画展望といきましよう。殘念ながら今週は特にこれという豪華版がない。やはり八月は夏枯れという名の月なのか。**

**★噴火山の女**（米）

イタリイ映画のピカ一女優アンナ・マニヤニを配したこのアメリカ映画が、かつてマニヤニの愛人だつたロツセリーニがバーグマンと組んだ『ストロンボリ』に対抗する為の作品である事は興味深い。再起を誓う倫落の女が妹の青春を守る為にその情夫を奪い、折から起る火山の爆発にその罪深い身を沈めるという物語。『旅愁』のウイリアム・ディターレの監督により、地方色豊かな火山島の風物が期待される。

**★G・Iジヨー**（米）

いう迄もないアーニーパイルの従軍記。戦争映画製作者としてのウイリアム・ウエルマン（『戦場』の監督者）の名を決定づけたものとして呼び声が高い。私情等挾む余地もない激しい戦いの中での人間G・Iジヨーの姿を描いて感銘深いという。新進ロバート・ミツチャム、バージエス・メレデイズの他は全て素人の兵隊ばかりであり、女優も端役に唯一人しか使われていない異色作。

**★白　魚**（日）

子供を抱えて生死不明の夫を待つ美しい女中頭と、彼女に生きる道を見出した失意の作家の物語で、外に超アプレ娘岡田マリ子、ヒューマニスト伊藤雄之助等のワキ役を配して様々の人間の感情の世界を温かく描いて居る。戦前『阿部一族』等の秀作を発表、その後久しく遠ざかつていた熊谷久虎の戦後始めての作品であり、十年間の空白が心配であるが、『東京の恋人』以来一年振りという原節子（同監督の義妹に当る）の出演もあり相当期待してよい作品だ

**★令嬢ジユリー**（瑞）―再映―

ストリンドベリイの名舞台劇の映画化。北欧の夏の自然の匂い清らかな、格調高き秀作。昨年上映され好評であつた。見逃がした方には是非一見をお薦めしたい。

**★罪ある女**（独）―再映―

『題名のない映画』のヒルデガルトクネーフの好演は印象深かつた。美しさ故に堕落した娼婦が致命的な病を持つ画家に会つて彼に一生を捧げる事に喜びを見出す美しい物語。『未完成交響楽』のウイリ・フォルストの戦後第一回作品。

**★巴里のアメリカ人**（米）―再映―

一九五一年度のアカデミイ賞七つを獲得した華やかな色彩音楽映画の佳作。お馴染のジーン・ケリイの好演を得て、特に仏名画家の作品を背景にしたバレーの新鮮な美しさは正に素晴しい一語に尽きる。

**★ポーリンの冒険**

連続映画の女王ポール・ホワイトの伝記もので『アニーよ銃をとれ』の個性女優ベテイハットンの一人舞台が楽しめる。まあ愉快なショウ映画と思えば間違いはない。

以上の外にも例のジョンフォード・ジョンウエインの『黄色いリボン』等佳作が揃つている。まだの方は是非お見逃しなき様。（S）

**寫真は『ガラスの城』**

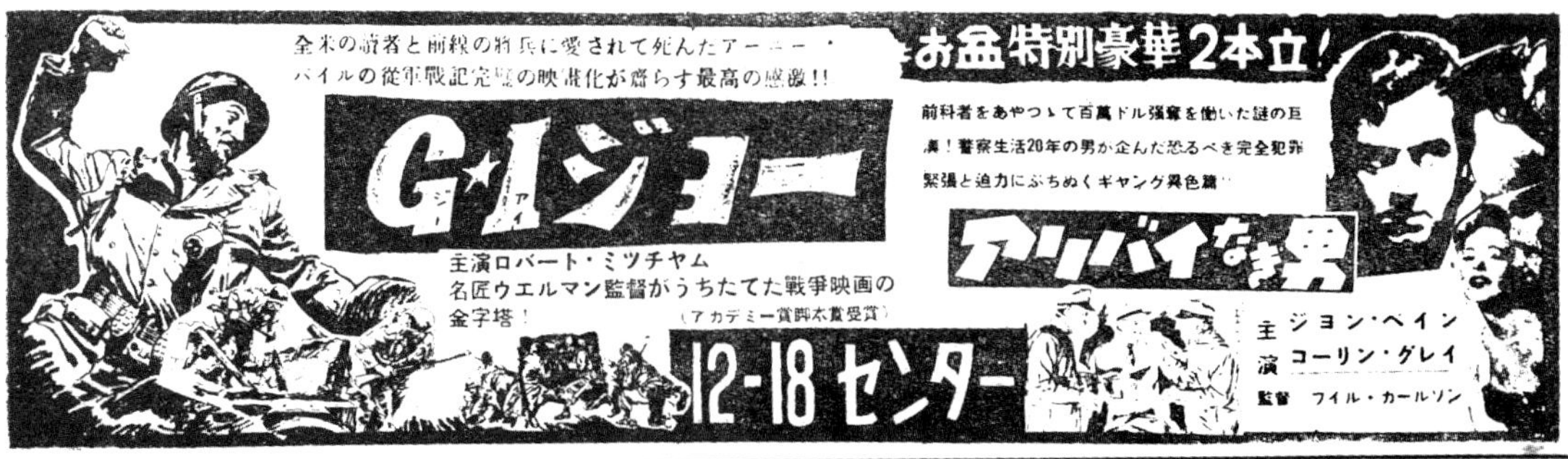

全米の読者と前線の将兵に愛されて死んだアーニー・パイルの従軍戦記完璧の映画化が齎らす最高の感激!!
G・Iジヨー
主演ロバート・ミツチャム
名匠ウエルマン監督がうちたてた戦争映画の金字塔！
（アカデミー賞脚本賞受賞）
お盆特別豪華2本立！
前科者をあやつって百萬ドル強奪を働いた謎の巨漢！警察生活20年の男が企んだ恐るべき完全犯罪
緊張と迫力にぶちぬくギャング異色篇
アリバイなき男
主演　ジヨン・ペイン　コーリン・グレイ
監督　フイル・カールソン
12-18 センター

映 シネフレンド
宮崎映画サークル発行
事務局　宮崎市高松通り1の45　TEL 3659
1部5円

# 常任、編集合同委開かる

**会員証による割引実現へ**

従来の常任委員、編集委員、それぞれ別個に会議を開いていたのをサークル運営に新機軸を生み出すべく月一回の合同委をもつこととし、第一回会議が十九日、十数名出席して和やかに開かれた。

かねてから懸案となつていた会員証による割引きの実施（別欄掲載事項参照）について提議され、意見も相当出たが、なお討論を要する点があり会員諸賢の批判と意見を仰ぎたい。

事務局では、すでに一部映画館と交渉中であるが、近く実施できる見込である。

また編集部では機関紙の充実に努力しているが、順次特集計画を発表する。

**サークル旗、会員バッヂの作製**

すべてサークル主催行事に必要なサークル旗、および会員バッヂについては、現在製作中である。デザインも清新なものを選んでいるので御期待を願いたい。

**田原常任ら宮映サ代表**
**長崎平和大会へ出席**

去る九日、長崎で催された原爆記念全九州平和大会に宮映サ代表として田原稔氏、土曜合唱団一行は十日帰宮したが次のように感想を語つた『北星映画、大分映サからも参加して映画も平和な時に本当に発展するという事をつくづく知りました。組織からの代表が殆どで去年に比べて巾広い平和戦線の前進でしたが〃ひろしま〃が見れず残念でした』

**◇鹿映サとの交歓行事計画中**

さきに鹿児島映サを訪問した宮映サ代表は来る九、十月頃、両映サ共催で交歓会を催すことを約して帰宮したが細目について考慮中。

# 会員証を生かすために

サークルでは『良い映画を安く観る』という主旨にそつて、毎週推薦映画について、割引を実施している。然るに現在の割引は、館側との交渉、割引券の印刷配布、税務当局への届出認可等、種々の手続と手数を必要とし、会員に多大の不自由を感じさせていることは周知の通りである。

このような割引の方法については従来よりしばしば改善すべきであるとの意見もあり、事務局においても他に合理的な方法はないものかと、研究を重ね、会員証による割引の可否について館側の意向を打診した。

幸い他のサークルでも実施している『会員証による割引』について実現可能の見透しがついたので、積極的に館側とも交渉を進めることになつたが、その際『どの映画にでも通用』するものとするか、あるいは、『推薦映画のみに通用』するものとするかの問題が起きてくる。

勿論サークル本来の主旨からゆくならば、当然後者にすべきであるが会員の中にもそれぞれのファンが居り『推薦映画』のみということについても不満の方があることが予想されるので、この問題（通用範囲）については会員の意志により決定したいと考えるので、この問題に対して会員各位の率直なる意見が寄せられることを希望する。

## 縣映サ短信

**良い映画を見る会**
**綾に誕生**

綾では『女一人』巡回映画を機に、今後ともぜひ良い映画を観るための組織を作つて行こうと活動した人達が話し合い『良い映画を見る会』を作り第一回目に真空地帯を引く予定で広く映画の好きな人々に働きかけている。

**文化協議会發足**
**都城映サ**

都城では高校演劇コンクールを通じて文化団体の横の連絡がはかられ秋には映サや高校演劇連盟、葡萄座が発起人となり文化協議会が発足する見通しがつき、映サが実質的な文化センターとしての活動を行つている。

**米良で眞空地帯上映**

真空地帯の巡回映画を行つている県映サ協では初の米良入を実施し、『原爆の子』と共に多くの感銘をあたえた。

**田野キャンプ**

宮崎、田野映サ、合唱団では二十九日田野で会員約五十名が参加してなごやかな交歓会の一夜を過した。

# 涼秋の映畫展望

―撮影所ニュースから―

☆秋はしのび足でやつてくる。空の色も、いつか澄んだ色になり川面のさゞ波もどこか涼しげに、微風が吹き始めるころは絶好の映画鑑賞シーズンでもある。芸術祭もこの頃に開かれるが、ずらりと並んだ大作をちよつとのぞいてみよう。

**★日本映画―松竹―**

☆『**東京物語**』（お茶漬の味）以来の小津安二郎監督で八月十二日より尾の道でロケ中。十月完成予定。

☆『**君の名は**』NHKの連続放送劇を大庭秀雄監督により撮影中。九月には封切られる。

☆（まごころ）の小林正樹監督は、『**壁厚き部屋**』―脚色、木下恵介―を準備中。

―東　宝―

☆『**七人の侍**』は黒沢明監督。主演は三船敏郎、志村喬など。十月中旬には完成。

☆本多猪四郎監督『**太平洋の鷲**』は山本五十六を描いたもの。すでに製作に入つた。

―大　映―

☆イーストマン・コダック・システムによる総天然色映画『**地獄門**』は衣笠貞之助監督によりセット撮影中

―新東宝―

☆田中絹代の第一回監督作品は『**戀文**』―脚本、木下恵介、主演、田中絹代、香川京子―を準備中。

☆五所平之助監督は『**愛と死の谷間**』エイトプロ、準備中。

―東　映―

☆小杉勇監督『**健兒の塔**』はセット撮影中。『ひめゆりの塔』の姉妹篇

―その他―

☆八木プロでは『**日の果て**』山本薩夫監督、主演鶴田浩二―は近日中にとりかゝる。

☆俳優座＝東京プロ『**廣場の孤獨**』は佐分利信監督で撮影中。八月中には完成予定。

**★秋の外國映画**

そろそろ九月下旬頃から粒の揃つた洋画が登場する。大たい上映されそうな作品を紹介すると、

『第三の男』の前にキャロル・リードの監督した『**落ちた偶像**』これは少年の内面を描いて文字通りの傑作。九月下旬上映の予定。もう一つはソヴエト映画『**大音樂祭**』。素晴しく楽しい音楽映画で前評判は仲々よろしい。

G・クーパー主演のアメリカ空母発達史を描く『**機動部隊**』。作品の本筋とは別に日本特攻機自爆の実写場面が悲痛感を与えるという。

## カチンコ

▼近く宮崎映サの旗が出来上るそうである。図案配色等色々問題はあつたが、兎も角〃映サ〃の旗を靡かせて県下の山野を移動映画班が疾駆する日を想うと愉快である。

▼旗と前後してバッヂも会員諸子の手許に届けるそうであるが、これ又近頃痛快なことではある。街に出て見知らぬ人も映サのバッヂ一つで自ずと親近感もわき〃オス!!〃と挨拶の一つもでようというものである。

▼さて今年始めに配られた会員証の事であるが、有名無実、利用価値ゼロ、会員の中にはとうの昔に愛想をつかし、どこにいつたか判らないという人達さえ出て来ていたのだが、此の度E館、T館は会員証提示でどの映画でも二十円引、他の館も望みなきにあらずということに相成つた

▼〃どんな映画でも二十円引きで〃は〃良い映画を安く観る〃という映サの信条に反する〃情宣活動を活発化して質の低下を防げばよい〃等々八月の合同委員会でも討議されたが、ここは一番会員一人々々を信頼して大いに会員証を活用させ割引券作製に費やした力を農村向け移動映画実現にそそぐのが賢明ではなかろうか？

# 原作とシナリオと映画と
## ―『坊ちゃん』の場合―

文芸作品の映画化の場合、よく問題になることは、原作の持つニュアンスを映画にどう生かすかと云うことである。嘗て本紙でも川端康成の『千羽鶴』を吉村公三郎監督が映画化したものに対して、原作のニュアンスが生かされていないと批評した文が掲載されたことがある。この映画『坊つちやん』について見てもそれと全く同様の事が云えるのだろうと思われる。併し、文芸作品と映画の表現技術の差異を考えて見る時、それは当り前のことで、事更、取り上げて問題にするのは、飽く迄文芸作品（原作）を重視し過ぎて、映画の特性を軽視した見方の様に思われる。例えば、漱石の表現に従えば、マドンナは『何だか水晶の珠を香水で暖ためて、掌へ握つて見た様な心持』の女として描かれている。これはこれとして判る訳だが、活動的で視覚的な特性をもつ映画の世界にその儘そのイメージを移すとなると、それは至難の業である。

フイルムのかもし出すニュアンスと、文章のそれとは自ら別のものであることを知れば充分納得の行くことである。

そんなことよりも文芸作品の映画化に於て重要な事は、原作のもつ題材を十分に利用して、映画の特性に合致したテーマ（主題）を強調することである。その為にストーリー（筋）やプロット（はこび）を映画的に再構成することが最も大切なことになつて来る。こゝで思い出されるのは、ロマン・ロランの『ピエルとリュース』を水木洋子が飜案脚色し、今井正の演出した『又逢う日迄』のすばらしい映画化の成功である。『坊つちやん』について云えば、先ず題材の選択が、余りにも動きの多い場合ばかりに片寄り過ぎてこれは決して正しい意味での映画的ではない。主人公の竹を割つたような性格が軽薄なものになり、作品全体としての調子も上滑りなものになつていることである。従つて坊つちやんのテーマと思われる俗悪な社会世相に対する批判精神もひどく生ぬるいものになつている。勿論原作に於ては心の中（形而下）での反駁、批判が原作全体の相当重要な部分を占めているから、（即ち低徊趣味とか高踏的とか云われる面白さを持つ）その批判精神を視覚的に表現することは、或る程度困難ではある。併し、先に述べた様な題材選択の誤りを冒さなかつたならば、今少し重厚な迫力のある批判精神を表現し得たであろうことは明らかだ。

又映画が時間的な制限を受けることからも、映画の特性を生かすことの他に題材の選択と同時にストーリーやプロットの問題が起つて来る訳だが、原作に追加されたシナリオの創作部分は殆んどテーマをするストーリーでもなく、プロットでもない様に思われる。唯俗受けのする面白さをねらつた様にしか受け取れぬ。（例えば新聞記者のあつかい方）

やはり映画で見て最も面白いのは原作の会話と色々な教師のタイプの面白さである。

映画化としては不消化であつてもその面白さを感ずることがやはり漱石文学の生命の長さを考えさせる。（**矢野勝敏**）

# 文化生活を營むために
## 人事院勧告批判

人事院は今回公務員の給与改善として政府並びに国家に対し一五、四八〇円ベースの給与改訂勧告を行つた。これは官公労がマーケットバスケット方式によつて算出し要求している一八、八〇〇円ベースよりはるかに下廻るものである。

勿論これは一般職の公務員の給与を決める勧告であるから民間産業、公営企業には適用されないが、その勧告の内容を検討してみるとき、多くのむじゆんのあることに気付くことができる。

公務員の保護機関である人事院がその給与の改訂勧告を行うに当つて唯単に物価、民間水準を頭給与の関連のみと考慮におき、憲法に保障された『健康にして文化的な生活を営む』にたる給与を保障すべきであるにも拘らず何等そのような明確な線は見出すことが出来ない。

即ち標準生計費の算出に当つて、食糧費のみをマーケットバスケットにより出し、食糧費以外のものは消費実態調査（CPS）によつて算出していることである。

このことは労働者には食糧のみを保障すればよいという考え方で勧告を行つたことの証左であり、食糧費以外の文化費、住宅費、被服費、光熱費等については、これを引上げようとしていないことである。

このようにして算出された賃金に釘付させられた、公務員の生活は生きるだけのカロリーを摂取することで終り文化的な生活に必要な経費は全然余裕がないのがその実態である

故にこのような給与では労働者の生活はおよそ文化的な生活とはほど遠い食うだけの生活に終つてしまうことは明らかである。

観たい映画も、海水浴に行くにも音楽会を聴きにゆくにも、出来ないのがわれわれの実情である

このような賃金の算出は民間産業の経営者も公営企業の当局者も見なら う結果になり、全日本の労働者の生活を益々窮地に追い込むことになるであろうことは明白である。この人事院の給与に対する考え方が政府資本家の考え方であるということをわれわれは認識する必要がある。

われわれは文化的な生活を営むためにこのようなむじゆんした低賃金を打破して新らしい給与体系を確立し、平和にして文化的な生活を営むことに努力しなければならない。

**縣廳W生**

## 短評 ロータリー

**坊ちやん** もともとこの映画に原作の味を求めるのは無理であつた良く言えばひなびた映画、悪く言えば単調な映画だ。坊ちやんの行動をめぐる挿話の映像化にしか過ぎない。（雄）

**白魚** 戦後、小説が書けず悶々とする作家と夫の帰還を待ち佗びる女との恋情を描く。女の方はまだしも作家たるや何故に煩悶するのかサツパリ解せないおよそこの映画の登場人物はみんなひとりよがりだ。それに映画の流れもギクシヤクとしている。岡田まり子のセリフを借りると古色蒼然たる映画だ。（雄）

**噴火山の女** 折角ロケーション撮影しながら、恵まれざる人々の生活描写から離れて因果応報のメロドラマ調に落ちた。後半のああなってこうなるという物語本位では失望せざるを得ない。（雄）

**きんぴら先生とお嬢さん** 先ず山猫先生（大阪志郎）の人柄と、ずうずう辨がよい。校長（日守新一）教頭（伊沢一郎）も面白いが一寸ありきたり。薙刀の教師（高橋豊子）の時代錯誤が学校を横行するのは困りものだが、野村監督前二作（次男坊）（愚弟賢兄）に比べるとはるかに面白い。（石）

**GIジヨウ** 硫黄島の砂零号作戦、激戦地等いわゆるアメリカの戦争映画は多いがこのGIジヨウらもそういつた映画と同様、戦争を正当化しようとしている。アメリカ兵気質は良く描かれているが、どうも皆善人ばかりの兵隊達である。近頃洋画、邦画ともこのような傾向の映画が多いのにもこまつたものである（W）

## ○次號豫告○

★ルポ『真空地帯』と共に農村を行く

★『ガラスの城』批評

★『わたしたちの廣場』―図書館サークルの巻

その他映画紹介、雑記帳、短評ロータリー

―発行予定九月下旬―

乞御期待

# 私達のひろば

電報局サークルの巻

## 最近の映画を語る

**A** この頃の日本映画は、あまり良いのは来てないね。秋になると、どつとくるけど、ここで最近、印象に残るのは何本位あるだろう。

**K** 案外、これというものはなかつたナ。唯、『日本の悲劇』は印象に強く残つた。

**T** あの中に出てくる姉弟の割り切つた考え方がだね。たとえば母親に対する冷酷な態度とかネ、ぼくには人生の問題を提出されたような気がするんだ。結局、母親の自殺という、かなしい結びで映画は終つてるけどあの姉弟の打算的な生き方ですね。

**M** 日本の悲劇というより、むしろ母子の悲劇じやないのかね。

**B** 頭が痛くなつたよ、みていて実際――

**K** だけど、そういう現実の問題を提出し得ている、というだけでも意味がありますな。

**A** 『白魚』はどうかネ。

**T** 全然つまらん作品だね。ちつとも登場人物は現代の人じやない。内容はそう深いものではないけど『再会』なんかみると或る程度はその時代の空気が出てたように思うんだが『白魚』ではそれがないよ。

**M** 君は『再会』が好きなのか。

**T** いや、好きじやない。ただ他の面白くもなんともない映画をみると、曲がりなりにも一応見れる映画だつたということさ。日本映画をみに金を払つて、あゝ良かつたというのは何べんあると思うかネ。いつも失望の連続だよ。

**S** もつとも『きんぴら先生』は良かつたろう。せめてあの位が最低という位ならね。

**N** で、こういう態度は本当じやないかも知れんが、映画というものは大体、監督によつて選ぶと間違いない。

**A** 間違いはないがそれは多分に趣味的だな。限られてくるよ。

**N** そうすると題材によつてみるのかネ。

**B** やはり、新聞や雑誌の評を気をつけて読むことだナ。シネ・フレンドの紹介らんもあるよ。

**T** 君は、やはり持論通り、娯楽作品と芸術作品の鑑賞は別々に考えるのか。

**B** うむ、娯楽作品でもあり芸術作品でもあるというのはおかしい。

**A** ぼくはね、そんな区別はしないけど、たとえば英国映画の『逢びき』などみるととても感銘を受ける忘れ難い印象だ、あんなのみたときは、しばらくは心がふるえてる、魂の愉悦さ、そこが映画鑑賞のだいご味だ。

**N** ぼくはアメリカ映画流の流線型のスマートさ、明るさも好きと思う。

**A** 戦争映画はどうかね。

**S** もうごめん蒙りたいね。何時まで同じことを繰り返すのだろう。『雲』だつて悪くはないが、もつと現実の社会なり、つゝましく生きる人々の姿をネ、描いて欲しいんだが

**M** 戦争の悲惨さを映画にするということは逆効果になるときもあるんじやないのかね。

**T** いろいろ問題があるネ。

## 或る疑問

津江昌武

映画が芸術であるといわれる以上その指向するものは結局『人間の探求』ということになろう。従つてそこに已み難い人生に対する善意が見られぬ限り良い映画とはいい得ないと思う。所がこの様な欲求――換言すれば所謂『芸術上の真』が充たされる為には、作品が生れる過程を貫いて一個の支配的な意志が存在することが必要である。それでなければ決して鑑賞する人々の心に芸術としての強さも深さも与えはしない。だが一体、映画における製作者とは誰なのか。監督かカメラマンか脚本家か俳優か――はたまた夫等の全体か。我々はよく映画の良し悪しをいうが、それは一体如何なる人格に責任を問おうとしているのであろうか。

往年の映画といわれるものを観る然し私は正直にいつてさ程の感銘を受けたことがない。時代のずれ、思想のへだたりがあまりにはつきりしていて弱い。之が例えば文学上の古典といわれるものになると余程事情が違うのである。こういう映画と文学の比較の仕方はいけないのかも知れないが、映画に果して文学作品における古典といわれる様な作品が生れる可能性があるのだろうかという疑問は、映画が芸術といわれる以上考えてもよさそうに思えるのである。

## 映画館にて

世はまさにサービス時代。何々新聞特別割引券、某商店とタイアップした招待券等々、ありとあらゆる方法で大衆を吸収しようとするあたりまえの入場料を払わねばならぬ所、これを利用すれば小使銭位は残るのだから真にもつて有難い。だが入場の際、気付くのは受付嬢の態度である。いくら気前よく割引してくれてもつんとすましたお嬢さんが切符を受取つては、ぶちこわしである。こゝらで一言『いらつしやいませ』位のサービスは出来ないものだろうか。

△あついあついと言いながらも映画を見る楽しさに、つい入りたくなるのは凡人の常。しかしまつたくやりきれないのは暑さですね。入場するまでは、行き届いたサービスも入つてしまえばもうしめたものといつたようなことでは困つたもの、それにつれていやなものは某館の便所の臭。すばらしいシーンを一心に見ている時、何処からともなくやつてくる臭気。これにやられたら、もうおしまい。今までの雰囲気はおじやん。こんな館が、まだまだ我々の身近にある間は文化都市にはなれませんね。一刻も早くなくしたいものです。衛生的な面からも強く要望して已みません。

△明るい電気が灯いて気になるのは煙草の煙。舞台正面には、たしか『禁煙』と書いてあるはずですが…まさか、こゝに入つている人達は字の読めない人ばかりでもないでしょうに。スピーカで注意を促しても馬耳東風目の前に、こんな人がいても別に注意する人もいない状態。うす紫の煙は館内一ぱいにたちこめ人いきれとともに充満し、まさに非衛生的。南国人特有の惰性が、しからしむる現象でありましょうか。もつともつとお互に社会的道義に忠実であつてほしいと願うのは私一人ではありますまい。（N生）

## 機関紙の充実を

鬼塚和彦

シネ・フレンドもサークル結成以来通算四〇の発行回数を数える。私達働く者の一番手近かな映画観賞手引としていまや欠くべからざるものであることは勿論、職場を通じてその文化活動の主軸として大きな力を示していることは喜ばしい限りである。

『良い映画を安く観る』サークルのモットーもすれば今流行の刷込割引券に制せられ勝ちであるが私達にはシネ・フレンドを通じて盛り上る向上の意欲が漲つている。これこそサークルを育て、シネ・フレンドの充実を促す偉大な力であり当市唯一の文化団体である私達映画サークル会員の誇りでもある。今後のシネ・フレンドの発展に私達は大いなる期待を寄せると共に精一ぱいの支援を送りたい。

× × ×

サークル主催の合評会が全く姿を消してしまつた、何か物足り無さを感じる、シネ・フレンドの編集等で事務局の方々には多事多端のこととは思いますが皆の声を聞く機会として是非共開いて戴きたい。

## ――ひとりごと――

映画合評会をどしどしやりたいと思う。みたまゝ何も復習しないのは空虚な鑑賞だ。感じたまゝを卒直に発表し合うこと。（た）

# 9月上旬各館スケジュール

※ **ゴチツク**は推せん映画

| | 1 | 2 | 3 | 4 | 5 | 6 | 7 | 8 | 9 | 10 | 11 | 12 | 13 | 14 | 15 | 16 | 17 | 18 |
|---|---|---|---|---|---|---|---|---|---|---|---|---|---|---|---|---|---|---|
| ロマン | | ゼンダ城の虜<br>凸凹火星探険 | | | | | | | | | | 錨をあげて<br>**突然の恐怖** | | | | | | |
| センター | | ブワナの悪魔<br>花嫁物語 | | | | | | | ネバダ決死隊<br>キャバラン | | | | | | | 決斗の谷<br>暴力帝国 | | |
| 若草 | | **あにいもうと**<br>水戸黄門の天下の副将軍<br>マンガ | | | | | | | **祇園囃子**<br>妻恋坂の決斗<br>マンガ | | | | | | | | | |
| 宮劇 | | 純潔革命<br>**明日はどっちだ** | | | | | | | **旅路**・シミ抜き人生<br>さすらいの湖畔 | | | | | | | 悲しき瞳<br>鞍馬天狗と勝海舟 | | |
| 大成座 | | 玄海の鰐・八人の男を殺した女<br>皇太子外遊記 | | | | | | | **銭形平次一番手柄**<br>残俠の港 | | | | | | | かっぱ六銃士<br>アジャパー騒動 | | |
| 日劇 | | **明日はどっちだ**<br>女という城（前・后） | | | | | | | | | さすらいの湖畔<br>処女の性教室 | | | | | 腕くらべ千両役者<br>最後の無法者 | | |
| 江平 | | マレー、ゲリラ戦<br>ガンガディン<br>皇太子外遊記 | | | | 怪傑紫頭巾<br>一等社員 | | | | | | | | | | | | |
| 孔雀 | | | | | | | | | | | | | | | | | | |
| 大淀 | | 純潔革命<br>**あにいもうと** | | | | | | | **祇園囃子**<br>**旅路** | | | | | | | | | |

かすかに初秋の匂いを漂わせた九月。長い間の夏バテから解放されたかの様に、〃あにいもうと〃〃祇園囃子〃の再重量級作品を軸に市内各映画館には新鮮な息吹きがみなぎつている。では例によつて市内各館の番組をのぞいてみよう。

☆**あにいもうと**（大映）

『何もかもが頼れないような辛い悲しい世の流れの中にあつても、肉親の愛情は疼くほどの強さで生きている。そしてそこから万事は蘇つてくるのではなかろうかという成瀬巳喜男監督の製作意図と森雅之（伊之吉あに）京マチ子（もんいもうと）浦辺粂子（りき母）山本礼三郎（赤座父）と配した名演技陣に期待したい原作、室生犀星

☆**祇園囃子**（大映京都）

雨月物語で鋭い立直りを見せた溝口健二監督が再び同スタッフで描く十八番の祇園もの。往年の名作〃祇園の姉妹〃に比し、義理と人情に生きる祇園族をどういう眼でみようとするのかがヤマ『いやあ木暮実千代君と若尾文子君には苦労しましたよ』となかなか辛辣なことをいつてる丈に興味深い。

☆**突然の恐怖**（米）

T・フォードつくる独立プロ第一回作品。監督は、〃われら自身のもの〃のデイヴイッド・ミラア。女流劇作家で独身でおまけに巨大な遺産を相続する身分の中年婦人マアラ（J・クロフオード）の愛人（ジヤツク・パランス）とその情婦（グロリア・グラハム）共謀による殺人計画が成功するが、その計画を知つて突然の恐怖に襲われるマアラの反撃効をそうするかという完全なるスリラー映画。

**明日はどつちだ**（8プロ作品）

五所平之助の愛弟子長谷部慶治の第一回作品。原作永井綱男（サンデー毎日に連載）野球場での殺人事件をめぐつて記者君が飛び廻る話し。

舟橋元、香川京子、島崎雪子、高峰秀子、宇野重吉、池部良、柳永二郎と揃えた配役に味覚を感じる。

☆**旅　路**（松竹）

原作大仏次郎、監督中村登、岸恵子、佐田啓二、若原雅夫、笠知衆と一応顔は揃えているが、しつくりした演出手腕を有しない中村登が〃波〃で見せた程度でも光沢を出していれば期待は出来る。

☆**青春銭形平次**（東宝）

随一の娯楽映画。文句をいわずに観にゆくべし。監督は〃プーサン〃〃青色革命〃と大好調の市川崑。平次に大谷友右衛門、ガラツ八に伊藤雄之助。ガラツ八の好演技が眼に見えるよう。

## 編集後記

★このシネ・フレンドを毎号揃えて綴じていて下さる熱心な方が多いと聞き非常に嬉しかつた。日頃の苦労もどこへやら消え去る気持だつた。その期待に応えるためにも頑張らねばなるまい。　—高井—

★田野キャンプは大変愉快でした。久方にランプの下で終夜童心に帰つて遊びました。今后もサークルを育てるためにあらゆるサークルの活動に、御協力お願いします。待望の雨が降り涼しくなるでしよう良い映画を観ることをたのしみに。　—渡辺—

（1）　シ　ネ　フ　レ　ン　ド　1953年9月22日　第４１号

映 シネフレンド
宮崎映画サークル発行
事務局　宮崎市高松通り1の45　TEL　3659
1部5円

# 落ちた偶像☆人生模様

## 二十六日サークル主催の鑑賞會

サークルの鑑賞会、合評会が持たれなくなつて既に久しい。会員の中からの要望として常任委員会でも『落ちた偶像』をとり上げて大成座に交渉する予定でしたが、大成座がつぶれて延期になつていました。ところが今度二十三日より一週間センターで上映される機会にぜひサークルの鑑賞会としてとり上げようと決り、十七日、十九日二度の委員会にかけて一日興行を次のように実施することになりました。

勿論サークルとしてはこのような行事は初めてと言つてもよく、今度の結果如何では今後の活動に大きく影響して来ますが、今が一番サークルの組織的な力と自信を持つ時であると考え、必ず成功させるよう各職場の委員の方々は取組んでいます。会員の一人一人が真剣にサークル活動としてとり組んで、名実共に立派にサークルの実力を示して頂きたいと思います。

☆鑑賞会　九月二十六日（土曜日、一日間）
☆サークル会費前納者は入場無料
　一般　一二〇円
☆合評会　九月三十日　午後六時
☆家族を含めてサークル全会員が参加しよう。

## 〃独立プロを激励する会〃

### サークル代表者会議も

九月十一日、独立プロ上映館、文化人、民主団体が発起人となつて〃独立プロを激励する会〃が福岡でもたれ中央より松本酉三、山田典吾、若山一夫、若杉光夫、利根はる恵、嵯峨善兵、花沢徳衛氏や北星稲村社長等が来福、午前十時から〃蟹工船〃の試写に引続き、サークル代表者とは約二時間に亘り懇談、今後の独立プロに対する意見の交換会を持つた。尚十二日は鹿児島、宮崎、大分、大牟田、福岡をはじめ八幡、飯塚、久留米、田主丸、熊本などから参加したサークル代表者により連絡会議が開かれた。（詳細は次号で紹介します）

## 会員章の切かえ

今迄の会員章がなじみがなく、充分活用も出来ませんでしたが、会員章の通用も出来て来たのでこの機会にもつと明るい親しみある会員章に切りかえることになりました。

今度の分は十月から十二月までの三カ月間有効です。二十二日から交換しますので職場の委員の方は御面倒でも事務局まで古い会員章と実費五円を引換えに持参して下さい。

尚九月分会費滞納の方はしばらくお待ち下さい。

## 事務局河野炳氏

### 職場へ復帰

政令三二五号（占領目的阻害）違反の疑いで国鉄を休職、サークルの事務局員としてシネフレンドの配布等で特に職場の皆さんに親しまれていた河野炳氏は、今度免訴の判決により会員からおしまれてもとの職場に復帰することになりました。

## 映画館のスト

さきに帝国館は県税の滞納でパチンコ屋に身売し、今度又大成座もパチンコ屋になるという。この強制的な入場税の徴収は遂に全映画館に対して監視の係官を入口に立たせる迄になり〃頭から罪人扱いだ〃とする館と対立して一斉休館に到ろうとしたが、仲介者により一段落ついた模様である。

館の言い分は『毎月税額は申告するが必ずそれに上廻つた更正決定がされ、それを支払わねば切符を出してくれないので滞納なんてある筈がない。見込人員で脱税しているように考え罪人扱いするのはけしからん』と言つている。

これに対して県税は『人口密度や娯楽費はふえているし、経営が苦しいから脱税してよいということは税の本質上許されない』と言つている。勿論両者に言い分はある筈である。だが、こゝで問題になるのは世界一高い入場税をとりのけない限り一定のワクの中では抜本的な解決策はあり得ない。こゝから娯楽費はふえたとか、無料試写会にも税金をかけ

水害地救援カンパの映写会にも税金は必ずとる、赤字になつても税金は払え、などというバカげたこじつけがとび出して来るのである。

県では今度赤江飛行場を県営にするそうだし高畑山には誘導レーダー基地が設置されようとしている。

第二の帝国館、第三の大成座はひとり映画館だけの問題でもなさそうだ。

## 日本映画　九月初秋号

日本映画九月号（九〇円）事務局に来ました。特集『今井正の総て』、シナリオ『赤い自転車』

## ★『ボルガドン航行運河の建設』★

日ソ親善協会宮崎県連主催によりソヴェート天然色記録映画が九月廿五日午後七時より教育会館で催される。この映画はソヴェートの大自然改造の輝かしい勝利を記録した映画でモスコーを出発してドン河口に着くヴオルガ運河の建設に要した近代科学の粋、堀さく機、しゆんせつ船やコサックのおどり、競馬等の風景と行事を天然色に収めた貴重な記録映画。

## パチンコ

▲さきに帝国館が徴税攻勢に耐え得ず廃業し、パチンコホールに鞍変えした。世評では市内に江平一、中央三、大淀一の五館程度が人口その他種々の合理的な経営上適当ではないかという声があるそうだ。

▲帝国館の転業でヤット一館淘汰されたと思つたが又々大成座が同じ経路を辿るという。跛行的な映画館のラン立にはわれわれは落着く所に落ちついて行きつゝあるという感がないではないが、市内最古数十年の歴史を持つ二館を営業出来ない迄に追いつめた徴税はカコクの限りと云わばならぬ。映画興行に対する業主の愛着心もなげうたねばならない現況には一掬の同情心を感ずる。

▲同時に転業したパチンコは新聞等が正否について幾多の論義がたゝかわされているがこの様なものが健全娯楽であるかないかという論議ほどバカげたことはない。大局的に見てあの雰囲気から感ずるものは退廃的なトバク以外の何物でもない。この点よりしても映サの健全娯楽の育成という面より映画を通じての活動が期待される所以ではあるまいか。（亭）

# ◇◇◇◇ 戀愛映画の監督者たち ◇◇◇◇

黒岩敏郎

マルセル・カルネの『港のマリー』をみたとき、このひとが恋愛映画のあたらしい境地をぬきうべくん才能で、見事にえがきだしているのに、感心したことがある。中年の実業家と、その妻のけん怠期の夫婦生活をあつかつて、妻とその妹との恋愛三角かんけいをえがいているのだが、恋愛というものを、咏嘆にながさず、感傷におぼれず、節度をつけ、格調たかく、よくようをくわえて、たんたんと表現していた。

人生の傍観者、ぬきがたいペシミスト、マルセル・カルネは、『ジエニイの家』『霧の波止場』『北ホテル』いらい、その非情な人間性と、冷げんなリアリズムとシニカルな味とによつて、わたしのながく敬愛する監督であるが、ついにカルネも、ここにいたつたかと、感がいせざるをえなかつた。青春の意味や、人生のなんであるかを、現在にふみとどまつてえがくのではなく、一歩さがつてふりかえつてみる大人の境地にカルネは、来ているのだ。

いつたい恋愛映画は、すぐれた作家的才能というより、作者の人間的高さによつて、優秀な作品がうまれるようである。いつてみれば、人生凝視の眼であり人間性の追求のきびしさであるが、わたしたちの生活のなかで、どうやら恋愛魅力の織りなす悲喜哀傷は、人生いくべきは何であるかとともにきつてもきれぬえにしがあるらしい。キヤロル・リイドの『第三の男』のような傑作も、たんにスリラー映画としてみるだけなら、あの映画の魅力のなん%かは、うしなわれるかと思われる。……

もちろん、キヤロル・リイドの抜群の映画感覚と、才能は、敗戦の色こい、夜におどる密輪の人たちをえがいて、それだけでもひとつのスリラ劇たる要素を打出すかと思われるが、ホリイ・マアチンスと、ハリイ・ライムと、アンナが織りなす悲しい愛と友情との不条理を捉えて板ばさみの苦しみをえがくことなしには、あの映画の魅力の淵源も、はかりえなかつたとかんがえられる。

落葉ふりしくウインの石畳の上を、恋人の埋葬を見送つてヴアリのアンナが歩いていく。並木路の横車のそばには、ホリイが待つている。せめて去る前に一言、愛する女アンナに自分の気持を語りたい。しかし、アンナは、なにごともなかつたように、黙々と去つて行く。はかない別離とかなしい愛の運命を、キヤロル・リイドは、ジタアーの哀音でゆるく、高く、はやくながして、そして一編のすぐれた恋愛映画の頂点をさす作品にまで昇華させた。

クロオード・オータンララも、すぐれた恋愛映画の監督である。かれの文学的肌ざわりは、『悲恋』『田園交響楽』『想い出の瞳』のジヤン・ドラノアよりはるかに豊かであるし、肌理のこまかさも、作品からうけるやわらかみも、おなじ文芸映画の演出家でも、オオタンララのほうが、一歩二歩先んじているとわたしには、さつせられる。夭せつしたレエモン・ラデイゲのもつ原作の味を、オータンララは、見事に再現した。

いのちのはかなさ、恋のせつなさをえがいて、この映画ほどうつくしく感動をもつてとらえた映画もめずらしい。

純白のカーテンをめぐるようなさわやかさと憂愁とで、人妻と青年のかなしい道ならぬ恋をえがいて、大戦のいたましい犠牲者のすがたを浮彫りしていた。

かんがえてみると、『港のマリー』も『第三の男』も『肉体の悪魔』もそうたやすく出来る映画ではない。カルネや、リードや、オータン・ララのもつ映画作家としての高さは、時代をこえ、年をすぎても、のこるであろうし、こゝ早急にその価値をうしなうとは、ゆめ信ぜられないのである。

## ろうかる映画 覚え書き

高井肇

大庭秀雄監督の『**命美わし**』は決して佳作という程の作品ではないかも知れないが、そのほのぼのとした人間愛を基調とする抒情味は正に佳作というにふさわしい映画であつたと記憶する。しかし考えてみるとあの映画の魅力は、会津若松市を舞台にしたことによる地方色、それも一つの原因ではなかつたか。

こんもり繁つた木陰を潜り、お城の濠を右に見ながら古跡を訪ねる遊覧バスの案内嬢のアナウンスに始るトツプ・シーンは清新であつた。

複雑な撮影設備を必要とする映画にとつてはロケーション費用その他で結局、大都市中心主義の製作ということになるのだろうが、それにしても余りにも東京ばかり舞台にし過ぎた憾みがある。お陰で映画観客はいつも大都会生活ばかり見せられてきたのである。

私がローカル映画の出現に期待するのは諸所方々の人々の生活、或は環境風土それを知りたいという欲求に他ならない。これは映画でなければ味えないものだ。ただ風景だけなら写真やニュース映画でも見れよう。私の興味をもつのは、或る地方で或る人々が如何に喜怒哀楽の人生を送つたかという点にある……。

野村芳太郎新人監督の『**きんぴら先生とお嬢さん**』は明るい十代の笑いを盛つた喜劇だが舞台になつた静岡市の女学校の伊沢一郎の演じる教頭など静岡弁であろうかペラペラしやべり面白い風格であつた。ローカル映画の面白さは言語にもある。

『**春の囁き**』は題名が低級な思春期もののようで見たいとは思わなかつたが豊田四郎演出と三浦光雄撮影の名前に惹かれて行つたところ、四国は高松附近の風景が何かしら旅情をそゝられる程の詩味をもつて紹介？され忘れ難い印象を受けたのは特筆に価するものであつた。また映画初出演の遠山幸子嬢の楚々たる演技も忘れ難い。

大阪や京都もよく映画の背景となるが『**西陣の姉妹**』や『**偽われる盛装**』『**暴力**』なども関西弁のもつ特殊なニュアンスを生かしている点、一種のローカル映画である。しかし地方色を取り入れて一異彩を放つたのは木下恵介の『**海の花火**』である。佐賀県呼子町の漁業組合長が上京、陳情中に卒倒するという特異な人間描写を見せながら、結局はどつちつかずの結末に終つたものの貧しい漁港の生活と風景の雰囲気は妙に脳裏に残つているのである。

× × ×

私は思うのである。わが宮崎を舞台とした地方色豊かなシナリオが書けないものかと――。南国調と、颱風と雨と、いろいろ道具立てはあるようである。

## 短評 ロータリー

**ガラスの城** 『逢びき』と同様、結ばれざる恋を描く。別に深刻ぶりもせずさりとて涙に溺れもせぬ所は可としても、人間を感動させる美しさがない。人の心を打つものがない。この映画はもともと最初からそういう意図がなかつたのかも知れない。大して価値のない作品だ。

**あに・いもうと** 身重になつて帰つてきたもんに伊之吉が悪態をあびせ毒づくのも、みんな妹に同情を向けさせようとする兄の愛情からだつた――という一篇の骨子が映画の中心となつて輝ける感動を生み出している、というには些か疑問があるが、むしろそれよりも、実感ある登場人物による人生風景的点描が静かな光沢を放ち、情趣に富んだ場面が多い。加うるに森雅之、浦辺くめ子、京マチ子、山本礼三郎の演技が一段と精彩を深めている。

**明日はどつちだ** 殺人事件を背景に若い新聞記者の生活感情を描こうとしたこの映画は部分的には良い所もあるのだが筋の展開が散漫で舌足らずだから観客の感興を呼び難いものになつた。（雄）

**祇園囃子** 溝口監督の作品だけあつて、祇園情緒はたしかによく描かれている。祇園の古い因習の中に生きる芸者千代春と新らしく仕込んだ舞子栄子との対比を描こうとしたのではないのだろうか、アバンとアプレ、古い伝統をほこる祇園の街にもたしかにこのような新らしい息吹はあると思うが、あまりにも他愛ない表現にガツカリ、若尾の演技も物足らない唯進藤と浪花千葉子の好演はさすが老練者だけあると思つた。（W生）

# 私達のひろば

## 圖書館サークルの巻

県立図書館には『みどり会』というのがある。休館日を利用して館長以下各人が日常の問題や図書館の事について話合つている。この会の中に映研がある。活潑な動きは見られないが会員は多層な趣味を有し個性も割と強い。それで私達のひろばに少しでも多くの人が参加し併せてその多層さを知つて頂けばと『**今まで見た映画でもつとも印象に残つたシーン**』『**映サに望む**』の二題を出してみた。これにより幾分なりと図書館サークルについて知つて頂ければ幸い。（木戸生）

★印象に残つている映画

一、静かなる男

二、七つの大罪の中の『嫉妬』

三、旅愁

それからこれは随分昔のことで、稚い**観賞**眼だつた故かも知れませんが、〃歴史は夜作られる〃（ボワイエ、ジーンアーサー主演）〃ペペルモコ〃がとても心に残つています。

★映サに一言

時間と経済的に余裕のない私達の場合、映サの推される映画はよく研究の上でして頂きたい。例えば〃明日はどつちだ〃の場合、制作意図はよく判つているけれど、何とても俳優の演技の貧しさ、全体のテンポの遅さ、全く**劇**場を出る時腹が立つ位でした。（**川越洋子**）

※自転車泥棒のラストシーン。親子が固く手を握り、薄暗くなつていく街を立ち去る姿は、何かほのぼのとした温かさ、胸をえぐられる様な悲痛な気持ち、あゝいう立場に突き落したモノへの激しいイキドオリ等を覚えさせました。（**木戸**）

〃カサブランカ〃に於ける酒場のシーン。戦勝におごるドイツ軍人が自国の国歌を高唱する。屈辱に満ちたフランス人の顔々々。祖国を遠く隔てた仏領カサブランカの人々の胸に強烈な祖国愛がみなぎる。誰からともなく歌い出される国歌、ラ・マルセーユ。歌声は嵐の如く場内を圧し楽団も高らかにラ・マルセーユをかなでる。泣きながら歌う女給、客、そして官憲の面々……。祖国を愛する真情が全てのものを一つにした美しいこのシーンは末だに忘れ得ない影像です。

一、〃赤い靴〃バレーのシーン

一、〃天井棧敷の人々〃の無言劇のシーン

（**出納I**）

一、〃クライムライト〃のカルヴエロのアパートメントに於ける二人のシーン

一、〃第三の男〃のラストシーン

其の他沢山有りますが思いつく儘挙げてみました。恋愛物許りで申訳ありません。

★（サークルへの希望）物思ふ秋冷の候、良心的作品も多く上映されると思われます。ぼつぼつ合評会を復活させては如何でしよう。（**Y・K**）

★チャップリンの『ライムライト』カルネの『天井棧敷』は全篇感激で**観**た。全てが印象に残るシーンである。これ以上の作品はないという感激でもある。他には『望郷』のラスト、『ジュリー』の夏至祭、『荒野の決闘』のトップシーン等あるが何れも甘い甘い。人の良いという映画に反対したくなる天邪鬼のせいか、人の気付かぬ作品が好きだ。サークルの活動は現状維持で結構。（**秋原洋司**）

生活と映画、これはもう切りはなせない筈のものなのにこの夏ただ一本の映画もみず仕舞とは……単に時間とゲルとだけ言えない何ものかがあるのかも知れない。私はもつと映画愛妻者がサークル機関を通じて合流しあえないものかしらと思う時がある。無機物の水が光る。血の流れていない人間像がスクリーンに大きく描き出される。その中に生きた男女の愛の言葉だけがきこえてくる。久々にみた『ガラスの城』のファーストシーンが生と死との冷厳な掟の世界に救われがたい本能の息吹きを伝えてくれる。映画的価値云々は難しくて判らないけれど既に映画をみることは遊びやゼイタクではなくなつてきたように思う。（**M**）

★『**風と共に去りぬ**』量感があり、色彩美しく、少しも飽かずにたのしめた。原作がよく生かされていたと思う。ヴイヴイアンリーがよかつた。『**自転車泥棒**』父親が泣きじやくる子供の手を握りしめながら歩いて行く最後の場面は、特に感深く私の心にやきついている。

シネ・フレンドの私達のひろばはよい企画であると思う。（**伊東淑子**）

★『**ライムライト**』はチャップリンの人間味をしみじみ味わつて見た映画でした。その他『生きる』『望郷』『賭はなされた』『風と共に去りぬ』等々、それぞれ心のどこかに残映がいくつかあつて、時々思いだす映画のいくつかです。まだありますが、思いつくまゝに……。

今度会員証による割引きの実現は大いに賛成です。この通用範囲が問題になつている様ですが、会員の一人々々を信頼してその選定活用は自由にさせていただきたいのが私個人の意見です。（**南路子**）

**落ちた偶像**（英）

フエリップ少年の眼を透してみた大人の世界。第三の男、文化果つる所の名監督キヤロル・リードのこの作品を博多に司書講習に行き私達より一足お先に観て来られた横山主任に同映画の感想をお願いしてみた。

『大使の子息（就学前）をめぐり給仕頭夫妻の生活を主として大使館内に於て描写した簡単な筋のものだが、大人と子供の間で或る事件を中心として真実を追求する言葉のやりとりは面白い。子供の飽くまで無邪気な心理描写は興味ある情景であるが良く描き出されていた。ほのぼのと明るい気持を持たせる点がよい。

—**横山通裕**—

※図書館では毎月第一水曜日に文化映画の会を無料で催しています。会員の皆様、どうぞお出で下さい

※図書館では毎月『映画評論』『映画の友』『芸術新潮』等を購入して一般入館者に読んでもらつています。書店の立読みで落ちつかぬ人は、どうぞ!!

## 雑記帳

見逃していた『雨月物語』を見に行つた時のこと。見ているうちにどうも話が飛びすぎる様だと、首をひねり乍ら見ていたら、やがてその抜けた部分が出て来た。フイルムの何巻目かが入れ違いになつていたらしい。おかげで見たあと、どうも後味が悪く、後日友人にこの事を話したら、他の日に見た友人も、やはりこの間違いにぶつかつたと云うことを聞いて唖然とした。映写技師さん達はまさか自動車を運転する様な調子で機械を動かして居る訳ではなかろうが……観客の身になつて写してもらいたいものだと感じた。とはA君の話。

○

スクリーンから飛んで来る短剣や毒矢に、ハツと身をかわして、テレて苦笑しているうちはいゝけど、あれが泰然自若と見て居れる様になつたらコトだよ、そうなつたら本当に物が飛んで来てもよけなくなるし、交通事故はふえるし大変だよ、とBが真顔で云う。私はまさか……と笑つたが、そんな気もする。

○

県と興行者との税金論争にも遂に火がついて、アワヤ一斉休館となりかけた十三日、日曜日でもあつたし『今日限りで暫く映画も見れんから、一つ見溜めと行くか』と云う訳でもなかろうが宵闇迫る巷には映画を見に行く人が多かつた。停電すると電気の有難さが判る様にこんな時に映画と大衆との結びつきを思わせられる。それはさておき今度の問題は税金の問題であるだけでなく県の文化政策の問題である、ジンタ時代ではないことを認識すべきですナ。（風）

## ９月下旬各館スケジユール

※ゴチツクは推せん映画

| | 16 17 18 19 20 21 22 | 23 24 25 26 27 28 29 | 30 1 2 3 4 5 |
|---|---|---|---|
| ロ マ ン | 錨をあげて<br>突然の恐怖<br>機動部隊 マンガ | | |
| センター | 決闘の谷<br>暴力帝国 | **落ちた偶像**<br>**人生模様** | 革命児サパタ |
| 若 草 | 春雪の門<br>片目の魔王 | 続 丹下左膳<br>江戸の花道 | 神変あばれがさ大会前後<br>怪談佐賀屋敷 |
| 宮 劇 | 悲しき瞳<br>鞍馬天狗と勝海舟 | 乙女のめざめ<br>利根の夕霧・腕くらべ千両役者 | |
| 日 劇 | 腕くらべ千両役者<br>最後の無法者 | 鞍馬天狗と勝海舟<br>水戸光門廻国記 | |
| 江 平 | 双子のロツテ<br>虐殺の油<br>／<br>カツパ六銃士<br>アジヤパー騒動<br>恐妻時代 | 幸福さん<br>ブーさん・ 腰抜け武勇伝 | |
| 孔 雀 | 真珠母<br>朝焼富士<br>／<br>おこれ三平<br>酔どれ八万騎 | その妹<br>酔どれ八万騎后<br>／<br>母 波<br>振袖狂女 | |
| 大 淀 | シミヌキ人生<br>悲しき瞳<br>春雪の門 | 続 丹下左膳<br>乙女のめざめ<br>利根の夕霧 | 君の名は<br>怪談佐賀屋敷 |

### 落ちた偶像（英）

さきに好評を博した『**第三の男**』のグレアム・グリーン、キヤロル・リードのコンビの作品。『第三の男』がグリーンのオリジナル・ストオリイであつたのに引きかえ、これはその短編小説『地下室』をグリーン自身が脚色したもの。主演は『超音ジエット機』のラルフ・リチヤードスン（ベインズ）、『七つの大罪』『ガラスの城』のミシエール・モルガンでこれにリードが発見したボビイ・ヘンリイ少年（フエリツプ）。オールド・ヴイツク座の名女優ソニア・ドレスデル。『第三の男』が動きの多いメロドラマテイツクな展開に終始したのに対し、この作品は純真な小児の眼を透した大人の世界―その恋愛、嫉、、犯罪を鋭いリアリズムの立場で描いた心理映画の大胆な実験であり、リードの作品の中でも最も芸術的な映画と言われています。題名の『落ちた偶像』とは、主人公の小児が、虚偽と策略にみちた大人の世界に対して、次第に抱いていく幻滅を意味している。

**※監督キヤロル・リード※**

『邪魔者は殺せ』『第三の男』『文化果つるところ』と相次ぐ傑作を送り、イギリス第一の監督として定評がある。初期の作品ではヒチコツクと比較されるスリラー風のものが多かつたが、戦後の作品では、ヒチコツクの奇抜な趣向をねらうスリラーに対して、性格描写と人間性の追求に独自の鋭さを持つている。また画面の構成を重視し、カメラ・アングルやカツテイング（編集）一つにも細い計算が行届いている。

**※ストオリイ※**

何でも本当のことを言わなければならないと教えられてきたフエリツプ少年が、大使である親たちの留守中に大人の虚偽と策略にみちた世界に幻滅を抱いてゆく物語である。召使頭のベインズは口やかましい妻にうんざりしてタイピストのジエリと愛し合う仲であつた。たまたま大使の留守中に夫の秘密を嗅ぎ出したベインズ夫人は嫉 に狂つて過失死した。当然警察沙汰になつて、ベインズ夫人の死因を追求してゆく過程ですべてを知つていたフエリツプ少年は真実を言わせてくれない大人達に憤りと幻滅を感じていつた。

**原作・脚本、グレアム・グリーン**

ロンドン・タイムスの編集員、映画批評、外務省勤務、そして現在はロンドンの出版会社社長に就任し、今尚英国文壇の一流作家として活躍している。彼の作品で、既に映画化されたものに『第三の男』『逃亡者』『事件の核心』と少くなく、人間心理、特にアブノーマルな人間心理に映じた宗教的感情を徴細に亘つて分析する。

昨年来日したグリーンが、『私の最も自信のある作品である』と云つたと云う。（**図書館・木戸**）

**ボビイ・ヘンリー**

父はロンドン人であるが母はパリ生れの女流作家。ナチ・ドイツのパリ攻略の際、辛くもイギリスに逃れ戦後ノルマンデイに戻つて間もない頃、母の著書のカヴアに載つていた彼のあどけない写真がロンドンフイルムの眼に止まり出演契約が成立した。

26日サークル鑑賞会
落ちた偶像
同時上映 人生模様
23日より大ロードシヨウ センター

映 シネフレンド
宮崎映画サークル発行
事務局　宮崎市高松通り1の45　TEL 3659
1部5円

# 今ひと息だつた鑑賞會
## だが成果は大きい

サークル初めての試みとして九月二十七日映画センターで『落ちた偶像』の鑑賞会は今ひと息というところだつた。いろいろ理由はあつただろうが一人一枚消化が完全に出来なかつた点が最も大きい原因で、

(イ)鑑賞会の決るのが遅かつた、既に二十三日に見に行つた。

(ロ)一日間では都合が悪くて見に行けなかつた、又一日間だから物凄く混むだろうから少々高くても普通の日に坐つて見たい。

(ハ)サークルは堅いものばかり推せんして『君の名は』の様なものはやらぬ。

(ニ)前売券でないからすゝめにくかつた、等の声が職場のサークル会員の中から出されていました。次回はさらに注意して計画致します。

尚、今後この様な鑑賞会をどしどしやつてくれ、会費は値上げしてでも無料鑑賞会等やるべきだ等の意見も出ています。さらに一番大きな成果はこれを機会に新しい会員が増えて来たことです。（事務局）

## 『赤線基地』上映中止　その後

東宝映画『赤線基地』が反米的だというので上映の前日公開中止となり話題をよんだがこれについて映倫では何ら『反米的』なところはないという見解を発表して注目を集めた。また邦画各社では映倫の審査を通過した作品が一部外国人の反対によつて公開中止になつたことは遺憾であり、日本映画界の将来に悪影響を及ぼす恐れもあると警戒的な態度をとつている。なお上映中止を命じた小林東宝社長はいゝ映画だが……と感慨深げであつたといわれるがいまさら公開する気持ちにはなれないと語つたというから当分公開は望まれないが、この映画が公開されない時は東宝として約七千五百万円の損害を被るので全映労組ではこの公開延期は従業員の生活を脅すものとして早急に公開する様会社側に申入れることになつた。

## 藝術祭参加映画

九月に入り芸術祭シーズンを迎えた映画部門は十一月末までの公開作品中各社それぞれつぎの参加作品を決めた。

△松竹『花の生涯』監督大曽根辰夫、『東京物語』監督小津安次郎

△東宝『七人の侍』監督黒沢明、『太平洋の鷲』監督本多猪四郎

△大映『地獄門』（天然色）監督衣笠貞之助、『雁』監督豊田四郎、

△新東宝『叛乱』監督 佐分利信、『女の一生』（近代映協提携）監督新藤兼人

△東映『早稲田大学』監督佐伯清、『日輪』（天然色）監督渡辺邦男『魅せられた魂』監督春原政久、（以上三本のうち二本）

△独立プロ、新世紀『にごりえ』監督今井正、主演久我美子、近代映協『夜明け前』監督吉村公三郎、主演乙羽信子、現代プロ『蟹工船』監督山村聰（以上三本のうち二本）

## 文化生活と税金

今さら憲法の条文を引合に出すまでもなく文化的な生活を行いたいのは人間誰しも望むところである。ただしかく左様に今の御時勢では憲法にそう書いてあるからといつてやすやす通るものではない。だからこそ更にほこりの被つた憲法でも引合に出して見たくなるのである。

今日何をやるにしても税金を抜いては考えられない程苛レンチュウキュウはひどい。文化国家日本の文化活動だつてその例にもれない。いや文化的であるだけに一層ひどいともいえよう。

宮崎の映画館ではそのフンマンやる方なく一斉休館にまで到ろうとしたが、思えばよくよくのことであつたろう。映画館の決意もそうであるが、こゝまで館を追い込んだお役人のとり立ての方がよつぽどの決意である。そもそも税金の本質は経営が赤字になつてもかけるという立前であつて、如何なる理由にしろ興業をやつたら必ず税金を取る。勿論招待試写会にも一人十円取られるし無料（タダですぞ）鑑賞会にも経費の三分の一は見なす課税というものが用意してある。もうけの中からということは問題外、やれば必ずふんだくることになつている。

安い給料の中から喰つた一杯のウドンにも税金をのみ込み、『あゝ可愛そうにマチ子』と君の名をつぶやきながらさめ〴〵と同情の涙を流した三分の一も税金だということになれば、基本的な文化生活を営む権利どころか基本的な人権、生存権の問題である。御時勢は全く『民主的』という名のもとに野蛮な生活を強いていることになりはしないか。（多）

## 「ひろしま」上映決る

日教組『ひろしま』が〃余りにも悲惨すぎる〃〃対米感情を刺戟する〃として異例の配給会社からのカット申入れが行われ松竹ほか主要配給会社が配給を見合せてから一時日教組の自主配給かと色々取沙汰されていたが今回北星映画により配給が決り、市内には十一月三日より江平映劇で上映されることになつた。

## カチンコ

▼世界は二十世紀の後半へ足を踏み出したが、国際情勢もにわかに予断を許さぬ所にあり、科学も地球上の一角では驚くべき発展をとげ今や原子力時代と云われる今日、映画芸術の世界も年一年と徐々に変貌を示しつゝあると云わねばならぬ。▼センチメンタリズムの抹消もその一例に挙げて置こう。戦後イタリアから捲き起つたリアリズム映画をはじめ、全世界の映画の底流は、社会の動きと微妙な関連を持ちながら相呼応しているかに見える。▼もち論、我国で上映される諸外国映画は優秀作品を選定して輸入されるのが多いのだがそれらの作品を見るとき日本映画との距離について考えさせられるのである。▼『君の名は』が連日の大入りだという。いろいろな理由もあるだろうが、ひと昔前の『愛染かつら』が全国を風びしたのと比べて、何ら変らない現象である。ということは第二次大戦を境としての日本人（多数の）の物の考え方は、ちつとも変つていないとも言えるのではないか。実は、この点に日本の文化のすべての宿弊が、軽薄さが見出されるのである。（た）

# 特集『君の名は』をめぐって

**松竹**映画『君の名は』の配収目標は当初の一億二千万円を八千万円引上げて二億とされていたが、その後の記録破りの興収に二億四千万円（『ひめゆりの塔』は一億八千万円）の配収が確実視されるに到つた。

宮劇の宮崎支配人も『戦前戦後を通じて最高の入りでラジオドラマとして大衆にうけたが見てみたら案外よかつたのではないだろうか』と言つているが、これ程までに一般にうけた〃君の名は〃をめぐつてのいろいろの意見と反響を特集して読者に送る。

× × × ×

連日大入満員の盛況を続ける〃君の名は〃の上映館前でひといきれと共に酔つた様な足どりではき出されて来る観客をつかまえ同映画についての感想を聞いた。

**おばさん**（**40才位**）私達は、女の人が可愛想な映画が好きです。悲しくて面白いものなら大てい観ています。

**青年**（**20才位**）部落（古城）んもんが、いいてゆうかい見に来たけんど、あんまりいいこたねえかった。ラジオで聞く方がいいごつある。

**婦人**（**22才位**）ラジオの方が良いと思います。でも耳で聞くのとちがい目で見る実際の風景は新しい感激でした。口では何かといつても、結局は女は忍耐の中に美徳を見出さなくてはならない以上、真知子の悲しい美しさにひかれます。

**高校生**（**男**）特に悲しくて涙が出るという事はありません。僕の後の女の人なんか、笑つていましたよ。考えずに見れる映画を欲しますので来たんですが、画面がちぐはぐで映画としては全然価値ないと思います。

## 〃君の名は〃と四等的感傷

『なあーにあんな甘つちよいもの』と言いながらつい聞き入り、終いにはファンに変つてしまうという魅力を『君の名は』は持つている。そのラジオドラマを映画化したのだから受けるのは当り前。

但しその内容は陳腐極まりなし、映画としても60点級。それにしても朝から満員の現象はどうしたものか。思うに春樹や真知子に同情して一緒に涙を流そうというのだろう。日本人が情に弱く涙にもろいという美点？を作者は知り抜いていて波乱万丈のストーリイと幾多の苦難をヒロインに用意しているのである。それについ乗せられてしまう方が馬鹿で、同情し涙迄流すに至つては愚の骨頂と言わねばならない。というと叱責の一つ位飛込んで来そうだが、まあ興奮せずに聞いて欲しい。物語には主人公が必要である。その主人公に美男美女を配し、おまけに可哀想な運命迄背負わせておけば一応受取る方も安心しその成行に注目する。二人は恋し場所は佐渡、新潟、東京、北海道とぜいたく極まりない。これが夢でなく理想でないと誰が言おう。感傷主義の乙女や世話好きの御婦人や十二才的男性はこれぞ理想の男性女性と飛びつくにきまっている。ヒーローは常識論をぶちヒロインは可れんなレジストをやるので拍車は一層かけられることになる。ついつい その甘さに目を細め入場券を求める事になる。笑つているのは製作者、十年前の愛染かつらと同じ現象が寸分違わず現出するのだから、要するに民主主義下の男性女性がその実矢張りミーハー心理を捨てきらぬということだ、と同時にこんなものに何かを求め、四等民族的感傷に酔いしれているという事は淋しさを感ぜしめる。全く浪曲的義理人情の下らなさと同じである。この映画がヒットしたからといつて素晴しくはなく、春樹や真知子にうつゝを抜かし理想を求められては悲しい限りだ。忘却とはと勿体つけて言う科白の矛盾に気付かぬ人の為にこの映画はヒットしたと言いたい。極言すれば考える事に興味のない人に向いた映画で美空ひばり的頭脳の持主なら結構楽しめる。但し明日の糧には少しも役立たぬこと請合いである。

（**神宮春子**）

## 悲しい女のあきらめ

映画『君の名は』は近年まれにみる動員数を示し日本全国を廻つている。〃君の名は〃何故あんなに受けているのか？ これは一見簡単な問題の様でその実なかなか複雑な要素をはらんでいると思われる。

江戸、明治、大正、昭和と長い年月を経て築かれた封建性という名の化物は戦後デモクラシーの波に圧せられ一応影をひそめたかに見えたが政治の貧困さは折角の新憲法、新民法も充分国民のものとなしえず、ちまたには不幸な結婚に泣き泣き忍たいの生活を送る真知子や昔ながらの家族制度の板ばさみになり亭主の無能ぶりを発揮し、あまつさえ細君を自己の所有物であるかの如く取り扱う勝則君も少くない。この様に現在の政治形態の中では真の女性の解放は有り得ず、女性の幸福が現実とは程遠いものであればある程、真知子が屈従と忍耐と抵抗？の悲しい運命に弄ばれ生きる姿に女の悲しい運命を見出し（非常に美化されたものであるけれど）そのわく内でのあきらめがファンの共通した感動となつて〃君の名は〃を支えている所に此の種の作品の受ける根本的原因があると思われる。日本人の感情性と自我意識の低さにたくみにつけ込んだ作者菊田一夫の老練さを国民の一人々々が見通さぬ限り〃君の名は〃は続くであろうし、いつしよに涙を流したファンも周囲をとりまく封建性を打ち破り自我に目覚めぬ限り菊田文学も姿を消さぬと思うのである。

（**石**）

## ドラマの魅力〃ゆみの歌〃

先日何かの雑誌でふとみかけたことでしたが毎週木曜日夜九時ごろから銭場の女場の客が俄然減つてしまうそうな。つまり〃君の名は〃というラジオドラマが如何に女性ファンを獲得しているか

## 短評 ローターリー

**★機動部隊**

セミドキュメンタリーものとしてはたいへん傑作でアメリカ海軍航空発展史として見ても興深い所あり、日本映画の拙劣さを身にしみて感ずる。実写のショットが正に迫力的で対空砲火の死角をついて海面すれすれに突込む勇敢さが観客への戦中のノスタルジアと尽忠への真心にうたれて拍手がおこる。この西部劇的興奮が『物量さえ数あればアメリカなどに……』という再軍備論に利用されそうだ。　**芝**

**★人生模様**（米）

人生模様と掛けて素人のにぎつたすしを食べるが如しと解く。心は、わさびの利いたのもあるが利かないのもある』。しかし第一話、浮浪者に扮する名優チャールス・ロウトンの傑出した演技はもうけもの。強いて順位をつけるなら一、五、二、三、四の順か……。（**石**）

**人生模様**

第一話……現実的な皮肉
第二話……ウイドマークの小悪党ぶり
第三話……老画家最初にして最後の傑作
第四話……大人の童話
第五話……ほのぼのとした愛情

（H・T）

**★雁**

お玉がひそかに心待ちにしていた岡田は何も知らずにヨオロッパへ旅立つ。それが飛立つ雁によつて象徴される。映画ではこの雁は余り効いていない。明治の女の背負つていた女の位置と、お玉の自我というのは相当描かれてはいるが、明治情緒の表現（しつとりした情感あり）に傾いた憾みがある。佳作。（**た**）

**★見知らぬ乗客**

いつもながらヒチコックの技術は鮮かで見物を飽かせないし、テニス・コートの緊迫感や議事堂前の秀れた撮影などそれ自体は達者なウデを揮つた描写だが、ヒチコック作品は、あらゆるものを利用してスリルを生むというのが目的だから深味も感動も生れる筈はない。スリラーファンを満足させるに止る。（**た**）

が分るだろうとかいう意味のことらしかつたのですが、それ程ではないにしても、矢張このドラマはNHK娯楽放送の花形といえるでしよう。映画化されたものが受けた理由として考えられるのも、第一ラジオドラマとして三百回余りも放送が継続され全国的に著名になつていたこと。それに、

若い女性特有のロマンチシズム、現実を逃避して夢に生きようとするまち子、――

立身出世を生甲斐とし、妻に何ものをも与えようとはせず、それでいて妻のすべてを要求する冷くとりすました形式主義の夫勝則、――

夫を失つた後の寂しさから、一人息子の愛がその妻まち子に集中するのを恐れ、何かと中傷を試み、そのくせそれを正当化して自身を美しくみせたい虚栄のかたまりのような勝則の母徳枝。この世に有りがちなこの型の、一つの家庭をとりあげて身近に感じられる登場人物の一人々々に、事々の善悪を問わず私達は親しみを感じるのではないかしら。世の姑はまち子の言動の中にふと己の嫁を感じ、又世の嫁達は徳枝の仕打を我姑のそれに比べてみることがないとは云えないと思う。そのイメージを耳から丈でなく、矢張り眼で、動きのある現実としてみてみたい、そのあらわれがつまりこの映画が大衆に受けた理由ではないかしら。それにこのドラマの強力な魅力の一つとして古関祐司の作曲があると思う。何回目ごろの放送であつたか忘れたけれど、〃ゆみの歌〃と云うのかしら、北海道の広漠たる原野を渡り、草木を鳴らしてすぎてゆく冬近い風、――暗黒の中にきらめく無限の星空を、南の涯に住む私にさへも生々しく感じさせてくれる歌であつたと思う、この音楽が映画にどんな風に取り入れてあるかしらと思うことも私自身の気持丈で云えば映画をみたい欲望をそゝる一つであつたと思う。不幸にして私はこの映画を観る機会がなかつたので、そのことについては何とも云えないけれども、この他に〃岸惠子〃という女優さん道のスタア・ヴアリユーも亦あずかつて力のあつたことでしよう。

(川越洋子)

## 〃落ちた偶像〃をみての雑感
### ――子供の世界から――

大人達の姿や言動は全ての子供に反映し共通する。

ふだんから嘘をつくなと躾されていた少年は大人達の醜悪な虚偽に満ちた日常の言動に疑惑と失望を感じたであろう。

(ラスト・シーンに於て療養から久し振りに帰つてきた母親が優しく、その名を呼んでさえも、彼の顔には素直さがなかつた……心理描写の秀逸)

ストリー全体をとおしては単に一大使館内の出来事として処理されているけれども、私は大人の世界と、子供の世界とに分れた現象としての見方をとつて、今更乍ら大人の世界の無責任なスキャンダルを見せつけられた思いと共に、現在の社会に吾々のおかれている姿を少年フエリップにみた。

少年の必死の叫びにも、又は恋人を姪といつわつての言動にも、大人達は、子供の人格を全然無視している。私は子供の立場から大きな義憤を感ずる。(大人と子供の世界は違うとすれば、少年の夢であつた、可愛い蛇を殺してしまつたのは……)子供の夢をこわした無責任な世の大人達の真似事を、再び大人になる子供達がしないように、……私は感じた。(縣廳H・T生)

### スチール展

県庁サークルでは秋の県文化祭の一環として今月末庁内でスチール展を開きサークルへの認識を深めると共に会員の獲得を計画中。

### 基地六〇五號

新星映画では『基地六〇五号』(伊良湖岬改題)を広く国民に映画にするため事務局ストオリイを送つて来ました。職場での検討を希望しています。

## A・ヒチコックの映画について
### 高井肇

『見知らぬ乗客』はスリラア映画として、巧妙に作られたという点では、長年、扱い慣れた庖丁を握つた板前の熟練の技のように鮮やかな出きばえである。(見ていて面白い)

ヒチコック監督は見物の意表をつく奇手を好んで使う人である。そのかわり、後から考えてみると、ムジユンしたことが多いのに気づく。

つまり、彼の用いた奇手というのは、その時だけしか通用しないものが多い。多分に魔術師的なのである。

たとえば――ガイが深夜、忍び込んでくるのを父に替つて待ち受けるブルーノはガイの心中を見抜き得たにしても、或は彼がピストルを発射するということを考えなかつたろうか。これは例であるがこの外にも、今ここに急に思い出せないが、そういうムジユンは考え始めるとキリがない。そして彼の作品中にでてくる恋愛にしろ、社会にしろ、それらのものはスリルを生み出すための手段として利用されるのだから結果が空しい訳である。

『見知らぬ乗客』の中でミリアムを絞殺するブルーノを、地上に落ちたミリアムの眼鏡から見た角度で、レンズを通してユラユラと写る。これは実在の視覚ではない。それ自体はヒチコックらしい奇抜な着想であるが映画全体から見れば、何を意味するために、歪んだ視覚を持ち出したのか。『見知らぬ乗客』の面白さというものを一つ一つ突きつめていつたら、みなこうなりはしないか。

眼鏡にユラユラ写る殺人場面のように、あゝしなければ効果が上らないのは、即ちスリラアのテクニックしかないことを物語つている。

殺人狂ブルーノは全くの変質者だが、この変質者を生んだ社会なり環境については余り説明されていない。ブルーノの心理を分析して人間性にメスを入れようとはしていない。変質者ブルーノはストウリイに利用されたのである。ただ、その母親は、ガイの恋人の訪問を受けた時の態度など、狂人か正常人か分らない妙な印象を受ける。(描いていた絵も、ずい分オカシナ絵である)この種のピントのボケタ人物はヒチコック作品にいつも登場する。それでいて異常に鋭い所もある人間(ケイリイ・グラントのマスクが適役)は物語の異常性と共にヒチコック映画の特徴である。

君の名は…

菊田一夫作　全哲脚色

―読書新聞より―

# 10月下旬各館スケジュール

※ ゴチツクは推せん映画

| | 14 15 16 17 18 19 20 | 21 22 23 24 25 26 27 | 28 29 30 31 1 |
|---|---|---|---|
| ロマン | **赤い風車**<br>フオサイト家の女<br>南十字星は偽らず<br>生きる為のもの | **廣場の孤獨**<br>地上最大のショウ | |
| センター | **大音樂会** | 人間魚雷<br>わが心に歌えば | ゴールデンコンドルの宝<br>斗う雷鳥師団 |
| 若草 | 健児の塔 | バラと拳銃<br>淺草物語 | 砂絵呪縛<br>青空大名 |
| 宮劇 | 沖縄健児隊<br>夕立勘五郎 | 花の中の娘たち<br>青面夜叉 | 花の生涯<br>誘蛾燈 |
| 日劇 | 健児の塔<br>夕立勘五郎<br>皇太子外遊日記 | 花の中の娘たち<br>バラと拳銃・広場の孤独 | |
| 江平 | 南十字星は偽らず<br>朝焼富士　クイズ狂時代 | **廣場の孤獨**<br>母子鳩　赤穂浪士 | 江戸姿一番手柄<br>八百人斬罷り通る<br>麦飯学園 |
| 孔雀 | 女難街道<br>若旦那の縁談<br>あばれ獅子<br>戦慄<br>欲望 | 日本の悲劇<br>俺は用心棒<br>山下奉文<br>獅子の座 | |
| 大淀 | 続々十代の性典<br>沖縄健児隊 | 青面夜叉<br>浅草物語 | |

# 映画紹介

## 大音楽会（ソ）

モスフイルム映画

モスコウのボリショイ劇場（国立アカデミー大劇場）創立百七十五年を記念して作られた色彩音楽映画で、ソ連版『カーネギーホール』と言われているがその中心はバレエと歌で現代ソヴエト一流の人々が出演する。製作監督は『夜明け』の助監督を勤めたヴエ・ストローエワ、脚本ヤ・マキシーメンコ、撮影はミハイル・ギンジンとウラジミール・ニコラーエフ、音楽は『シベリヤ物語』のニコライ・クリユーコフの担当。コルホーズの歌劇団とモスクワの国立劇場との交換の音楽会の中にボロデインの歌劇『プリンス・イブール』、チヤイコフスキイの『白鳥の湖』の第二幕と最終幕の一部、プロコフイエフのバレエ『ロミオとジユリエット』、グリンカの歌劇『イワン・スサーニン』などの多彩な舞台が紹介される。おなじみの民謡『黒い瞳』なども歌われ、音楽愛好家には必見中の必見というべきか。

☆ **廣場の孤獨**（日）

俳優座＝新東宝映画

二十七年度上半期芥川賞をうけた堀田善衛の『広場の孤独』を『青色革命』の猪俣勝人が脚色したもの。人生劇場の佐分利信がメガホンを取り、藤井静が撮影にあたり早坂文雄が音楽を担当。佐分利は自身主演しており、フリーとなつて第二回出演津島と高杉早苗を中心に俳優座の千田、小沢、以下腕きゝが総出演している。二つの道が交錯しているイデオロギーの対立をめぐる地点ニツポンの不安と焦燥とそして絶望が不協和音で奏でられる、東京租界の孤独と暗黒の峻烈な政治参加文学を佐分利がどう消化表現しているか興味深い。

☆ **花の中の娘たち**（日）

東宝映画

『カルメン』『夏子』につぐ邦画では三番目のテクニカラーもので東宝としては初め『フジカラーニユータイプ』製作脚本監督とともに出本嘉次郎がこれに当り田園の風物を天然色で捉え、その背景の中で牧歌情緒豊かな田園物語が繰り拡げられる。杉葉子、小林桂樹、小泉博、岡田マリ子、東野英治郎等が出演する。『馬』で詩情豊かに牧歌的生活の種種相を描いた出本監督が色彩の援けをかりて田園の風物を如何に表現して見せるか期待されている。

☆ **沖縄健児隊**（日）

松竹映画

松竹が初めて放つ戦争映画で、戦争讃美又反戦という立場をハツキリさせたものではなく中立の立場より純真な青年達がどんな生きかたをしたかを、ありのままに伝えるものだという。『鉄血勤皇師範隊』の名称の下に軍司令官と運命を共にした沖縄師範男子部職員生徒の当時の姿を描く。原作は健児隊生き残りの太田昌秀と外間守善、岩間鶴夫がメガホンをとる。

（芝）

映 シネ フレンド
宮崎映画サークル発行
事務局 宮崎市高松通り１の45 TEL 3659
１部５円

# 平和をめぐる二つの問題作登場
## 『ひろしま』『禁じられた遊び』

### ひろしま

〃余りにも悲惨すぎる〃〃対米感情を刺戟する〃として松竹ほか主要配給会社がその配給を見合わせたことから一時日教組の自主配給かと色々取沙汰されたこの作品も、九月四日日教組代表が、北星映画をおとずれ配給の申入れを行なつたことが急速に公開の運びとなり、この前後を通じて全国各地の労働組合、民主団体などの熱烈な支持と公開への叫びが製作者側の日教組をます〳〵元気づけ国民映画として一人でも多くの人に『ひろしま』を見せるべきであるとの声は現在ます〳〵高まつて行きつゝある。問題の作品である。**カンヌの映画祭**で特別にヒューマニズム賞を設けてこれをあたえろとまでいわれた昨年の力作『原爆の子』をまだ不充分として日教組が『原爆の子友の会』と共同で作つたものである。

一般新聞でもすでに紹介されたが、この映画の製作にあたつて地元広島は全市をあげて後援し、学生や有志の自発的な援助はもとより、広島市はエキストラとして出演したニヨンの給料全部を支払い、広島電鉄はロケ用にバス二台を無料提供するなど大変な力のいれ方で、映画は、八月はじめすでに完成していたのであるが、いざ配給というときに、三カ所のサク除問題で松竹と大もみ、この映画をみに学生や知識人などが、サク除絶対反対の意見を朝日新聞の『声』欄に投稿して、大きな話題となる一方、サンデー毎日などはいやみタツプリなバクロ記事をのせたりしたが、やつと無サク除で公開されることになつた。

東大職員組合、日本文化人会議の共催で、東京赤坂ビルで内外学者を招待して上映したが、武谷三男博士ら日本人学者が多忙な時間をさいて観賞した。各学者は『この悲劇を二度とくり返したくない』とこも〴〵次の様に語つた。

**バイス博士**（米プリンストン高級研究所）非常に立派な映画だつた。あの様な悲劇を二度とくり返すことのないよう心から希望する。

**ファイマン博士**（米カリフォルニヤ大学）私は原爆の製造に参加した一人だがこれのもたらす悲劇を痛切に感じた二度とあの様なことを繰返したくない。世界平和に役立つと思うとかたつている。

戦争を二度とくり返したくない国民興論が結実して出来た映画といえよう。

### 最高動員数を示す 〃禁じられた遊び〃

東京でシーズンのトップを切り九月六日より日比谷映劇で公開されたこの作品は興行界の予想を見事裏切つて記録的な成果を挙げる事が出来たともすれば限られた観客層にのみ迎えられるフランス映画が、然も興行者にとつては敬遠の的である、子供が主演であり、極めて薄弱なスターヴアリユーを以てするこの映画が、かくも業界を驚仆させた成績を挙げるとは誰しも予期し得ぬところであつたし、一種不可解な現象だつたがこの現象は、充分な根拠があつて初めて成しとげられたものであつた。監督ルネクレマンは始めキヤメラマンから記録映画の作家に転じ、更に劇映画に入つた人であるだけに、本邦紹介作の『海の牙』でも明らかな様にセミドキユメンタリー風な卓越せる手腕を振つている。さればこそ『禁じられた遊び』におけるオールロケーションは当を得たといえる。主役の二人の子供、ブリジツトフオセエとジエブウジユリイを発見する迄には彼自らの絶えざる行脚によつて千数百人の候補者から抜擢するという周到さであつた。スターヴアリユーの稀少性など実は大して問題となるものではなく専ら赤裸々な人間の本性を深く抉つた〃絶叫しない反戦映画〃として、万人の胸を搏つ秀れた内容のみ光つて行き、そこには、何等のマヤカシもハツタリも無かつた事は確かに成功の基であつた。（キネマ旬報抜萃）

#### スタッフ

原作……フランソワ・ボワイエ
脚色……ピエール・オーランシュ
ピユール・ボスト
フラユソワ・ボワイエ
監督……ルネ・クレマン
撮影……ロベール・ジユイヤール

#### キャスト

ボーレット…ブリジツト・フオセエ
ミシエル…ジヨルシユプウジユリイ
ミシエルの父…リユシアンユベール
ミシエルの母…スザンヌ・クウルタル

#### 監督ルネ・クレマンという人

一九四五年に発表したナチスへの反抗『鉄路の闘い』で一躍注目されるに至つたこの新鋭監督は戦後日本で公開された秀作『海の牙』で知られる通り、フランス映画には珍しいリアリズム作家である。そのタッチまことに大胆にして鮮鋭、その後の『鉄格子の彼方』『ガラスの城』では、やゝ畑違いとも見られる題材であつたが前者におけるセミ・ドキユメンタリイ風の環境描写、後者の心理描写にはやはり彼らしい表現を示した。この『禁じられた遊び』はクレマン本来の才能を発揮するものとして期待される。一九一三年ボルドオの生れ、始めキヤメラマンとして入り漫画映画、記録映画の作家から劇映画の監督に転じたひと。

# 何を観るべきか
## 日本映画・秋の大作を展望する

### ☆…まえがき

毎年の例であるが十月から十一月にかけて、その年のベスト・テン級と目される作品が芸術祭参加を機として、各社競作の形で封切られることが多い。外国映画また、この頃に秀作が続く。しかし、中には映画会社の商業政策で如何にも大作らしく見せかけて宣伝しているが中味は案外、無内容という作品がなきにしもあらず、看板に偽りなきやをトクと見定めることが肝要。そこで、これらの映画の価値、見どころといつた点について紹介し何を観るべきか秋の期待作を探るとしよう。

### ☆…文藝映画の氾濫

今や映画会社の企劃の目はみな文芸作品の映画化ということに集中された感がある。全くそれの氾濫という形容がピツタリする。どれを見ても全部原作があるのだ。さて、その是非はさておくとして数多い芸術参加作品の中、松竹『東京物語』、東宝『七人の侍』は、純創作シナリオによつている。前者は小津安二郎、後者は黒沢明という、それぞれ演出力の確かな監督のものだけに、相当期待のもてる作品だ。『東京物語』は年に一本の製作しかやらない小津安二郎が今までの『晩春』『麦秋』的世界から転じて、ぐつと庶民的な生活―現代の東京生活を描いたものというし脚本、野田高梧とのコンビだから、清潔な演出を見せるに違いない。『七人の侍』は西部劇の向うを張る活劇調の中に人間性の一面を衝いてみたいという演出意図を何かで見たが、黒沢作品にいつも出演の三船、志村という配役は魅力があり『東京物語』と共にベスト・テンの有力候補となろう。東宝が社運を賭けて製作中と伝えられる**戦争映画**『**太平洋の鷲**』は御自慢の特殊撮影技術を総動員してのものだけに『戦艦大和』のチヤチさはないかも知れないが、如何に立派にでき上ろうと再現の名の下に戦争を肯定ないしは美化されては堪つたものぢやない。

戦争映画のもたらす影響について熟考を望みたい。★日本映画は『花の中の娘たち』で色彩映画三本製作したことになるが松竹、東宝に続いて大映がイーストマン・カラーによる『**地獄門**』、東映がコニ・カラーによる『**日輪**』をそれぞれ発表する。『地獄門』は時を源平の平治の乱を中心に、けんらんたる歴史絵巻をくりひろげようとするもので脚本、監督は衣笠貞之助、製作は御大、永田雅一社長が出馬してのハリキリ方だがこの点、東宝の『太平洋』と対照的である。ヴエニスで栄冠を得た『雨月物語』の後に続けるかどうか美術（伊藤熹朔）撮影（杉山公平）音楽（芥川也寸志）はヴエテランを配し演技陣また堂々たるメンバーだこれが日本映画の宿病たる時代劇調に陥らず華麗な歴史ものとしての品格がでれば幸い。だが同じ大作でも『太平洋の鷲』よりは少くとも正しい映画製作の方向にある作品には違いない。『日輪』は、東映の二大スター片岡千恵藏、市川右太衛門の顔合せで原作横光利一、監督は早撮りの名人、渡辺邦男。これも芸術祭参加作品だがこの方は色彩によるスペクタキユラアな大がかりさを見せ場とする内容らしい。『地獄門』と競作みたいになるがサテどちらに軍配が上るだろうか。製作スタッフとしては『日輪』は幾分見劣りのするのは争えない。★ズラリと並んだ各社の文芸**大作はそれぞれ相前後して十一月には宮崎の映画館のスクリーンを飾る**ことになるがそのトップは舟橋聖一**原作の井伊大老を描く『花の生涯』**（大曾根辰夫監督）は松本幸四郎の好演が伝えられる。

松竹も製作費をかけて作つただけに時代劇監督としては手固い大曾根辰夫によつて相当、鑑賞に堪える作品というが、そこは、いわゆる時代劇調の域を出ない（多分にメロドラマの匂いこする）作品のように推察され、本格的な、客観を主体とした歴史映画（俗に言う時代劇とは違う）のジヤンルに属する、たとえば——『夜明け前』などとは自ら質を異にする作品と思われる。

### ☆…『夜明け前』と『にごりえ』

文豪島崎藤村の原作を新藤兼人脚色により吉村公三郎が監督した『**夜明け前**』は劇団民芸総出演で近代映協と組んだ独立プロ作品。他の芸術祭参加作品に比べてこの映画が一番それらしいものに見えるのは原作にもよるが、とにかく時代への展望と人間性洞察がひめられていることだ更けゆく秋にふさわしい佳作になるだろう。『夜明け前』と同時上映になる『**蟹工船**』（小林多喜二原作）は山村聰の第一回監督作。すさまじい程の迫力が観客を圧倒するという。独立プロ作品にはこの外、『**君に捧げし命なりせば**』（若杉光夫監督）と全逓の『**赤い自転車**』が続いて上映されるが、前者はメロドラマ調が気になるがマジメな社会劇。後者は全逓従業員の生活を描いたもの。共に一見に値しよう。『**にごりえ**』は樋口一葉の短篇小説を今井正が演出するオムニバス映画。文学座が全員出演する。これは相当期待していい作品だ。撮影も好調と聞く。豊田四郎の『雁』と好い対照になろう。新東宝の『**女の一生**』（モーパッサン原作）は新藤兼人演出・脚本に千田是也、乙羽信子主演。『縮図』に続く新藤兼人が原作を如何に消化しているか、これも興味のある一篇。大映の『**地の果てまで**』はドストイエフスキーの（罪と罰）から新藤兼人脚色を久松静児が監督。前作『祕密』以上になるかどうか。佳作『まごころ』で注目された小林正樹監督は、BC級戦犯の手記にもとづいた安部公房の脚本『**壁厚き部屋**』を映画化する。幾分心理劇めいた内容だが小林の演出力は堅実だからかなり信頼してよい。☆まだ後がある。尾崎士郎の『**早稲田大学**』（佐伯清）に森本薫作より『**愛人**』（市川昆）がソレだ。

### ☆…むすび

ひとわたり紹介し終つたが、その中のほんとうの期待作はどれか。安心してこれだと云えるのは『東京物語』『七人の侍』『夜明け前』『にごりえ』のヴエテラン監督の手になるものに続いて『蟹工船』『女の一生』『壁厚き部屋』という野心作、それに色彩の『地獄門』も先ずA級に入ろうか。大体これだけ挙げておく。もともと映画は、これとこれを見ればそれで足るとか、これを見なければいけないという風なものではなく、人が何と云おうが自己の感じ取つたものを大切にする、それを考えてみることこそ肝要である。選ぶのは自由だ。どんな映画でも（極端に低級なのは別として）大ていどこかに美点があるものだ。要するに観た後が大切なのだ。

（た）

**―私の映画評―**

次号より連載します

◇千字程度のもの。
◇掲載の分には映画招待券進呈
奮つて御投稿願います

# 私達のひろば

## 農業試験場の巻

**農業試験場**　と云つただけでは知らない人が非常に多いので此の際に紹介させて戴きます。此の前サークルの会議に出席した時各人自己紹介がありまして、農業試験場の誰々ですどうぞ宜敷くと云つたところが農業試験場とは何処にあるのですか？と聞かれ、農業県宮崎の中心であるべき試験場が多くの人に知られていないのに少々愕然としました。本来農業試験場は本場と分場に分別された本場は市内大淀の京塚町にありますが、この京塚と云う所は老人達が地震の時に唱えるキョツカキョツカと云う呪文の京塚で地震がしない所だそうですがやつぱり地震の時はゆれる様です。更に分場は川南、都城、生目、高千穂等にあります。現在本場の職員傭人併せて約八十五名でその内に映画サークルに入会している人が三十四名おります。最近その動きも漸く軌道に乗りつゝある現況でその現れとして映画サークル会員の合評会をやろうと云う話が持出され九月十二日に出席者十四名によつて活潑に行われましたので次にその模様をお知らせします。

※映画サークルの内容の説明

**※田野映サと宮崎映サの交換会に出席した時の感想**

始めの内は見知らぬ人ばかりでてれくさかつたが、段々話して行く内に親しくなり、普通では友達になり得ない様な人々とも親しく会話が出来て、とても有意義であつた。特に土曜合唱団やスクエヤーダンスは一層その雰囲気をなごやかにした。

**※映争映画に就いて**

A、最近戦争映画が多くなりましたがこの点に就いての皆さんの意見はどうでしょうか？

B、機動部隊等を見るとそのトリックの巧さやスケールの大きさには感心させられたが日本が米軍にこてんこてんにやられる様は気持の良いものではなかつた。

C、現在の様な世相では近頃上映されている反戦映画も遠からずして上映禁止になる時が来るような気がする

D、反戦映画は逆に昔の戦争気分を湧き立たせる危険がありはしないだろうか。

E、戦争映画は観たくない。

**※映画の二三本立に就いて、**

A、二本まではよいが三本になると見る方で疲れる。

B、時間的に非常に困る、大抵の場合が最初の方にだきあわせものが上映されていざ本物が上映される頃には見る方が疲れる。見ごたえのあるのを一本観た方が良い。

**※映画選別のポイントに就いて**

A、原作や新聞に連載されたのを読んで良かつたら行く。

B、好きな監督の作成した映画の時は大抵観に行く。

C、別に原作とか監督にはこだわらずに観に行く。

大体以上の様な事をお茶を飲み乍ら話合つたのですが、この様な会を持つことによつて唯単に映画の事でなく家庭の事や或は仕事に就いても時時持ち寄りお互いが常日頃に考えている事をも発表する迄に持つて行きたいと思つて居ります。又この会で決議事項として今後良い映画を随時推薦して合評会やる事を決めた。次に会員の映画アンケートを行つたのに対しての回答は次の通りだつた

**※あなたが今迄観て良かつたと思う映画は！**

A　洋画
哀愁、第三の男、我が生涯の最良の年

B　邦画
生きる、誘惑、麦秋

**※あなたの好きな俳優！**

A　洋画
バーグマン、グリゴリ・ペック、

B　邦画
原節子、佐分利信、笠智衆、宇野重吉、

**※あなたは次のどのきつかけで映画を観に行きますか？**

A、好きな俳優が出る

B、監督が良い

C、原作を読んでいる、又は原作者が有名である。

D、新聞の批評が良かつた。

E　其の他

**※映画は大別して凡そ次の二つに分けられると思うのですが、あなたは主にどれを選んで観に行きますか！**

A　純娯楽的なもの、

B　芸術的なもの、

C　別に意識しない

**※入場料と三本立の問題に就いて。**

A　現在のまゝで止むを得ぬ

B　一本立でもつと安く

C　二本立なら良い

**※あなたは月何回位映画を観ますか**

A、三〜四回

**※映画サークルに望む事。**

A、推薦映画の幅をもつと広く。

B、大衆的なサラリーマン映画も推薦して欲しい。

C　シネフレンドの発行を早く

D、映画を選択するために多くの映画批評や紹介をして欲しい

E、もう少し料金の割引をして欲しい。

アンケートの結果以上の様な結論を得ました、提出された問題の内七番を除いた他は一同意の多かつた順に○印を付けてあります。洋画の俳優ではバーグマンが段然人気があり邦画では原節子だつた。映画の選び方も一般に緻密で原作や新聞批評が重要視されている。然し、その反面西部劇のファンも多く映画の選び方の中に、別に意識しないと云う欄が非常に多かつた。

殊に一脈相通ずる様に思われる。せち辛い日常生活の中では何か胸のすく様なスリルのあるものを好むのも無理からぬ事ではなかろうか？然るに一般に見ている映画の多くが所謂高級映画でお涙頂戴の映画が殆んどなかつた。

今迄に農試映サとしての活動は以上の様なものでありますが、十月に県庁職員寮にて県庁画サとの合同合評会が、行われ、今後の活動としては会員一同密接な連絡を取り意見の交換を行い、それと共に他の職場サークルとの合同合評会を持ちたいと考えている。

**秋の公演**

**座**　神霊矢口の渡し

**進**　らくだ物語

**前**　姉の言葉

☆　**十一月下旬　国太郎班**

MEMO

# 推せん映画に一言

推せん映画についてはようやく各職場から種々の意見が出され、宮映サの良い映画の基準も問題になりかけているが、今号では職場人からの卒直な意見を素直に取り上げ今後の映サ活動の指針としたい。

※信念をもつて推せん映画を決められる以上全面的に映サの活動を支持します。（九配二十代の人達）

※北星映画は、どんな映画でも推せんになる。そういう所に映サのかたよつた進み方を感じるのだが……。（九配三十代の人達の意見）

シネフレンドの42号に、『サークルは堅いものばかり推せんして……』という声が出ていました。サークルの推せん制に対しては今迄も大分不満の声が上つているように思います。成程あれ丈けの反響をよんだ『君の名は』も、世界一権威のあるオスカー賞を受けた、『地上最大のショウ』を推せんされてはいませんし封切当日『君の名は』の1/10しか観客を動員できなかつた『広場の孤独』が推せんされています。先週の推せん映画『赤い風車』もぼくにはそれ程迄いゝ作品とは思えませんでした。推せんされた作品がいゝと思えず、されなかつた作品に感心することは折々あります。しかしながらそれだからといつて、サークルのみを責めることはどうかと思います。サークルの委員をえらんだぼくらの罪にも思いをいたすべきでしよう。サークルの委員方がぼくらから遊離するのと共にぼくらも次第と離れて行きつゝあるのじやないでしようか？勿論サークルの委員方が高踏的になるのは許されませんし、その存在も認められるべきではありません。それは丁度人民の意に反して勝手に政治を行う政府が民主主義国家にあつてはならないのと同様です。早速ボイコツトされるべきです。つまりぼくらの選んだ役員はぼくらと同じである筈で、ぼくらの考えがそのまゝ役員諸卿の考え方である筈です。しかしその間にある溝を取り払うには？お互いの話し合いだと思います。而してお互いの努力です。サークルの基本方針である『よい映画を安くみる』のよい映画とは？それに対する判断の基準は？（言い換えるとよい映画とつまらない映画の区別の仕方―硬いからよい映画というようでなく―）ということについての活動が不足しているのじやあないでしようか。もつとよく考え、親しく話し合い、勉強することが是非必要だと思います。その為にはサークルの委員諸卿が今後の会の活動方法についてもう少し従来のやり方から脱皮されるよう望みます。（**九波**）

## 11月上旬各館スケジユール

※ゴチツクは推せん映画

☆**ロマン座**
（3―11）**三人の名付親**・流刑の大陸（11―17）砂漠部隊・果てしなき青空

☆**センター**
（4―11）**禁じられた遊び**・**花咲ける騎士道**（12―18）ミシシッピーの賭博師

☆**若草**
（4―10）血闘・三十三の足跡急襲桶狭間（11―17）**地の果てまで**・歌の明星・続々魚河岸の石松

☆**宮劇**
（3―10）太平洋の鷲・若君逆襲す（11―17）山を守る兄弟・鉄腕涙あり

☆**日劇**
（3―10）太平洋の鷲・急襲桶狭間（11―17）続々魚河岸の石松・鉄腕涙あり

☆**江平映劇**
（3―10）**ひろしま**・川辺の少年達（11―17）**雲流るゝ果てに**

☆**大淀映劇**
（3―10）血闘・三十三の足跡・若君逆襲す（11―17）**地の果てまで**・山を守る兄弟

☆**孔雀座**　未定

## 短評　ROTARY ロータリー

**赤い風車**　カンカン踊りとコニヤツクと人いきれと喧噪……最初のムーラン・ルージュの雰囲気描写は全くズバ抜けてよく、この映画の圧巻。あとはヒユーストンの演出としては普通で、あれ程迄きびしくひねくれの生涯を描きながら、ラストの甘さには云い得ない。要するにしようがない全般的にみて味いの深い作品である。

**花の中の娘たち**　『夏子』よりはマシであるが『カルメン』には内容の点でグツと落ちる。田園風景の美が取柄である。

**わが心に歌えば**　歌手の伝記映画としては平凡。フローマンその人を描く方は安易で夫との関係など要領をという だけ。要するに歌が多く聞けるというだけ。ショウ映画だ。

## 『三人の名付親』と『地の果てまで』

## 編集後記

★今号は『ひろしま』と『禁じられた遊び』を一人でも多くの人に見て貰うために一面に紹介してみた。例号の映画紹介欄が抜けますので『**三人の名付親**』と邦画『**地の果てまで**』をここでお知らせします。

★すでに何度か映画化された西部劇ジョン・フォードとジョン・ウェインと云えば大たい後は知れよう。娯楽性の強いジョン・フォード映画。

★『**地の果てまで**』は脚本新藤兼人演出久松静児（秘密）で罪と罰を描く。池部良と久我美子、上田吉二郎という配役。ちよつと変つた映画になろう。題材が野心的だ。

★本紙の名物？スケジユール表をご覧のとうりに変えてみましたが如何。不便だとおつしやる方は事務局へ電話ででも御一報願います。

★すいせん映画の基準について『声』が出ておりますが意見のある方はどしどしお寄せ下さい。薄謝を呈します。

★九州書籍では小林多喜二不朽の名作『蟹工船』の上映を機に多喜二全集（三巻）蟹工船、不在地主を定価三五〇円の半額以下の特価販売をやるそうです。原作を読みたい方はどうぞ事務局に連絡して下さい。

★松川事件の公正裁判を要求する良心的な人々の声は県労評や国民救援会を初め宮崎でも大きく脈打つて来ている。新星映画でも今井正監督によつてこの歴史的な事件を取上げる計画があるという。そろそろ働く人達が歴史の主人公として浮び上つて来つゝある。

★市内の目抜き通りに映サの推せん映画広告塔を立てることにした。勤めの行き帰りに目につく場所であるから注目願います。

★図書館主催の映画祭『本日休診』七日図書館ホールで

―**事務局**―

# 今週の映画評

**北星正月封切は**

## 「唐人お吉」

今度京都に京映プロダクションが創立され、第一回作品「唐人お吉」が撮影開始され正月北星映画で封切られることになつた。監督は「**君に捧げし生命なりせば**」の新鋭若杉光夫、山田五十鈴、嵯峨美智子母娘の初顔合せをはじめ宇野重吉（民藝）河原崎国太郎（前進座）等の特別出演による豪華な顔ぶれである。

## 平凡な小市民の人生を描いた秀作

### ―『東京物語』―

高井　肇

「東京物語」の冒頭と終り近くの場面に隣家の妻君（高橋豊子）が出てきて二言三言、挨拶をする。この人物など、小津作品中の典型的人物だが劇のしめくくりみたいな役を果すと同時にその律儀で實直で好人物らしい、自己の分に應じて平凡に生きていく日本人―これまでの小津安二郎の成功作は、常にこれ等小津的人物群像の生活に起る微笑と感傷を描いたものであつた―として描かれていて、作者の隣人觀、人生觀といつたものも出ているのだが、それ等の意味で小さな主人公であるとも云える。

平山周吉（笠智衆）と、とみ（東山千榮子）も、この隣家の妻君の生活を拡大して描いた人物なのであつて、その裏を引つくり返すと、實は隣家の妻君の方にも映畫「晩春」や「麥秋」や「東京物語」などに出て來た生活が潜んでいたかも知れない……ということは小津作品に登場する人物が作者の愛着する日本人の一面を確かな演技指導によつて表現され、懷しい体臭をも感じさせる人間として生きているからだ。「東京物語」の焦点は、もち論、平山老人の人生にあるが、その老妻との生活は、熱海海岸での夫婦の勞り合う美しい清潔な場面を例とするように、共に手を取り合つて生きていく姿には人間の愛欲、物欲を通り越した、ひたすらな信頼の尊さが感じられる。が、この夫婦がここにくるまでには、やはりいろいろな苦勞があつたろうことは、とみや次女の言葉で察せられる。「晩春」にも、これが出ていて觀客を感動させたが、要するに映画「東京物語」の價値は平凡な日本人の一家族を登場させて老夫婦の上京、そしてとみの死ということを描きながら、そこに小津流の笑いと涙を氣品高く表出したことにある。一篇の中で最も秀れているのはとみの死の前後の部分である。殊に死後の場面で三男（大坂志郎）の描寫に、つい親のこともおろそかになつてしまう現代の生活をにじませながら、死目に會えなかつた子の悲哀の情がよく出ている。そういう冷い世相での親子の關係は東京での場面でも説明されている。就中、戰死した次男の嫁、紀子（原節子）と周吉との心の結びつきは一きわ優れた情感にみちた人間描寫を示していて（老母の形見にと差し出された紀子が顔を手で覆つて泣き伏す場面）温い余韻をひゞかせる。この余韻はラスト・シーンまで續く。小學生の［…］えて、女教師の［…］を見る、その教室［…］ヨット、東京に歸［…］乘せた列車が轟々［…］るそして尾道港の［…］れは近來最も味い［…］ト・シーンとなつ［…］も周吉と紀子のつ［…］觀客の胸にしみ込［…］快く演出されてい［…］外ならない。

元來、小津作品［…］い生命の燃燒も、［…］會の投影も顯著に［…］い。常にひつそり［…］平凡な人間の人生［…］るのだが、それで［…］感觸と氣品を保つ［…］との秘密は彼が自［…］の人物を靜かにみ［…］てきたこと、正直［…］の美点というもの［…］ることなどではな［…］その限界での、こ［…］高い家庭風俗劇だ［…］

## 尾を曳く生の宿

### 「夜明け前」

黒

混沌たる時代のうしおのなかから、ほうはいとしてわきあがる歴史の黎明期をあつかつて、ひとびとのこころの夜明けをえがこうとしている。

ほろびいくもの［…］デイであり、とり［…］たかなしい犧牲者［…］いごのはなむけは［…］あとのむざんな道［…］ぼくには、むなし［…］おもわれてならぬ［…］

主人公青山半蔵［…］くして平田篤胤の［…］び、神を愛し、［…］た。みずからも、［…］ずしいもののため［…］かい、肉親や、妻［…］よき子であり、夫［…］父であろうとする［…］

しかし、くらい［…］しおは、かれに己［…］い幸福のみに、と［…］とを、許さない…［…］

ここに、人間青［…］生涯の苦惱史がつ［…］

藤村晩年の作品［…］日本文學がいきつ［…］とつの頂点であれ［…］義文學さいごの作［…］秋聲の「縮圖」と［…］うせられる名作で［…］

自己そうこく、［…］でいわれた、出生［…］

## 聲

### 43号の九波氏へ

推せん映画について種々の意見が出ているようですがシネフレネンド43号に投稿された（九波）氏のおつしやるように「君の名」や「**地上最大のショウ**」が推せん映画に入つてなかつたと云つて不満と洩らされているようですが、後者はともかくとして前者の如き作品がどし／＼推せんされるような映画サークルの主旨は一体何でしよう。映画館に人がつめかければ好い映画なのでしようか？　觀客の押しかける映画と推せん映画とが一致すれば満足なのでしようか？　今迄の推せん映画には確かに自分の賞讃するものが洩れていたり意外に思われるものが入つていたりした事は、多々ありました、だからと云つて皆の意見が一致しなければならないと云う事はないと思ひます。今迄より推せんの巾を廣めてもらつて其の中より自分の心から好む所を選り出す……といつた風にして何から何まで他人に依存する事はないと思います。參考程度にすれば不満も少くなるのではないでしようか？

各人それ／＼の嗜好なり主觀なりあつてそこに又色々の興味や得る所もあるのであつて決して自分の意見を他人に押しつける事はいけないと思うのです。新聞雑誌に、掲載される一流批評家達の批評がそれ／＼違つた中には正反對のさえ時には見出される人によつてかくも違つた物の見方をするのかと面白く思われるものです。お互異つた意見を発表し合い討議して行つてこそ最も樂しきと云いたい所です。（S子）

――（職場・氏名をお知らせ下さい）――

### 「ひろしま」を見て

映画〃ひろしま〃を觀て原爆のおそろしさに戰慄したのは、わたし一人だつたでしようか。目をそむけたくなるような惨状の連續、この悲劇いつの世まで、心底から湧くはげしい憤りを感じました。でも私たち日本人はこの事實をはつきり正視して、戰争の罪惡をにくみ、全世界の人々に何ものかを訴えなければならない義務と、權利がある筈です。世界人類の幸福のためにわたしたちは聲を大にして人間の、人間の世のあるかぎりくずれぬ平和を守る運動に積極的に參加しなければならないと思います。

（縣廳書記局　中原）

# 新映畫紹介

## 眞夜中の愛情

（略筋）

フランソワーズは、婦人衣裳店に働く、身よりのない淋しそうな少女である。今晩はクリスマス・イヴだというのに誘つてくれる人もいない。サンタ、クロースは信じないが、靴下の奇蹟は待つている。晝間高價な〈眞夜中〉という香水を買つたマルセルがイヴを共に過そうとした女にふられてやつてくる。若くて金ばなれのいゝ青年である誘われるまゝに、イヴを踊り過したフランソワーズはほのかな愛情を覺える。フランソワーズの愛に打たれたマルセルは別れに際し自分の素性〈にせ札作り〉を明かにして、飛行機で又歸つて行く僅か二日間の戀ではあつたが、青春を滿喫したのだからと、自分を慰さめていたフランソワーズは、意外さに驚き悲しむそして彼のくれた〈ほんとうの金〉まで燒き捨てて了う。

一寸シンデレラ姫みたいな、お伽噺であるが、ジヤンマレエのために企畫されたと云われるだけに、多くの人々の感傷をゆさぶるだろう。

監督は新進**ロジエ・リシユペ**。佛映画界で今注目されているひと。撮影**ミシエル・ケルベ**。音樂**アンリ・ヴエルダン**。

## ……て

**……金サークル**

思いました。今迄にない新しい反戰映画と云えると思います。胸苦しさというより素直な氣持で画面にとけこめる様な氣がしました。」

君「ロマンテイツクであればあるだけあの映画は反戰に向けられているのではないだろうか、」

君「部分的にはラストシーンが良かつた、」

數分間ラストシーンの模樣が一しきり出る。

孃「これは子供の演技力の素晴しさにもよる事でしよう。死んだ父母を殘して、犬の死がいを追つて行く ポーレットの後姿には涙が出ました。ミツチエルとの無邪氣な遊び（ヒヨコと遊ぶ二人の表情や、水車小屋に犬を埋め、十字架をたてる場面等）の中に生れるほのかな愛情は見る者の氣持をほぐしてくれるような氣がしました」

君「音樂も良いのがあつた。川から死んだ愛犬をひろつてポーレットが森をヒヨコ〳〵歩いていた時、父親に裏切られたミツシエルが水車小屋の十字架をなげた、後等」

一同「音樂もよかつた。子供の心境をよく浮きぼりにしていた。」

I君「どうも、ぽかんとして見ているので音樂はわからなかつた、」

父親がミツシエルとの約束を破つたのに對し一同憤激している。

T君「孤兒についてはく」

日本の孤兒との比較論に移る。

H君「フランスの農家だから受入れたのだが日本の農家だつたらどうだろうか。」一同日本の農村だつたらどうだろうと暗い顔

T孃「フランスの田園風景は素晴しいときいていたけれど、この映画に現われたのは片田舍、その中での農民の生活はいつも華かなパリだけを見せられている佛映画と感じがまるで違いました。鮮かな線の美しい風物にとけこめそうな親しみを私は覺えました」

H孃「洋画の子役はうまいですネ」

一同「たしかにうまい」

「落ちた偶像」「自轉車泥棒」の子役と比較している。

T君「子供のうまい理由、日本の子供と比較してどうですか」

一同「環境からくる相違が大きな理由だ、問題にならん」

K君「ポーレットが死に對する意識がなかつた点は、」

年令はいくつだ、五才だと ちよつと不自然ぢやないか、はつきりした認識はなくても漠然とした恐怖位もつのではないかまた機銃掃射の實感について感想が出る。

T君「兩親が射たれて、子供が母親のほゝをなでただけで去つたのは、ちよつとおかしかつた。兩親が倒れている側で無心にしている處を、荷馬車の見知らぬ一家に救われる方が自然ではなかつたろうか、」

K君「題名はどうして禁じられた遊びか」

S君「直譯だろうか、」

I君「十字架遊びが、禁じられた遊びだからおれが父親になつても「コラツ」とおこるだろう」（笑聲しきり）

A孃「子供の十字架遊びと大人の戰爭の遊びの二つの理由てつけられたのでしよう」一同同感といつた表情。

映 シネフレンド
宮崎映画サークル發行
事務局　宮崎市高松通り1の45　TEL 3659
第44號　1部5円

# いよいよ29日幕ひらく 一人でも多く「前進座」へ

—映畫サークル、演劇同好會共催—

前進座が今月二十九日、「神靈矢口の渡し」「らくだ物語」「姉の言葉」の三本を持って宮崎に來演する。今回は映画サークルと演劇同好會の共催でサークルでは會員一人一枚消化を目標にとりくんでいる。次の表は宮崎に於る過去四年間の前進座公演記録である。

| | |
|---|---|
| 昭和24年2月 | ヴエニスの商人 |
| 同　10月 | 眞夏の夜の夢 |
| 同　26年2月 | 佐倉宗五郎 |
| 同　10月 | ロミオとジユリエツト |
| 同　26年5月 | 魚屋宗五郎 |
| 昭和27年6月 | 播隨院長兵衛 |
| 同　12月 | 美女カンテメ |
| 同　28年4月 | 屈原物語 |
| 同　11月 | 神靈矢口の渡 |

以上の様に前進座の宮崎公演は定期的に行われ中央と宮崎とをとざす緑のカーテンも取り拂われた感がある。

ここでは芝居を樂しむ人々のために「歌舞伎矢口の渡し」を中心に筆を進め古典演劇えの理解を深めたい。

「**神靈矢口の渡し**」は江戸時代、殖産家、發明家、劇作家として、あらゆる分野にわたつて活躍した平賀源内とゆう人の手によつて書かれた。

鎌倉より東へ通う道筋の矢口の渡守頓兵衛はすぐる年の足利と新田の争のさい中、この渡し場でおちのびてゆく新田義興を川底にしずめ、たんまりもらつた償金で近郷きつての長者になつたという強欲非道の男である。この頓兵衛には親に似合ず心優しく美しいお舟という娘がいる。

或る日の黄昏時、義興の弟義峯が弔合戦の用意にと故郷新田をさしておちのびてくる。氣品ある義峯の姿にお舟の心は動く。非道の頓兵衛は、又、又償金をせしめようと義峯の寢床の床下から束も通れとだんびらを突込む。手ごたえありと頓兵衛障子蹴とばし踏みこめば倒れているのは我が娘お舟、お舟は苦しい息の下から親の非情を責め、義峯様は日の出ぬ中に逃したと打ち明け四邊の圍を解かす爲瀕死の身をはげまして太鼓を打つ。これが大体の筋であるが中でも戀人の難儀を救おうとして櫓の太鼓をうつ所は、今までの人間としての動きから急に人形としての動作をなし劇を進め女形の藝格の境至を現出するといわれる。

**十一月十四日付朝日新聞**評を次に引用して案内の不足をおぎないたい。

「**神靈矢口の渡し**」はまたにぎやかで動きのはげしい演出。おきやんだが思いつめた娘の氣持が国太郎のお舟によく出ている。**戀人**を救おうとして太鼓を打つくだりの人形ぶりはさすがで国太郎の娘方はいつまでも若い。調右衛門の敵役頓兵衛も好演、刀を抜いてからの動きや花道の六方など古典の面白味だ。「**らくだ物語**」は衆知の落語種。調右衛門の紙くず屋久六が酔うほどに強くなる所など達者なものだが前半もう少しお人好しの感じが欲しかった。中村喜三造の死人、[illegible]んは大いに笑わせる。「[illegible]**の言葉**」は十年ぶりで中國から歸つて來ると妹は原爆ケロイドで無殘な姿。この妹に安樂死をさせる姉のレジスタンスをうつたえる。舞台で叫ぶほどひびいてこないのは姉の氣持が飛躍し過ぎるからであろうか。出演者は力演しているがまだ少し淺い様だ。」と批評し全体的には、「いつもながらの熱演は好感がもてるし次第に實を結んでゆくことであろう」と結んでいる。

## 古典上演に當って

河原崎國太郎

古典を演じる場合、私達には想像以上のむづかしさがあります。すでに六十をこえたカブキの先輩たちもまだカブキはこうだとはつきり言えない深さと廣さをもつて居るといつて居られます。今度上演いたします「矢口の渡し」は科學にも秀いでいた平賀源内の作でございまして大部分の義太夫劇が上方（關西）でつくられているのに對し、「矢口の渡し」は江戸でできた義太夫劇です。江戸の氣性を反映してこの劇は非常に陽動的で、古典のもつ動き、音樂、色彩等を十分生かし人間の本能を直線の形で描いております。古典をいかに新しい演劇にとり入れていくか、どうすれば古典のよさを発展させることが出來るか、という問題は日本だけではなく、世界的な問題ですが新しい共和國をつくつたおとなりの中國では、殊に眞劍にこのことが研究されております。これを目のあたりに見た翫右衛門兄は古典の発展ということについていい勉強をして歸つてくるものと思われます。

今度のだしものは「矢口の渡し」の外に、岡鬼太郎先生の「らくだ物語」もう一つの現代劇は座で度々上演して頂いた、八木先生の「姉の言葉」で平和の問題を取扱つて小品乍ら深い感動を残すものです。いずれもめづらしい素材と高い内容をもつております。どれ程この内容を皆様にお傳えすることができるか皆様の御批判をお待ち致します。

尚古典についての質問や御意見をたくさんいただければ幸甚でございます。

## 映画座談會 「禁じられた遊び」をみて

十一月十七日　農林

一同（大變良い映画だつた）「久し振りに良い映画を見た」

T君「あの映画は、私は反戰映画だと思つたが、観る人によつては、そうとも云わない人があるが」

S孃「戰争に對する反感をあの女の子を通じて、観客はひし〳〵と感じさせられると思いますが」

W君「どぎつくない、そうかと云つてぼかしているのではなく、大變良く戰争の罪惡、反戰意欲を効果的に表わしている。」

S君「ロマンテイツクな雰圍氣は多分にあつた」

T孃「戰争の惨めさを押しつけてみせるのでなく、無邪氣な子供の眼を通して、その恐怖を、そのまゝ描くことによつて見る者を感動させる映画だと

合唱が聞
娘が時計
からのシ
る紀子を
と走り去
俯瞰。こ
深いラス
た。それ
ながりが
むように
たからに
には激し
複雑な社
は現わな
とした、
な日本人
が語られ
が出てい
いて快い
ているこ
己の掌中
つめ続け
かろうか
れは香り
と思う。

## 『蟹工船』を観て

芝岡昇

日本のプロレタリア文學を確立した代表的な人では小林多喜二と徳永直がこの双璧として擧げられる。前者はこの「蟹工船」後者は「太陽のない街」をその代表作として日本はおろか諸外國にも民主々義文學の先驅として著名であることは言をまたない。

さすがに山村聰が野心タツプリにカメラを驅使して怒濤のベーリング海で現地ロケをやつただけにそのリアルでスペクタキユラアなタツチに力作という外ない。まつたく迫眞的である「工船」であつて「航船」でない、いわゆる航海法の適用もうけない極端な資本主義搾取の集中的なあらわれがこの工船の中にあつた。

山村聰はこれを彼のヒユーマンな眼をもつてしいたげられた人間性の怒りとして描いたが原作では階級斗爭を主眼として描かれているので焦点が少々違つている。それ故これをみた人は共に「こんなひどい事もあつたのか」と思い悲慘な漁業勞働者の立場に同情を覺えるのみであろう。それ故に驅逐艦がかけつけてこのどうにもやむにやまれぬ反抗を鎭壓する場合は、それ故に何か觀客には説明不充分な不自然さがあつた。

つまり資本家の番犬としての「淺川監督一派」と「帝國海軍」とのむすびつきは説明不充分であつた。また難点の一つとしてトーキーが惡いのかセリフがはつきりせずそれがなくてさえ難かしい東北辯なまりの言葉がところどころ理解出來なかつたのは殘念だつた。

しかし勞働者の集團生活の場面など特にうまく描かれていたと思う。またラストで登場する鎭壓軍の統率者たる海軍少尉を見て私は反射的に兵學校出身だと思つた。「帝國海軍」をブジヨクする「暴動」を鎭壓するのには少しの疑点をも感じない忠良なる帝國軍人である。

私達と同年輩の彼を見て昔を思い暗然としたのは私ばかりではあるまい。

## 命について—

岩敏郎

へのパロ
のこされ
への、さ
、世の足
すじで、
いものに
。
は、わか
にまな
姑を愛し
また、ま
に、たゝ
や娘にも
であり、
。
時世のう
のちいさ
ゝまるこ
…。
山半蔵の
ゝく——
で、近代
いた、ひ
、自然主
家、徳田
ならびせ
ある。
血肉とま
のくらい

過去と、「家」という宿命をせおつて、あくなくうちなるものとたゝかつてきた藤村文學の我執は、かげをひそめ、木曽山はただ、馬籠の山ちゆう、奥ふかく、ひたひたとよせる時代のなみのなかで、理想と夢とかなわなかつた、ひとりの人間の生涯が哀かんをこめて、叙事詩をひもどくように展開する。

吉村公三郎演出は、ようやくえんじゆく透てつの境至にはいり、ざいらいのかれいな手法はかげをひそめて、「谷川の瀬てきと、せゝらぎを、耳もとで、きくような靜ひつな流動感をたゞよわせる。

「暴力」のどぎつい、なまなましさや「欲望」の機智と才氣をこえ、描寫から、表現へ、はゞひろいレアリズムの流ちような風とおしの世界へつきぬけた、これは、吉村演出のたどりついた、ひとつの飛躍であり、その評價は円熟と稱うせられば、ぼくにはたりる。

信濃山はただの峯々のつらなりや、雪ふかい木曽路の落漠あたわざる描寫や、雨けぶる竹林や、山頂の墓地のふかん撮影などひときわ印象ぶかい。

また、ふるい木曽谷のなかの、青山一家のくらいふんいきは、いろりばで、黙々と箸をはこぶひとびとの宿命的すがたをとらえて、非業のありかをぼくにかんじさせる。

名手宮島義男の非凡なカメラは、高くかわれねばなるまい。

とはいえ、この映画は一貫した主題の打出しに缺け農民運動のたゝかいが描かれていず、半蔵後半と娘のお粂の父子愛情をとらえるいがい、劇としての追眞性にかけている。

新藤兼人脚本は、原作にかなり忠實でありながら、主人公の人間性追求のおゝきさながらみ手にかけ、思想と時世のそうこくを打出すうわのるいせきに追いすぎには、あまりに事件や、そ焦点が分離したキライがあるのは、惜しまれる。

日本の夜明け前が、木曽花籠の一山村の夜明け前にとゞまるかのようなさつかくをいだかせるのも、時代を前提とする横のつながりがないからである。さりながら歴史のうつりかわりのなかで、ひとりの人間のこころのたゝかいをえがき、眞實や善惡をとおしてうつたえようとする、この映画は、高い人間性の希求を意圖してはいる。人間や思想を歴史のなかにとらえることの比重のおもさをいまさらにかんじさせる。むつかしい問題である。

作品としては、半蔵のおいたちから壯年期までをえがいた長い原作の事件を追う前半よりも、お粂が登場して主人公が狂氣死するまでの三分の二からの後半がにわかに、ひきしまつてすぐれているようにおもわれる。

## 編集後記

☆前進座を迎えて紹介記事その他特集で今号だけ試験的に紙面を變えてみた。今後の企劃編集などについて御意見をお聞きしたい。

編集子の一番有難いのは讀者の率直な批判である。

☆そして新年度から、この形式で本紙の面目を一新させたいと思うので新たに紙名題字の意匠圖案について廣く會員から圖案を寄せて頂きたい。募集方法その他については、また來号に掲載する。

☆編集部では新年特集号をぼつ〳〵計画しているので(紙上名画アルバム集など)會員諸氏からの、こういう企劃、編集をやつて欲しいという希望をお待ちしている。

☆西諸縣郡飯野町映サからシネ、フレンド一七〇部増刷の註文があり、これを機會に縣内映画サークル欄の特設など企劃している。宮崎だけでなく廣く縣内の文化團体と手を取り合つて、より大きな活動力を持つ上に有意義であると思う。ゆくゆくは會員數千をようする縣内文化團体への飛躍も遠い夢ではない。

☆先日、本紙についてのアンケートをまとめたところ映画批評を讀むというのが多かつた。次に私達のひろば、映画案内、メモの順だつたがスケジユールを讀むという名答には一同苦笑のテイだつた。今号では「東京物語」「夜明け前」「蟹工船」評を取り上げたが毎号、會員の映画感想を掲載していきたい。先号で予告した「私の映画評」は反響が少ない。どしどし編集部宛投稿して頂きたい(た)

## 12月上旬スケジユール

※ゴチツクは推せん映画

| | 25 26 27 28 29 30 1 | ・ 3 4 5 6 7 8 | 9 10 11 12 13 14 15 |
|---|---|---|---|
| ロマン | **眞夜中の愛情**<br>進め龍騎兵 | 銅の谷<br>海賊黒ひげ | 誰が爲めに鐘が鳴る<br>艦長ホレーシヨ |
| センター | **拾つた女**<br>西部魂 | 紳士はブロンドがお好き | |
| 若草 | 雪女郎<br>危し鞍馬天狗 | **地獄門**<br>紅椿 | **魅せられた魂**<br>魔劒 |
| 宮劇 | 處女雪<br>北海の虎 | 東京マダムと大阪婦人<br>**早稲田大學** | 家族合せ |
| 日劇 | | | |
| 江平 | すつとび笠<br>魚河岸の石松 | 霧の第三棧橋<br>けんか笠 | **赤い自轉車**<br>在りし日の神風特攻隊 |
| 大淀 | 雪女郎<br>處女雪 | | |
| 孔雀 | 未定 | | |

これじやがまんてきない
〃〃〃〃〃〃〃〃〃〃

# 世界でいちばん安い給料！
## その上首きりの郵便局

郵便局に働く人々は、数ヶ月前から政府にたいして食つていけるだけの給料の引上げを要求していろいろ話し合つて来ましたが、政府は自分で作つた仲裁々定委員会のすゝめにも従わず、今でも世界で一ばん低い給料をおしつけて、その上来年中に七万三千人の首を切るとオドかして、少しも苦しい従業員の生活のことを考えていません。その上軍備のことは夢中になつて戦争をしないときめてある憲法を改悪し日本に大きな軍隊をつくらせたり大砲や飛行機をつくらせるMSAを受入れたりしているので、同じ立場の人と一しよになつて給料を上げて楽しい正月を迎えるために年末手当二ヵ月をどうしてもとろうと頑張つています。

（寫眞は赤い自転車の高原駿雄）

### ？？八百屋のおつさんが首を切られる話？？

おつさん＝やつぱり公務員は吉田さんの云うように首を切つてもらわにや税金が高くてやり切れねエ

郵便屋＝公務員の首を切つたつて税金は安くはならねえよ、第一だね、再軍備の費用が一番大きいんだよ、こいつをなくせにや税金は上る一方さ

おつさん＝おめえそう云うけんど保安隊を増さにや朝鮮や中共が攻めて来るぢやねえか

郵便屋＝まア待ちなよ。このおつさんの店の玉ねぎや大根は一体誰が買つてくれるんだい？月給取り

### みたまゝ
吉田勇

今までの恋愛ものと銘うつた映画は数多くあるが、それらのどれもが私たちには想像も出来ないような別世界でのできごとであり、夢物語であつた。しかし人生に夢がなくては困りものだがそれかと云つて現実を忘れてはならない。

〃赤い自転車〃は郵便屋さんで親しまれている郵便局の若い配達人と女事務員がひまもない、金もない苦しい生活の中にあつて『むつごと』では解決できないこの恋愛、結婚の問題を一つの斗いとして、現実に立つて真剣にとり組んでいるが金はなくてもひまはなくても恋はめばえ結婚はできる、その方法を如実に教えている、宣伝文句にもあるように、まさしく『七千円の結婚宣言』である。

（全逓地区本部情宣部長）

（寫眞は年末手当を要求して熊本郵政局長と交渉、決議文をつきつけている全逓の労働者。）

ぢや
社の
さん
得意
そう
おつ
まさ
行機
まい
おつさ
あき
郵便屋
臣や
タ

先月、
他、機
員の意
で求め
数字が
※回
あなた
見ます
①13人
⑤25
サーク
います
シネ・
につい
★充分
★よく
★その
サ1
★良54
★記入
推薦
★良60
★記入
どこの
日23%
※31%

に！

……をきき、……を描くため……ねることと……き上げてい

フ

山形雄策
岩佐氏寿
藤原杉雄
山本薩夫
団伊玖磨

ト

高原駿雄
淡京子
原保美
岸旗江
薄田研二
東野英治郎

## ものがたり

―それは苦しみに耐えて芽生え、仲間に育てられる若人の恋のものがたり―

雨の日も、風の日も、郵便外務員は黙々と赤い自転車を走らせ郵便を投げこんで行く、一枚の葉書で町の人たちと接することが唯一のなぐさめである。それでも彼等にとっては犬ほど恐いものはない。

今日も仲間の青木は街のボス大友の番犬にかみつかれた。正義漢の古河徹は懇談会の席上酔った勢で犬の件で課長に抗議した。思うように口もきけない仲間の中で内務の井上だけは黙っていられない。老人組は久しぶりに呑む酒に老顔をほころばせた。

仕事は日に日に増えていく、こんな中に徹と貯金課に入ってきたはる子に恋が芽生えた。仲間たちは自分たちのことのようによろこんだ。はる子は、父の失業兄のストライキで収入の道がなく、一日百円のアルバイトをしながら通っている。待ちかまえた給料日も内訳表と首つぴきではみんなの顔は暗い。

徹とはる子の恋愛が話題になってくると、徹の親代りを自負し、徹の結婚は自分でまとめたいと思っている原田さんは面白くない。

次の日から宣伝用の郵便物が急に増えてきた。桂や長瀬たちは徹や井上たちがさわぐからだと不平がたえない。夜学生たちもブツを残して帰ってくるようになった。はる子は兄の首切りで収入の多い道を求めてキャバレーにつとめ局も休みがちになってきた。徹の心配はつのるが一人ではいゝ案も出てこない。『夜学生の問題もはるちゃんの問題も同じ問題だ』青年部の会議で力説する井上は喀血した。

組合の団体交渉が成功してはる子の首切りは取り消しになった。ほおえみをたたえた徹は仲間の前ではる子との結婚を発表した。

## 淡　京子

『赤い自転車』のヒロイン加藤はる子に抜擢された淡京子（ダンキョウコ）は東宝の第四期ニューフエイスで『勢揃い清水港』でデビューしたが映画えの情熱は東宝にいたのでは満されぬことを感じ、国民文化研究所に研究生として勉強の道を求めていたが、山本薩夫に見出され、東宝を退社、出演をめぐり東宝側との法廷闘争などあつたが、希望がかなつて無事出演することが出来た。昭和九年生れ、本名小倉俊子。

## 沼崎勲を悼む

『赤い自転車』出演中急死した沼崎勲は大正五年横須賀に生れ、京都JOスタジオの俳優養成所に入所後十六年東宝に移り、山本薩夫監督の『熱風』でデビュー。戦後は『素晴しき日曜日』『女の一生』に主演、新しいタイプの青年役で好評を博したが、二十二年の東宝パージ以後は原保美、岸旗江などと東京映画俳優協会に属して『箱根風雲録』『雲ながるゝ果てに』『女ひとり大地を行く』などで活躍、好演をみとめられ、『赤い自転車』では青年部長黒川の役で出演中、完成をみずに世を去つたことは誠に惜しいことである。

## 監督　藤原杉雄　紹介

東宝当時から山本薩夫監督の補佐役として『暴力の街』『箱根風雲録』『真空地帯』などに協力、東宝教育映画の『鶴と子供たち』『リンゴ園物語』などの秀作を発表したが、長い映画経歴と功績が買われて『赤い自転車』を第一回監督することになった。その若さと情熱への期待は大きい。

# 赤い自転車

1953 特集 12.7

『全遞宮崎』
『シネ・フレンド』
共同編集会議發行
宮崎市高千穂通二丁目
★全遞宮崎地区本部
宮崎市高松通1の45
★宮崎映画サークル

## 月給七千円の結婚宣言！
## 戀愛のよろこびは嵐の中に

**解説**

現在の職業を持つ青年層の多くは、終日仕事に追いまわされ、夕方になると疲れ果てゝ帰宅する。恋愛するにも暇がない。いざ結婚するとなると経済問題と住宅問題で思うようにいかない。恋愛の問題一つにしても囲りの人々の温い理解と協力によつてのみ解決される問題である。

全遞従業員組合と第一映画が共同製作する『赤い自転車』は郵便局を背景にそこに働く人々のさまざまな人間の群像を描くリアリズム映画で、そこには行動的ではあるが、単純で素朴な青年たち、青年の夢を笑いしかも自分は小さな権力にも追従する中年のヒネクレ者穏やかな老年労働者、それらの中にあつて皆の相談相手ともなり、職場を組織して行く青年活動家などが登場する。特に恋愛と結婚の問題を大きくとり上げているが、今迄の恋愛映画の生活から遊離した個人の恋愛感情を描くのと異り、あくまで働くものゝ生活自体と密着し、労働者の連帯性の中にその解決を求めようとしている。

脚本の山形雄策（真空地帯）岩佐氏寿（どつこい生きてる）は昨年来再三にわたり各職場の声
『職場の恋愛』に努力し稿を重
五度に及んで
る。

**スタッ**

脚本……
〃……
監督……
監督補導……
音楽……

**キャス**

古河　徹……
加藤はる子……
井上　実……
本多　ゆり……
遠山　さん……
柳　主事……

ないか、公務員や会自切りがあればおつ達、町の商売人はおが減るぢやないか。すれば一番困るのはさん達商売人だろうか八百屋で大砲や飛を作るわけにもいくからね。
ん＝よく判らねえナ＝考えてみなよ、小ないの八百屋から大財閥がお買い上げ—

まさか宮内省御用達でもあるまいに——
おつさん＝なるほど
郵便屋＝労働者の賃金を上げるだろうその労働者は物を買うだけでなく仕事に精を出して物を作るんだよ、だから月給取の首切りは八百屋のおつさんの首切りと同じことさ
おつさん＝ひでえことを云うなよ郵便屋……

# 名画鑑賞會を多く

## サークルのアンケート

〔編集部から〕

サークルへの希望という項目では会員だけの名画鑑賞会をやって欲しいという声が圧倒的に多かった。次に会員証割引や料金の引き下げについての要望も多く大衆と密接なつながりを持つ映画への関心がうかがわれるのは注目に値する。また外国映画を見る人に比較すると日本映画は非常にすくないのは（以前よりは大分良くなってきているが）見

映サの運動方針その関紙などについて会要をアンケート形式たところ次のような出た。

答数一九一人

はひと月何回映画をか。
②51 ③55 ④38

ルの割引きをどう思か。
67 ★不充分124

フレンド（機関紙）て
読む125 ★少し読む53
他13

クルの催しについて
なし26 ★悪18 ★不充分93

映画について
なし12 ★悪7 ★広げよ112

映画を主にみますか
仏22% 英11% ソ5% 伊8%

逃がせない事実である。推せん映画の項では巾を広げよという意見が多かつたのでこの点は映サ事務局の方も推せん映画の基準について良く検討する必要がある市内映画館の入場割合は、センター・ロマン（共に洋画上映館）の線が大部分を占め、宮劇はそれに次いで三位というところである江平映劇の擡頭が目立つのは最近の優秀映画上映によるものと思われる。

## 〃前進座公演〃 遂に成功した！

映画サークルと演劇同好会の共催で行われた前進座公演は、好評の中に終りましたが過去三回にわたる映画サークルの公演主催が、はじめて完全に成功このことによって、これからのサークル活動に大きな期待がかけられています。

## 〃赤い自轉車〃のデモ

郵便局の仲間がつくった『赤い自転車』が宮崎市内で上映されるにさきだち、九日ひるから、全逓労組では市内に〃赤い自転車〃四十台をくり出して積極的な宣伝に乗り出すことになつた。

## ※会員証使用について お知らせ

現在、宮崎市内ではセンター、宮劇を除いてサークル会員に会員証で割引入場できましたが今度から新たに**センターも会員証で安く観れるようになりました**のでうんと会員をふやして下さい。

（映画サークル事務局）

## 『猿の手』上演

学芸学部演劇部は第十回公演として、W・Wジェーコブス原作、菅原卓訳の『猿の手』を十二月十九日(土)図書館ホールで上演することになつた。



12月27日（日よう）
労働会館・午后1時
平和大忘年會
提唱 宮崎県平和を守る会

# 53年度に活躍した日本映画の監督たち

＝本年度宮崎市映画封切から＝

観客をバカにしたような愚劣な作品が今年もずいぶん作られた。一方総体的にみて日本映畫の水準が一年一年と高まつてきたのは確かだろう。五三年をふり返つて、さて優秀作品は、となるとどうも數えるほどしか思い出せないけれども、何らかの意味で邦畫の質を引あげるのに役立つたりその努力の跡がうかがえる作品は必ずしも少くはない。そういう意味で本年度に活躍した監督たちを、私のみた作品の中から一わたり眺めてみることにする。

先ず話題を投げたオリジナルものに小津の「東京物語」成瀬の「夫婦」木下の「日本の悲劇」三本がある。二本立興行による製作本數の水ぶくれから各社競つて新聞小説や名作、ラジオドラマの映畫化に血道をあげている昨今、じつくりオリジナルものと取組む冒険の困雑さは想像に難くない。これら三人の作家たちが期せずして現代日本映畫界の代表的監督であることも偶然ではない。

一年一作の**小津安二郎**は昨年の「お茶漬の味」とは格段の進歩で、彼独自の芸域の深さをみせてはくれたが何處となくマンネリズムと物足りなさを感じないわけにはいかなかつた。同じことは**成瀬巳喜男**にも云える。彼は「夫婦」の他に「妻」と「あに・いもうと」をとつて將に本年度ベスト・ワンの活躍ぶりだつたが行きつく所に近づいたといつた感じがする。ガラス戸越しのこちら側にいるぼくらの肌をささないところがある。もつとも「あに・いもうと」でそこからの脱出と飛躍を試みてはいるが……。そこへ行くと「日本の悲劇」一作で淋しい**木下惠介**は未完成で多くの欠陥をもちながらも新しい分野を開拓してみせた。一應ガラス窓をつき破つてくれたのである。

**今井正**は「ひめゆりの塔」で戰争のいたましさを息づまる迫力で描き、**溝口健二**は「雨月物語」「祇園囃子」に戰争反對と女の哀しいレジスタンスをただよわせた。**吉村公三郎**は「千羽鶴」「欲望」「夜明け前」とそれぞれ変つたテーマと表現で旺盛な製作意欲をみせたが傑出した作品は遂に出せなかつた。**市川昆**は邦畫界には得難い近代的でスマートな監督として私の好きな作家の一人である。「プーサン」「青色革命」「愛人」と一作毎にサエをみせてまこと期待を裏切らなかつた。

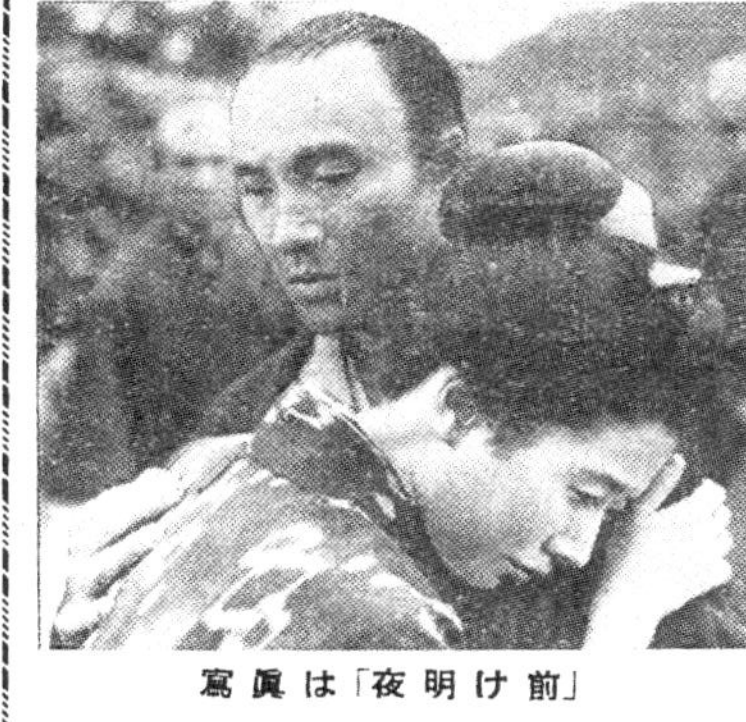

寫眞は「夜明け前」

**新藤兼人**も昨年の不振を「原爆の子」でとりもどしたばかりかめざましい進展を示す「縮圖」を作つて處女作(愛妻物語)を凌いだ。**佐分利信**の「廣場の孤独」は印象がバラバラで失敗作ではあつたが、眞摯に現代のテーマと取組む彼の製作態度には好感が持てる。得來の肩の張りを抜いたテンポの早い流暢な「吹けよ春風」の**谷口千吉**も「夜の終り」「赤線基地」と張り切つた。ほかに「雁」の**豊田四郎**「サラリーマンの歌」の**杉江敏男**「情火」の**大庭秀雄**「早稲田大學」の**佐伯清**があり、新人では「まごころ」の**小林正樹**と「キンピラ先生とお嬢さん」の**野村芳太郎**をあげておきたい。

ここで特筆したいのは独立プロの監督たちである。昨年より惡くなつたと云われる製作條件の中で何れも時代に直結した生々しいテーマに体當りの熱意をみせた。「眞空地帶」のあの密度と緻密な構成は本年度ベスト・ワンの貫録十分で**山本薩夫**はこの一作によつて日本最高の映畫監督の一人となつた。**山村聰**は「蟹工船」で、**藤原杉雄**は「赤い自轉車」でそれぞれ輝かしい第一歩を印し、「煙突ー」の**五所平之助**「雲ー」の**家城巳代治**「混血兒」の**關川秀雄**「村八分」の**今泉善珠**らとともに明日のホープと云えよう。

寫眞は「縮圖」

ただ**亀井文夫**の「女一人ー」や關川の「ひろしま」の失敗は、本年度の新しい傾向として期待の中に出発した組合映畫の前途に多くの教訓を與えている。その製作意圖と自分たちの映画を自分たちの手で作ろうとする底の動きは、今後映画を愛する万人の力で守り育てて行かねばならぬが、同時に万人に受入れられる爲の反省を忘れてはなるまい。

昨年「現代人」「本日休診」などで活躍した**澁谷實**が「やつさもつさ」一作だけであることと**黒澤明**の「七人の侍」今井正の「にごりえ」が年内に観ることができなかつたのは何とも心残りであつた。（東和哉）

## 1935年 サークル推せん映画

## …の外國映畫から

…に殘る監督群

『探偵物語』のウイリアム・ワイラア（米）も指折らねばなるまい。

キネマ旬報の昨年のベスト・テンで一位と二位を競り合つたC・チャップリンとC・リードは共に、その充實した作品によつて世界有數の映畫作家の一人と目されているが、この二人の作風は全く異質のものである。一言にして云えば**チャップリン**の映画は彼の個性の藝の魅力に負う所が多い新時代の映畫としては、いさゝか古風な感じさえ覚え…

來『サード・マン…んたる開花に至る…そして『文化果つ…』にも映畫能とも…ある躍動するひら…ちている。何氣な…トにも間髪を入れ…洞察の目が光って…『落ちた偶像』の各…起するまでもない…

映畫作家は時と…を余儀なくされる…レマンの『ガラス…その好例だ。ジャ…エとミシエル・モ…顔しか印象に残ら…から……。しかし…れた』では堂々と…どこした。ボーレ…シエルの二人の子…を通して戰争の人…らす呪はれた運命…

觀客は、あの「…！ミシエル！」…女の姿を忘れるこ…ないだろう。『超…ト機』で科學に挑…間群像を描いたD…にとつては舊作な…逢びき』のしみじ…中年英国人の戀が…的だつた。W・ワ…ものは宮崎では『探…一本だがカーク・…演ずる鬼刑事の性…たこと、警察署を…て演出された風俗…あつた。ワイラア…と今年はジョン・…作品が多く、正月…て封切られた『アパ…

## 映画と…

映画協…

最近、歌舞伎俳…映画が随時上映さ…が、本年中に於て…東宝、大映と各社…傳をねらつて特に…優を採用し數本の…作したが殆ど大半…終つている。相當…であるが新國劇の…郎が劒劇を呼物に…頃撮つた「國定忠…る程度の人氣をか…これとても舞台で…演伎の好さは抹消…た。前進座の河原…中村翫右衛門を中…「逢魔の辻」「人…せん」はその点か…成功の部類で、あ…な大衆向の物とは…とした生彩をはな…

ヴィエと『黒愁』のハート・ウイルコックスが共同製作により、ジョン・ゲイの戯曲を映畫化したテクニカラーのオペラ映畫一九五三年作品、脚色はデニス・キャナン、監督はピーター・ブルックの担當。撮影は『オリヴァ・ツイスト』のガイ・グリーン。作曲、編曲はサー・アーサー・ブリス。
★自ら歌もうたつてローレンス・オリブイエ主演し、新人ドロシイ・テュテイン、ダフネ・アンダースン、スタンリイ・ホロヴエイなどが助演する。
★このところオリヴイエの映画が相次いで入り今年はオリヴイエの當り年などといはれているが、何といつても『三文オペラ』でのオリヴイエの演技は壓巻だという評判である。

# 女の一生

るのである。『愛妻物語』から出発し『原爆の子』『縮圖』と眞しな製作態度で、いつも力作を発表する新藤兼人監督の手になる作品。ズラリト一流どころを集めた演技陣とキャストの充實ぶりである。

(サンセツト大通り)の
ビリイ・ワイルダー監督

# 深夜の告白

—パラマウント映画—

★アカデミー賞『失われた週末』(宮崎未封切)以來その特異な作風で注目されてきたビリイ・ワイルダーの一九四四年監督作品。『サンセツト大通り』や『地獄の英雄』に比べるとずつと舊作ではあるが、やはり同監督の傾向を知る上には興味のある心理的スリラア映画である。

★主演はバーバラ・スタンウイックとフレッド・マクマレイ(クロウデット・コルベールとの家庭喜劇でお馴染みの俳優)でエドワード・G・ロビンソンが老巧な助演を示しているという。
★深夜のロサンゼルス。フル・スピードで走つて來た車がパシフイツク保険會社の前で止り、肩をピストルで射ぬかれた勧誘員ウオルター・ネフ(F・マクマレイ)がよろめきながら下りてきた。彼は自室に入り、テイプ・レコーダーに向つて上役バートン・キース(E・G・ロビンスン)に宛てた口述をはじめた……というところからこの映画は始る。
(11巻)

—デ・シーカの力作—

# 終着駅

(米)セルズニック映画

★……「ミラノ奇蹟」のヴィットリオ・デ・シーカがセルズニックと提携して製作に當り、デ・シーカが監督した米伊合作一九五三年作品。撮影は「ミラノ奇蹟」のG・R・アルド、音樂はアレツサンドロ・チコニーニの担當。主演は「陽の當る場所」のモンゴメリイ・クリフトと「女狐」のジェニフア・ジョンズで、子役デイツク・デイマー「雲の中の散歩」のジーノ・チエルヴイ、「七つの大罪」のパオロ・ストツパらが助演する【畧筋】米國人の若い人妻メアリイ・フオーブス(J・ジョンズ)は断ちきりがたい想いをのこしてローマの中央驛にやつて來た。彼女は妹の家に身をよせて、數日間ローマ見物をしたのだが、そのあいだに一人の青年と知り合い、烈しく愛し合うようになつてしまつた。青年はジョウアンニ・ドナーティ(M・クリフト)という米伊混血の英語教授で、彼の激しい情熱に、メアリイは米國にのこしてきた夫や娘のことを忘れてしまうほどだつたが、やはり歸国する以外になすすべもなかつた。妹に電話で荷物を持つて來るよう頼み、午後七時に発車するミラノ行きの列車にメアリーは席をとつた。発車數分前、ジヨヴアンニが駈けつけた。彼はメアリイの妹から出発のことを聞いたのだ。彼の熱心なひきとめにあつて、メアリーの心は動揺した。漸く二人だけの世界になつて別れ惜しむのも束の間、二人は公安委員に発見され風紀上の現行犯として驛の警察に連行された。八時半の発車時刻も間近に迫り、署長(G・チエリグイ)の好意ある計いで二人は釈放された。いまこそメアリイは歸國の決意をかためて列車にのつた。ジヨヴアンニは車上で彼女と別れを惜しむあまり、動き出してからとびおりフオームの上に叩きつけられた。列車は闇の中に走り去つて行つた。

寫真は「女の一生」

金の龍か、銀の龍か、二度と望めぬ
絢爛の大時代劇!

# 日輪(にちりん)

千恵藏　右太衛門を縦横に驅使して空前の
話題を呼ぶ東映第一回総天然色巨篇!

新春の銀幕を飾る第二彈

大映映画

# 母の湖

女は弱し、されど母は強し、
いつの世にも變らぬは母の愛情!
七つの美聲、伊丹秀子と日本の母三益愛子が贈る母情大作

3日—8日　若草

映 シネフレンド
宮崎映画サークル発行
事務局　宮崎市高松通り1の45　TEL 3695
第 45 號　1 部 10 円

# 新春1月封切映画の案内

## ひかる洋畫 ※ 獨立プロ作品

## 唐人お吉
—北星映画の自信作—

★……これは在来のアリキタリの甘い愛えん物語に虚飾された〃唐人お吉〃ではない。

安政開國史の裏に潜むお吉をめぐる一哀話をとりあげて、時の犠牲者としてのお吉の人生を描くという点に新しい狙いがあるようだ★独立プロのお正月映畫としての京映プロ第一回作品監督は『君に捧げし—』の若杉光男。脚本は依田義賢。お吉に山田五十鈴、そして薄田研二、宇野重吉、細川ちか子、河原崎國太郎瀬川菊之丞と期待のもてる配役である。

【スタッフ】
製作……曾根千晴
〃……松本酉三
撮影……瀬川順一
美術……久保一夫
音樂……飯田信夫

## 豪華なテクニカラー（MGM）
## クオ・ヴァディス

★MGMがイタリイのチネチッタ撮影所で作つた一九五二年度作品で、ヘンリック・シエンキーヴィッチの原作を映畫化したテクニカラーの古代史劇。登場人物三万、セット百十五と称される大作で、監督は『百万弗の人魚』『哀愁』『若草物語』などでお馴染みのマーヴィン・ルロイ。ちなみに、この映畫はサイレント時代イタリイで三度映畫化されている。★音楽は『三つの戀の物語』のミクロス・ロジア、撮影は『悪人と美女』のロバート・サーティースと外一名の担當。主演者名は次のとうり。

ロバート・テイラー
デボラ・カー
レオ・ゲン
ピーター・ユスティノフ
パトリシア・ラフアン
（18巻）

## —米・イリア・カザン作品—
## 網渡りの男

★『欲望という名の電車』『革命児サパタ』で多くの話題を提供したイリア・カザンが監督で『セールスマンの死』で熱演したフレドリック・マーチが主演。『愛しのシバよ帰れ』でさわがれたテリイ・ムーア、アカデミー助演女優賞を貰つたばかりのグロリア・グレアムなどが主演。脚本はピユリッツア賞のロバート・E・シャーウッド担當である。★この映画は一九五〇年に起つた事件を材料にして書かれたニール・ペータースンの小説（一九五三年発表）にもとずいたもので原作では東独から西独が舞台だが、映畫では東独がチェッコスロヴアキアに變えられている。★旅まわりのサーカス一團の西欧地區への脱出行がストウリイの山である。現地ロケによつて絶大な効果を擧げているという。フレドリック・マーチの熱演と音楽フランツ・ワクスマン、カメラ担當ゲオルグ・クッウスの技術が印象的らしい政治宣傳が氣にかかるがそれをのぞけば結構樂しめる映畫

寫真は「網渡りの男」

## ローレシス・オリヴイエ主演の
## 三文オペラ
（色彩・ロンドン・フイルム映画）

★『黄昏』のローレンス・オ…

## 東映第一回天然色
## 日輪（にちりん）

日本文化史上に金字塔を打ちたてた横光利一の名作「日輪」の映画化で、コニカラー・システムによる東映第一回総天然色大作。すべてオールロケーションという渡邊邦男監督の作品。それは紀元前のこと、後に日本と呼ばれる東方の島國の人跡まばらな僻地に、三つの部落、ウミ・ナコク・ヤマトが点在していた。或る日急に日輪がかげり、一瞬地上はどんよりした薄暗の中に沈んだ。ウミの国の呪禁師タケルはそれを不吉の兆として、王女ヒミコとヒコの大兄の婚姻の延期を進言した——その夜。物語は大古の掠奪と愛慾のうちに展開する。

寫真は「日輪」

キャスト

ハンヤ……片岡千恵蔵
カトリ……高千穂ひづる
ヒコの大兄…大友柳太郎
ハンエ……月形龍之介
ヒミコ……木暮實千代
ナガラ……市川右太衛門

## 女の一生
—藝術祭参加作品

【スタッフ】
製作……吉村公三郎
脚本・監督…新藤兼人
撮影……伊藤武夫
美術……丸茂孝
音楽……伊福部昭

【キャスト】
白川藤子…乙羽信子
父……千田是也
母……英百合子
兄……宇野重吉
山崎真太郎…山内明
父……進藤英太郎
母……杉村春子
菊　勇……轟夕起子
川上吉松……菅井一郎
〃とら……北林谷栄
立花久左衛門…東野英治郎
濱村……柳永二郎

★新東宝、近代映協提携作品。脚本・監督の新藤兼人がモーパッサンの「女の一生」からヒントを得たもので、舞台を京都に昭和二年から二十八年間のある不幸な女の一生を描こうとする

…りをはじめ計四本あるが中では『靜かなる男』が最も快調を示した。

が、この人にも往年の秀作『わが谷は緑なりき』の如き雄渾な筆力は影を潜めてもつぱら手慣れた藝境に安住している感がある。『パラグイン夫人の戀』であまりパツとしなかつたスラリア派の大家A・ヒチコツクはその『見知らぬ乗客』で持ち前の本領の発揮してスリラア・フアンを堪能させただが如何せん、芸術的内容の空虚さへの不滿は、覆うべくもなかつた。

谷地で好評の西部劇『シエーン』（宮崎未封切）の監督者G・スチーブンスには『陽の當る場所』がある。アメリカの貧しい青年の名譽への焦りと戀の悩みに自己を滅す悲劇は、同じくアメリカ社會問題を衝いた『セールスマンの死』と共に記憶に殘る。この外『革命兒サパタ』E・カザン、英國映畫『赤い風車』のジヨン・ヒユーストン、『双頭の鷲』ジヤン・コクトオがいる。

眼をイタリー映畫に轉ずるとデ・シーカ『ミラノの奇蹟』の詩味とピエトロ・ジエルミの『越境者』が光るまた『七つの大罪』でのロツセリーニ演出も書き加えられてよいだろう。

最後に、記述があれこれ前後してしまつたが『眞昼の決斗』のフレツド・ジンネマンと色彩交響樂『河』のジヤン・ルノアール（これは、もつと筆を割くべきだが紙數がないので割愛する）の名前を擧げて、アメリカ映畫『曉前の決斷』で大奮闘を見せたアナトール・リトヴアクの名を特に記憶に殘る監督者としてつけ加えよう。第二次大戰下、祖國を、家を、親を、青春を無殘にもぎ取られたドイツ青年の彷徨する魂と運命を追求したこの映畫は、まさに大力作であつた。折があればもう一度鑑賞したいと思う。このフランス生れの監督は今何をしているのかその後、消息を聞かない。（高井鑒）

寫眞は「ミラノの奇跡」

# 今年のえいが　音樂

私の映画觀賞は画面よりその音樂に魅かれる事が多く、良かつたという映画の話が出てもその音樂にしか記憶が殘つていない場合が多い。そういう意味で今年の映画音樂について一寸觸れてみたい。何といつても私が一番嬉しく感じたのは邦画に於ける映画音樂の進歩である。伊福部昭、芥川也寸志、團伊玖磨といつた連中が映画にその情熱と腕をふるい立派な結果をあげたことは承知の通りである。〃カルメン〃シリーズ〃愛人〃〃夜明け前〃〃東京物語〃〃雨月物語〃等佳作と言はれた作品の効果に映画音樂が一役買つている事は、新しい目がこの点に向けられて來た事を示したものとして見ていゝだらう。洋畫の面では流石立派な作品が多くあつた。近い中では〃禁じられた遊び〃の冒頭からラストに流れたギターソロの哀感〃落ちた偶像〃〃ライムライト〃の美しさ、その他枚擧に暇のない程である。まだ／＼洋畫のテクニックと情感には及ばないという感じがするがそれにしても邦画の今年にみた映画音樂の進歩には來年を大きく期待したい。たゞの伴奏音樂の位置から映画を立体的に構成する重要な要素として取り上げられて來た映画音樂が、映画芸術の結實にどういう役割を果しているか、それを画面に汲み取りながら私は來年も樂しい映画觀賞を續けて行きたいと思う。

（秋原洋二）

# 歌舞伎人

組合　遠藤生

も一度舞台に立てば水際だつた容姿に觀客の心をとらえる事が出來てもいざ撮影となれば大寫しに於て年令の弱さが如實に示され今日歌舞伎界の名女形といわれている尾上梅幸の「おぼろ駕」あたりにしてもむしろ俗悪な場面が多かつた。

故六代目菊五郎が彼の極め付ともいわれている「鏡獅子」を會社が相當の資金を投じ彼の小姓彌生を撤宵一箇月余に亘つて撮影したことがあるが出來上つたものは映画としては全然見られなかつたことは當時芸界の話題となつたものである。

新生新派の花柳章太郎が始めて映画に出たとき彼はその点をよく知つていて七分…

出演した松本幸四郎は映画の經驗は淺いが彼の日頃の修錬が手伝つて予想外に好い演技を見せて呉れ歌舞伎人でもこの程度のものは撮れるなという感がした
―師走の風を窓に聴きつつ

# 放送劇の一年間

野々壌兒

劇團の一年間の活動狀況を書くつもりで、こんな題名をつけて見たものの、どうも、身内の事のは、あちこちと差さわりのあるもので、それに、書いている私自身が、一年間をふりかえつて見ても、一体どんな活動をしたんだろうと首をひねるしまつで、いやはやまつたく、何かのセリフじやないが、「忘却とは忘れ去る事なり」で、何かやつている片一方から忘れてしま…

海の伝道山の伝説が十七、八回、其の他子供の時間、郷土物語り、バラエティ等々、四十回以上の放送回數となつているようで、一応多彩なものでした。この他三月には八期生として、新らしい團員が十三名入るし、十月には東京放送劇團員の内村軍一さんの演技講習會があつて、さんざんおこられたし、毎週二回づつは、基本レツスンで北村アナと班長と、神谷アナから…

…及び、聲の質についても注文がある。こうなるとやつてる本人達は、一寸やりづらくなる。その内、除々に自分のものとなり、又滑らかにすべり出す。三日目、四日目にほとんど変りなく進む。唯、ここらあたりになるとプロデユーサーの注文は増々細かくなつてくる五日目にはいよ／＼マイクの前、まあ放送の舞台ゲイコと思つてもらえば間違いない。マイクに遠、近、プロデユーサーからのサインの打ち合せ、効果音のテスト、時間の問題、時には、この日は特別な効果を街まで録音に出かけたりもする最後の六日目この頃には、もうプロデユーサーからの注文は、ほとんどラジオの器械性の事だけになつて來る。録音を取つてもらつては、自分達の演技を聞き自分で細かい所に氣を配る。さてその翌日、いよ／＼放送である。放送の約一時間半位前に集り、テストを一回、それから放送準備を怠りなくやる、失敗は許されない。緊張した時間が終り放送も済むと、ようやく皆の顔に安どの色が表われる、しかし、これからが又一苦痛である。郵便で、知人から、團員から、又聞きで…


台本が待つている。こんなふうにして練習を済ませ、結局苦痛を味つているが、結局は、自分が一つの、ある物を造つたのだという喜びを自分の胸の中に積み重ねて取り出しては一人で嬉しがつているのかも知れない。

來年は如何なる年になるか、波瀾萬丈、行手は見えず、道はけわしい。一人でこつこつ切り開いて行くより仕方がなさそうである。又新らしい團員もやつて來るだろう。來年が多幸な一年となる様、天を仰いて怒鳴つて見たつて、所詮自分でやるより仕方がない。最後に、とり留のない事を書いたおわびと、聽取者の皆さまの一聲のお叱りをお願いして。幕を引きましよう

（本名弓削幸正）

## 動員低下を高料金で

正月興行の料金は邦画一五〇円、洋画一八〇円、ロード・シイウは二〇〇円以上―とは中央の話であるが宮崎でも大たいそれに近い線だろう。

今年より大体二割増二本立などで上映料金が割高になつているからだというが、業者は動員數はむしろ本年度を下回るという予想で、そのマイナス分を高料金で補おうというワケ（スポーツニツポン紙）

# うたごえは平和の力

## 土旺合唱團のあゆみ

宮崎に土旺合唱團が生れて四年、去年阿ソの平和大會に参加して今年八月、長崎の平和大會に参加し、進んで九州のなかまとの交流をひろめ、平和のための活動に加はり、縣廳、日向日々、全逓、學藝學部の各職場に明るい健康なうた聲をひろめる活動をすすめてきた。大衆とともに歌い、大衆をはげまし、嵐のようにもり上る大衆にははげまされて歌うた―これが私達の歩いてきた、又これからも歩いてゆくみちです。

五〇年にはじまつたレツドパーヂのあと、朝鮮戰争が起り、集會は禁止され、コーラスに對しても氣狂いじみた壓迫が加えられてきたその中で〃戰争こそ歌ごえの最大の敵だ〃ということがうたを愛する人々の胸に深くきざみつけられた。しかし、どんな壓迫もうたごえをうばうことは出來なかつた。私達も明るい、樂しいうたをうたいつづけたが平和をにくむ人は土旺合唱團をアカだ、左だとよんだしかし多くの人々はその前にたぢろぐよりも、多くの人が求める健康な、明るい歌ごえを高らかにうたいながら、職場や地域の人達と一緒に進んできた。今後もうたう運動に、明るいうたを技術を高め、さらに多く…

## 1月上旬スケジユール ※ゴチツクは推せん映画

| 館 | 封切 | 番組 | 番組 | 番組 | 番組 |
|---|---|---|---|---|---|
| ロマン | 27日 | バグダツトの黄金 / 真紅の盗賊 | **クオヴアデイス** / オクラホマのならずもの | 荒野の激斗 / 荒野の疾走 | |
| センター | 29日 | 砂漠の鼠 / 銃の後に立つ男 | **綱渡りの男** / 七つの海の狼 | 午後のラツパ / ジエツト機M7号 | **三文オペラ** |
| 若草 | 30日 | 金色の狼 / 髑髏の舞 | **日輪** / 母の湖 | につぽん製 / 喧嘩太鼓 | 花の三度笠 / 母系図 |
| 宮劇 | 30日 | 第二の接吻 / お役者変化 | この戀五千万円 / 青春三羽烏 | | |
| 日劇 | 29日 | 髑髏屋敷 / 第二の接吻 / 幌馬車西へ行く | 日輪 / この戀五千万円 / 六連発のおきて | 喧嘩太鼓 / 旅鳥次郎長 / 劍銃キツド | 母系図 / 女心を一すじに / 忍術猿飛佐助 |
| 江平 | 29日 | 若様侍捕物帳 / チヤンバラ手帳 / 三太がんばれ | **叛乱** / **唐人お吉** | **もぐら横丁** / 初笑寛永御前試合 / 大菩薩峠1部 | 山下奉文 / 娘十六ジヤズ祭り |
| 孔雀 | | | 少女歌劇 | 未定 | |
| 大淀 | | お役者変化 / 金の狼 | 青春三羽烏 / 母の湖 | お嬢さん社長 | 蛮から社員 |

# 數を増した獨立プロ作品
## デビュー、カムバックの多い五[illegible]

「どつこい生きてる」以來、獨立プロの映画製作は年毎に數を増し、話題作を多く發表するようになつてきた。今年は特に量の面で飛躍的に發展した。北星で配給しただけでも八本を數える。作品的にも、興行的にも「雲ながるる果に」（新星紀、重宗プロ）「蟹工船」（現代ぷろ）「ひろしま」（日教組）などが話題となつた。「新しい映畫」としての「女一人大地を行く」（炭勞）「ひろしま」（日教組）「赤い自轉車」（全遞）などの組合映画も誕生した。

監督の面でも今泉善珠（村八分）（現代ぷろ、近映協）若杉光夫（君に捧げし—）（新映プロ）山村聰（蟹工船）藤原杉雄（赤い自轉車）の新人、家城己代治（雲）のカムバックなどの躍進があげられる。

俳優の面では「村八分」でデビューした中原早苗（現代ぷろ）「赤い自轉車」で東宝と法廷問題にまでなつて主演した淡京子、「真空地帶」以來「雲」「赤い自轉車」に活躍した高原駿雄などがあり、「女ひとり」「雲」「赤い自轉車」の朝霧鏡子、「雲」「ひろしま」「赤い自轉車」の原保美」のカムバック、「女ひとり」「雲」「ひろしま」で芸域をひろめた山田五十鈴などの活躍、又鶴田浩二「雲」佐野周二（君に捧げし—）宮城野由美子、月丘夢路（ひろしま無料出演）（君に—）などの參加などが話題となつた。

又「村八分」「混血兒」「雲」など獨立プロ作品の多くは文部省推薦の扱をうけたが作品の質が向上、社會問題をとらえるに及んで「蟹工船」「ひろしま」などの作品は文部省内部に波らんを生んだ。

劇映画が発展するにつれて記錄短篇の製作が活潑化し「米」（第一[illegible]齋」（青年プロ[illegible]働者」などが製[illegible]

他に今井正の[illegible]」、山本薩夫の[illegible]」、新藤兼人の[illegible]夜明け前」「女[illegible]どの名作も獨立[illegible]れている。

來年度北星を通[illegible]される作品も、[illegible]によつて愼重に[illegible]いる。決定した[illegible]唐人お吉」に次[illegible]の抵抗」「ここに泉[illegible]水木洋子脚本、[illegible]、乙羽信子、岡[illegible]新星映畫）「青年[illegible]八住利雄脚本、[illegible]督新世紀プロ）の青春」（今井正[illegible]紀プロ）などの[illegible]られる。

# サークルを叱る

## 職場の聲

☆サークルの推せん映畫は殆んどが北星、それにソヴエト、中國の映画は必ず推せんされる。今度の「翠嵐紅旗」の場合も私達は勞働者だから勞働者としての氣持ちは分るが、そうむきつけにせずにある程度皆の夢をもたせるために藝術的なものを見せてほしい。（市水道課）

★サークルの活動を活潑にやつて下さい。今何をしているのか、新聞は出ているのですか？　ぜひ新聞は定期的に出して下さい。（日本生命）

★宮崎にいゝ映画が來ないのでもう少しサークルは強い態度で館と接しようしてもらいたい。例えば映画會社に直接交渉したり、サークルが見に行かねば館が立たないから時にはボイコットをするようにしてしつかりやれ（松田石炭）

會員章の利用價値がない。映画館の都合で會員章の使用が出來ない時があるが（例えば花の生涯、スパイの時）こういうことから會員が減つてきた。その点P館はそんなことがなくて一番評判がいい正月映画はぜひ會員章の使用が出來るようくれぐれも交渉してくれ。（いすゞその他多くの職場からの意見）

★受付孃や切符賣場の女の子が無愛想だ來年からは少し愛想よくしてくれよ（S）

（文責は事務局）

# 『にごりえ』びいき

矢野勝敏

今年の藝術祭賞は「東京物語」に受與されることになり、「にごりえ」は野心作ではあるが第一話に問題を含んでいると云われ、「東京物語」のしぶい完成した境域に及ばないと評價されたらしい。受賞ということになれば、作品の完全性が重要視されるのも一應意味のないことではない。が成程「にごりえ」の第一話「十三夜」は三話の中では最も印象が薄かつた。それはおせきが實家に戻つて兩親に苦勞をもらす前半と、それに續くおせきと幼馴みの人力車夫と[illegible]を結ぶ構成が劇映[illegible]い点にあるのでは[illegible]か。小説の表現[illegible]描寫密度に濃淡[illegible]章の綾を織り、[illegible]の変化をもたせ[illegible]よつて、作者の意[illegible]に印象づけるこ[illegible]が、劇映畫に於て[illegible]観客に與える印象[illegible]ラの巧劣もさる[illegible]最も大切なこと[illegible]の良否である。ナリからは決し[illegible]が生れないと云[illegible]であろう。）一[illegible]れたが、そうし[illegible]ミスから「十三夜[illegible]を含んでいると[illegible]れども、第二話[illegible]

## 映画サ[illegible]

★映画を安[illegible]

★みんなで[illegible]

★映画を通[illegible]

★平和を守[illegible]

☆世界中の[illegible]

★みんなで[illegible]

上の大寫しをさけたこ彼も撮る者も要を得たであつた。それに舞台經驗者も一度カメラの立つと短時日では撮影する構が身につかず容点だけでなく真の演伎來ないらしい。現在映として働いている主演長谷川一夫、市川右太、片岡千恵藏等あるがは既に歌舞伎を離れ反台人のカムバックするは至難のことになつて。佐々木小次郎で初出大谷友右衛門あたりも將來を望まれた女形でが、既に長谷川あたり敵手となつている。と揃つて調子の悪いのにつかりさせられる。のもので『花の生涯』にす。進み難い道も信ずに歩み得る彼、山村聰途に心からの聲援と望かけている一人です。

つたらしいです。それでも台本片手に、マイクロフォンに向つて二、三人で何かぶつくさ文句を言つてた事はあるんですから、やはり一年間何かやつていたんでしよう。しかし印象に残つているのはというと、嫌なもんですね、こつちが、役の人物と、どうしても仲良くなれず、もた〳〵してる時に、「やめてしまえつ!」と、プロデユーサーからどなられた奴だけなんですから。もつとも、そんな時には、役の人物と仲良くするかわりに嚙みついて、ぶんなぐつて、むりやりこちらの云分を通してやつてましたがね。それはさておき今年の活動狀況を數字で見ると、まず放送劇が十二回

がなられるし、泣かされるしで…しかし、こんな集りの中に、ほんの少しづつではあるが、みんな進歩して來たと見るのは、あながち私の一人合点でもなさそうです。

さて、こゝらあたりで放送台本をもらつてから、放送するまでの練習過程を書いて見ましよう。まず台本を渡されるのが、放送の一週間程前で、この日は役割と、簡單な注意、それから本讀みを一回乃至二回程行ない終了、二日目は、やはりテーブルで、自分のイメージのまゝに讀合せ進行、その後プロデユーサーからイメージ喰違いの意見、アクセント、イントネーションなど大きな注意

手てくし批評を受ける、これがおさまる頃は、又次のこの人々と共に歩いてゆきたい。（M）

## 木村功 ★を語る★

**田原森光**

の好きなスター……として仲々無條件にはらない。好きにも型がるからだ。私は好き嫌い端でもある。長所五分五分に見えてこれと云発表出來そうもないがて擧げるならば、スタしくないスター、いやーでないスターと云つうが良いかも知れな眞空地帯の木村功を擧う。てミーチャンハーチャ画で騒がれる程の二枚もない木村のどこが良と問われれば、私はこえたい。づ焼付くような印象を彼の演技、そして引きれるようなその深さ。內剛の性格が偲ばれる演技に名付けるならば地のある演技」と呼び。彼には他の若い俳優られない堅實さがあ二枚目の俳優達が老成得る事の出來るような性格の演技を、若くして木村は既に体得している。そしてそれが私達若いもののウツプンを私達に代つて社會に心憎いまでにたたき付けてくれる。唯惜しむらくは未だその巾に乏しいが、その巾のある演技を近き將來に於て必ず私達に見せて呉れるものと信ずる。

天才でない演技と眞理に真剣に取り組んで自分のものにして行くであらう日常生活も彼の演技の中に感ずる事も出來る。だから木村は好きだと……將来の邦画に前途洋々たる彼木村功に心からの賞讃と後援を惜しまない私である……

### 千石規子

**教育会館 平林しづえ**

名前からして一寸変つた女優さんだ。決して美人ともいえないし、チヤーミングなところもなさそうだが、私はどうしてかこの女優さんが好きである。面白い女優さんがいるなあと思つていたが、名前を覚えたのはたしか〃野良犬〃でピストルを賣る女になつた時かしら?エロキユーションが舌足らずみたいなそれでいてセリフにちやんと勘どころがきいている。どこか捨て鉢のようだけど演劇畑の出身らしい真剣さを感じる。角張つた表情の少い顔だが性格の強い演技も、この人を大分損させているらしい。この女優さんとよい對象になるのは村田知惠子だけど、あれだけの達者さ派手さがないだけに余計好きになつたんぢやないかしら。しかし最近の〃東京マダムと大阪夫人〃でその他大勢に混つているのを発見して悲しくなつた。本人があの悪くいえばマンネリズムから抜けきれないのか、それとも千石をうまく使いこなす監督がいないのだろうか?きつと何かを持つている、でなければ何かを摑もうと努力している女優さんだと思うけど。

### ジャンルイ・バロウ

**九配 日高登志江**

好きな俳優は? と聞かれると何時もこの人と答えてしまいます。『輪舞』以來この人の映画を観る機會を得ませんが余韻のある美しい聲と舞台で鍛えた演技力は素晴らしいと思います特に『天井棧敷の人々』の中でのピエロの役、パントマイムの名演技は未だ忘れる事が出來ません。

### 杉村春子

舞台で鍛えた人として何時も何か変つた良さを見せて呉れるこの人も好きです。千羽鶴、東京物語それ〳〵女の嫌らしさを十分に味わして呉れました。日本人であるがゆえ日本映画を観ておりますと演技の下手さ、ぎこちなさがハツキリと出て私のような者でもヒヤヒヤする事がありますがそのような時この人が出てくると何時も救われたというような氣がするのです。

**日本映画**

- ひめゆりの塔（東映）
- 夏子の冒險（松竹）
- 夫　婦（東宝）
- まごころ（松竹）
- 稻　妻（〃）
- わかれ雲（〃）
- 女ひとり大地を ゆく（キマタプロ）
- 人生劇場（東映）
- やつさもつさ（松竹）
- 煙突の見える 場所（新東宝）
- 雨月物語（松竹）
- 村八分（現代プロ）
- 縮　圖（近代映協）
- 妻（松竹）
- 混血兒（蟻プロ）
- 愛情について（松竹）
- 雲流るゝ果てに（重宗プロ）
- もぐら横丁（松竹）
- 日本の悲劇（〃）
- 白　魚（〃）
- あにいもうと（大映）
- 祇園囃子（大映）
- 明日はどつちだ（8プロ）
- 旅　路（松竹）
- 廣場の孤獨（新東宝）
- 花の中の娘たち（東宝）
- 雁（大映）
- ひろしま（日教組）
- 地の果てまで
- 東京物語（松竹）
- 蟹工船（松竹）
- 夜明け前（現代プロ）
- 赤線基地（近代映協）
- 早稻田大學（松竹）
- 魅せらたる魂（東映）
- 赤い自車轉（全逓、第一映画）
- 思春の泉（新東宝）

**外國映画**

- 河（英）
- 二百万人還る（英）
- 激戰地（米）
- 花嫁の父（米）
- 罪ある女（ドイツ）
- 女狐（英）
- 眞晝の決闘（米）
- 五本の指（米）
- ベルリン陥落（ソ）
- セールスマンの死（米）
- 陽の當る場所（米）
- 風と共に去りぬ（米）
- 花咲ける騎士道（仏）
- 革命兒サパタ（米）
- ピノキオ（米）
- あいびき（英）
- 超音ジエット機（米）
- 愛人ジユリエット（米）
- 靜かなる男（米）
- 文化果つるところ（英）
- ミラノの奇蹟（伊）
- 探偵物語（米）
- ライムライト（米）
- 可愛いゝ配當（米）
- 街は自衛する（伊）
- 井　戸（米）
- 七つの大罪（仏、伊）
- 双頭の鷲（仏）
- 越境者（伊）
- シンデレラ姫（米）
- 雨に唄えば（米）
- パラダイン夫人の戀（米）
- パリーのアメリカ人（米）
- 噴火山の女（米）
- G・Iジヨー（米）
- ガラスの城（仏）
- 突然の恐怖（米）
- 落ちた偶像（英）
- 赤い風車（〃）
- 大音樂會（ソ）
- 三人の名付親（米）
- 禁じられた遊び（仏）

【註】以上七十九本が本年度映畫サークルの推せん映畫でした。尚上映館別にみると次のようになります。

| | |
|---|---|
| センター | 一九本 |
| ロマン座 | 一八本 |
| 宮劇 | 一一本 |
| 大成座 | 一〇本 |
| 江平 | 九本 |
| 若草 | 九本 |
| 日劇 | 三本 |
| 帝國 | 三本 |

## 1953年 記憶

今年観た外国映画の中から特に印象に残つた映画の監督は、と聞かれれば即座に、『落ちた偶像』『文化果つるところ』のキャロル・リード（英）と『ライム・ライト』のチャップリン（米）、それに『禁じられた遊び』のルネ・クレマン（仏）の名を擧げることができる。また、後れて宮崎市で上映された『逢びき』のデヴィッド・リーン（英）も忘れることはできないし、

る演出なから人の心を打つのは笑いと涙の中に潜む人間の温かさの故だろう。だから廣い階層の共感を呼ぶだが彼が出演しなかつたらと仮定するとき演出家としてのチャップリンには、リードほどの精彩はうかがえない。それほどC・リード以作品は『邪魔者は殺せ』以

観られるなという感をもたらしたが、この映画などは歌舞伎人で撮つたものでは好印象を残した。由來歌舞伎俳優として名をなしてゐる者は年令に於て無理があり舞台の上では強力なライトを浴び容貌のアラが観客にさとられず七十余の老優

寫真は「ライム・ライト」

## 藝格の深い演技者たち

圖書館・石永正保

おおよそ俳優と名のつく人種は芸を賣つて生計を營んでいる以上、その藝を買つて、その人達の創つた芸術をのぞきにいく僕たちとして演技の上手な芸格の深い俳優さん達が好ましく思えるのは無理からぬことと思われる。さて演技の上手な芸格の深い俳優さんで僕の好きな人達といえば、**宇野重吉**（民芸）**瀧澤修**（民芸）**青山杉作**（俳優座）**東野英治郎**（俳優座）**杉村春子**（文學座）**田村秋子**（文學座）**三津田健**（文學座）**笠智衆**（松竹）**日守新一**（松竹）といつた様な人達があげられるが芸格の深さをぬきにすればこの他に**丹阿彌谷津子**（文學座）**木村功**（青協）**久我美子**（大映）**伊藤雄之助**（東宝）**多々良純**（松竹）等も僕の好きな俳優さんたちである。

いちべつしても判る様に以上あげたほとんどの人達が新劇畑の人たちなので〃ごひいきスター〃を語るにしては少々、的外れな感がしないでもないが、あくまでも主観中心の問題であるのでお許しを願いたい。

さて以上あげた十三人の人たちの中で僕の最も好きな俳優さんはといえば民芸の宇野重吉と文學座の丹阿彌谷津子、それに大映の久我美子の三人である。中でも**宇野重吉**は僕の最も高く評價し敬愛する人で〃縮圖〃の生活に疲れたくつ屋の親父の役に至つては、彼の數多の出演作品中での絶品だと確信している。觀客の耳に頼らずからだ動作で表情で訴える宇野重吉、人間的な高さ、芸格の深さでスクリーンいつぱいに体臭をただよわせるこの俳優さんの新年度の活躍を祈りたい。

〃妻〃という映画で子供をかゝえて働く未亡人になつた**丹阿彌谷津子**という女優さんはその芸に對する異常な熱心さと、この人の描いたニッポンの女の美しさ、悲しさ、といつた様なもので魅せられた人であるが出演回數少くまた演技力も未知數なので唯、單に好きというだけで止めておきたい。

素直な演技と映画街道への着實な歩みで好感をもつ人、これが**久我美子**である〃又逢う日まで〃の好演以來、ちよつとスランプ氣味だつたこの人は〃地の果てまで〃で、傑出した演技を見せ田中絹代作品〃戀文〃では久我美子映畫出演史中最高の演技力を示していると傳えられる。あの素直さを失なわない限り、まだまだのびるこの女優さんに僕は大きな期待をかけている。

## ごひいき ★スター★

### 山　村　聰

農林中金・竹村小枝

實の所、私は山村聰についてよく知りません。彼の好演と云われる映画でさえもつい見逃すようではひいきスターなどと云えないかもわかりませんが。ずつと前の事です、『誰が私を裁くのか』に主演した山村聰に、それが男のエゴイズムに道を誤つた悲しい女性をれるものを感じました。その頃よくラヂオドラマなどできいていた彼の聲が非常に落ち着いたニュアンスの深いものでしたから、そんな先入感もあつての事かとも思います。人の世の苦しみすべてを知り尽くしたような穏やかさは滲み出る温かさを感じさせ、その彫の深いマスクは何事にも信ず

る事のない意志の強固さを想わせます。地味ながら演技も手堅いと思いますし、『風ふたゝび』の彼には又違つた新鮮さを覺えました非常な期待をかけられた彼の監督第一回作品『蟹工船』を見そこなつたのはとても残念ですけれど、きつと彼の意圖通り觀る人の心に訴える力強い何ものかゞあつた事でしよう。『蟹工船』で虐げられた勞働者達の怒りを表はした山村聰は今の世のあらゆる矛盾、壓力に對してもきつと同じ憤りに燃える私達の味方と信

## 二年

映画）北
「京都、勞
作された。
「にごりえ
「日の出て
「縮図」「
の一生」な
プロから生
通じて配給
年年の經驗
討議させて
ものは「
いで「[illegible]
泉あり」
[illegible]井正
[illegible]田英夫
[illegible]年啄木
山本薩[illegible]
「機[illegible]
[illegible]監督
大作が[illegible]

り」第三話「にごりえ」は下層階級の女のみじめな生活を活寫して余りあるものである。その描かれる對象は同じ下層階級と云つても「東京物語」の庶民の様に市井人としての喜怒哀樂をもつた人間達ではなく、又組織勞働者の様に階級意識に目ざめた前進的人間像でもなく、唯弱々しく貧しく世間の最も下積みにしいたげられているかなしい人間達なのである。このかなしい人間達のみじめな生活を、義理人情の狭い枠内で考えるのではなく、又安價なセンチメンタリズムにだすることなく、飽く迄現實的により眞實に近くそして詩情豊かに描き出そうとした意圖は正に野心的である。

凡そヒューマニズムを口にする者は、色のついた羽根運動で滿足することなく最もかなしい人々にこそ心からの同情を寄せ、勵げましを與えねばならないと思う。

「にごりえ」が或るミスにより完全性を保ち得なかつたにしても、その燃えるようなヒューマニズムと若々しい野心はもつと大きく評價されねばならないと思う。

そして藝術祭賞の詮衡に際しても、ヒューマリズムと野心に溢れた作品を、枯淡に完成した作品以上に重要視する方が、より大きな意味をもつのではなかろうか。

いきさつ
画的でな
はなかろう
法に於ては
をつけ、文
記述の緩急
ること等に
意圖を讀者
とが出來る
では、その
象は、カメ
」と作ら、
は劇的構成
（悪い）
良い映画
われる由縁
横路にそ
構成上の
夜」は問題
思われるけ
「大つごも

**サークルの目標**

くみる仲間を作ろう
よい映画をえらぼう
して私たちの
文化性を高めよう
る日本映画を育てよう
よい映画の自由な
交流をはかろう
映画サークルをひろめよう

# 獨立プロえの期待と希望

一九五四年の独立プロのラインアップに目を通してその豊富なる内容に胸を踊らせられる

しかも「上映を充分に成果あらしめる爲に完成より一二ケ月後に封切る計画である」とか。唯興行價値のみに泥試合をくり返して居る現在の邦畫界の中に〝独立プロ〟ならではの感に胸のすく様な思がする。木村荘十二の歸國第一回作品に加えてキャストの顔ぶれに森雅之等々がその陣に馳せ參じて居る事も異彩を加える事だらう、民主主義文學の先驅者啄木の映畫化「青年石川啄木」等々早くも他社のそれと比して想像し心はづませて居る。

一九五四年の独立プロに与へられた割役は大きい、それ丈にそれに對する私達の目は期待に輝いて居る。一流キャストを網羅していよ〳〵前途輝しい独立プロに望むものは先づあくまで良心的作品を持続して独立プロ永遠の基盤をきづいて戴き度い事だ、他に幾度かそれを試みた社もあつた様に見受けられたが観客動員第一主義の斯界の無謀さに遂に潰え去つた前例もないでもない

次に個條にして独立プロに望んで見やう

(一)現在迄の独立プロ作品の中には芸術の香りに乏しいものが有つた樣な氣がするもつとも一九五四年ラインアップの中にはミユージクもの「ここに泉あり」等予定されて居るがこの様な作品もどし〳〵觀せて戴き度いものだ、芸術香などと言つても筆者も即答は困雑だが映画自体が藝術であり、それ丈に芸術も映画の中の重大な要素であると思ふ。時の流れで現在迄の行き方ばかりで觀客にいつまで受けるか……他の方法でも民主主義は説けると云ふ事である。

(二)少し困難かも知れないが取材を現在に持つて來たものも欲しい、例えば許されるならば保安隊の批判もの等隊員の一人が觀客に批判の目を養はせる事は容易な筈である。

(三)スポーツ精神と民主主義とは相通ずるものが有る。國際スポーツ精神と民主主義」とを一人のスポーツマンに風刺せる樣なもの如何

(四)言論に壓迫を加えられた時代民主主義文學に文化革命に身を挺した人々の家庭の人達が歩いて來た道に取材は無いだらうか、その革命の主人公よりむしろその人達の悲惨なる人生を想像して見る時そのまゝ投げて置くのは惜しい樓な氣もするものである。

(五)日本映画には仲々なじめる事が出来ないその一つの理由は現代物、時代物問はず映画のすじの推移を獨立のセリフで説明するシーンの多い事しかもその時の撮影は決つてクローズアップ、そして長つたらしい。見て居て歯の浮く思ひがする。踊りで音符で語り合ふ事の出來る人の居る世の中に余りにも幼稚である。世界の水準に達するには先づそう言ふ事からであらう。他社は何れにしろ獨立プロに於ては心してもらい度い。

以上独立プロの行き方に添はないのではないかと云ふ危惧も多いかも知れないが日本民主主義の敗退しつゝあるのは始終一貫したその説き方にあきて來た民衆が見向かなくなつた事にも大きな原因があるのではないかと思ふ時、映画と云ふより、独立プロの行き方にその軌を踏ましたくないと考えるのは不明なる私の取越苦勞であらうか。（森）

**あとがき**

一九五三も後わづか師走のあわたゞしさの中でやつと編集を終りました来年は〝サークルを叱る〟に答えて一月に會員の觀賞會を計畫しています。よい年をお迎えになりますように―。（多）



文光堂印刷KK納

## 聲

いつまで続く？正月料金
○……正月興行の特別料金で各映画館とも、それぞれ二、三〇円値上げしたまゝまだ、當り前の料金にかえらない。いつになつたら普通料金になりますか。
（電報局T生）

（事務局から）各館の模様では舊正月ぐらいまで正月料金のすえ置きで、それがすぎれば下げるのではないかと思はれます。館の方では常々宮崎の料金は安いともらし、苦しい經營事情を料金の値上げで解決したい様子ですが、宮崎の場合料金を上げたら興収が上るかどうかが興行の面で一番問題となる点でせう。

尚、孔雀座の三〇円料金に對して値上げを各館で接しようしたところが孔雀座はあくまで現在の低料金で維持するということです。

◉十円割引ではつまらぬ私達が一番よく見にゆくセンターとロマン座が今年になつて十円しか引いてくれない。こんなことではサークルに入つている價値がない良い映画の時だけでもせめて二〇円か三〇円引いてくれるようにならないか。館の方も儲けることばかり考えないで觀客をそだてることも考えてくれ。
（米商連・愛文社そのほか）

（事務局から）センター、ロマンの十円割引については正式に館の方から申入れがありました。それによりますと両館に第三者が入つて最低料金や割引について協定し、違反した場合は五万円の罰金だということです。洋画館が二館で独占されているので館の方の強みもありますが、御指摘のように觀客を育成して文化向上に資するセンスは両館とも充分ありますが、經營と税金の面でこんなことになつたのだと考えます。

鹿児島の場合三〇円割引きですから今後の接しようでよりよい條件が生れるように御協力下さい。

## 2月各館スケジユール

※**ゴチツク**は推せん映畫

| | 3 4 5 6 7 8 9 | 10 11 12 13 14 15 16 | 17 18 10 20 21 22 23 | 24 25 26 27 28 |
|---|---|---|---|---|
| ロマン | **地上より永遠に**<br>復讐は俺にまかせろ | **ヨーロツパ1951年**<br>**樂園に歸る** | **黄　昏**<br>**皇帝円舞曲** | **シエーン** |
| センター | キングコング<br>バラントレイ郷 | **アーン**<br>暗黒街の王者 | 吹きすさぶ風 | |
| 若草 | 心の日月<br>曲馬團の魔王 | 快刀まだら蜘蛛<br>べらんめえ獅子<br>忍術猿飛佐助 | 落火の門<br>南國太平記<br>忍術霧隠才藏 | 雪の夜の決闘<br>河岸の石松大阪に現る<br>忍術腕くらべ |
| 宮劇 | 忠臣藏<br>遊侠夫婦笠 | **山の音**<br>家族會議<br>やくざ狼 | ママの日記<br>千代田城<br>純情社員 | 今宵一夜<br>鯉名の銀平 |
| 日劇 | 忠臣藏<br>若夫婦は朝寝坊<br>曲馬團の魔王 | **山の音**<br>切り込み鞍馬天狗<br>べらんめえ獅子 | ママの日記<br>千代田城<br>南國太平記 | 今宵一夜<br>河岸の石松大阪に現る |
| 江平 | **戀文** | やくざ狼 | 純情社員 | 鯉名の銀平 |
| 大淀 | 心の日月 | 快刀まだら蜘蛛 | 落火の門 | 雪の夜の決闘 |
| 孔雀 | 未定 | | | |

# またやろうぜ
## 樂しかつた『サークルの集い』こぼれ話

一月十四日　圖書館ホールにて　（農林中金　I記）

今夜は映サのたのしい集りがある、早く仕事も切りあげていなきやと思つていた。事務所の終業時間は四時半である。ところが四時半もすぎてしまつた、早く引き揚げてと思つているとまた仕事が出來た。やむをえない。仕事のすんだのは五時半だつた。

サークルの方からは手伝いをしてくれとたのまれていた。一思案する。すぐ行つた方がいいか、寮へかえつて夕食をたべて行つた方がいいか、だが迷うこと一瞬、夕食をたべてゆくことに一決する。サークルの田原さんたち、すみません。夕食をたべて停留所へゆくとちようどバスがくる。おくれると心配しているときにはうまい具合にバスのくるもの。

圖書館ホールについたときは、六時も少しすぎていた中をのぞくとあまりたくさん來ていない。まだこれからだな、と思いながら受付に坐る。サークルの受付は男二人である。

「いらつしやい、ハイ、どうもありがとうございました。「あゝ、コレコレあんたたちお金もつてきた?、一人五円もつてこないとだめだよ」これは入口にむらがりよる子供たちへのサークルの受付一つまりぼくのしやべりつづけた言葉である。

高校生は入口の「サークル會員外は十円子供は五円」とかいてあるのを見ながら三々五々たつている。「入んなさいよ」「お金ないもん」という。

サークル會員は會員章を出して入る。會員外の人の方が多かつたようだ。昨年の前進座公演では二人づれが多かつた。だが今日は少かつたようだ。

受付に坐つていると映画はみられない。合間に一寸のぞいてみる、二百五、六十名というところか。宮大のU先生が入場。先生、こんどぼくが結婚するんで部屋を探してるんですが、どこか當てはありませんか」「知らんね」「どうしても見付からんときは彼女をどこかにあづけようとゆうんですが、先生あづかつてもらえませんか」「俺れんところは俺がいるから危いぞ」「先生ん所は奥さんがいるから大丈夫ですよ」片手間にはこんなこともいう・ずぼらな受付と怒らないで下さい。もう一人の受付T君が「いらつしやい」「まいどありがとう」と一人でがんばつてくれていた。

映畫おわり、上野先生の挨

拶、ついで土曜
ーラス。「若者
カ」「ふるさと
の観衆約三百。
T孃が、「ど
てない?二つ」
く。「二つか」
しながら席を前
て探す。「ハハ
一しよなんだな
がら案内する。
けれど殘念なこ
路を間にはさん
た。すみません
下さい。次に「
」（土曜合唱團
ーラス以上に拍
の人の刈干切唄
いいこと。拍手
東京より來演
座」の寸劇、こ
つた。大拍手だ
クイズは「シ
放送劇團の人が
つてもらう賞品
いる學生に醤油
なんていうのは
ついでゼスチユ
かつたのは前サ
の武井さんの演
吉田首相の愛讀
次取物帳という
せたのだから大
日向日々東さん
ツチマン、あれ
これは東さんに
だつたからでも
つたのは九時半
うか。終りに近
座席にぎつしり
後も横もぎつし
観客だつた。星

MEMO

レコード屋の
りの発賣ポスタ
ている。ギター
がデツキに立つ
その横に〃××
と大きくうたつ
日本人の好きな
歎息調のセンチ
ロデーに違いな

戦級が多く他社からのルのトレード組の早と養で大作をとる人材がないことがおしまれる。

### の宿
「暦」（久松静児）

、戦時中にも企畫にのたことがある。またダホースとしては、久松演出で壺井榮原作「暦その手固い地力で思わ作をカッ飛ばす監督だ期待されるが、新鋭松恵の「花と波濤」もうクを開始した――。

（黒岩敏郎）

ヤンルに一陣の清風をおこすかもしれぬ。熊虎も「福澤諭吉」（尾朗右衛門、原節子主演開始する。「白魚」でめな失敗をした熊谷もの「阿部一族」「指導」の精氣さらにないがらでひとふんばりしなば、その映畫作家としじゆ命もあやふまれる「さらば、ラバウル」田猪四郎演出）「藝者」（原作舟橋聖一、監江敏男　主演池部良、鶴）をいちおう推してう。

### ★近代映協★ 文藝物三本 「阿Q正傳」など

映協では昨年度に「縮「夜明け前」「女の一など文豪の名作を相つとりあげ注目される獨ロの眞價を遺憾なく發たが、今年は昨年度に続き文藝大作の製作を準藝作三本、文藝三本、ジナル一本の計四本を定した

「足摺岬」（原作田宮虎三郎、脚色新藤兼人、監督吉三郎、主演木村功、津恵子）二月上旬撮影開始末完成△「どぶ」（脚新藤兼人、棚田五郎、監新藤兼人、主演宇野重吉信子）四月中旬撮影開「阿Q正傳」（原作魯脚色新藤兼人、監督吉三郎）▽「コシャニイ記」（原作鶴田知也、脚監督新藤兼人）

# 私の推すベスト・テン「上」

## 日本映画

山中卓郎

### (1) 東京物語

小津安二郎は、平凡な人間の營みのなかから、人生の真髄を掬いあげてみせる作家の一人である。枯れてきた、とひと口に言うは易いが、親子の間の微妙な愛情（東洋的な諦觀が底を流れている）をかくも見事に描ききるということは、なみたいていの才能で出來ることではあるまい。芸術性の高さという点では世界一流の作品だと私は思っている。

### (2) 情火

梅村速水という理想主義者の、俗世にいれられぬまま自滅してゆく姿を描いた人生挽歌である。時代に生きているという点、獨自の人格をもつた人間を俎上にのせているという点で日本映画には珍しい。「阿部一族」「碑」の系譜につながる時代映画である。むしろ歴史映画と呼んだ方がふさわしいかもしれない。作品自体の持つ氣品を買いたい。監督大庭秀雄。若原雅夫が演技面で著しい進境をみせた。

### (3) あにいもうと

たしか、昭和十年頃に、P・C・Lで作つた同じ題材の作品を観た。竹久千恵子の主演で、丸山定夫、監督は木村壮十二だつたと思う。これも佳い映画だつた。だが、成瀬巳喜男のこの新作を観ても、決して二番煎の感はうけない。彼は抒情詩人の面目を十二分に発揮している。遠くから聞えてくる祭唄のように、庶民的な郷愁をこの作品は持つている。私は、久し振りに心を洗われたような感動を覚えた。森雅之の好演技も忘れがたい。

### (4) 縮圖

人間のアクで凝り固つたような徳田秋聲の小説は、もとより映畫化の至難なものである。原作には女性開放の觀念的な批判などないのである。だが、この映画もさすがに人間臭い。日蔭の草のようにぬめぬめした花柳界の生態や、陰にこもつた男たちの漁色の世界を冷くねばりのあるカメラ・アイで追い回している。新藤兼人はこの一作で名實ともに一本立の監督になつた。

### (5) 眞空地帶

「縮圖」が女の足跡を描いた作品なら「眞空地帶」は汗臭い男の部屋を描いた映画である。山本薩夫は、非人間的な生活の標本ともいうべき、軍隊機構の内務班にカメラの焦点を据えた。當時、全國の部隊に見られた傷だらけの世界を如實に再現した限りではこの作品は秀れている。だが、經理部事件の主人公である木谷上等兵（木村功）の行動は不思議と記憶の底から薄れている。

### (6) 日本悲劇

まことに非情な、對象を冷めたく突き放したような作品でひと癖もふた癖もある。木下監督としては「海の花火」と相通ずるものがあるが、才人才に溺れる感がしないでもない。ひねくれた母性ものだが、主題よりもむしろ、娘と中年男との戀愛に風俗映画的な興味を覚えた。母親が鉄道自殺をとげるラスト・シーンは演出技術の面で、感覚的な鋭さを見せた。ニュースの挿入など厭味なものである。

### (7) 雨月物語

溝口健二は、由來雰圍氣描寫の達人であるが、この作品にも一種奇妙な妖氣がたちこめている。かりに成瀬の作品を支えるものが詩精神であると言えるならば溝口のこの作品は散文精神に貫かれたものと称してもいいだろう。家路をたどる宮木（田中絹代）が子供を抱いたまま、路傍で敗殘兵の槍に突き殺される場面などは、さりげない筆觸だけに無常感が一段と加わるのである。撮影を基調とした宮川一夫のカメラ美も見すごすわけにはいくまい。

### (8) 煙突の見える場所

くるくる変る四本のお化け煙突が印象に残つている。いつも私室をのぞかれているような庶民生活の可笑しさ、哀しさ（御本人達は別に自覚もしていないのだが）が余韻をひいて描かれている。親近感のこもる社會諷刺劇として秀れた味覺をもつていた。

### (9) 千羽鶴

川端文學の映畫化（至難である）という觀点にたつと買えないのだが日本映画としてはやはり氣品があり未婚の女性のみがもつ精神的な、或は姿態の美しさが画面に漂つていた。吉村公三郎は「欲望」「夜明け前」と、地味ながら良い仕事をしている。

### (10) 地獄門

フジ・カラーによる「夏子の冒險」「花の中の娘たち」やコニ・カラーの「日輪」とくらべると殘念ながら色彩の美しさで「地獄門」の方に軍配があがる。この作品の色彩技術が、色彩映画の研究課題として多くのものを包含している点で敢えて十位に推した。もちろん作品の内容は取るにたるまい。

◇以上推したベスト・テンは昭和二十八年度に宮崎市で上映された劇映画のなかから、私の好みの順位によつたものである。六位の「日本悲劇」など欠点の多い作品で嫌いなところもあるが、つよく印象に残つている。また、私は世評の高かつた作品を全部觀るわけでもない。例え[illegible]流るる果に」「花の生[illegible]」「人[illegible]「妻」「獅子の座」「人[illegible]劇場・二部」「女一人大地を行く」「ひろしま」「村八部」など見落したことを附言しておきたい。

（筆者は日向日々新聞文化部長）

### ソ連立体色彩映画完成

ソヴエットのレニングラード撮影所はこのほどラフマーニノフ作曲のオペラ「アレコ」（原作プーシキンの長詩「ジプシー」）の立体色彩映画化を完成、近くモスクワの立体映画館で封切予定とのことです。

### 土曜合唱團放送

土曜合唱團ではM・Gから第二回目の放送として二〇日「青年のつどい」の時間に

仲間たち、船乗り、ジグリ、麥畑、若者よの五曲を放送した。

映 シネフレンド
宮崎映画サークル会行
事務局　宮崎市高松通り1の45　TEL 3659
第46號　1部　5円

# 1954年度 陽春の話題作

展望

にぎにぎしく、はなやかに満艦飾をほどこして登場したお正月作品がすむと、映画界は、例年なかだるみのカタチで、それだけに各社とも底をついて特ち駒総ザライとなるが、ことしの各社の年明けから以降の新年スケージュールを見るとやはりそのへいをまぬがれぬようだ。以下各社のラインアップから、期待作と問題作をさぐつて見よう――。

## いぜんあと絶たぬ大船調

### 期待作は木下惠介の「女の園」か

★☆★☆松☆★
★竹☆★★★

いぜんとしておとろえぬそのしにせぶりは抜け目のない商業政策と、それに輪をかけたような大衆的大船調なるものがあつて、企畫にもいきおいそのニホイガつよい。スケジュールを見ると「**春の若草**」監督原研吉、主演三橋達也、草笛光子、「**婚約三羽鳥**」原作源氏、鶏太監督荻山輝男、主演水原真知子、北原三枝、野添ひとみ、三橋達也「**陽のあたる家**」監督田島恒夫主演轟多起子、野添ひとみ川喜多雄二「**女の園**」原作阿部知二、演出木下惠介、主演、高峰三枝子、高峰秀子、田村高広、久我美子等が現在クランクちゆうで、昨年の城戸聲明によるが「伝統的大船調」の復活は、ここでも如實にあらわれ、商魂たくましき「愛染かつら」戦後版「君の名は」のヒットなどともあいまつて當分この調子はくずれそうにない。

木下專介新春初染めのメガホン「女の園」は「群像」けいさいの阿部知二の「人口庭園」の映畫化で、ここでは、いちばん期待される。

ある地方都市のミツションスクールを背景にひとりの女性の自殺の動機をめぐつて、封建的な學園の自由にメスをふるうもので戦争や平和、コンミユニズムや戀と現代の非條理をあつかう阿部原作は、素材のわりに濃淡のうすい仕上げだが女性心理をえがいては當代随一の木下がどこまでこの主題をこなすか。雨高峰の初顔合せに阪妻遺兒田村高廣のデビュ作でもあり昨年度に「あに・いもうと」「にごりえ」で好演の久我美子も出演する。

その他では酒井辰雄第二回作「**橘花**」が林芙美子原作のものだけにいちおう觸手をそへるが渋谷、大庭の春の動きはまだつたえられないようだ。

## 呼びものは『山椒太夫』

### 衣笠は異色作「雪の夜の決闘」を

☆☆☆大☆☆☆
☆☆☆映☆☆☆

クリンアップ、トリオ溝口、衣笠、伊藤の三、四、五番の巨匠があい競つてクランク開始ちゆうの大映作品は壮観で、コリ性溝口の「**山椒太夫**」は「雨月物語」の幻妖をふたたび再來せんとする野心作。鴎外作品の古典映画化で田中絹代、香川京子、進藤英太郎の配役陣に梨園の名門花柳喜章を起用した。黒澤明の「**七人の侍**」（東宝）木下惠介の「**女の園**」とまずは陽春の話題作か。衣笠は「**雪の夜の決闘**」で前作「地獄門」よりずつとくだけた仕事、愛するひとをめぐつてくりかえすふたりの男の戀の解決は、決闘だつた。その夜には雪が降つていた……情緒派の巨匠としていぜん、おとろえぬ衣笠の異色作。

かたや溝口健二が「山椒太夫」のふんいき描与でお家藝を発揮すれば、こなたはしつとりとしたリリシズムだ。さらにはスランプといわれる伊藤大輔が、「**播磨とお菊**」を長谷川一夫、津島恵子で開始した。岡本綺堂原作の「播町皿屋敷」の新解釋のホンで伊藤大輔もここらで快調ぶりをしめしてもらいたいもの。

「**疾風**」（監督渡邊邦男）「**風雪愛憎峠**」（監督佐々木康）と前者は千恵蔵後者は右太衛門で製作中。監督陣に

## 時代映画が本命 みるべき作品なし

★★★+東+★
★+映+★★★

右太衛門千恵藏と時代映畫の二巨頭をかかえることはそれにのつとつた作品が多く「**續南國太平記、薩南の**

折紙つきのシロモノ。ジョン、フォードの正統西部劇ともまがうこの作品が完成したら日本映画のきよう少

## 五所平の大阪 ダーク・ホ　スは

☆☆☆☆新東寶☆☆☆☆

「煙突の見える場所」いらいの五所平之助作品「**大阪の宿**」がおまみえする。三田文學派の草分け三上龍太郎の原作で關西地特有のふるい傳統としきたりにあたらしい都會のながれにいる人々を五所特有の抒情調でえがく

## 壓巻「七人の侍」（黑澤明）

### 「福澤諭吉」（能谷久虎）も力作か？

××××東××
××寶××××

年ごしの超ド級作で製作費一億円をトウじたといわれる黒澤明監督の「七人の侍」がその熱のイレ方から見てもだいいちで、黒澤監督に伺いをたてるまでもなく本年度最高の力作と

## 名画鑑賞會の實施

### 年頭に際しての私の提案

いうまでもなく、すべての映画サークル活動は良い映畫をみようとする各人の意志から出発する。映畫文化水準の向上をめざして、宮崎映画サークルではこれまで種々の行事を通じて活動してきたが最近の動き、を顧みるとき決して満足な狀態にあるとは云えない。いや、沈滞氣味であるとさえ云える。

そこで私はサークル活動の目的を果すため、充實を圖るために定期的な『名畫鑑賞會』の實施を提案する

◇

これまでにも二、三回行はれてきた鑑賞會（例えば「巴里祭」や「落ちた偶像」のときのように）は方法の不手際や手落ちから、必ずしも成功とは云えない点があつた。

私が考えている鑑賞會の主眼点は次の三点にある。

① 會員だけの鑑賞會とする（要検討）

② 鑑賞の對象となる映画は秀れた作品を必ず一本（二本立は不可）

③ 前賣券制にして（再検討）座席數以上は賣らぬことにする。

※ 毎月一回ないし二回とし、日曜日の午前十時から行う。

以上の点をまとめると、理想的な鑑賞條件でしかも早朝だから割安の料金で見られるということ、その上二本立興行の悪條件（疲れる、時間の無駄）からのがれることができるということになる。日曜の早期だから多數の人が利用できるし、會員だけにしても一般客に迷惑をかける率は少いし、映画館との交渉も比較的容易にできると思う。

◇

これを何よりも実現させたい理由は、良い映画を観るというフンイキと習慣をつけることによつて好ましいサークル行事となつて成長することが豫想されることである。

また、鑑賞會に附随して合評會の開催や學識經驗者の講演なども併せて計画することも考えられ、より有意義な鑑賞會へと発展させたいと思う。（高井）

×　×　×　×　×　×　×　×

唱團のコ「トロイ」の山」會場か席あいとぼくにきと問いかえの方にいつ、彼氏とと思いな一つあつたとには、通二つだつ我慢してひえつき節これはコす。郵便局この頃のた。の「トンコれは面白かリオ」をよむ。あた下宿して本ある面白い。、一番よークル會長役だつた。する銭形平のをあてさしたものだのサンドイもよかつたつてつけあろう 終頃だつたろつく頃には坐つた上、りつまつたかいつばい

に、またたいている暗い夜空を見上げ、またやろうと輕く心につぶやいた。

## クイズ副賞 寄贈された商店名

| | |
|---|---|
| 高松通り | Y S 寫眞館 |
| サークル隣 | おきな食堂 |
| 橘通二丁目 | ニシムラ樂器店 |
| 橘通三丁目 | すゞき文具店 |
| 若草映劇前 | 松山書店 |
| 高松通三丁目 | 新宮崎書店 |
| 大成座前 | 山城屋食料品店 |
| 橘通[illegible]丁目 | [illegible]樺 |

## ★イワンの馬鹿 公演

宮大農學部演劇部では文化祭の一つとして一月二十四日午後六時半から縣公會堂でトルストイ原作紙井三吉脚色の「イワンの馬鹿」と「寒鴨」を上演する。

## ★演劇同好會打合せ会

前進座を期に誕生した演劇同好會では二月上旬、再度打合せ會をもつて規約や行事をきめる予定

## ★中央合唱團 來演

九州の各コーラスがひえつき節をもつて参加した〃一九五三年日本のうたごえ〃に五周年を記念した中央合唱では、九州初公演で二〇名（伴奏二名）が二月二十一日（日）宮崎公演と決つた。内容は

第一部 日本民謡、うたとおどり
第二部 世界の民謡
第三部 日本のうたごえ組曲「祖國」「農民のうたごえ」「主婦のうたごえ」「勞働者のうたごえ」「祖國のわかもの」「祖國の山河に」

……催し……

## ★鄕土を守る人々 二月

戰後初めての朝鮮映画として問題の「鄕土を守る人々」が朝鮮民戰の人たちの手で二月上旬より縣下で上映されることになつた。

## ★縣映サ協 委員會

縣映畵サークル協議會では二十三日、本年第一回の委員會を宮崎で開く。今後の農村におけるサークル活動について、巡回映畵の定期化について、など。

なお宮崎の映画サークルのつどいに出演した演劇コーラスの人々によつて縣下を巡つてサークル活動を廣めて行こうという計画がたてられている。

## 安達氏入院

北星映画に行つた前事務局長の安達清則氏は胸部疾患のため歸宮、現在、平島病院で靜養中。

## 映画隨想 主題歌

秋原洋一

まああかづに発賣され、あきもせずに買はれるものだとつくづく感心する。感心ついでに求める方の心理を歩きながら考えてみた。多分、レコードを求めに来る人達は映畵を見て来たに違いない。人間の常として、印象深かつたものを頭の中でくり返し味はつてみたいに映画のようにふんだんな幻想を持つたものでは、その映畵は感激的巨篇だつたのかも知れない。そこでレコードを求め、聞きながら反すうの喜びを得る……こう考えてみている中に先日會つた一人の女性を思出した。〃第三の男〃のテーマ音樂をくり返しくり返し何百回となく聞いたというのだ。笑へもしない。この傾向は誰の心の中にもあるのだから戰前〃巴里祭〃が封切りされた時、巴里祭のメロデーが巷に溢れた、近くでは〃シエーン〃の主題歌が世を風びしている。映畵に主題歌が登上したのは大分昔のことだろう。幼い日の記憶では〃巴里祭〃を始め〃唯一度のもの〃〃ラクカラウチヤ〃等があるとに角それ以来銀幕を通じて人口にまん延し愛唱された歌は數限りない。戰時中はたい敗的というので流行歌が禁止されたが、その流行歌の大半は映画と結びついた主題歌だつた。戰後それは急速に復活して現在濫造されている映画の殆んどに哀怨切々たるメロデーが流れている。扨、主題歌はその映画のヤマを歌いあげたもので、その効果によつて映画の賣れ行きも價値も定まる。最近この主題歌も形が違つて映画音樂の方向に近づき始めて來ている。映画音樂と主題歌ははつきり區別されていゝ。主題歌は多分にコマーシャリズムが支配しているからだ。現在のレコードを賣る為の映画はその一例である。その映画につられてレコードを買うのがミーハー族でその族を目當の映画が又生れるといつた悪循環である。まあ〃第三の男〃や〃巴里祭〃を聞くのはよいとして、我國の主題歌なるものも前進してよい頃ではないだろうか。そう考えて歩く私の耳に鼻にかゝつたメロデーが流れてきた。

## 邦画は『にごりえ』

### HNKのベスト・テン

NHKでは、恒例の邦洋畵のベストテン選定を行い、邦畵では新紀プロの「にごりえ」（監督今井正）洋画は『禁じられた遊び』（監督ルネ・クレマン）トップに決定した。順位は次の通り

△邦畵 ①『にごりえ』②『あにいもと』③『雨月物語』④『煙突の見える場所』⑤『東京物語』⑥『日本の悲劇』⑦『ひめゆりの塔』⑧『千羽鶴』⑨『妻』⑩『縮圖』

▽洋画 ①『禁じられた遊び』②『落ちた偶像』③『ライムライト』④『探偵物語』⑤『終着驛』⑥『文化果つる所』⑦『忘れられた人々』⑧『罪ある女』⑨『靜かなる男』⑩『越境者』

## お知らせ

※ 紙面の都合と館の方でスケジュールの決定がおくれたので映画案内が間に合いませんでした。二月一週までには「映画案内」を特別号として一日付で発行致しますから御了承下い。（事務局）

## 收支明細書

1953年10月—12月

| | | |
|---|---|---|
| 繰越金 | …… | 3,232円 |
| 入會費 | …… | 3,490 |
| 會費 | …… | 116,530 |
| 雜收 | …… | 15,640 |
| 收入計 | …… | 138,892 |
| 人件費 | …… | 58,700 |
| 行動費 | …… | 9,000 |
| 事務用品費 | …… | 5,069 |
| 印刷費 | …… | 34,300 |
| 會議費 | …… | 2,490 |
| 光熱費 | …… | 986 |
| 通信費 | …… | 12,484 |
| 資料費 | …… | 3,867 |
| 旅費 | …… | 150 |
| 負擔費 | …… | 300 |
| 雜費 | …… | 1,965 |
| 備品費 | …… | 3,380 |
| 借料 | …… | 3,000 |
| 予備費 | …… | 0 |
| 支出計 | …… | 135,691 |
| 繰越 | …… | 3,201 |

1 3年12月31日現在

| 資產之部 | | | |
|---|---|---|---|
| 備品 | 自轉車 | …… | 10.000 |
| | 火鉢 | …… | 1.300 |
| | 机 | …… | 500 |
| | 書棚 | …… | 1.000 |
| | 謄寫用具 | …… | 1.000 |
| 未收金 | 広告料 | …… | 4.000 |
| | 會費 | …… | 15.000 |
| 現金 | 繰越現金 | …… | 3.201 |
| 計 | | …… | 36.001 |
| **負債之部** | | | |
| 未拂金 | 印刷費 | …… | 31.060 |
| 純益 | | …… | 4.941 |
| 計 | | …… | 36.001 |

2月21日（日）
ヨル、ヒル 二回
縣公堂會

關 鑑子、芥川也寸志、小野光子 主宰の

# 中央合唱團 公演

働く人たちとともに 創立五周年を歩いた合唱！
20名編成による 健康なすばらしいうたごえ！

（第一部） 日本の民謡 うたとおどり
（第二部） 世界の民謡
（第三部） 日本のうたごえ組曲
「祖國」「農民のうたごえ」「主婦のうたごえ」「勞働者のうたごえ」「祖国のわかもの」「祖國の山河に」
（その外） 市内合唱團の合同演奏
歌唱指導「心のうた」（その他希望曲）

戦争よもつと續け！MSA万万才！ムスコが片輪になつても、先祖からの田畑ウリ飛ばしても、こんなボロイ商賣が忘られようか！祖国のなかの異国につづる、世にもおかしな物語！

春秋プロ第一回作品
北星映画三月封切予定

# 狂宴（きょうえん）

監督 ☆ 關川秀雄
原作 ☆ 八木保太郎
主な配役 望月優子 三島雅夫 東野英治郎

古都奈良、佐保川の水せぎあげて古代の農民が養つてきたこの土、万葉歌人が朗々と歌を吟したこゝにジヤズが鳴りひびいています日本文化のはじまつたところ、日本人の心のふるさとが、米軍のキャンプでかこまれ、平城宮（昔の奈良の都）あとのお百姓が、一夜にして「新しい日本人」にかわつてしまつたのです。

たくさんのGIが朝鮮戦線から、休暇で奈良に引揚げてきました。休暇があけ次第、いつ死ぬかわからぬ職場におくりこまれる兵隊たちです。そうした兵隊を思いきり遊び呆けさせる施設、それがRRセンター、そこをあてこんでしこたまもうけようとする日本人がありますそうした人たちにとつては、兵隊様に、戦争様々、基地様々そしてMSA様々なのです。

この映画は、こうした日本人を風俗的に、諷刺的に浮彫した喜劇であります。眼の前の欲に目がくらんでしまつた親たちは、息子片輪になつても、年頃になつた娘が、心もからだも汚されても、死んで抗議しても眼がさめません。馬鹿は死ななきや……全く笑いごとではありません。

# 或る女

## 有島武郎原作

原作は日本文壇の巨星有島武郎。明治四十四年一月より大正二年二月まで雑誌「白樺」に連載された。〃或る女〃の内容は新しい女を創造する意欲に燃えた有島武郎が封建と因習の世界から飛び出し、自我のめざめを意識しつゝ肉体の弱さに崩れて行く女の哀しさを、肉慾と霊の相剋の中に香りゆたかに描いたものである。自然主義に反抗して人道主義を唱えた白樺派の有島武郎のこの作品は文壇に於て一エポックを画し今尚廣く讀まれている。不朽の名作となつている。

監督の豊田四郎氏は主演の京マチ子について次のように語つている――

ヒロインになる京マチ子さんは、見るからに暖い印象を與える人ですが、ヒロインの葉子は、厳しい冷たさを持つている女です。葉子を描くに當つて京マチ子さんのもつパッショネエートな面を強調すると共に、葉子のもつ厳しい冷たさを京マチ子さんか……島武郎描く〃或……瀾に富んだ半生……描いて行こうと……

（大映製作、配……「或る女」

# 悲しい運命にもてあそばれた安壽と厨子王の物語

# 山椒太夫

森鷗外の「山椒大夫」は大正五年一月の中央公論に発表された短篇の歴史小説で、鷗外は衆知の通り文豪として著名であつたばかりでなく、公人としては陸軍軍医総監（この小説の発表當時）の要職にあり、こうしたことも「山椒大夫」の成立について、あるハンデイキャツプがあつたとも云われています。鷗外が「山椒大夫」に於て描こうとしたテーマは、實際はもつと激しいものだつたと云われそれは人權を無視した人身賣買に對する憤りを、この王朝より傳わる哀話を通じて訴えようとしたものであり、それが當時の社會狀勢鷗外の公人的地位などによつてその表現にある程度の制約を余儀なくせられたと見られているのです。

この「山椒大夫で鷗外が表現しようとして果し得なかつたと見られる点を、今一歩すゝめて、もつと強く、もつと激しく、現代の人々へ映画で訴えようとするのです。

監督 ☆ 撮影
玉木
厨子王
安寿
山椒大夫

（四月大映系封……「山椒大夫」）

## 映画サークルの歌

宮崎映画サークルの歌がほしいという聲は久しい。サークルへの親しみとどこでも歌える明るいうたごえへの若人の希望かも知れない。つぎのサークルの歌はこのような人々の気持をあらわした一つの投稿であり決してきまつたものではない。これからもみんなの意見でよいものにしたい。

（作詞者うえの・ひろひさ氏は御存知のようにサークルの常任委員、宮大學芸學部助教授で歌人としても有名である）

### 作詞　上野裕久

一、大淀の岸に草萌え
若者の歌響くこの街に
よい映画安く見ようと
さゝやかなわれらの願いが
國民の自由を守る
（繰返し）
あゝわれらスクラム組もう
宮崎みやざき映画サークル

二、びろう樹の葉陰は青く
男子らのたくましいこの街に
よい映画安く見ようと
さゝやかなわれらの願いが
日本の文化を守る
（繰返し）

三、フエニックスの葉が風に揺れ
乙女らの美しいこの街に
よい映画安く……
さゝやかなわ……
世界の平和を……
（繰返し）

## 「魚河岸……

○……魚河岸のはケンカに強く男つぷりが良いてる男で、その男は、そゝつかだらしがない。彌次喜多道中記あちこちで、い……を引起して一騒……悪人は警察に捕……はすべてまるく……といつた、まこ……ない話で、話の……合せようとする……らないことばか……それでも満員の……はドット笑聲が……つた。例の俳優……な動作をして見……ぶはずのない所……たり、という調……りである。

○……しかし、……けなら相變らず……喜劇の低調さな……松シリーズの人……

# 職場の協力者

宮大学藝学部

映画サークルにも會員が一、六〇〇名を超えるまでに発展しましたが、そのかげには職場々々で協力してくれている大勢の人がいます。そういう人々を先づ女性から紹介して見ましょう。友達になりたい方は御遠慮なくお手紙を出して下さい。サークルの親しみも増すことでしょう。

**佐崎一枝嬢** 二八才、サークル発足以来最近までシネ・フレンドの配布、會計等忙しい中によく協力して貰つた。好きなのは洋畫。モン・ゴメリイ、岸旗江、原節子、久峨美子が好き。森雅之は女を誘惑する方法がうまい。最近見た物では山の音は、きく子を支えている物（趣味か何か）が出ていず物足りなかつた。家族會議の方が横光の原作のよさがあつた。シネ・フレンドは映画通の書き方に傾いている。職場人が見た生きた批評がほしいとのこと

**岩田尚子嬢** 二二才、シネ・フレンドの配布を手傳つて貰つている。好きなのは邦画。山村聡が好き。山の音がよかつた。會員証でどの映画でも見られる様になつたのが有難いとのこと。

**西野よし子嬢** 二一才、會費引去りの仕事をして貰つている。好きなのは洋画、地上より永遠に、たそがれがよかつた。原節子が好き。サークルのバッヂがほしいとのこと。U生

画サークルでも平和憲…ることは決して労働…一部の人達だけにま…おけばいゝというも…はなく、平和を愛する…の人々が参加しなけれ…れないので進んで参加…ことに決めた。

## 一人一人が會員をひろめよう

…員がふえることはどん…難な状況のもとでもが…り手を結べば乗り切れ…ことはないという自信…よめ、引いては割引や…にのことでも増々サー…の有利になります。…任委員會で決めた「會…家族や學生に廣めよう…うことを一人一人が努…し下さい。…生や家族の場合は準會…して入會金は二〇円で…會費は十円です。

## …々の映画 …て公開 …る人々
### —…戦提供—

…里に大規模な國立撮影…建て、民族映畫の樹立…う新しい出発をしたの…つた。…かしステージは大規模…つてもかんじんの機械…はレンズの揃わないア…か一合とアスカニヤー…全所有であつた。錄音…勿論なかつた。だから…のニュースや「民主改革」等の記録ものはサレイントである。

こうして曲りなりにも何本かのニュースや記録映画を作つた。そのころたまたま北朝鮮という記録映畫を撮りに來朝したソヴエト映畫人がその努力をいたく称讃し機材を援助することになつた。一九四八年の事である。劇映畫を作り始めたのはそれからであつた。そして二年後の一九五〇年の十月に今度は野蛮な爆撃で撮影所は跡形もなく破壊されてしまつた。

× ×

このような條件の中で、數十本のニュースや三十數本の長篇記錄映畫及び十數本の劇映画が製作されている。年々開かれるチエコの國際映畫祭でも五一年に尹龍奎監督の「少年遊擊隊」が、五二年には千尚仁監督の「再び前線へ」がそれぞれ入賞して、共和國に於ける映畫藝術の自覺しい発展を見せている。

「郷土を守る人々」は「少年遊擊隊」の監督尹龍奎の共和国に於ける二度目の作品で作品の優秀性が評價されている。

この映画が作られたのは五二年で爆擊がもつとも烈しかつた頃で、撮影所は勿論、町や村がすべて廢墟になつていた、そういう困難の中で出來上つたのである。社會タイムスは（一〇、二七）「この映画の水準の高さには目をみはらざるを得ない、劇映画と思えないほどの迫力をもつている」と評している。

なお、宮崎での上映は四日の試寫會のあと十五日夜の予定。

## 中國映画 葡萄の熟するころ

…イーンで開かれた第三…界労働組合大會に出席…日本代表の歸國報告會…崎地區労評の主催で三…日午後六時より縣立圖…ホールで開かれた。大…歸途ソヴエト、中國を…た日本代表が中國より…つてきた劇映画「ブド…みのる頃」が上映され…この機會に新しい中國…画を展望してみよう。…中國解放後の四年間に…の映画館とその他の映寫設備は以前の十一倍にふえ三千あまりになり五二年の映画觀客數は六億にのぼつているがそれまでに大くの困難があつた。

一九三八年の秋延安でわずか三名の映画人と數名の働き手のもとに撮影隊が一つと撮影機が二台、映寫班が一つと映寫機が二台あるだけだつた。こうした事情のもとで中国人民の映画事業は誕生したのである。

この撮影隊は三九年一月には「延安と八路軍」を完成、四〇年には「十月革命記念日」「邊區の工業展覧會」などかなり多くの記録映画をつくつた。

抗日戰爭がおわると、映画工作者は東北にゆき、四六年には東北映画製作所と華北映画隊がありついで誕生した。

四八年に最初の劇映画「橋」がつくられ中國の労働者がスクリーンのうえに主人公として登場した最初の映画でもある。

### 若き親衛隊

北星映画では「女ひとり大地をゆく」の見返りとしてソヴエト映畫「若き親衛隊」の輸入が決り近く配給のはこびにいたつた。

同映畫は四八年度スターリン賞劇映画部門第一賞を受賞したゴーリキー撮影所製作になる全二〇巻の大作もの。

監督はゲラシーモフ、作曲は「ベルリン落陥」のドミトリー・ショスタコヴイチ、原作は現ソ連作家同盟書記長であるア・フアジエーエフ。

全國が解放されてからは「新中國の誕生」や中ソ友好をテーマとした「偉大な友誼」などの記錄映畫がつくられ國民党の支配下にあつた進歩的な映画工作者とは解放地區の映畫工作者とはここにはじめて合流することになつた。

解放前、國民党の支配していた地區にあつた映畫會社は上海を中心に二十年あまりの歴史をもつていたが五〇年には帝國主義宣傳映畫の一掃を決め、そのかわり劇映画七十七本、ニュース映画二十六本、ソ同盟と協同製作による天然色記錄映画三本を製作、五一年に入り「白毛女」「翠崗山の赤旗」「新英雄傳」など製作好評を博した。

「葡萄の熟するころ」は合作社によるブドー栽培をえがたいもので五二年度の製作である。なおこの年には「細菌と毒虫の撲滅」「炭鉱の危険防止」「綿花の増産方法」など十本あまりの科學教育映畫をつくつた。

いまでは若い男女のこまやかな愛情にいろどられた古代中國の傳説から取材した天然色劇映画「梁山伯と祝英合」の撮影中であると傳えられる。

映 シネフレンド
宮崎映画サークル発行

事務局 宮崎市高松通り1の45 TEL 3659
第47號 1部 5円

# 鑑賞會

★「戀路」「離愁」
3日～9日 センター 20円引き

★「日の果て」
3日～9日 若草 30円引き

★「水鳥の生態」
「不思議な國のアリス」
ロマン

★「夜ごとの美女」
センター

## 子供をつれてゆける映画會

安心して子供をつれてゆける映画が少くなつてきましたので、サークルでは会員と家族のためにつぎのような映画会を計画しました。進んで参加して下さい。

ひにち　三月十四日（日）午後一時から
ばしよ　図書館ホール
えいが　「シンデレラ姫」「雪ふみ」「マンガ」「ニュース」
料金　サークル会員は三〇円（子供さんや弟妹の方一人までは無料）

# 3月の新映画紹介

## 筆頭は「夜ごとの美女」と貴重な記録映画「エヴェレスト征服」

### 展望

★……二月に引き續き三月も優秀映畫が少くない。殊に秀れた短篇映画の揃つたのはともすると上映の機會が少いだけに見逃し勝ちだから、まさに一見の價値ありである。御家族お揃いで鑑賞されることをお勸めしたい質の良い外國映画陣に引きかえ、日本映画陣は「伊津子とその母」「日の果て」が注目されるだけである。

### 夜ごとの美女

★……は「悪魔の美しさ」に次ぐルネ・クレールの一九五二年作品で、シナリオも彼が書いている。貧しい音樂教師（ジエラール・フイリツプ）を主人公として彼の現實と夢の交錯を描いた、いかにもフランス映畫らしい機智と笑いに滿ちたもので秀作との評判が高い主演は、このほかジーナ・ロツロブリージダ、「浮氣なカロリーヌ」のマルテイヌ・キャロルでレエモン・コルデイ、パロオなどが助演している。

### エヴェレスト征服

「エヴレスト征服」は一九五二年の輝やかしい記録、英國人ヒラリーとテンシンによつて初めてその頂上を征服したエヴエレスト登頂の色彩記録映画（テクニカラー版）である。ふつう新聞の報道などでは得られない大自然の實感がカメラの眼を通して觀客に幾多の感銘を與えるであろう。

### 戀路

「戀路」は別にとり立てゝいうほどの映画ではないが、これが最後の出演となつた故ルイ・ジユウベ主演の一刑事が情死事件の眞相を追求する物語である。ルイ・ジユウベ・フアンも多かろうと思つたので紹介した。

### 白い馬　水鳥の生態

★……珠玉のような好短篇とは、よく文學作品に形容される言葉だが、これを映畫の世界に當てはめると、こんどのフランス南部ロオヌ河口の不毛に近いカマルクという地方の原野に野生する馬の生活を描いた「**白い馬**」や、アカデミー賞のウオルト・デイズニイ作「**水鳥の生態**」（色彩）にはこの形容が許されるのではないかと思う。前者は抒情味豊かな記録映画風のものだというし、後者は鳥類研究家中西悟堂氏の評によると水鳥の生態が實に素晴しく劇的に、美しくまとめられてあるというから、その上映が待たれる。なお、「水鳥……」と併映の「**不思議の国のアリス**」は同じくデイズニイの長篇天然色漫畫である。

デイズニイの長篇漫畫はドラマとミユージカルの二種類に大別できる。「白雪姫」や「シンデレラ姫」は前者だし「南部の唄」や「不思議の國のアリス」はミユージカルに屈する。

ルイス・キヤロルの原作をテイズニイ獨特の手法で映画化したこの作品は、少女アリスの遊んだ夢の国を存分に再現し、大人も子供も樂しませてくれることだろうが、長篇漫画の王者デイズニイの地球上の全てのものを擬人化してしまうあの獨特の才能に大きく期待せずには、いられない。又世智がらいこの世の中えのアイロニーを擬人化された動物、植物を通じてたたきつけるデイズニイ藝術も、快よいものである。

### 伊津子とその母

★……日本映画「日の果て」（山本薩夫監督）は前号で紹介したから省いて「**伊津子とその母**」は「オール讀物」所載の由起しげ子の短篇「母の社會科」を「にごりえ」の井手俊郎が脚色、「坊ちやん」の丸山誠治が監督した撮影は名手、三浦光雄、音樂は齊藤一郎が担當し、主演は水谷八重子有馬稲子、三國連太郎など

「**第二次世大戰**」は戰時中の記録フイルム（英国陸軍省、外務省より提供のものに、米軍及び日本側撮影によるものを新東宝で一部挿入）を編集したもので解説も全部日本語に改め、NHKの高橋博、宮田輝アナウンサーが担當している。

（寫眞は「**夜ごとの美女**」と「**戀路**」）

## 憲法擁護縣民連合

### 映サからも參加

憲法擁護國民運合（會長片山哲）の結成にともない宮崎縣でも政黨政派をこえて「平和憲法を守ろう」という縣勞評のよびかけで、あらゆる民主團体か參加した憲法擁護宮崎縣民連合の準備會がもたれ三月六日結成するはこびに至つた。

## 知らされざる國・つぎつぎに宮崎

# 鄉土を守る

―朝鮮民

【かいせつ】

日本帝國主義によつて統治されていた二十六年間、朝鮮の文學、演劇がそうであつたように映画も屈辱の歴史であつた。

横暴な植民地政策によつて朝鮮映画はその正常な発展が阻まれ、みるかげもなくなつていた。それが解放後間もない一九四七年には自分たちの手で平壌郊外南

ら引出し…る女〃の設…をきびしく思います。
給）寫真は

溝口健二
宮川一夫
☆
田中絹代
花柳喜章
香川京子
進藤英太郎
切寫眞は「

# 編集者への苦言

第四十六号シネ・フレンド、"山中氏"私の推すベストテン"を讀んで、編集者たちにひとこと苦言したい。シネ・フレンドを山中氏のようなインテリ層のなかの知的、倫理的エネルギーが、ぼくら會員に結びつき、ぼくらを強めることは大いに認めるがあまりそのために紙面をとりすぎたのではなかろうか、ぼくらは、ぼくら仲間たちの手で、ぼくらの切実な生活の中に、映画芸術から受ける平和な幸せを、勝ちとろうとしているのだ。そして又シネ・フレンドが、各サークル、各職場の人たちの身近な問題とか、自主的な動きを、如何にとらえて有機的に連ケイし、日常への組織活動にまで高めてゆくかに、大きな問題があり、注目されるのである。その意味では"私達のひろば"は良い企かくではなかつただろうか。いまゝでの記事内容を観ると、そこらあたりのミ・ハ族を云々するものが大部分だつた。ところがシネ・フレンドを育てシネの歴史を動かすのは、誰でもないこのぼくらミ・ハと言われる種族がシネの方向一一つの眞理をつかんだ時ではないのだろうか。

編集者たちはもつと各グループ職場の人たちに、接する機會を多くこさえて、ぼくら全會員の聲を紙面に反映し、會費が無駄にならないようにして戴きたい。

最後に山中氏に一言。ぼくらの大衆のためのよい映画、"女一人大地を行く""雲流るゝはてに"。"ひろしま"等々も見てぼくらを育てて下さい。

**日向次郎**（二十三才）

# 移動映画

宮崎縣映画サークルでは三月五日より縣下の各サークル主催で「**シンデレラ姫**」（レンフイルム、劇映画、文部省選定）と「**雪ふみ**」（五三年度キネマ旬報短篇映画第一位）を開催することになつたなお、部では朝鮮民戦の厚意で「**郷土を守る人々**」と一しよに上映する。

見ようと…れらの願が…守る

# 『…の石松を見る』

## 嚴しい映倫審査が必要

…見イ、石松…、義理堅く…ので女にも…弟分という…しやで女に…この二人が…よろしく、…ろんな事件…動の結果、…われ、あと…納まる………とに他愛の…ツヂツマを…とおよそ分…りなのだが…観客席から…起るのであ…か少しヘン…せたり、轉…で轉んで見…すのクスグ…まあこれだ…のドタバタ…のだが、石…氣のあるゆ

えんは、どうやら際どい煽情的場面にあるらしい。そのセリフが出る度にクスクス笑いが起つているのは、ちよつとこゝには書けないほどの下品な場面である。

また或る場面では海水着を着た若い女たちが子供用の三輪車に乗つて競輪のマネをやる所がある。もはやタイハイの極に達したりというべしだ。映画は敏感に世相を反映する。

○……今、映画人の手で自主的に作品内容の倫理的審査がなされているのだが、かといゝたくなるのである。もつと強力に悪質なものを抑える力はできないものだろうか。國民の頭をマヒさせる有害映画はもつと厳しく取締る必要があると痛感する。

（郵便局T生）

★

★

## 3月各館スケジユール

※ゴチツクは推せん映画

| | 3 4 5 | 6 7 8 9 10 11 12 | 13 14 15 16 | 17 18 19 20 21 22 23 | 24 25 26 27 28 29 30 | 31 |
|---|---|---|---|---|---|---|
| ロマン | **シエーン** | 命をかけて<br>**深夜の告白** | 情炎の女サロメ<br>零下の地獄 | 戰いの矢<br>底抜けびつくり驚天 | **アリス**<br>**水鳥の生態** | |
| センター | **戀路**<br>離愁 | ジヤワへの順風<br>暗黒街の王者 | | 西部の二國旗　砂漠の決斗<br>第二次世界大戰 | **夜ごとの美女**<br>ジキル博士とハイド氏 | **エベレスト征服**<br>**白い馬** |
| 若草 | **日の果て**<br>さらばラバウル<br>めちやくちやお笑横丁 | 妻戀黒田節<br>この太陽（大會） | | 四人の母<br>薩南の嵐<br>處女読本 | お菊と播磨<br>男の血祭り | |
| 宮劇 | 求婚三人娘　美しき鷹<br>薩摩の密士 | **伊津子とその母**<br>ひよどり草紙 | | **陽の當る家**　大江戸六人衆<br>若い瞳 | 坊ちやん社員　濡髪権八<br>花と波濤 | |
| 日劇 | さらばラバウル<br>薩摩の密使<br>忍術大會 | **伊津子とその母**<br>この太陽（大會）<br>荒野の侠盗 | | 薩南の嵐<br>若い瞳<br>處女読本 | 坊ちやん社員<br>男の血祭り<br>處女讀本 | |
| 江平 | 今宵ちかいぬ<br>**縮圖**<br>天狗の安 | 月夜櫻<br>女という城（前後） | | 第二次世界大戰<br>遙かなり山の呼び聲<br>アジヤパー女房 | 花と波濤<br>青春手帳（三四郎） | |
| 大淀 | さらばラバウル<br>眞田十勇士<br>鞍馬天狗薩摩の密士 | この太陽（大會）<br>**伊津子とその母** | | | | |
| 孔雀 | バラと拳銃<br>お嬢さん社長　｜　折鶴笠<br>紅椿 | | | | | |

【事務局より】會費未納のところは至急納めて下さい次の原稿締切は十五日。

【編集部より】

投書の御趣旨は、ああいつた内容のに貴重な紙面を費し過ぎる、という点にあるようですね。そして、むしろ會員の発言をこそ重点的に紙面にもり上げていくべきだという御意見は分りますし、つとめてとり上げていく方針は今後も変りません。ただ會員からの投稿を待つているのではこれまでのように余り集らないので編集委員が手分けして記事を集めたいと思います。

しかし編集部としては依頼原稿の形でいろいろな人に執筆して頂くために、それが映画鑑賞上の一つの指針となるものであれば時には大きくスプースを割くことも必要と認めます。会員の層は広く多岐です。つねに一方に偏しないことを心がけたいと思います。

## 大人の見る漫画「シンデレラ姫」心にしみ入る『雪ふみ』

「シンデレラ姫」があるからというので五才と二才の子供に見せたさに出掛けて行つた。

所が、想像していたデスニイのではなくしやべる言葉はアチラ語で、字幕の日本字を讀むのは子供にはとても無理。おまけに大人か子供かわからないシンデレラ姫と來ては――。あのような物語は人間がしないで書が動いた方が感じが出ていい。教訓はテズニイの漫画よりずつといいが結極は大人の見る漫画。

「雪ふみ」という映畫があることは知らずに行つてみる。知らない俳優の名前が次々に現はれ、雪を踏んでいる少年の姿が出る。こんなみじめな生活につきおとされている子供達。すぐ前のニユースの國會で、木で鼻をくゝつた様な答辯をして、さつさと自席に戻つて行つた首相の姿がダブつてくる。少年、少女、先生の美しい心が身にしみいるやうだ。がんばつても、助け合つても、あのレベル以上にはならないであろうインウツな生活、それでも、與えられた環境で一生懸命努力している人達――。

こんな映画がどうして商業映画館で上映されないのだろうか。

主演者の自然な動作もよい。教室の授業の場面も「ヒロシマ」の時のようにリクツつぼくないのでよかつた。唯女の子が貧困のわりにパーマを當てたやうな髪をしていたのはしつくりしないものがあつた。

最後の先生と生徒と、雪をふんで行く場面は、あまり力を入れすぎて頭が痛くなるやうな氣持だつた。いい映画だつた。

(矢野幸子、主婦37才)

★映画會は會員章一三〇枚小供は會員章を含めて約四百名で會員の入場は少かつたが小供に喜ばれました。

### 身近かな共感　郷土を守る人々

1、前半の解放地區に於ける力強い發展はうらやましく感じた。あゝいう淡々とした底力のある歩みは日本では見られない。

後半の斗爭は迫力があり實感がでている。日本の將來にも何か暗示されるものがある。(TY生)

2、戰禍の北鮮映畫という事で非常な關心を以て見たが翠崗紅旗を見て間がなかつたので「解放」の姿が深く印象づけられていたが、この映画も「解放」の喜びを侵す者への憎しみが、宣傳という意味もあろうが、私達には身近に感じて共感を呼ぶ。

短い期間に於て技術の面に於ても偉大な進歩をしているのは國營の故であろうか、うらやましいと思う(遠矢生)

これは飫野映サが初めて主催で巡回上映した「郷土を守る人々」に寄せられた飫野映サ會員の批評です。「シンデレラ姫」「雪ふみ」は飯野の小中學生千名の動員で成功でした。

## 痛烈な風刺と詩情　澁谷實「勳章」撮影好調

好調の撮影を續けている澁谷實監督「勳章」(俳優座作品)は元將軍と姉弟の父子の社會を歩むさまざまな姿を通して現代に横たわる新舊二世代の巾廣い斷層を描いた野心作で、人情の機微をとらえた詩情、鋭い社會觀察から生れた痛烈な風刺性、現代をえぐるテーマの强烈な主題性に貫ぬかれた創作態度を土台に、さらに深く人間性を追求する劇的構成をとり入れて澁谷監督は新機軸を劃す作品として熱情を傾けている。四月封切を期待される春の大作である。

寫眞は撮影所左から澁谷監督、香川京子をおとづれた高峰三枝子を圍んで高峰三枝子、小澤榮、佐田啓二のメンメン。

## 尼崎で自主映画製作　鋼鐵の虹　ストリー第一稿完成

尼崎は日本一の出力を有する三つの火力発電所、全國第三位の鉄鉱産業の労働者の街です。ここで勞働者の力で映画を作ろうと云う運動が日亞本社の平炉や帶鋼の人達から起り地味な準備の仕事が一年以上もつづきようやくストーリーの第一稿ができ上りました。

尼崎自主映畫製作本部では市長や各勞働組合の協力でこれこそ本當の國民映畫にするため全國の人々の協力を依頼しています。

## 職場の協力者

(2) 統計調査事務所

先月は市の北方學園サークルからお嬢さん三人が登場されましたが、今月はずつと南に下つて大淀の職場サークル統計から、男性二名、女性一名を紹介します

(紹介・堤八州男)

**上田昌子さん** 21才　佐土原生れの佐土原そだち、會費徴收、前賣券關係のウルサイ仕事は一手に引受けんの活躍には頭がさがる。「サークルは映画を推せんするだけぢやダメ、後での合評會やお互の批判が大切でシネフレンドもそんな面をどし〳〵とりあげなくちやーね。現状は責任ある態度と言えないワ…」と仲々手厳しい。こう書くとヤカましそうだが生は至つてやさしくて明朗、近頃タイプ打つ音まで生き生きしていると思つたら近く結婚式とのこと、のデタシ〳〵

**橋口次郎氏** 25才　これは又チヤキチヤキの宮崎ツ子仕事はいかめしい經濟調査課だが趣味は音樂で現在放送合唱團のメンバー。「印象に殘つた映畫は?」と矛先を向けると「ルネクレマンの〃禁じられた遊び〃です」と即答。「特に既成スターにない子供達の演技には好感が持てるネ。背筋の冷くなるような急行下爆撃の無氣味な金屬音、戰爭の故に引裂れゆく母と予幼き子等の友情、特に最後の〃ミシエール〃と呼ぶ聲は今も尚耳について忘れられない」と仰言る。

何時の催しの時も受付、雜役、何でも快く引受ける人の好さは未だ独身であることと相多俟つて女性間の人氣を愈々高からしめている妄言行謝。

**興梠明男氏** 朴納にして純實行力に富む千穂と言えばあり、年の村も極めて舊式たま〳〵來宮合運動の是非を語り明かし

## 全國の映画館數〃平均入場料〃

大藏省國税庁の調査によ

## 五割の

京都

京ル會をケ

○人急増、割割で非常に安証で通用されはよそと違つ強く組合ともクル独自で水や何でも話し集りだからと云つている。

◇映画館數　常設館約

◇全国映画館　A税抜き　B税込み

れば、全國の均入場料金は

## 地方のサークル

映画サーク宮崎だけでは全九州にわれいる。これかークルは、縣農村に、山あ困難な條件のている人々の眞實目にいゝと願いながらの一環になつ

……の実験映畫

……の告白』（米映画）は
……れた週末』「サンセッ
……り』『第十七捕虜收容
……ビリー・ワイルダーの
……保健カンユウ人であ
……と人妻とその夫との
……んだ異常な關係をえ
……主人公の殺入自作自
……う手のこんだ手法は
……セツトー」をピーク
……ウイルダーの本領を
……わせるに足る、スリ
……画であるが、スリラ
……のサスペンスやスリ
……、節をすすめるワイ
……の告白の特異性に魅
……んじさせる、お家芸
……ターシユ的手法も、
……娘と青年と夫人との
……いたかんけいをのぞ
……ずは成功。

……来て」（日本映畫）は
……の失敗である。敗走
……團をのがれていく軍
……れを追せきする中尉
……の女と、比島戰線を
……非人間的なかん境に追いこめられた心理をあつかつて、山本薩夫演出は、梅崎原作の映畫的手法からも可なり遠い。全篇から受ける印象が冗まんであり、ピンとした張りがないのがこの映畫の追いこみ場面である「決闘シーン」を迫眞性のないものにしている（西沢圭一）

**ホーム・ドラマの佳品二題**

**『陽のあたる家』**（松竹）
**『伊都子とその母』**（東宝）

共に家庭ドラマでありながら、此の種の映画にありがちな、甘さのぬけている所がみつけもの。轟・水谷のママちやんぶりは轟のオーバーアクションに比し水谷のさらりとした演技に軍配が上りそう。

社會面での種々の出來事も、きわめて淡々とリアルに描いていながら「陽……」は今一歩という所を松竹調におさえられ「伊津子…」はシナリオ面で何か足りないものを感じさせたのは良心作だけに惜しまれる。

演技面では「陽——」の田浦正己と「伊——」の金子信雄、中村伸郎が光つている。

**シエーン**（米英画）

拳銃を一秒かからずに腰から引きぬくアラン・ラッドの快演ぶりと、西部の風物の天然色ならではのやわらかい美しさがみもの。農民の土地に對する愛着が團結となり、シエーンの働きがなくとも彼らは戰つたであろうと思わせる所が他の西部劇に比して良心的。（石）

……三監督で映画化され
……を附け加えておこう

**……一の男」の再現か**
**……ロル・リードの新作**
**……つの世界の男」**

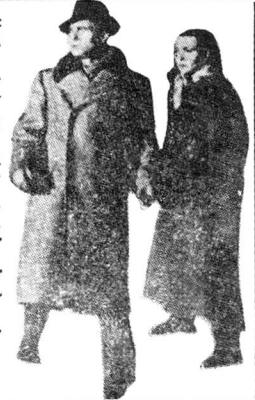

「邪魔者は殺せ」「
……男」でキャロル・リ
……督の名を知つた人は
……う。原題の〃THE
……BETWEEN〃は大
……り二つの冷い世界に
……れた男を描くものだ
……るばるベルリンへロ
……行し、主役に「邪魔
……」のジエイムス・メ
……「ライムライト」の
……レア・ブルーム「罪
……」のヒルデガルド・
……揃えたあたり、その
……りぶりがうかがえる
……果つるところ」より
……向きという評判

☆……ハリウツドきつての野心作家ジヨン・ヒユルストン（「赤い風車」の監督）の「**アスフアル・トジヤングル**」は広告文を見ると「……凄じい人間野獸の蠢へ生態を暴く……」とある。ぎりぎりに追い詰められた人間の内部を描くものであろう。空前の大傑作というのは宣傳文句だが事の真偽はともかくとして期待してよい映画である。主演はマリリン・モンロウ。

☆……「**三文オペラ**」（ロウレンス・オリヴイエ主演）も興味ある一篇だが先々号で紹介したので省略する

**三つの戀の物語**

これは題名が示す通り三つの戀の物語りである、大西洋をニユーヨークに向う客船に乗り合わせた三人の男女の、彼等の今日の運命をもたらした三人三様の戀の思い出である。これには「嫉妬深い戀人」「マドマーゼル」「均衡」と夫々標題が附されている。「嫉妬深い戀人」はジエイムス・メイスン、モイラ・シアラー、「マドマーゼル」は新星レスリー・キヤロン、フアーリー・グレンジヤ。「均衡」はカーク・ダグラス、ピア・アンジエリ（明日では遅すぎる）がそれぞれ出演している。

**カチンコ**

★ちかごろ各映画館とも火の車、それに加えて彗星の如くあらわれた大成座の復活で番組も組めないほどテンヤワンヤ。その上四月一日から國税移管、税金、フイルム代と矢の催促では少々上ずつて來るのはあながち春先のせいばかりではなさそうだ。

★それにしても一日から入場税が國税移管になるかも知れないと云うのに、各館ともいいとも悪いともはつきり態度を決めていない——あるひは日向人のよさで表面きつて打出せないのか、とに角なりゆきまかせの形〃明日では遅すぎる〃のは映画の題名だけぢやありません。

★「アベツク」の時にはロマンかセンターに一人の時には孔雀座」というのが多くなつて來たようです。二人で二百円ではちよつとアベツクで映画も見られないというもの。興收を上げようと入場料金を一向に下げないだけでは柳の下いつまでも泥鰌はいないもの。



音楽センター提供

**★チエロと獨唱のジヨイント・リサイタル**

井上頼豊（チエロ）
第一回九州演奏
關　忠亮（バス）
ピアノ伴奏　間宮芳生

★チエロ独奏、ピアノ伴奏
G線上のアリア、今様、ロンドその他

★バス獨唱とチエロ
——現代ソヴエト歌曲より
道、バイカル、灯その他

★バス獨唱、ピアノ伴奏
「イワン・スサーニン」より〃夜の明ける時〃「魔笛」より〃オーイチス・オヂリス〃ヴオルガの舟歌

（演奏時間二時間）

★四月十七日
★於　教育會館

**演奏者の紹介**

**井上頼豊氏**

戰前「日響」の第一チエロ、現在日本のチエロ界で最高の一人として有名であるが、特に勤労者の音樂運動には積極的に活動、親しまれている。NHK毎日新聞社音樂コンクール、絃楽部門審査員。

**關　忠亮氏**

日本でも數少いバス歌手 二紀會々員、勤労者には「若者よ」「美しき祖國のために」その他數多くの作曲者として親しまれている。その他オペラの演出家としても著名。中央合唱團聲楽専科講師。

**間宮芳生氏**

芸大作曲科卒業の新進作曲家。林光　外山確三と「山羊の會」を組織、新しい創作活動の第一線を進んでいる。音樂センター作曲班講師。

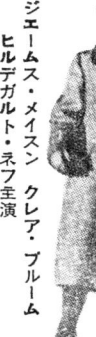

(1) 映 シネフレンド 宮崎映画サークル発行 1954年3月26日 シ ネ フ レ ン ド 第48号

# 入場税 四月一日より國税移管か
## 割引にも大きな影響

入場税國税移管問題は四月一日實施を目前に控えいよいよ大詰めに来た。宮崎ではっきりした態度を表明しないようだが、以下全國的に見た各層の動き——

### 入場税の全廢めざして運動展開

業者の代表的意見は日興運河野會長談として「現在の五割の入場税でいわゆる健全経營をやっていける業者は一人としていないだろう。入場税のゴマ化し、サービスの低下、機械設備の老朽などによって何とか興行を続けているのが現在の興行者の實情ではないか。われわれの目標は三割から二割、そして終局的には全廢の線まで漕ぎつけることである。」と云っているが主な反對理由は、

1、大藏省當局は二十八年度の約九%の予算を組んでおり減税を唱えながら實際は増税を圖った。

2、過去の經營困難により生じた滞納金と徴税強化によって高利借入金によって完納したので經營難から當分脱却できない。

3、税源の偏在を是正する目的なら三十五万の業者を有する遊興飲食税もとり上げないのか。

### 税収の増える府縣では賛成

政府案は國税庁が徴収した入場税を地方讓與税として地方に還元する。これが府縣の人口に比例して按分されるため現在より増収となる縣と減税になる縣があり足並は揃わない。

田中縣知事は衆院大藏委公聴會で「本縣のような貧乏縣は全面的に賛成する」といっている。

### 割引にも大きな影響

國税になればどうなるだろうか、九州映サの見解は

1、實情を無視した一率な取立てが行われれば差押え、轉業が頻発するだろう。

2、入場料は部分的に一時的に下るかも知れないがかえって強化される徴税攻勢とプリント料の高騰のため入場料据おきで二本立、三本立が多くなるのではないか。

3、割引のやり方も画一的に、届出制、認可制になるのではないか。

4、とに角「MSA協定下の再軍備予算の一環として實施されようとしており税制の逆コース中央集權化である」(福岡縣職幹部談)とするなら地方の自主性をおびやかし地方の文化活動、民主的な活動に與える一般的な影響は正常な発展を阻むだろう。

※税率は
※二〇円以下は免税(映画教室は三〇円以下)
(イ)四〇円以下は一割(ロ)四〇円から七〇円は三割
(ハ)七〇円から一五〇円は四割(ニ)一五〇円以上は五割

ただしこの率は窓口料金にかかるのか、館の手取料金にかかるかで大分開きが出て来る。

# 傳説に新鮮な味を盛る
## 虹の世界のサトコ

映画あんない

この映画の主人公サトコの物語りは、ロシアの一地方における傳説で、歌劇「サトコ」で世界的に知られたものである。しかし、この映畫は歌劇サトコを脚色したものでなくソヴエトのカー・イーサエワが傳説に基いて別に新しく映画に組立てたものである。

音樂は総て歌劇「サトコ」の作家リムスキー・コルサコフの作によって交響詩として作り上げられていたものが後年これを歌劇に改めたもので、イタリア風の陽氣な旋律、スカンジナヴィア風の豪壮な旋律、東洋的な幽幻に満ちた旋律、この三つのものを巧みに混合させて、幻想豊かな作品に仕上げられている。

多くの人々に知られて有名な「印度の唄」はこの映画に神秘性と怪奇性をもたらせた興味ある場面、眼り鳥の登場する場面に用いられ、大きな効果を擧げている。この様にリムスキーの音樂のこの映画における位置は最も大きい。

演出者のアレクサンドル・プトゥシコは「石の花」を世に出して世界に名を爲した巨匠である。彼は「石の花」においても明かに示したように、生活の所産である傳説を、新しい民族の精神として再生させて行く事と、社會的に意義をあたえて伝説をのこし、それを民族藝術にまで昇めて行こうとするのが念願と見受けられる演出家である。

(ソヴエト五三年度作品)

鑑賞會 福岡

福岡映畫協會(サークル)では二月の鑑賞會では千名を上廻る動員で成功。三月は引つづき二十一日朝九時から電氣ホールで「我等の仲間」「メフィストの踊り」を行う料金四〇円

# 注目をひく日本映画
## 『女の園』『或る女』『山椒大夫』
### 『眞實一路』の再映画化

☆……木下惠介監督を才人だとか鬼才だとかいってかつぐのはジャーナリズムの俗語だが、彼の眞面目はその情趣に富んだ映畫感覚と特異な女性描寫(女性觀)の鋭どさにある。「日本の悲劇」に續いて着手した野心作「女の園」は阿部知二の小説「人工庭園」を彼自身脚色、演出したもので、京都郊外のある女子大學を舞台として現代女性の生態をあたたかい眼で描きたいという製作意圖である。主演は高峰三枝子、高峰秀子、久我美子、岸惠子等四大スターの競演。とにかく期待してよい作品だ。☆……また「雁」に續く豊田四郎監督「或る女」(有島武郎原作より)溝口健二監督森鷗外原作の「山椒大夫」も本年度ベスト・テンの有力候補だろう(先号で紹介ずみ)で……その昔、といっても戰前、山本有三原作の「眞實一路」(監督田坂具隆)に泣かされたオールド・ファンには懐しい作品が再び

ルがあるのは
ない。全國、
〜の友達が
の紹介するサ
の片すみの
に出來て、
もとに活動し
集りである。
映画を見たい
大きな團結
活動してい

るこれら地方のサークルに心からの拍手を送ろう！

## 再建にとりかゝった 田野映画サークル

生まれて一周年になろうとするこの町の映画サークルも、最初數回の独自、共催の觀賞會を催しようやくにして最初の地ならしをしただけで、委員自体の不熱心や不慣れのため、「サークルは一体このごろどうしているのだ」「やっているのかいないのか」等の聲が會員内外よりおこつた。

このため數十名の人々の會費の滞納があつたり又そのため活動費がなくなり、相俟つて活動が停頓狀態になつていた。そこで今度委員の中で「これをどうしたらよいか、やめてしまうか再出発するかを話合うべきだ」ということになり、去る二月の末に再建か又はやめてしまうかを話し合つたところ、みんな今迄の活動の不活潑を認めて反省し、又元氣で建て直すことになつた。

とりあえずこの時に決定したことは

(1)「いままでの反省と今後の活動を會員に知らせ協力をお願いする」旨を會員全体にハガキで知らせる。

(2)三月中旬に今まで一回だけしか発行されていなかつたサークル・ニュースを再発行する。そのためまづ委員から一つの原稿を出してもらう。

(3)共同映画社の「雪ふみ」「シンデレラ姫」を三月上旬に映画サークル主催で行う。

以上の三つを決め、各地のサークルと連絡を緊密にしてやつて行こうと誓い合つた。（田野町案山子）

尚田野映サの住所は田野町役場内 會長は役場の野崎徳福氏 會員は発足當時約百五十名、映画館は一

☆　☆

映画館數、平
ぎのとおり
（時事通信）
平均入場料金
一七〇〇
五八円
八七円

割引

都ではサーク
員が市長選擧
キに四〇〇
館も五割〜七
、全館會員
いるがこれ
民主勢力が
結びつきサー
の救援斗争
支える仲間の
京都映サでは

24才
件、若くして
故の故郷は高
い聖地？で
寄の考え方
あるそう、
した母親と組
について一夜
たこともある

## 長崎映サの動員

長崎映サでは一月二月の推せん映画の動員をつぎのように発表している。

| | |
|---|---|
| 終着驛 | 一八〇二名 |
| 地上より永遠に | 一二五五 |
| 禁じられた遊び | 一〇四八 |
| 山の音 | 九四〇 |
| 日の果て | 二〇八 |
| 赤い自轉車 | 一三一 |

## 編集後記

★一めん「短評ロタリー」「カチンコ」の復活は決して逆コースではないつもり。前号は映画の紹介だけでロマンやセンターで出している新聞とちつとも違はないとコク評をもらいました ★「地方サークルめぐり」と「職場の協力者」は今後続けて行きます。井の中のカワズにならぬよう各縣映サの紹介もやります。

★文化センターを以て任ずる映サの機關紙、どしどし葉書で結構ですから投稿して下さい、ごく氣輕に！

★印刷の都合で発行が遅れました。定期刊行に努力します。（T）

という。又その粘りで昨年來地區評の文化部を中央合唱團を主催するまでに引上げた功もある。

映サの活動では前賣券、雑役など橋口氏隆の協力者、映画については「〃女一人〃〃蟹工船〃」などのごとき苦しい現實を一歩一歩切り拓いて行く力を描いたものや〃めし〃〃東京物語〃など私達の感情にしつくり來るようなものが好きとのこと。

最後に映サは正月興行料金は何時下げさせる考えかときめつけられた、モットモだ。

## 四月名館スケジュール

| | 31〜6 | | 7〜13 | 14〜20 | 21〜27 |
|---|---|---|---|---|---|
| ロマン | スリア水鳥生態 | 虹の世界のサトコ<br>世紀の祭典 | 浮氣なカロリーヌ<br>ギャングを狙う男 | | |
| センター | | 和刑される女<br>肉の鐵人形<br>西部を拓く者 | 二つの世界の男<br>三つの戀物語 | 紳士はブロンドがお好き<br>眞紅の女 | 三文オペラ<br>裸の拍車 |
| 若草 | 或る女<br>花と龍 1<br>黄金島 1 | | 阿波踊たぬき合戰<br>花と龍 2<br>黄金島 2 | 金色夜叉<br>疾風愛憎峠<br>黄金島 3 | 山椒大夫<br>秩父水滸傳 |
| 宮劇 | 女の園<br>夫人とちやつかり夫人 | うつかり | 若き日の誘惑<br>落語長屋は花ざかり | 眞實一路<br>藝者小夏 | 別離 |
| 大成 | 歴史は夜作られる<br>花祭り千一夜 | | | | |
| 日劇 | | | | | |
| 江平 | 花祭り千一夜<br>子は誰のもの<br>宮本武藏 | | 燃える上海 | 君ゆえに | 戀慕笠 |
| 大淀 | | | | | |
| 孔雀 | | | | | |

# 現代の尖端を衝く
## 國際的色彩濃い危機感
## キヤロル・リード作品

西澤圭一

敗戰後の国際都市を背景に、ふたつの思想のちようりようする交流のなかで、うごめき、まきこまれていくひとびとの運命のルートを描いたキヤロル・リード作品は、「**邪魔者は殺せ**」「**第三の男**」をへて、さいきんの「**二つの世界の男**」にいたるまで、その作品からうかがわれることは、いずれも現代思想の分裂と、ギリギリに追いこまれた人間實存の様相を非情なまでにえぐりだした悲劇性にある。

「**落ちた偶像**」「**文化果つところ**」と、やゝ前者のシングル・プレイにくらべて毛イロのかわつたヴイシター的作品においても、その主題とネライはうしなわれていない。キヤロル・リードの映画的背景は、つねに國際的色彩濃い敗戰の首都を中心に、異邦の人の漂う祖國喪失感と、蝕まゝれた魂と虚無えの郷愁と、追跡される人間の不條理性にあることは、他の映画作家と斷絶する、不可缺なフアクターにはちがいない……

リードの、ホーム・グラウンドは、敗戰の虚無をたゝえたウイン（「第三の男」）であり、鉄のカーテン（「に區切られたベルリン（「二つの世界の男」）である さらにはまた、ロンドンの治外法權小社會フランス大使館（「落ちた隅像」）であり、「**文化果つるところ**」では、文化に遠くはなれた南洋の原始社會がえがかれていた。リード的世界をあざやかに展開するフエア・プレイであるが、そこから打出されるリードの人生觀の流れ、ひいてはリードの思想性のいつたんをうかがいしるゆえんである。

二十世紀の精神が、つねに暗く、不可避といわれる分割のイデオロギーにおいても、選一の可能性が遮斷されている時、暗黒の地下道を影のようにはしるハリイや、変轉する思想の歯車にまきこまれて悲さんな死をとげるイヴオの運命は、危機にさらされた今日のわれわれの心臓部を射してはいる。

か、新しい視点にたつこの作家を見るフアンにとつてつきない興味い。

### 波に乗る好調のタッチ

しかもリード作品の魅力は、その主題旋律をスリラーという新しい技法によつて驅使することにあるのだサスペンスの盛りあがり、不安の釀成、追われる者の心理、ある時は破れた樂器を狂的な旋律でかき鳴らすように、ある時はこおつたメスで靜脈を切りひらくように大膽に、しかも冷靜に非情の眼でつき放している黒と白の對象的な構圖を巧緻細りな感覺で切斷しながら心理追求の重要なカナメとして映画モンタージユの上に異常な計算法をとりいれたのも、そのタレントが當代随一のテクニシヤンといわれるゆえんである。

### 新しい照明に浮ぶ

リードは好調である！當りに當る快打は脂ののりさかり、いまが最絶頂と思われる。しかもリードの眼はあくことなく現代の映画の可能性の極元をギリギリの線まで追求して鮮烈なタツチで實存的人間像をえぐり出す。さちにはその闘志あふれる映画えの情熱とともに、この「夜の勇者」のはてしない十割作品達成えのペースはよおいに崩れることはあるまい——。

いまじゆんらんと花展くリード作品のかげにかくれてにわかにひきしまる次の〃第三の眼〃がなんである

## 純情で健気なきみ
### —期待される初めての村—香

フランスのカンヌで三月末より開かれた國際映画祭に出席する筈だつた香川京子は、都合で渡佛を中止、四月早々により栃木県下のロケ先において「ともしび」の撮影に専心することに

なつた。

香川京子はこの映画の中で、百姓の暮しを嫌つて東京に飛び出してしまつている戀人を持つ、純情で勝氣な百姓娘に扮しているが、両親のない貧しい家に弟と年老いた祖母をかかえて、戀人をあきらめ、若い娘の夢を捨てて黙々と野良仕事に勵む健氣な村の娘役は、今まで、美しい都會の令嬢に扮することの多かつた彼女の初めてといつてもよい百姓娘の役だけに、その好演と新しい分野での成長が期待される。貧しい村の暮らしと激しい労働に華かな

都會を憧れる
今の農村に少
ら、香川京子
姿は、農村に
の若い娘さん
呼ばずにはい
う。尚、彼女

演も、家城監
演も始めてで

## 山椒

映画と労働者
びつけその民
與するために
紙映画クラブ
會社の後援で
の「山椒太夫
左のように〃
批評コンクー
▲応募規
〆切五月十
① 四百字詰

# 職場の協力者
### ③ 農林中金

**竹村小枝**　二十一才

サークルでひめゆりの塔の感想文を募集した時當選した人、と云えば記憶していらつしやる方もあるでしようが、あの感想文から感じられる様な親しみのあるヒニーマニスチツクな女性です。身長五尺二寸五分体重十二貫、趣味はダンス音樂、映画等、生活をエンジヨイしながら眞面目に物事を考えています。「映画監督では誰が好き?」ときけば成瀬己喜男と云う返事男優では山村聰、日本の女優では残念ながらこれと云える人はいないとの事です洋畫では「終着驛」のジエニフアージヨンズやヴアローネ、男優としては「オリーヴの下に平和はない」の主演俳優が好きだとの事。「あんなエネルギーがムンムンと発散している様な人が好きなの?」と聞き返せばそうだとの即答。ある人は彼女をさして「香川京子みたいな人だね」と言つていました。いゝ点ばかり並べましたがそれ以外の点ではどうぞ招介者まで問合せ下さい。

**高木守**　二十五才

容貌ほ年令よりふけてみせるがハートの方は甚だ若い。

負けん氣な破の氣性は何につけても熱心でスポーツ誤樂を始めやり出したら他人をリードする位置までこぎつける。生れ育ち共に岡山ツ子である。仕事の歸りに映画館に入り、ナイトシヨウまでみて歸ると言う程の映画フアンである。映画の招介を始め映画の批評會など種々な催しは彼の発起司會による場合が多い。家に歸れば一男一女のよきパパちやんであり、一家の柱である。先日出生した一男には芳郎と命名、一姫二太郎を理想とする彼の人生は樂しそうだ。現在職組支部長でもあります。

**石川利夫**　三〇才

情緒豊かな彼は吾々にと

つてはよき指
談相手である
とした信念を
的なもの丶考
着々と行動し
ない彼の姿は
趣味は音樂、
スポーツはあ
映畫の招介や
賣券の壓せん
けて下さる。
赤い自轉車や
びとの事。終
僕の妻があん
追い出してし
ニフアー・ジヨ
た女を非難さ
婚された彼の
て頂きたい。
（紹介

## 第三回メーデー實委できまる

昨年宮崎では福岡とともに全九州にさきがけてメーデーの記録映畫をつくりその後の発展が期待されていたが、今年もさらに組織的、計画的につくるように二十一日の第三回メーデー實行委員會できまを中心に進められて職場の記録やデモを一映画として立派なするため職場の協力いしている。

では昨年三百呎（）の記録映画を撮つその計画性のなさと不足等を反省し、最メーデー予算に計上四回の映画製作委員らき、全駐勢の座りと部分的な撮影が開ている。

## 田で自主製作

自主映画製作協會での早稲田大學稲門シ研究會で木下順二のばなし」を山本薩夫指導で製作することた。から傳承された日本が學生の手によつてなるということで特されている。

## 色豊かな撮影開始

唄」「稚巣の稗つきどをふんだんにとりい、」と語つた。

## 南に映サ結成

市にある繪と演劇の赤道會」を中心に日サークルを結成し南にひろげる話がすゝる。中旬に機關紙第一号、六月を期に発足する。

連絡先は日南市飫肥町九州電力内岡田輝侍氏。

## 女の園

或る女子學園の校風の封建性と共に私學に於ける醜体を如實に描いている。教師の壓迫に奮起した女子學生の血走つた目、禁じられた寮歌を叫唱する聲など迫迫した心理描寫は素晴らしい。

一女子學園に起つた事件としては余りにも封建的なよく壓された、悲痛な事件である。演技では自分の愛する人のよき伴侶とならんが爲に入學したが余りにもかけ離れた學園に自信をなくし自殺する女生徒（高峰秀子）が光つていた（国部国治）

## 山椒大夫

最初のタイトルは語る、「これは平安朝末、人が人として目ざめをもたない暗い時代に生れた物語りである」と。靜かな描寫に溝口健二は、現代の人々に鋭く人間の自我を訴え迫つている。長者山椒大夫に買われていつた厨子王と安寿の生活は集團的な生活と合まつて我々にあく事を知らぬ程の迫力をもつている。「こんにちなお人の世の嘆きの限りをこめた哀れな傳説」は、哀れな傳説としてだけでとゞめて置かれるべきものでない事を示している（三原）

短評 ロータリー

## 二つの世界の男

私はボンヤリと映画を楽しむ爲か、時間の流れに感激を失つて行く。しかし「二つの世界の男」は、今も余韻が消えない、それはCリード調とも云える鋭い感覺、美しい特異性ある畫面で描寫したベルリンの街とその表情、二つの勢力に迷う男、少年少女の惑傷、特にラストシーンが強く印象に残る「第三の男」「落ちた偶像」等よりも纖細で物足りなさをも感じたが私一人だつたでしようか？（安西）

## オリーブの下に平和はない

フランチエスコの、奪はれた羊を取り返す、生活の斗いを捉えて、監督デーサンテスは本質的には善良な、羊飼達の人間性を壓殺する社會をチヨチヤリヤ地方の一つの事件として画き、この中でこれの矛盾をえぐり出そうとしている。しかし、ボス對フランチエスコの個人的な争いに終始せず、もつと、社會的背景に立つて、ボスの動きと共に羊飼達の無表情の表情、斗いの過程と結び付き等全体のチヨチリヤ羊飼達の躍動的な力にカメラのレンズを當てゝ貰いたかつた（木場）

## カチンコ

▼日本映畫〃地獄門〃〃羅生門〃についで再度、グラン・プリなるものをいただいた。

▼來年は〃小菅の門〃でグラン・プリを！等と馬ツ鹿なことは考えないで大映さんに敬意を表そう。

▼斉藤寅さんの〃花吹雪御存知七人男〃は久しぶりにわさびの利いた作品であつた。

▼造船疑獄や保全經濟會を天保の昔にもつていつて料理した所など、なか〳〵どうして唯のドタバタ喜劇ではありませんやネ。

▼金と時間に三下り半の會員諸子が多いと見えて切角の半額鑑賞會もあまりパツとしない。

▼會員の中にはナイトショウを割引いて見せてくれなどと悲壯？なことをいう御仁までであり、この所、ニツポンの国もなか〳〵に世智がらい。（石）

### やぶにらみ

▼ビキニ事件以後

首相にカメラを向けたら、灰をかけられました――。

―カメラマン

◆

▼萬全の策

次國會には検察廳活動禁正法案を上程する。

―政府

（図書館トンコ）

映 シネフレンド
宮崎映画サークル発行
事務局 宮崎市高松通り1の45 TEL 3.695
第49号 1部 5円

# 5月のエクラン飾る
## 黒澤（七人の侍）大庭（君の名は）の決戦

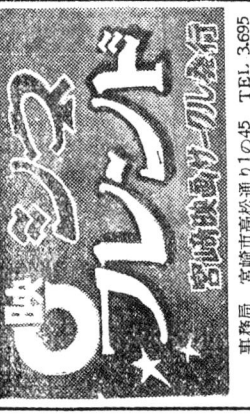

### 展望

目に青葉、日向路の初夏はたけなわ。花のたよりもおえて、若葉に競う新緑五月のエクランは、ゴールデン・ウィークと銘打つ〃祭デー〃をはさんで華々しく初夏戦をくりひろげる。ことしのカキ入れ最大のヤマにさしかゝる話題作のレースを展望して見よう。【黒岩敏郎】

### 最大のショオー「七人の侍」

端午の節句を目指してカーブへの帰路をいそぐ「七人の侍」（東宝作品）は花のたよりも大詰め近く四月四週から五月へき頭にかけて登場する。スペクタクルとフロンティアの精神をおう歌する大作。豪快きわまる長打をはこる黒澤演出が一ケ年の長期にわたる熱闘の結果をいかに結晶させたか、爆発する巨砲のさく裂にて、その登場はけだし、銀幕最大のゆさぶりショオーではある

### 「君の名は」満を持す

この「七人の侍」の乱暴？な断りこみを本陣に迎撃する「君の名は」第三部（松竹映画）は菊田原作、大庭演出、佐田、岸の百万ドルコンビで満を持して「七人の侍」に対決する。期をあらそうゴールデン・カードの脅威の前にさらされる他チェンにあつては、台風圏をいかに領いき内で最少限にくいとめるか、けだし焼け石に水にて頭痛のタネにはちがいない。

おる五月の空にひるがえるカーブの雄々しさにて、快てき味かくの作品ではある。

### 出揃う異色の洋画陣

いっぽう洋画では、スエーデン映画の話題作、思春期の胎動を大胆にえがいた「春の悶え」が贈られ、珠玉の短編として世評高いフランス映画「白い馬」が「エレベスト征服」と併用で公開される、この週のカードも、洋画ファンにとっては見逃せない。

また再映ではあるが、往年のフランス映画の名作、故ジャック・フェデーの「外人部隊」のおとずれも、古いファンにはもちろんとして戦後のファンにも一見をおすゝめしたい。

アメリカ映画「怒りの海」は、海洋を舞台にした雄大なパノラマで、くん風か

### 半額鑑賞會

★美しい人　戀愛パトロール　大成座
五月十五日（土）正午から一時までの入場者に限ります。

## 岸 恵子をはじめ有名スター
# 獨立プロ作品に出演

「君の名は」の九州ロケを終って東京に帰った岸恵子が、松竹との契約更新を機會にかねてから出演を熱望していた今井正監督の「ここに泉あり」（新星プロ）に出演するという談話を発表して業界をおどろかせたが、つゞいてカンヌ國際映画祭に川喜多長政、田中絹代両氏と共に出席を予定されていた香川京子が、カンヌ行を断念して「ともしび」（家城巳代治監督）に専念すると発表、さらに三月十九日クランクインした「太陽のない街」（新星プロ、山本薩夫監督）には二本柳寛（東宝）が主演として独立プロ作品に初出演、最近日活入りした小田切みき（「生きる」でデビュー）の同作品出演も決定、このところ大會社スターの独立プロ作品出演ブームが業界の話題をにぎわしている。

なお「ここに泉あり」に岡田英次、岸恵子をたすけて森繁久彌（東宝）の出演もきまっており、「太陽のない街」には従来脇役に廻っていた日高澄子が主役に抜てきされたほかニューフェイス桂通子が「村八分」の中原早苗、「赤い自転車」の渋京子につゞく獨立プロ、スタアとして登場する。

## 〃スカパンの悪だくみ〃など
# 初の新制作座公演

新制作座の公演は五月一日ヒル、ヨルの二回、県公會堂でモリエール原作〃スカパンの悪だくみ〃（三幕）と眞山美保作〃泥かぶり〃を上演する。

〃スカパンの悪だくみ〃は「守銭奴」と共にモリエール晩年の傑作で村山知義の演出。〃泥かぶり〃は第七回藝術祭参加、文部大臣奨励賞を得て第二作の〃陽の當る家〃（原作「草青みたり」）はさきに映画化された。

主催は宮崎演劇連盟、市教育委員會、後援は県教委、日向日日、映画サークル

### 北星と懇談會

★五月十日前後、北星映画の宣傳部長徳永瑞氏を囲んで〃日本映画の現状〃その他映画界の事情など懇談會をもつ。會場未定

### ナイトの希望を

大成座ではナイトショウ（三〇円）で人気を集めているが、上映映画も出来るだけサークルの要望にそいたいと好意ある申出でがありました。希望の映画を事務局まで出して下さい。

## 「美しい人」「放浪記」
### 「愛染かつら」も中半には登場

ゴールデン・ウィークの旅路をおえる日本映画中盤の攻勢は、文藝映画の二作品林芙美子の「放浪記」（東映作品、久松静児演出、角梨枝子主演）三好十郎の放送ドラマ「美しい人」（新東宝作品、若杉光夫演出、宮城野由美子主演）の登場で、ともに手堅く女の一生をえがいて水準にせまる良心作にはちがいなく、その間に大映作品戦前のヒット版「愛染かつら」が木村恵吾のメガホンで京マチ子、鶴田浩二の新コンビによっておまみえする。

（寫眞は「放浪記」）

### 君の名は スチール展

君の名は（第三部）は五月第一週大成、宮劇、大淀の三館で同時上映されるが上映にさきだち、二十八日から三週間、五十二点のスチール展の人氣投票を行う。會場は橘百貨店前

## 稗つき節など地方
## 『虹の谷』提

昨年夏の風水害にわざわいされて製作延期を余儀なくされていた内外映画の「虹の谷」はその後、新理研映画にひきつがれ、四月初旬より熊本県人吉市を中心に撮影にはいった。

松崎プロデューサーは「虹の谷」は日本版「仔鹿物語」ともいうべきユニイクな作品で予算が許すならば天然色で撮りたかった。地方色をもりこむため「五ツ木

## メーデーの記録映画製作

にはちがいな

〜〜

川京子

娘役—

若い人たちが
なくない所か
のこのきみの
生活する多く
たちの共感を
ないこと々思
の北星映画出

＝ 寫眞は香川京子 ＝

作品への出
ある。

画面紹介

映珍

▼鐵格子の彼方
自由プロ作品
監督—カネ・クレール
主演—有田二郎

▼恐怖報酬
—日米合作—
演出—水爆實驗委員會
主演—ビキニ島
エキストラ—福龍丸

▼にごりえ（サンズイプロ）今正してる監督
造船主他オールスターキャスト

▼歴史は夜作られる
主演—秀駒
—石原同人作

# 太夫の映画評

映画批評 コンクール

を少しでも結
主的発展に寄
このほど機關
は大映株式
溝口健二監督
を對象に、
働く者の映画
〃を行う。
定
九日
原稿用紙五枚
以内

② 應募資格は勞働組合員である事、原稿末尾に組合名、住所、氏名、年令を明記すること。

③ 内容は〃批評〃〃感想〃いずれでもかまいません。

④ 應募原稿は一切返却しません。

⑤ 原稿送り先は 東京都中央区銀星西八ノ八華橋會館ビル共同映画社内機關紙映画クラブ宛

▲賞金

① 入選作（五人）各三、〇〇〇円。

② 佳作（十五人）各一、〇〇〇円。なお、勤労者の鋭い感覚から生れた批評感想を求めている。

者であり相
自分の確固
つて唯物論
え方でいつも
かざり氣の
しい。
讀書、映畫等
まりやらない
解説を始め前
など一切引受
好きな映畫は
じられた遊
驛をみて「
な事をしたら
よう」とジエ
ンズの演じ
る。最近結
將來を祝福し

国部国治

## 地方のサークル

### 都城映サ

昨年の會員ベストテン

邦画、あにいもうと 2縮図 3妻 4生きる 4雨月物語 5雁 6日本の悲劇 6まごころ 6花の中の娘たち 6村八分

洋画 1ライムライト 2陽の當る場所 3にがい米 3赤い風車 3パリの空の下セーヌは流れる 4キリマンジャロの雪 4ナイアガラ 5第三の男 6噴火山の女 6摩天樓

以上のような結果になっています。當時邦画では「東京物語」「にごりえ」等が未封切であったし洋画では「禁じられた遊び」「落ちた偶像」（現在でも未封切）「終着驛」等です。

**映サえ苦言**

會員の一人として私達のサークルをもっと、もっと研究し充實した都城映畫サークルに一人一人が育てて行く義務があるのではないかと痛感致して居ります。いまの所ではまだ映画割引の爲にのみ利用していらっしやる人々が多いように感じて居りますが今後は、私達か希望なり要求なりを反映した自主的なサークルであって欲しいと思ひます。私達は各々の生活の中に切實な問題をもって居ります。サークルについて私達に問題を活する事が出來、サークルの中から私達を強めるものを勝ちとる事が出來た私達は幸福になる爲の資料の一つをサークルから與へられていると云う事になります。

毎月一日は定例委員會を開いてその月の推薦映画を決めたり各議題の詮議がなされます。

機關紙については各自の立場から自由に意見を発表して各グループの発展をはかり機關紙を通じて各グループが連携すれば結局映畫サークルが伸びて行く事になると思ひます。

會員一人〳〵が積極的な協力を惜しまないという自覺があれば映画サークルは都城文化機關の一つとして、みんなから認られ大きな役割を果し得る充實したものになると思ひます。（機關紙より）

事務局は都城市姫城町圖書館内 會長は圖書館長宮里泰夫氏

**ロケーションこぼれ話**

東京都下で戰災に逢わない町をさがすのに一苦勞、そのなかでやっとみつけた森川町にロケをするため進行係が先發して交番へ挨拶をしに行ったところ巡査が「ロケ隊は先程やってきて、もう初めていますよ」という返事。變だなと思ってロケ現場へ行ってみると、なるほどロケが始まっている。狐につままれたような氣でよって見ると、これが折柄製作中の他社の「美しい人」のロケ隊であったかち合ったなと氣がついた所へ、またまたロケ隊がのりこんできたが、これが「放浪記」組。これに自分たちの「足摺岬」組が加わって三つのロケ隊がぶつかったのだから驚いたのは地元の人々である。昔の東京を撮るとこういう事になる。

## キャンプラーの情熱を描く

## —アメリカ映画『雷鳴の灣』—

## アンソニー・マン作品

高井 肇

あらゆる困難をのりこえて、ついに海底石油層の発掘に成功する男の不屈の闘志を描く。長年、石油発掘のために努力を続けてきた男の仕事への情熱を表現すると同時に最後の金をはたいても自分の目環に向って突進する人間の信念の強さ事業愛、そういうものをも画面に滲ませている。それを人生の價値として描き出した所が映画「雷鳴の灣」のつかみ所だ。すべてを十二分に計算した上で事業に着手する。それは當り前だが、計算しつくしてもなおやって見なければという不安がある。そのふんぎりのつく、つかぬをこの主人公（ジエームス・スチュアート好演技）はふんぎつて見せた。彼を驅り立てているものは燃えるような事業への自身と愛着だ。そして、賭事師的な性格だ。

○……海底の石油が噴き出すまでにいろいろな難事が襲いかかるが、（漁師達の反感、工事資金のと絶など）みなうまい具合に片がつく、という脚本設定は後から考えてみるとどうも御都合主義の感がする。その證據に、後半に入ると大体筋書きが知れてくる。それは、この種の、アクションに頼りかゝらねばならぬ映画の陥りやすい欠点でもある。石油発掘工事を記録映画風に描いたり、主人公の性格、内面をつくのはこの映画の主流ではない。

○……終りまで面白く見ていられるのは主人公の仕事への情熱（多分に野心家的な）と登場人物の中に見られる人間味がアンソニー・マン演出で生かされているからで、町の姉妹二人をからみ合せてハッピーエンドで結んだ所はアメリカ映画通有の戀愛事件の欠点を見せている。（男女の結ばれるいきさつが納得のゆくように描かれていない）が、色彩撮影はウイリアム・ダニエルス担當で美しいと思う。

## カンヌ映画祭（解説）

ヨーロッパで開催されている映画祭にはスイスのロカルノ、ベルギーのブラッセル、イギリスのエジンバラ、イタリーのヴエニス、フランスのカンヌ、ヴイツシイなどがあるが、この中でも一番權威とされているのはヴエニスとカンヌの映画祭である。

カンヌの映画祭は戰後創設されたもので、一九四六年に第一回めが開催され、一九四七年、一九四八年、一九五〇年の三回休んで今年で七回めである。審査員はアカデミー・フランセエズ會員、映画人、映画批評家などが當り、今年の審査員長はフランスの誇る世界的藝術家ジャン・コクトオであった。なお一九四六年からのグラン・プリ作品は

一九四六年「**鐵路の戰い**」（仏）
一九四九年「**第三の男**」（英）
一九五一年「**ミラノの奇蹟**」（伊）「**令孃ジユリー**」（瑞）
一九五二年「**ニスウの希望**」（伊）「**オセロ**」（モロッコ）
一九五三年「**恐怖の代價**」（仏）
一九五四年「**地獄門**」（日）

## 事務局だより

★……四月二十四日の〃勲章〃の半額鑑賞會は一時間の入場者、しめて二十四名。時間ぎわのすべり込み組が大部分。二十五人目のお孃さんは四分違いでシヤツトアウト。これくらいは何とかなりませんか—ネ。（これは大成座えのお願い）

★……今評判のいゝのが孔雀座と大成座のナイトシヨウ。勿論魅力は料金が安いこと。サークルの半額鑑賞會も理解ある（平等互惠？）館の協力を得てすゝめたい〃乞御協力を

★……井上公演は當日になって中止、延期せざるを得ない破目に至りましたこの間實害一万五千円。提供者に強行談判中。職場で前賣をお願いした委員の方にお礼申します

一九五四年

# 映畫サークル發展のために

＝草案

五月二〇日から入場税の國税移管に伴い宮崎興業組合では映畫サークルをはじめ愛読者優待、その他の名目による一切の割引を停止すると聲明した。

常任委員會では十九日夜の委員會で困難な現狀について協議し、新しい對策をたてたが、根本的なサークル活動の方針を三周年を期し、こゝにうちだすことの必要を感じた、以下の〃映画サークル発展のために(草案)〃は充分常任委員會の討議の上に決定したものではないが、全會員に提議し、討論を経て決めたいと思う。卒直な御批判をお願いします。

五月二〇日

宮崎映画サークル常任委員會
(起草者　事務局長　田原　稔)

宮崎映画サークルができて今年で三周年を迎えますよい映畫を安くでみようとして発足した映畫観客の組織が、今日では宮崎の民主的な文化運動の中心的な存在になつてきました。

しかし、私達が活動している中に、いろ〜の良い面がでて來た一方、足らないところや間違いもたくさんありました。

今までの活動をふり返つて、これから映画サークルを一層良くして行くために今年度の方針を次のように決めます。

みんなで検討し合つてさらによいものにして下さい。

## 1　安く見るための運動

(イ)「良い映画を安く」という基本的なサークル活動は、割引引換券から會員証による割引ができ、どの映畫館でも、いつでも割引かれるように有利になつてきました。

それが今年の一月になつて、正月興業の料金が据置きのまゝ、ロマン、センターの洋画系統の二館が十円しか引かなくなつて來たり映畫館の都合や、窓口に連絡が徹底していなかつたりして、會員証を出しても引いてくれず、きまりの惡い思いをすることがあつて、かえつて「前の割引引換券の方がよかつた」という聲も出ました。

一方安くみるということだけが中心になつて良い映畫を育て発展をさせて行くための合評批評活動がやゝもすればぬけてしまいました。

(ロ)「アベックのときはロマン、一人のときは孔雀座」という人が多くなりました。衣食足りて文化の恩惠もうけられるというわけです。少々の割引では見たい映畫も思うように見れない程私達の生活はつまつてきました。だから割引だけに頼つていてはサークルの會員の意向を充分代表できず、サークル活動も行きづまつてしまいます。そこで、どうしても映画館に頼るだけでなく、サークル獨自の低料金の鑑賞會を實現し、よい映畫を安くみる運動をすゝめる以外にはありません。徹底した會員の要望の上にたつ鑑賞會は必ず財政的にも保障されると思います。

(ハ)　五月二〇日から今まで縣税だつた入場税が國税に移管されました。九州映畫サークル連絡會議でも本來のサークル活動ができず割引にも大きな影響があるものとして、入場税テツパイを目ざす中央の業者と一緒に反對運動をしてきました。

これはMSAの受入により税收の中央集權化が強まり地方自治体が弱体化され号令一下、右むけ右をするようにだん〜しむけられるためです。しかも、税率の点では一應下つていますが、政府は税收入の面では逆に九%増收を見込んでおりますので、徴税の强化とフイルム代の値上等と相まつて倒産する館も出て來ることが豫想されます。

映画館は税金問題の切りぬけ策として、さきの割引引下げにみられたように、力の弱いところにその活路を見出し、しわ寄せを行いますので、観客の立場も決してよくはなりません。

映画サークルでは税率が下つても税收入が多く見込まれている今度の国税移管にともなつて、映画館が禁止ということでなく、館が本當に困つている入場税金のテツパイに正しく目を向けさせ、みせるもの、みるものゝ對立でなくそれらの上に大きくのしかゝつている根本的な經營不振、貧乏の原因を、共同で打開するように努力しましよう。

## 2　よい映画、見たい映画を自由に見るための運動

(イ)　近く公開される豫定の「若き親衛隊」を最後にソヴエト映画は當分輸入の見込がありません。このようなことはアメリカの占領當時にもなかつた。まつたく一方的な輸入割當です。ソヴエト映画だけでなく、中国や朝鮮等の映画は勿論イギリス、佛、伊等の映画もまつたく米画一辺倒のために著しく制限されています。これには實に多くの法律でうまく米國以外の国、特にソヴエトや中國の映画だけが輸入出來ないようにしくまれた外画割當のカラクリの結果です。

こゝろみに、二十八年度の外画割當を上げれば、米一五六本、英一七本、佛一三本、伊一〇本、ソ二本でこの比率は二十七年、二十六年も殆んど變つていません。

これは次のこの割當をきめる輸入委員會の顔ぶれをみればさらにはつきりします。

即ち、外国映画輸入委員會の構成メンバーは大藏省爲替局長、通産省通商局長外務省情報文化局長、經團連、大澤商會會長、東京新聞論説委員、大映社長、NCCの代表です。

(ロ)　日本映画でも「赤線基地」(監督谷口千吉)が上映延期になり、フイート切除によつて公開され、B戰犯をあつかつた〃壁あつき部屋〃(安部公房脚本、小林正樹監督)が完成したにかゝわらず、松竹重役會では「時期をまつて三月には封切るつもり」と答えて今もつて公開していません〃狂宴〃(脚本八木保太郎監督關川秀雄)の奈良ロケは地元のボスに妨害され、逆にカメラマンが手錠をかけられるという騒動まで起きました。

(ハ)　良心的な映画に對する公然たる政治的な壓迫や資金、資材の面からの困難——生フイルムが軍事用に廻されることからの資材統制と中小企業に對する資金融資のストツプ等で——今後ます〜増えて行くでしよう。

「足摺岬」(近代映協、原作田宮虎彦、脚本新藤兼人、監督吉村公三郎)はクランクアツプ(撮影完了)したが、生フイルムが買えない狀態だと伝えられ、「どぶ」(新藤兼人脚本、製作近代映協)もなか〜製作がはかどつていません。

「ともしび」(家城己代治脚本監督、キヌタプロ)や「太陽のない街」(徳永直原作、脚本立野三野、山本薩夫監督　新星映画)も旧式なカメラのため騒音を消すためにカメラに布團をまきつけて撮影を續行するというような困難な狀件の中で製作を續けでいます。

(ニ)　われ〜はよい映画や見たい映画は自由に見られる當然の權利をもつています。

その自由さえ今日ではだん〜おしつ
していきます。
よい映画、
自由に見る運

## 3　…的に…機…

(1)　機關紙
はいま財政的
だせません。
にも出れない
人々を一本の
ぐのはこのシ
す。いま金が
しいという
達のなやみで
サークル活
でも安く見れ
だけではもち
す。會員の聲
してどんな所
か、惡かつた
るべきかなど
映畫の批評や
つてお互に話
要です。

## 4　…の…

(1)　昨年度
縣下の各サー
映画サークル
を結成して〃
行く〃〃村八
設〃〃ボルガ
紅旗〃〃シン
雪ふみ〃〃郷
〃〃雪流るゝ
ツセン上映し
人の人々をこ
動員しました
(2)　これは
意義ある仕事
は年に二、三
廻つて來ない
が、この巡廻
喜ばれ、ぜひ
回やつてくれ
サークルでや
のばかりで聞
いつも三、四
來ています。
映からサーク
としています
田野等の獨立
画が全然入ら
自分達でやれ
歡迎されてい
(3)　巡廻映
IE(ナトコ
から視覺教育
ていました。
ルムは母もの
かりでしたが

…んな肢体でエロケを…く。ともあれ「ロー…日」「私は告白する…づく洋画陣の攻勢は…夏場に贈るファンへ…なきプレゼントで

…足摺岬』

…久虎

…鐘は鳴る」

…は長距離打者のスラン…ながいが、果して「か…由の鐘はなる」が「か…熊谷久虎の再起は成る…るか、朝あけ、日本…響き渡る自由の鐘を…福澤諭吉以上に熊谷…の目覚めのワルサが…る。

…他目ぼしいカードで…村登のいま賣出し中…容凝と與黨政治のア…を描く「**陽は沈まず**…松竹大船作品）と家城…の小さな農村の中學…景にした、女教師と…ちの愛情をうたう「…び」（キヌタプロ作…期待出來そう。…**足摺岬**」の津島惠子）

## 社員がサークル入會

…州電力宮崎營業所では…び社員の熱心な要望…て會社の文化部費の中からサークル會費を負擔することになり全社員一五〇名がサークル會員となつた。

從來から九電では社員の資質向上の一助として優秀映画に對しては厚生費の中から少からぬ資金を割いて度々鑑賞會を催して來たが所長を始め各課長の文化活動に對する理解の深さに負う所が大きく、全社員が入會するということはこれまでに例がなく今后の活動が期待されている。

## カチンコ

▼先ず始めに創立以來幾多の至難に耐え、宮映サが滿三週年目を迎えたことを組織と團結の力で映サ活動を育くんで來た會員諸子と共に心からお祝いしたい。

▼さて誇るべき祖國をもつた若き親衛隊の尻上り的に高潮する、すざまじい迫力はまつたくの所、おゝ感激！デシタ。

▼それに引きかえ東映サンの「水戸黄門漫遊記」はまことにもつて「恐れ入つたシロモノでした。

劇中劇の「忠臣藏」は、あれはあなた、ムチャクチヤでござりますがな。

討入したのは元祿十五年なのに水戸の黄門樣が死んだのは、あなた、元祿の十三年でつせ！ほんまに……

▼國會暴動のニュースをみた。今更ながら吉田政治の悪どさを覺える。多數決で悪法を通す政府に對する社黨兩派の捨身の戰法。國會に乱入した警官も、血のメーデーの時の元氣はなく借りて來た猫の樣。兄弟は皆勇敢だつたのに權力にこびる狐根性に腹が立つ。

▼國稅移管で一應白紙にかえつたサークル割引も組織の力を代表した委員サンの努力と舘側の積極的な好意で、すでにロマン、大成、若草が割引可能となり、残りの舘の割引見通しも、きわめて明るい（**石**）

### やぶにらみ

▼**應酬**

貧乏人は麥を食え！
——大臣

大臣樣は泡を食え!!
——國民

◇

▼**外遊無期延期**

同情します。
——皇太子

◇

▼**チャンス**

「エッヘッヘッ婦人議員のブラウスをネひきさいてやつた。」
——助平議員
——**図書館トンコ**

## 短評 ロータリー

**快盗三人吉三**（**松竹**）
題材の面白さも、がつしりした演出…多島琴三）も、北上、若杉、扇雀の…技が拙い為に、あじ氣ない作品にな…いる、浪花千榮子と川端の情緒が…象的であり、最後の大芝居のたゝみ…みのうまさをとる。（**花**）

**東京シンデレラ姫**（**新東宝**）
冒頭からのペーソスと、古…線波が久方ぶりにみせる彼…特の味、表面はなやかなよ…と哀愁の漂うジャズ。そし…伴淳の巧みさと雪村はじめ…子とバンドの魅力……などよくミックスされていて嫌みなく樂…くみられる。雪村はヘップバーン的…ところもあるが、その昔〃オーケス…ラの少女〃のデイアナ・ダアビンを…起させる。彼女の歌の中では〃オー…インパパ〃がよく、ラスト近く、舞…の池に映る踊り子達の姿が涙のため…一瞬消え去るカツトは、美しく胸に迫る（**笠**）

**素っ飛び男**（**東寶**）
巷説に伝えられる〃天保六花撰〃とは話のちがうところもあるが、マキノ雅弘の演出はツボを心得たもので、思はず知らず觀る者を、天保の江戸は兩國あたりに誘つて呉れる。演技では田崎潤をとる。軽にして妙。ふしぎに愉快である。〃はだか大名〃の傳次にしても然り。なかなかに得難い脇役。〃三等重役〃氏の表現を借りると〃なか〱ヨキである。（**浪**）

**私の凡てを**（**東宝**）
諷刺ものでは非凡な手腕をみせる市川崑監督も此の種の映画はサッパリ。北國の田舎娘（伊東絹子拙演）がいろ〱苦労してミス・ユニヴワースに選ばれるというこのドラマには、何の感動もなく、三浦光雄のカメラばかりがいたずらにひかつていた（**石**）

映 シネフレンド
宮崎映画サークル発行
事務局　宮崎市高松通り1の45　TEL 3.695
第49号　1部 5円

◈ 名画スチール展 ◈

7月上旬・於橘百貨店
主催　映画サークル

割引問題

# 各縣まちまちの割引

平和のための文化會議、映画分科會は五月二十二日、二三日の二日間にわたり福岡労働會館に各縣のサークル代表が集り次のような國税に移管してからの割引状況が報告された。

☆大牟田……割引を認めないと云つて來たので地評炭労と一緒に申入れ二割程度認めさせた。團体割引（半額）は従前通り認めている。料金は九五円を割引引換券で八〇円、五〇円を四〇円に引いている。

☆久留米……別に變つた動きはないが八月迄は現在の割引の線で行くといつて従前通りやつている。會員証提示。

☆羽犬塚……動員が少いといつて館がことわつて來た。

☆福岡……税務署に交渉したところ原則として認めない事になつているが二割程度迄はいゝと云うことが取扱規定に書いてある。従前會員証で通用していたが興業組合の申し合せにより停止された。ところが國税移管當時にかけた〃せむしの仔馬〃〃雪ふみ〃は開館以來の不入りで、やはり割引した方がよいと云う館が出て現實には申し合せは破れ割引は復活している。

☆鹿児島……文化團体の割引は二割まで認める。国税局は説明會の時、一般割引はいくらにしてもよいと云つたが税務署では二割以内と云つている。一五〇円を一二〇円に、端數は切上げて割引している。

## 七月の状況をみて 八月から正式決定

割引の實情は以上のように各縣まちまちであるが東京映サからの通信によると(イ)サークル關係の二割程度の割引というのは條文の中に書かれているのではなく説明會の時の説明で税法にはない。(ロ)国税の方針は七月一杯各地の状況を見て八月から何割にするかの線を出す——七月までは今までの縣税の取扱を各縣でとらせている。

## 割引は館との交渉に任せよ

割引は三割でも四割でも七月までに實蹟をつくるべきだし又やれるということになる。

文化會議、九州映画サークル連絡會議では税務署興業組合、國税局に「館との自由な話合にまかせよ」と抗議を出すことになつた。

## 宮崎でもバラ〳〵

市内、ロマン、日劇、大淀は會員証で、大成、若草はどの映書でも通用する引換券で、江平はスイセン映画のみの引換券で通用する。

# 展望

ロング、レースの旅路を急ぐ六月のエクランはむかえてこれより第三節に突入する。本格的な夏季將軍のお訪れと、さらには市場ヴームの浮沈み激しい夏場レースとはたまた一年の半分の決算期といわれる、いよいよ天王山のヤマ場にさしかゝつた中盤戰の洋、邦画いり乱れてのまんじ、どもえの延べ數二十數本の消化の旅路につく上半期最後の節を展望してみよう。【黒岩敏郎】

## 長打の洗禮うつ「ローマの休日」 中年の異色作『私は告白する』

◎まず今節の最大のハイライトは待望のウイリアム・ワイラー苦肉の作品「ローマの休日」の登場だが、「嵐が丘」「西部の男」「吾等の生涯の最良の年」というところ必らずといつていいほど當るこの巨匠の手腕は、いぜんとしておとろえず、旅路の都、ローマでふと出會つた王女と新聞記者のかりそめのはかない戀をえがいて名伯樂ワイラーは人生の淡い感傷をよどみのないペーソスとユーモアで点綴する。いまが賣出中のヘップバーンとグレゴーリイ・ペックの去演でもあり〃目下ヘップ型流行中〃の異名もこれで大方のメドガつくというもの。

◎アルフレード、ヒチコック作品「私は告白する」は、中盤のカードにお目見えする。モンゴメリーイ、クリフトのある牧師を中心にしたそれを圍るひとびとの愛憎關係をヒチコック一流の胸もとをえぐるような鋭利細密なタッチでえがく。これまでとかく小手さきのプレイに終つていた同監督だが前作「見知らぬ乗客」あたりに見せた好調なペースを維持していれば異色のスリラー作として期待は大きい。

◎そのほかでは、「デ[illegible]メロン夜話」がエン風さ[illegible]う適度の作品で、ジョン・フオンテンがこれまでの彼女の作品では見られなかった

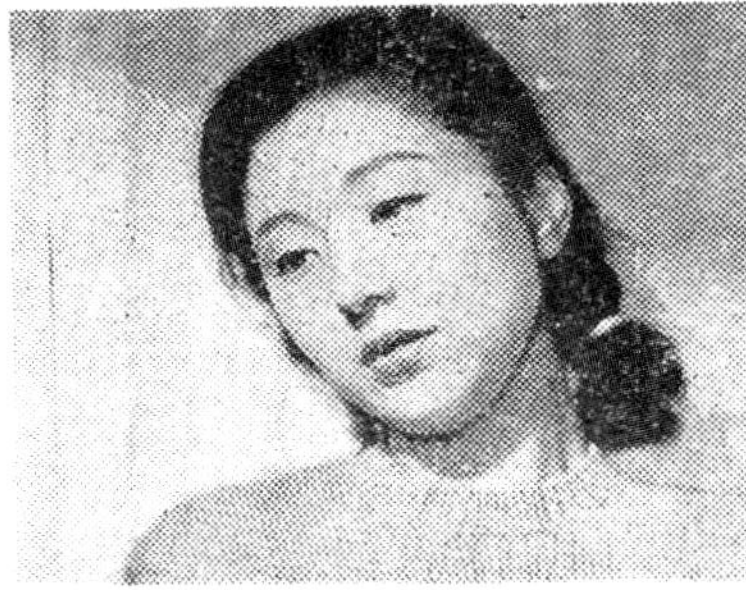

## 注目の佳作『大阪の宿』 眞價問う熊谷々「かくて自由の

◎これにたいして日本映画今節のカードは五所平之助久々のメガホン「大阪の宿」（新東室作品）と、吉村公三郎の「夜明け前」「千羽鶴」につぐ新作「足摺岬」（近代映画協會作品）が注目される。「大阪の宿」は、三上瀧太郎原作、「足摺岬」は田宮虎彦原作、ともに大正、昭和の作家の文藝作品の映画化、前者は商業都市大阪を中心にそこに生きる庶民の生活をとらえ後者は不幸な暗い時代の一時期にながされていく男女の戀をえがいて、共通して人間のつつましやかな善意の美しさと悲しさを主題にしている佳作にはちがいない。

◎熊谷久虎は「かくて自由の鐘は鳴る」を贈る。この

## サークル三周年
六月中を記念月間に

**映画愛好者の夕**……十二日午后七時より公會堂
サークルの歌発表とコーラス（土曜、日向日々合唱團出演、エルベ河その他）
演劇〃けやきの木の下で〃（農村を背景にした喜劇）映画「北斉」「米」「基地の子たち」
全會員一人十円のカンパ。一般の人は入口で入會受付けます。二〇円

**文化コンダン會**……十二日午后一時より労働會館
映サ、縣労評、土曜合唱團等の提唱で「あらゆる意見を自由に交換し可能な解決方法を検討できるような會合」を全縣下の文化人、サークル、勞働組合、平和を愛する人々によびかけてもつ。

**ともしび映寫会**……十三日（日）午前九時より若草でモーニングショウ。一般四〇円、會員三〇円。

**大山郁夫氏講演會**……二〇日午后七時より公會堂で會費一〇円、當日二〇円。

**カチユーシヤ公演**……二十二日公會堂で、ロシヤ民謡、朝鮮、中國の唄と踊り、中國の古典歌舞劇

中國映画「鋼鉄戰士」「大同團結」……二十七日尚〃ともしび〃を十二日「映画愛好者の夕」の前、午後五時からと十時半からとの二回公會堂で特別上映します。九日からのナイトシヨーは、都合でできませんので、一般公開はこの十二と十三日のモーニングショーを利用して下さい。

ふされようと見たい映画を動をおしすゝ

## 機關紙を月二回定期に發行

シネフレンドに月一回しか委員會や催し多くの會員のベルトにつなネフレンドでない、いそがか共通した私す。動がただなんはよいというろん不充分でを卒直に反映か良かつたののか、どうあ感じたまゝの感想を出し合し合う場が必

## 非劇場地帯、特に農村の移動映画

サークルではクルと「宮崎連絡協議會」女一人大地を分〃准河の建トン〃〃翠崗デレラ姫〃〃土を守る人々來てに〃をアて約一萬五千れらの映畫に非常に大きなでした。紙屋画しか映画が山の中でした映画が非常に定期的に月一と要望され、るのはいゝも違がいないと日の人が見に線でも巡廻上ルが出來よう本城や富田プロ系統の映ない町村でもる十六ミリがます。画を縣ではC映畫）の時代として重[illegible]さしかし、「[illegible]やお涙頂[illegible]は昨年七月[illegible]

め、製作、輸入に積極的な協力をつづけて行かねばなりません。

(2) そのため、月一回の発行では極めて不満足です最低月二回は、定期的に出して行くことが、いま一番大切な任事になつているようです。シネフレンドが一部通の人だけが読んだり、書いたりするだけのものでなく、みんなが話し合えるように紙面の編集にも充分氣をつけて、さらに讀みよい親しみのあるものにする努力を續けねばなりません

そのため、職場から、會員の映畫や意見、感想、動きなど、どん〱出してもらうことがシネフレンドが私達のものになる先決條件でしよう。

都城西諸から母もの映画に對する批判が上り、縣映でもこれをとり上げて、縣の購入フィルム二〇本のうち十一本推せんして、その全部がうけ入れられ、本日休診、お茶漬の味、まごころ馬喰一代、稲妻、原爆の子村八分、現代人、おかあさん、眞空地帶、哀愁等のスイセン映画が巡廻上映されるようになつてきました。

(4) 勿論、この縣の巡廻映画を充分活用して、農村の年に何回しか、映畫をみることもない人達に少しでもよい映畫をみせる機會を作つてやらなければなりません。が、どうしても、お役所の仕事ばかりに頼つていることはできません。私達がその役目を適時、適所に完全にはたすためには、サークルで映寫機とフイルムを持つて巡廻上映班をつくり活動する必要が上映地側からの希望と一緒に痛感されてきました。移動映画の民主的なセンターの確立をぜひ實現して、文化から映画から遠ざけられた農村の人々にまじめな映画をみせて、今までの惡い映畫の影響からぬけ出させる活動をやらなければなりません

## 5 文化團体、勞組との提携

(1) 映画は綜合藝術だと云われています。當然いろんな文化團体、例えばコーラス、演劇、文學、美術等と密な協力、提携なしには充分な活動をはたすことができません。

前進座の公演を通じて演劇關係の人達と協力し、中央合唱團の公演では土曜合唱團をはじめ、職場の合唱團の人達との連累が強まりました。

(2) 特に組織され、訓練された勞動組合が、文化、とくに最も大衆的な組合員と結びついている映画の問題を、眞剣にとり上げて、サークルを組織的に援助し指導してもらうことは、飛ヤク的なサークル拡大のために、又文化を本當に働く階級のものにするためにぜひ必要なことです。

(3) 特に若い人達の活動と情熱はこの推進力のエネルギーとして高く評價し、正しい指導と協力、提携が必要です。他の文化團体との統一行動をさらに廣く、深くして文化戰線を統一して行く必要性と可能性があります。

## 6 批評、創作活動を通じてよい映画をつくり出す

(1) 五三年メーデーと今年のメーデーの記録映画を宮崎地区メーデー委で作りましたが、この様な自分で映画を作る運動がこれからのサークル活動として重要になつています。

(2) それは單に映画は一部の人が企画し、シナリオを書き、それに基いてでき上つていた從來の製作方法ではなく、われ〱の仲間が自分達の周圍に起きている日常の問題を題材として書いた物語の上に、專問的な映画人の指導と協力授助で作る製作の方法がとられねばなりません。これが映画の大衆性の上に立つた製作方法だと思うからです。

(3) そのために、出來た映画に對する批評は、その人の次の作品に必要な資料として高めて行くうえで大切なことになります。

これは映画が出来上つてからの批評だけでなく、出來る以前にストリー（筋）えの注文、意見をどし〱出し合つて、さらに立派な映画にして行く事がもつと大切です。松竹映画「女の園」でもはじめての試みとして製作に對する批判を事前に觀客の意向を調査した行き方は、これからの方向として大切だと思います。

## 7 よい日本映画を守り育てること

(1) 今日まで日本映画の良心を守り育てゝ來た功績は何といつても獨立プロの作品でした。「どっこい」に初まつた新しい創作方法と大衆に結びついた獨立プロの人達のケン身的努力の結果です。ジエラル、フイリツプの來朝を機に再び獨立プロの作品が世界的に認められ「女一人」がソヴエトに「箱根」「どっこい」「原爆の子」「村八分」「混血兒」「カニ工船」が中國及び東南アジア、仏に「原爆の子」「雲ながるゝ果てに」「カニ工船」「女一人」「どっこい」「箱根」「眞空」が、政府が反米映画だとさわいだ「ひろしま」がアメリカにそれぞれ輪出され、好評をはくし、仏では日本映画（獨立プロ）祭が三ケ月間長期興業されています。

(2) さらに今後の獨立プロの企画は、虹の谷（現在撮影中、吉村康、古賀聖人監督（新理研）春の別れ、村山知義原作、亀井文夫（津島）夕鶴（今井、山田）「世にも不思議な物語」（安部公房、家城）キガ同盟（〃）佐倉壯五郎（木村壯十二）「機械の中の青春」（今井）「こゝに泉あり」（今井、岸、香川、新星）「億萬長者」（市川崑、木村功、岡田、山田青俳）が上つています。

(3) この獨立プロの運動にシゲキされて大會社でも今年に入つて山椒大夫、「女の園」「七人の侍」等々、良心的な作品が數多く作られて來ました。

(4) われ〱がこゝで問題にするのは、獨立プロを含めた日本映画全体のことです。「君の名は」は戰後最高の二億円を突破する興收をあげました。

この中から私達サークルのよい映画とは、實に戰争に反對し、平和を求める映画だということがわかりました。今日一部の人達を除けば全日本人はすべて平和を求めています。この平和を求める國民の要望に應えるかどうかが良い映画か、惡い映画の基準です。

「宮崎映画サークル」の編集委員

左から、東和哉氏、本條敦己氏、一人おいて安達清則氏、高井肇氏。

（著者が東京に在住していたころ、安達さんから頂いた写真
撮影年月日・場所は不明だが、昭和30年ごろか）

# あとがき

宮崎市革新懇の機関紙「ハイマート」に『宮崎映画サークル』について」の連載を書こうと発意した時は、記述の基になっている機関紙五〇号全てを出版出来そうには思っていなかった。連載を書いているうちに、貴重な論説や映画批評、面白い有意なエピソードなどを紙幅の都合で割愛、抄録せざるを得ない場面が多く、全文引用できればいいのに、と思いながら、それが出来なく、私の言いたいことを伝えるのに、隔靴掻痒の思いを禁じ得なかった。連載を終えて改めて読み返してみると、どうしても割愛した生の資料が必要なことを痛感した。一方、今回の著書は「宮崎映画サークル」の全貌を顕現するために出版するので、必然的に機関紙全部を合綴することが不可欠である。しかし膨大な紙数になり、紙型もB５にB４が一部混在するので揃えるのに面倒であり、また、不鮮明なガリ版刷りの原本も含まれているので、どうしたものかと出版社に相談した。そこはさすがに専門家で、何とかなるだろうということで作業を進めた。

膨大な紙数の機関紙五〇号を閲読するのに、通読は無理だと思われるので、機関紙の主要記事項目一覧を作成して、興味のある記事を拾い読み出来るように配慮した。これを連載の記述にも応用したことは、連載(36)「おわりに」で触れている。

この出版に際して私は、二つの望みを託している。

第一の望みは、連載で何度も書いているように、「かつて文化果てる地と言われた宮崎市（当時人口十二、三万）に、戦後五、六年経った一九五〇年代に、最大一五〇〇名以上の会員を組織して、約三年間にわたりサークル活動をした『宮崎映画サークル』という民主的文化団体が存在していたこと」を知ってもらうことである。連載で果たして正確にお伝え出来たか心もとないが、膨大な機関紙を散見していただければご理解していただけると思う。

次の望みは、前述の事実の記録を、次世代に残るように確実に保存してもらうことである。国会図書館を初め閲覧・保存機関にこの出版物を寄贈するので、この望みは達せられると確信している。極端に言えば、国会図書館で保存してもらうために上梓したと言ってもいい。

二つの私の望みと関連するような序文を私淑するお二方から書いて頂いた。

南邦和さんは、連載文を読んでいただき、貴重な〈戦後文化史〉と言えるのではないかと評価していただいた。昭和一桁の同世代なので戦後の動乱の世情、映画事情の理解にも共通するところが多く、また、宮崎での人脈も重なるところが多い。

話はそれるが、宮崎での戦後文化史と言えるもので、私の記憶にあって、あまり知られていないものがある。「宮崎県民講座」は、中村地平図書館長の発案で、現在の宮崎銀行がスポンサーになり、宮崎大学の先生方などを講師に招いて、県内各所で講座を開講したものである。また、これも中村館長の発案だと思うが、「泰西名画展」を図書館ギャラリーで開催したこと、印刷の傑出したゼーマン版の泰西名画を、当時健在だった新しき村の武者小路房子さんからお借りして展示したものである。多くの鑑賞者が来場されたのを覚えている。「宮崎映画サークル」の存在も含めて、こうした知られざる宮崎の戦後文化史が纏められないものだろうか。そうした観点からの南さんの評価に感謝し、厚くお礼申し上げます。

飯澤文夫さんは、明大図書館で二〇年間同じ釜の飯を食った後輩です。しかし図書館に関することで言えば大先輩です。大先輩から私の資料保存の執念を〈図書館員の魂〉と評価していただき、わが意を得たりで、厚くお礼申し上げます。

飯澤さんの序文にあるように、一九五〇年代に全国津々浦々にあったはずの映画サークルの記録を調べてもらったが殆ど見つけ出すことが出来ないということだった。私もネットで調べたが、市民による映画サークルの活動の記録は見つからず、それに代わって、労働組合による映画サークル活動の記録は一点見つかった。

それは、鈴木不二一氏の「一九五〇年代の労働映画と労働組合文化運動」（法政大学の大原社会問題研究所雑誌七〇七・七〇八号 二〇一七年刊）と題する二一ページに及ぶ論文である。その中に、「4．サークルの時代の揺らぎと映像メディアの転換」という項があり、「一九五〇年代の映画サークルは、映画割引鑑賞、自主上映会、映画批評、合評会、座談会など、映画に関する活動のほかに、サークル会員の親睦・交流を図る様々な活動を展開していたことがわかる。（中略）『映画を安く見る』ことを活動の軸において（中略）映画サークルは割引団体化、プレイガイド化の道をたどる傾向を強めた。それは、全国の映画サークルに共通した現象であった。（中略）そんな矢先に、映画サークル運動を大きく揺るがす事件が起きた。一九五七年八月の環境衛生法成立を契機に、（中略）映画サークル協議会に対して団体割引の停止を通告してきたことである。（中略）福岡映画サークル協議会【註・連載(32)「県内外の映画サークルの主な動向」に関連記述あり】には、同時期に会員数が三万人から三千人へと十分の一にまで減ってしまった。（中略）映画からテレビへという映像メディアの転換への対応も模索されていったことは注目すべき動きであった。」

（中略）を挟んで、長々と引用したのは、市民の映画サークル、延いては、私が最後までは所属していなかった「宮崎映画サークル」の終末をも暗示しているように思えてならなかったからである。これに関しては連載(34)「一九五三年末から五四年半ばまで」の文頭で触れている。

最後に、「自分史略年表」を掲載していることについて触れておく。私はパソコンの中に「自分史年表（稿）」を設け、自分に関することを仔細にわたって入力している。今回の略年表は、その中から適当に抽出して作成したものである。

今回の上梓は、私の卒寿を記念して発刊するものである。間もなく人生を卒業するだろうが、ここらで九〇年を振り返ってどんな人生だったか、それを「自分史略年表」で年代を追って明記するのも悪くないと思って、自分流に掲載した。その末尾に、『「宮崎映画サークル」の全貌』を上梓、と書き込むだろう。

二〇二〇年五月二十六日　記

著者

# 自分史略年表

昭和5（1930）年6月3日　宮崎市鶴田町69番地（原住所表記）で生まれる
※現住居表記：宮崎市大淀2丁目3番15号—1
10年4月　星華幼稚園に入園（2年保育）
12年4月　宮崎第三小学校（現大淀小学校）に入学
15年頃　八紘一宇の塔建設に伴う基盤整備作業でもっこ運び（土運び）
16年　宮崎市内運動大会、ポートボール競技でチーム優勝
16年頃　新田原航空隊開隊1周年記念県内小学生模型飛行機大会、グライダーの部で個人優勝
17年頃　海洋少年団に入団。卒業前に第三国民学校男子健康優良児に選ばれる
18年4月　県立宮崎中学校（現大宮高等学校）に入学
20年4月　熊本陸軍幼年学校に入校
8月15日　熊本県三角太田尾海岸で遊泳演習中に敗戦の玉音放送を聴く
8月30日　熊本陸軍幼年学校廃校に伴い復員【15歳】
10月　県立宮崎中学校3年に復学
22年頃　バスケット部に所属
23年4月　第五高等学校（現熊本大学）理科乙種に入学。大学管理法案反対運動に参加（初めての学生運動となる）
3月　学制改革により第五高等学校1年修了、退学
6月　新制東京大学を受験するも落第
8月頃　東京日本橋にある消防器具販売会社に勤務
12月頃　栄養失調のため宮崎に帰郷
25年頃　宮崎の視聴覚教材社に勤務（約1年）
26年3月　再度東京大学を受験するも落第
6月1日　宮崎県立図書館（館長・中村地平）に公務員として就職【21歳】
8月頃　**宮崎映画サークル活動に熱中**（～28年3月頃）
28年2月　宮崎県立図書館を退職
4月　東京都立大学人文学部に入学
**クラブ活動は映画研究部**
29年2月　明治大学図書館でアルバイト（～30年3月）
9月5日　伊東淑子と結婚【24歳】
30年3月　東京都立大学を2年修了で退学
4月1日　明治大学図書館に正職員として就職【24歳】
4月　明治大学二部文学部文芸科3年に転入学
32年3月　明治大学を卒業。明治大学図書館に継続して勤務

35年11月　中野区の長屋から所沢市に新築移転【30歳】
37年7月　明大教職員組合書記次長を務める（～38年6月）
45年8月6日　明大経営改革委員会発足、職員代表の一員になる
45年頃　明大図書館勉強会を創り、図書館改革に励むも徒労に終わる
53年4月8日　宮崎映画サークル生みの親安達清則さん、所沢の拙宅に来訪
55年8月15日　富士登山（途中膝損傷）
昭和64（1989）年1月7日　昭和天皇死去、元号平成となる。

※以下、西暦年号で表示（1900～2000年代）

89年7月27日　2回目富士登山
90年8月9日　スペイン旅行（～25日、富士国際）
90年頃　明大生田キャンパスにソメイヨシノ（桜）を図書館生田分館増築記念植樹
91年3月31日　明治大学図書館を早期希望退職【60歳】
8月5日　カナダ（ロッキー）旅行（～13日）
92年2月1日　ニュージーランド（南島）旅行（～8日）
8月20日　旧江田島海軍兵学校跡見学
8月28日　オーストラリア（東海岸）旅行（～9月3日）
93年3月5日　中国（上海、蘇州、北京など）旅行（～9日）
9月10日　ドイツ、スイス（ロマンチック街道）旅行（～20日・富士国際）
10月20日　ハワイ（マウイ）旅行（～24日）
94年4月20日　ハワイ（次男俊哉の結婚式のため）旅行（～25日）
8月24日　雲取山登山（～26日）
12月3日　台湾一周旅行（～7日）
95年3月10日　イタリア旅行（～18日）
6月10日　ドイツ、ライン川を見下ろす「猫城」に宿泊するプライベイト旅行（～20日）
95年頃　都内「富士塚」巡り（20カ所以上）
95年8月15日　『噴烟』（熊本陸軍幼年学校49期第1訓育班記念文集）編集、発行（150部）
96年12月8日　「所沢で第九を」合唱公演に参加（第14回―第21回、2003年まで8回連続参加）
12月27日　ドイツ、チェコ、オーストリア「第九」を聴く音楽の旅（～97年1月7日）
97年4月13日　トルコ旅行（～21日）
97年8月22日　香港旅行（～25日）
98年3月17日　南フランス旅行（～27日）
98年5月19日　信州塩の道探訪（～22日）
98年10月14日　熊野古道、中辺路全コース探訪（～16日）
2000年7月6日　秩父事件フィールドワーク（吉田村）
01年6月17日　中国東北地方（旧満州）旅行（～24日）
02年7月2日　英国旅行（～16日）
03年11月1日　秩父事件映画「草の乱」ロケ、バスツアー
04年4月10日　第五福竜丸記念館見学
04年4月12日　映画「同窓会」ロケ参加（立川市営球場で五高・七高OB戦）

12月31日 「明大年金10％削減問題資料集」を編集、発行（30部）
05年4月6日 所沢市から宮崎市に新築移転（生誕地へ帰還）【74歳】
06年1月 宮崎県革新懇に入会（その後、市革新懇に移籍）
6月10日 宮崎市革新懇創設、世話人代表になる
6月17日 全国革新懇25周年第26回総会に出席（神田学士会館）
11月12日 大淀九条の会創設、世話人になる
07年3月17日 70年ぶりに星華幼稚園同窓会を企画、実施
08年2月11日 伊藤千尋氏講演会、その後高鍋への車中で、韓国旅行について、南邦和さん、瀬口黎生さんに相談、快諾を得る
7月30日 南邦和さんと行く韓国近現代史の旅（〜8月3日）。文集「南邦和さんと行く韓国近現代史」を発行
09年5月13日 南邦和さんと行く韓国古代史・百済の旅（〜17日）。文集「パンソリの夢」発行
12月12日 中国旅行（「八紘一宇の塔」展示会と万里の長城、大連、旅順二〇三高地、日中友好の旅）（〜17日）
10年5月15日 宮崎市革新懇代表世話人を辞任
9月 『八紘一宇の塔』の史実を考える会」に入会
10月27日 南邦和さんと行く韓国古代史・新羅の旅（〜31日）。文集「洛東江の風」発行
11年9月15日 ドキュメンタリー映画「弁護士・布施辰治」を企画・上映
9月25日 南邦和さんと行く〝倭乱〟の史跡と光州、済州島を巡る旅（〜29日）。文集「南道の光と翳」発行
12年6月8日 明治大学平和教育登戸研究所資料館を見学
7月20日 原発再稼働反対金曜パレード（第2回）に初めて参加（以後継続参加）
13年10月15日 日韓文化交流in大邱と東海岸（江原道）の旅（〜19日）
14年12月21日 「みやざき『第九』演奏会」に合唱団員として出演（宮崎市政90周年記念事業）
15年7月29日 宮崎市革新懇機関紙「ハイマート」に「『宮崎映画サークル』について」を連載（〜18年6月29日【88歳米寿】、3年36回にわたり記述）
11月7日 日韓友好のつどい「南邦和さんと行く韓国紀行の会」解散
11月14日 大淀九条の会世話人を辞任
18年8月22日 原発再稼働反対金曜パレード、300回記念
19年11月28日 宮崎市革新懇世話人、故大西省三さんを偲ぶ会出席
20年3月11日 『「宮崎映画サークル」の全貌』の出版打合せ（南邦和さん、鉱脈社・小崎美和さん同席）【89歳】
20年6月3日 『「宮崎映画サークル」の全貌』を卒寿記念として上梓【90歳】

戦後文化史
「宮崎映画サークル」の全貌
一九五〇年代のドキュメント

二〇二〇年五月二十六日初版印刷
二〇二〇年六月　三　日初版発行

編著者　矢野勝敏 ©

発行者　川口敦己

発行所　鉱　脈　社
〒八八〇―八五五一
宮崎市田代町二六三番地
電話　〇九八五―二五―一七五八
郵便振替　〇二〇七〇―七―二三六七

印刷
製本　有限会社　鉱　脈　社

印刷・製本には万全の注意をしておりますが、万一落丁・乱丁本がありましたら、お買い上げの書店もしくは出版社にてお取り替えいたします。（送料は小社負担）